法律学入門

佐藤　　匡著

東京教学社

はしがき

本書『法律学入門』は、主に、法学部以外の学部に所属している学生のみなさんが、法律学の全体像を俯瞰できるようにと考え執筆しました。

学生のみなさんにとって、法律学を学ぶに際して障害となるのは、条文を調べることだと思います。条文を調べながら法を学ぶということは、法を学ぶ上での王道であると思います。しかし、法学部以外の学生にとっては、六法を逐次調べるということは大変億劫であり、そのことが法を学ぶという行為そのものを阻害している部分もあるように思われます。

そのため、本書では、法を学ぶ学生のみなさんが、最小の努力で最大の知識が得られるように工夫しています。

i　六法を参照しなくてもよいように必要不可欠な条文は必ず掲載しています。

先述したように、条文を調べ、条文から学ぶことは、法を学ぶ上での王道です。法学部の学生であれば六法は必携であると思いますが、法学部以外に所属する学生にとっては、六法を用意する経済的及び物理的負担はかなり大きな問題であるといえますし、それを逐次調べるとなるとさらに大きな負担となります。そこで、本書においては、学ぶ上で必要な条文についてはすべて下段に掲載しました。

ii　学説への言及を最小限として、原則として、判例の採用している考え方のみを紹介しています。

学説同士の対立から、ある問題の解決方法を立体的に考察することは法学を学ぶ上での醍醐味であるともいえます。しかし、あくまでも教養の一部として、または、公務員採用試験のために必要な知識の習得を目指す学生のみなさんにとっては、難解かつ複雑な学説の対立は、法を学ぶことへの障害となり得ることとなります。そこで、本書においては、学説への言及は最小限とし、多くの論点について判例の採用している考え方を紹介するのみとしています。

iii　民法と行政法の分野において重要な判例を掲載しています。

紙面の関係から、すべての判例を掲載することができませんでしたが、重要な判例については、なるべく紹介できるように、民法と行政法の分野における重要判例を掲載しました。

本書では、法学基礎・民法・商法・民事訴訟法・刑法・刑事訴訟法・憲法・行政法の８つの分野についてその全体像が俯瞰できるように紹介しました。この８つの分野の中で、教養としても、公務員採用試験対策としても非常に重要になるのが、憲法・行政法・民法の３つの分野です。憲法については、本書と同じく東京教学社から発刊されている姉妹書に詳細に記載しているので、是非本書と併用していただきたく思います。そのため、本書で特に詳細に記載したのは、行政法と民法になります。紙面の関係上、すべてを記載することはできませんでしたが、他の商法・民事訴訟法・刑法・刑事訴訟法についてよりはかなり詳細に紹介できているかと思います

本書の性格上、これ一冊ですべて完結というわけにはいきませんが、法を学ぶ学生が一冊目に利用していただける教材を提供できたのではないかと思います。ある程度本書での学習が進み、余裕ができたら、是非本書だけにとどまらず、憲法については姉妹書を、その他の法については本書の巻末に紹介した主要参考文献を参考に、より詳細な専門書や判例集を利用して、法の学びを深めていっていただければと思います。本書は、そのような専門書や判例集に進む前の基礎工事のための入門書であると思っていただければ幸いです。法を学ぶということは、学生にとって様々な点で関係してくる知識の習得を意味します。就職するにしても、資格取得をするにしても、法的な知識は必要となります。しかし、法を１人で学ぶということは非常に困難を伴います。そこで、本書を利用してより深い学習の前の基礎工事を行っていただき、本書を利用した学生のみなさんが知識の塔を建てていただくことを祈念しています。

最後に、本書の出版にあたり、通算６冊目の著書である今回も、東京教学社の鳥飼好男会長に多大な御助力をいただきました。ここに厚く御礼申し上げます。また、本書は、鳥取大学地域学部における私の研究室に所属する学生（塾生・ゼミ生）たちとの対話の中で生まれました。その学生たちにも感謝したいと思います。

2021（令和３）年春

因幡国鳥取にて

佐藤　匡

目　次

― 第 I 部 法律学入門 ―

第一講 法学入門

― 第 Ⅱ 部　民事法学入門 ―

第二講　民法学入門

第三講　商法学入門

第四講　民事訴訟法学入門

— 第 Ⅲ 部 刑事法学入門 —

第五講 刑法学入門

第六講 刑事訴訟法学入門

― 第 Ⅳ 部 公法学入門 ―

第七講 憲法学入門

第八講 行政法学入門

第Ⅰ部

法律学入門

第一講 法学入門

はじめに

第Ｉ部では、法律学を学ぶ上で必要不可欠となる基本となる知識について学んでいきます。

本講では、これから学んでいく法とはそもそも何なのか。また、これから法を学んでいく上で参照していく条文の読み方ってどうなっているのだろうか。これから具体的な法を学んでいくにあたって、前提として知っておきたい知識について扱います。

一　法とは何か

1　法とは何か

法とは何か。まず大前提として、私たちは、社会共同生活というものを営んでいます。そこには多くの人たちが暮らしています。そこでは、それぞれの人が異なった価値観を有していたり、それぞれの利益というものも異なっていたりしています。そのため、異なった利益同士が衝突することもあり、それがやがて紛争という形に発展していくこともあります。

この紛争を放置すると社会の秩序が維持できなくなり、結果として、その社会の構成員である一人ひとりの権利や自由というものが守れなかったり、実現されなかったりすることとなります。ですから、紛争をそのままの状態にしておくわけにはいきません。

そこで、その紛争を解決するための手段をつくることによって、社会秩序を維持し、結果的に、私たち一人ひとりの権利や自由というものを守っていこうということとなります。つまり、社会秩序を正しく保持するための道具が必要となります。これが法です。

法とは、社会秩序を正しく保持するための規則のことをいいます。

2　規則とは何か

法とは、社会秩序を正しく保持するための規則のことをいうといいましたが、それでは、規則とは何を意味するのでしょうか。規則には大きく分けて次の２つの意味があるといわれています。

(1)自然法則

自然法則とは、「存在の規則」のことをいいます。「存在の規則」とは、まさに、「～である」の世界の規則であるともいえます。自然法則は、個人の意思にはよらない、価値観とは無関係であり、社会や時代の変化に左右されない普遍的なものとされています。

例えば、水素原子2つと酸素原子1つを組み合わせると水となるということは、個人の意思とは無関係ですし、個人の価値観とも無関係です。また、過去・現在・未来においてもそうでしょうし、世界中のどこにおいてもそうでしょう。つまり、どの時代においても、世界中のどこにおいても、個人の意思や価値観によらず、水というものは水素原子2つと酸素原子1つを組み合わせたものであるということとなります。

このことは、私たちがつくりだすのではなく、発見するという特徴もあります。つまり、水というものは水素原子2つと酸素原子1つを組み合わせたものであるということは、誰かがつくりだしたものではなく、既に用意されているもの、存在しているものを実験や研究等を経て発見していくものなのです。その意味で自然法則とは、「存在の規則」であるといえるのです。

(2)社会規範

社会規範とは、「当為の規則」のことをいいます。当為とは、まさになすべきこと、まさにあるべきことを意味します。「当為の規則」とは、まさに、「～すべき」の世界の規則であるともいえます。社会規範は、個人の意思によるものであり、一定の価値観に基づくものであり、社会や時代の変化に左右されるものであるとされています。

例えば、落ちている他人の物を拾って、それを自分の物にしてしまうと、現在の我が国においては遺失物横領罪(刑法第254条[1])という犯罪を構成する可能性があります。他人の物を拾って自分の物にしてしまうことは刑罰を科される可能性があるのです。しかし、場所や時代が違えば、落とし物というものは、神からの恵みであるのだから、ありがたく頂戴すべきであるということもあるわけです。つまり、犯罪を構成する可能性はないのであるから当然刑罰も科せられないという考え方もあるわけです。

1 【刑法第254条】
遺失物、漂流物その他占有を離れた他人の物を横領した者は、一年以下の懲役又は十万円以下の罰金若しくは科料に処する。

このことは、時代や場所によって、ある行為が妥当であるのか不当であるのかが変化するということを意味します。つまり、落とし物を拾って自分の物にしてしまうという行為が、その時、その場所で妥当な行為であるのか、不当な行為であるのか、という一定の価値観に基づいているということを意味するのです。その意味で社会規範とは、「当為の規則」であるといえるのです。

法は、社会規範の1つであるといわれています。

3　社会規範とは何か

(1) 社会規範の機能

社会規範とは、「当為の規則」であるといいましたが、社会規範の機能としては、人々の行動の指針となるということがいわれます。つまり、人々はその社会規範に従って行動するということです。

(2) 社会規範の種類

社会規範とは、人々の行動の指針となるものです。そのような社会規範には、法だけに限らず、他にも様々なものがあります。

①　道徳

道徳とは、ある社会において、人々がそれによって善悪を判断し、正しく行動するための基準となるもののことをいいます。その社会に所属している人々はそれらの道徳を規準として行動することとなるため、道徳は社会規範であるといえます。

②　礼儀作法

礼儀作法とは、社会の秩序を保ちつつ、他者との交際を全うするために、人として行うべき作法のことをいいます。人々は人間関係を円滑にするために、それらの礼儀作法に従って行動することとなるため、礼儀作法は社会規範であるといえます。

③　慣習

慣習とは、各地方や地域ごとに決まっている決まり事や習慣のことをいいます。そこに所属している人々はそれらの慣習に従って行動することとなるため、慣習は社会規範であるといえます。

④ 流行

流行とは、ある現象が、一時的に世間に広まることをいいます。人々はある一定期間、それらの流行に左右されて行動（現在流行している物を購入する等）をすることとなるため、流行は社会規範であるといえます。

（3）社会規範における法の位置付け

社会規範は上記以外にも様々あり、人々の行動の指針となるものはすべて社会規範であるともいえます。それでは、そのような人々の行動の指針となり得る社会規範において、法とは一体どのようなものなのでしょうか。ここでは、法とよく似ている社会規範であると考えられている道徳との比較を通して、法というものは一体どのようなものなのかということを明らかにしていきたいと思います。

道徳については、先述したように、ある社会において、人々がそれによって善悪を判断し、正しく行動するための基準となるもののことをいいますが、その特徴としては、人の内面に注目するということが挙げられます。このことから、人がある行為をする動機が何であるか、それが倫理的に正しいのかどうかといったことまで要求されるのです。つまり、道徳は倫理的であるのです。

対して、法については、人の外面に注目するということが挙げられます。内面に注目する道徳とは正反対の特徴です。ですから、動機がどうであれ、法に従っていさえすればよいということとなります。また、必ずしも倫理的に正しいということは要求されず、技術的な面があるといわれます。

例えば、「道路は右側を歩きましょう」という場合、道路の右側を歩くということに倫理的な意味はありません。しかし、みんなが好き勝手に歩くと車にぶつかったりして危険ですので、道路交通法という法律で、「歩行者は右側を歩きましょう」ということとなっています（道路交通法第10条[2]第1項）。右側を歩けというのはあくまでも交通秩序を維持するための技術として法律上そう決めているだけです。これが倫理的ではなく、法は技術的であるということです。

2 【道路交通法第10条】（抄）

1 歩行者は、歩道又は歩行者の通行に十分な幅員を有する路側帯（次項及び次条において「歩道等」という。）と車道の区別のない道路においては、道路の右側端に寄つて通行しなければならない。ただし、道路の右側端を通行することが危険であるときその他やむを得ないときは、道路の左側端に寄つて通行することができる。

対して、例えば、「満員列車の中では、お年寄りに席を譲りましょう」という場合、これは倫理的に従うべきものであるので道徳といえますが、特に法では規定されていないため、譲らなくても違法とはなりません。満員列車の中で、お年寄りに席を譲らなかった場合は、道徳違反にはなりますが、違法とはならないのです。

では、こういう場合はどうでしょうか。人を殺す。これは現在の我が国において道徳的には許されないことです。さらにいうと、人を殺したいと思うのも道徳的には許されないことです。対して、法はどうなっているか。法も直接的ではないにしても、刑法第199条[3]で殺人罪を規定し、人を殺すと死刑という最も重い刑罰をもって罰せられることから、人を殺すという行為が非難される行為であることは明らかです。しかし、人を殺したいと思うだけでは罰せられません。そもそも、我が国においては、日本国憲法第19条[4]により、内心の自由は絶対的に保障されています。つまり、心の中でどう思っていても法的には不可罰となります。まとめると、人を殺すという行為については、道徳的にも法的にも非難されるということとなりますが、人を殺したいと考えることについては、道徳的には非難されるとしても、法的には非難されないということとなるのです。これが、道徳は人の内面に注目するのに対して、法は人の外面に注目するということの意味です。また、人を殺すという行為が非難されるように、道徳と法は重なり合うこともあるのです。実際には、かなりの部分で重なり合っているということができます。

例えば、他人の物を盗む。これは現在の我が国において倫理的には悪いこと、つまり、道徳的には許されないこととなります。もし、他人の物を盗んでしまったら、その人は道徳的に非難されることとなります。また、現在の我が国の法律でも他人の物を盗むことは犯罪とされています（刑法第235条[5]）。もし、他人の物を盗んでしまったら、その人は10年以下の懲役か、50万円以下の罰金に処せられます。つまり、他人の物を盗むと、道徳的に非難され、法的には罰せられることとなるのです。

3 【刑法第199条】
人を殺した者は、死刑又は無期若しくは五年以上の懲役に処する。

4 【日本国憲法第19条】
思想及び良心の自由は、これを侵してはならない。

5 【刑法第235条】
他人の財物を窃取した者は、窃盗の罪とし、十年以下の懲役又は五十万円以下の罰金に処する。

さて、人を殺すという場合と他人の物を盗むという場合をみてきましたが、双方とも道徳と法が重なる場面でした。道徳と法について、道徳が内面に注目することに対して法が外面に注目することや、道徳が倫理的に正しいかどうかを問題とするのに対し、法が技術的であることを問題にすること等の違いはありますが、かなり共通する部分もありました。それでは、道徳と法とで決定的な違いは何なのでしょうか。実は既にヒントは何度か述べています。道徳と法の本質的な違いというのは、公権力による強制力があるかどうかということです。満員列車の中でお年寄りに席を譲らない場合、道徳的に非難されたとしても罰せられません。しかし、人を殺したり、他人の物を盗んだりした場合には、道徳的に非難されるだけではなく、法によって処罰されることとなります。つまり、法に違反した場合には、公権力によって強制的に処罰されるというところが道徳との決定的な差異となります。

以上のことから、法とは、公権力による強制力を伴う社会規範であると定義付けることができます。

二 法の分類

法は、その特徴に応じて様々な分類ができます。

1 成文法と不文法

法の存在型式について注目した分類です。

（1）成文法

成文法とは、文書の形式を備えている法のことをいいます。我が国は基本的に成文法の国であるので、法令等はすべて成文（法典）の型式で制定されます。

（2）不文法

不文法とは、文書の形式を備えていない法のことをいいます。成文法以外の一切の法がこの不文法にあたります。不文法の代表的なものに慣習法と判例法があります。

① 慣習法

慣習法とは、社会生活の中で反復して行われ、ある程度まで人の行動を拘束するようになった慣習に基づいて成立する法典の形式によらない法のことをいいます。

文書化はされてはいないけれども、ある特定の分野においては慣行として行われてきており、それに従って行動するような場合に用います。我が国においては、商慣習に従って取引される場合も多く、慣習法は一定の範囲で裁判の規準となる場合もあります。

② 判例法

判例法とは、個々の裁判の集積によって導き出されてきた法典の型式によらない法のことをいいます。

判例を直接適用することによって、事件を解決することまでは認められていません。とはいえ、裁判所ごとに同じような事件においてまったく違う判断がされるのでは、裁判に対する信頼も揺らぐこととなります。そのため、判例は、事実上の拘束力を有するとされています。つまり、裁判所は、同じような事件には同じような判断をしていくこととなるのです。

なお、アメリカやイギリス等においては、我が国とは異なり、判例法は裁判の規準として機能しています。国によって違う、つまり、場所によって違うというのはまさに社会規範の特徴であるともいえます。

2 実体法と手続法

権利・義務関係そのものを規定するのか、その実現方法を規定するのかについて注目した分類です。

(1) 実体法

実体法とは、権利・義務の発生・変動・消滅を規定する法のことをいいます。

実体法には、権利・義務の発生・変動・消滅についての要件及び効果が規定されています。

刑法第199条[6]では、「人を殺した」という要件を充たすと、「死刑又は無期若しくは五年以上の懲役に処する」という効果が発生しますし、刑法第235条[7]では、「他人の財物を窃取した」という要件を充たすと、「十年以下の懲役又は五十万円以下の罰金に処する」という効果が発生することとなります。

6 【刑法第199条】
人を殺した者は、死刑又は無期若しくは五年以上の懲役に処する。

7 【刑法第235条】
他人の財物を窃取した者は、窃盗の罪とし、十年以下の懲役又は五十万円以下の罰金に処する。

（2）手続法

手続法とは、実体法で規定している権利・義務の発生・変動・消滅を実現する手続を規定する法のことをいいます。

手続法の代表的なものは、裁判の手続を規定した、民事訴訟法・刑事訴訟法・行政事件訴訟法等の訴訟法があります。

（3）両者の区別の相対化

実体法の中にも手続について規定している場合もあり、両者の区別は必ずしも絶対的なものではありません。

3　私法と公法

法がどのような法律関係について規定しているのかについて注目した分類です。

（1）私法

私法とは、私人 vs 私人という通常の法律関係について規定する法のことをいいます。

私人同士は対等な関係ですから、原則として、私的自治の原則が支配する領域となります。当事者間での取り決めが最優先されることとなるので、法はあくまでも取り決めがない場合に用いることとなります。

（2）公法

公法とは、公権力の内部の事項及び私人 vs 公権力という特殊な法律関係を規定する法のことをいいます。

公権力という私人に比べると圧倒的に強い者の存在があるので、公権力の抑制を図ることがその目的となります。つまり、私人の権利保護を最優先に考えていきます。

（3）両者の区別の相対化

現在は、私法の中にも罰則規定のような公法的性格を有する規定も存在していることもあり、両者の区別は必ずしも絶対的なものではありません。

4　一般法と特別法

法の適用範囲が広いか狭いかについて注目した分類です。

（１）一般法

一般法とは、一般的な関係について規定する適用範囲が限定されていない法のことをいいます。

一般法は、特別法が適用される領域をも含む広い領域を適用範囲とする法のことをいいます。

（２）特別法

特別法とは、特別な関係について規定する適用範囲が限定されている法のことをいいます。

特別法は、一般法が適用される領域の一部である狭い領域を適用範囲とする法のことをいいます。

（３）両者の区別の相対化

一般法と特別法の関係は絶対的なものではなく、相対的なものとなるため、例えば、民法と商法とでは、民法が一般法、商法が特別法となりますが、商法と会社法とでは、商法が一般法、会社法が特別法となります。但し、私法の分野においては、民法以上に適用範囲が広い法律はありませんので、民法は、私法の一般法といわれます。

また、法の適用関係の大原則として、特別法は一般法に優先するとされています。

５　前法と後法

法の制定時期について注目した分類です。

（１）前法

前法とは、ある法に比べて先に制定された法のことをいいます。

（２）後法

後法とは、ある法に比べて後に制定された法のことをいいます。

（３）両者の区別の相対化

当然のことながら、法の制定の前後関係は絶対的なものではなく相対的なものとなります。

また、法の適用関係の大原則として、後法は前法に優先するとされています。

前法である一般法と後法である特別法とで比較した場合、その適用関係はどうなるでしょうか。前法と後法とを比較すると後法が前法に優先します。また、一般法と特別法とを比較すると特別法が一般法に優先します。つまり、後法である特別法が前法である一般法に優先して適用されることとなります。

それでは、前法である特別法と後法である一般法とで比較した場合、その適用関係はどうなるでしょうか。この場合は、特別法は一般法に優先するという大原則の方を優先に考えて、前法であるにも拘わらず、前法である特別法が後法である一般法に優先して適用されることとなります。

6　法律と憲法

法が何を対象としているのかについて注目した分類です。

（1）法律

法律は様々なものを対象としていますが、多くの場合、その対象としているのは国民です。

自動車はその性能上は時速200キロメートルを出すことが可能であっても、日本国内の公道においては出すことができません。それは道路交通法という法律によって日本国内の公道においては最高速度が決められているからです（道路交通法第22条[8]第1項）。また、速度を超過した場合には、必要な措置（反則金等）も規定されています（道路交通法第22条の2[9]第1項）。つまり、私たちは自由にスピードを出すことを法律によって禁止されているのです。

8　【道路交通法第22条】（抄）

1　車両は、道路標識等によりその最高速度が指定されている道路においてはその最高速度を、その他の道路においては政令で定める最高速度をこえる速度で進行してはならない。

9　【道路交通法第22条の2】（抄）

1　車両の運転者が前条の規定に違反する行為（以下この条及び第七十五条の二第一項において「最高速度違反行為」という。）を当該車両の使用者（当該車両の運転者であるものを除く。以下この条において同じ。）の業務に関してした場合において、当該最高速度違反行為に係る車両の使用者が当該車両につき最高速度違反行為を防止するため必要な運行の管理を行つていると認められないときは、当該車両の使用の本拠の位置を管轄する公安委員会は、当該車両の使用者に対し、最高速度違反行為となる運転が行われることのないよう運転者に指導し又は助言することその他最高速度違反行為を防止するため必要な措置をとることを指示することができる。

また、所得税法という法律では、私たちはある一定額の所得を得ると所得税を納めることを義務付けられています（所得税法第５条[10]第１項）。この義務に従わず、支払わなかったり、納付額を偽ったりすると罰せられます（所得税法第238条[11]第１項）。つまり、私たちは所得税を納めることを法律によって命じられているのです。

以上のことから、私たちは、法律によって、ある行為をすることを禁じられ、または、ある行為をすることを命じられていることから、私たちの行為は法律によって縛られているともいえるでしょう。以上のような法律の性格から、法律は対国民規範であるといわれます。但し、行政内部の組織について規定する法律等、必ずしも、国民を対象としていない法律もあります。また、ここでは行政機関が規定する命令や地方公共団体が規定する条例も法律に含んでいます。

さらに、法律は大きく分けて民事法・刑事法・行政法に分類されます。

①　民事法

民事法とは、民法や商法等の民事実体法によって権利・義務関係を規定し、それに関する紛争を民事訴訟法や民事執行法等の民事手続法によって処理するための法分野のことをいいます。

②　刑事法

刑事法とは、刑法や軽犯罪法等の刑事実体法によって犯罪の要件や刑罰について規定し、刑事訴訟法等の刑事手続法によって刑罰権を行使するための法分野のことをいいます。

10　【所得税法第５条】（抄）

１　居住者は、この法律により、所得税を納める義務がある。

11　【所得税法第238条】（抄）

１　偽りその他不正の行為により、第百二十条第一項第三号（確定所得申告）（第百六十六条（申告、納付及び還付）において準用する場合を含む。）に規定する所得税の額（第九十五条（外国税額控除）又は第百六十五条の六（非居住者に係る外国税額の控除）の規定により控除をされるべき金額がある場合には、同号の規定による計算をこれらの規定を適用しないでした所得税の額）若しくは第百七十二条第一項第一号若しくは第二項第一号（給与等につき源泉徴収を受けない場合の申告）に規定する所得税の額につき所得税を免れ、又は第百四十二条第二項（純損失の繰戻しによる還付）（第百六十六条において準用する場合を含む。）の規定による所得税の還付を受けた者は、十年以下の懲役若しくは千万円以下の罰金に処し、又はこれを併科する。

③ 行政法

資本主義が高度に発達した現代社会においては、資本主義の矛盾を解消するために、国家が積極的に国民生活に関与することが要求されます（現代立憲主義）。この要求に応じるためには、専門技術的判断能力や迅速かつ円滑な対応能力が必要となり、そのような能力を有する行政権の機能が拡大（行政権の肥大化）していきます。この行政権の肥大化によって、本来的には法の執行機関であるに過ぎなかった行政権が、国家の基本的政策決定において中心的な役割を担うこととなってきました（行政国家化）。

しかし、過度の行政国家化は、行政権に権力が集中することとなり、憲法が規定する権力分立制の制度趣旨を没却する危険を生じることとなり、自由主義への脅威、さらにいうと、国民の権利・自由を侵害する可能性すらあります。また、行政権は、その権力基盤を主権者である国民に直接的にはおいていないことから、国民の意思と乖離した意思形成が行われる危険が生じ、民主主義への脅威となる可能性もあるのです。つまり、過度の行政国家化は、自由主義と民主主義に対する脅威となり得ることとなります。

そこで、国民の民主的基盤を基礎とする立法権の規定した法律によって、行政権の組織・作用・行政権からの救済方法を規定する法分野である行政法が必要となるのです。現在の我が国においては、存在する法律の約９割がこの行政法の分野に含まれるといわれています。

本書では、第八講において行政法については詳しく扱います。

④ 責任の種類

これまで説明してきた民事法分野・刑事法分野・行政法分野は独立している場合もありますし、重なり合う場合もあります。

例えば、ある人が何らかの危険な運転を行って交通事故を起こして他人を負傷させた場合を考えてみましょう。

まず、何らかの危険な運転を行って事故を起こして他人を負傷させていることから、自動車運転死傷行為処罰法第２条[12]柱書により、公権力によって処罰されるという刑事責任を問われます。これは、刑事法分野の話であるといえます。

12 【自動車運転死傷行為処罰法第２条】（抄）
次に掲げる行為を行い、よって、人を負傷させた者は十五年以下の懲役に処し、人を死亡させた者は一年以上の有期懲役に処する。

次に、何らかの危険な運転を行って事故を起こして他人を負傷させていることから、その負傷させてしまった相手に対して、民法第709条[13]により、治療費等の何らかの賠償をしなければならないという民事責任を問われます。これは、民事法分野の話であるといえます。

さらに、何らかの危険な運転を行って事故を起こして他人を負傷させていることから、道路交通法第103条[14]第1項第5号及び第2項第2号によって、運転免許の停止や取消しといった行政責任を問われます。これは、行政法分野の話であるといえます。

以上のように、1つの事件に対して、民事法分野・刑事法分野・行政法分野の3つの法分野にわたって問題となる場合もあるのです。

（2）憲法

法律の大部分が対国民規範であると先述しました。国民は法律によって行動を規制されているのです。法律によって、ある意味、やりたいことができず、やりたくないことをやらされている状態におかれています。しかし、これは、社会秩序を正しく保持するためには仕方のないことだともいえます。皆が皆、好き勝手し放題に行動していたら社会秩序は保たれないこととなるからです。

13 【民法第709条】

故意又は過失によって他人の権利又は法律上保護される利益を侵害した者は、これによって生じた損害を賠償する責任を負う。

14 【道路交通法第103条】(抄)

1 免許（仮免許を除く。以下第百六条までにおいて同じ。）を受けた者が次の各号のいずれかに該当することとなつたときは、その者が当該各号のいずれかに該当することとなつた時におけるその者の住所地を管轄する公安委員会は、政令で定める基準に従い、その者の免許を取り消し、又は六月を超えない範囲内で期間を定めて免許の効力を停止することができる。ただし、第五号に該当する者が前条の規定の適用を受ける者であるときは、当該処分は、その者が同条に規定する講習を受けないで同条の期間を経過した後でなければ、することができない。

五 自動車等の運転に関しこの法律若しくはこの法律に基づく命令の規定又はこの法律の規定に基づく処分に違反したとき（次項第一号から第四号までのいずれかに該当する場合を除く。）。

2 免許を受けた者が次の各号のいずれかに該当することとなつたときは、その者が当該各号のいずれかに該当することとなつた時におけるその者の住所地を管轄する公安委員会は、その者の免許を取り消すことができる。

二 自動車等の運転に関し自動車の運転により人を死傷させる行為等の処罰に関する法律第二条から第四条までの罪に当たる行為をしたとき。

しかし、それをよいことに法律が度を超した規制を国民に課してきたらどうでしょうか。国民はとても息苦しい生活を強いられることとなります。そこで、法律、さらにいうと法律を運用している国家がやり過ぎないように、国民の側からあらかじめ縛っておいてしまおうということとなります。そのための法が憲法です。従って、憲法は対国家規範であるといわれます。

日本国憲法第99条[15]では、憲法を尊重し、擁護する義務を負うのは、国家の担い手である公務員に限られるとしています。つまり、公務員以外の一般国民については、原則として、憲法を尊重し、擁護するという義務を負ってはいないということとなるのです。但し、自らの権利・自由を濫用してはならないという義務（日本国憲法第12条[16]）、子どもに教育を受けさせる義務（日本国憲法第26条[17]第2項）、勤労の義務（日本国憲法第27条[18]第1項）、納税の義務（日本国憲法第30条[19]）は負っています。しかし、これ以外については、原則として、一国民が憲法を守らなければいけないということはありません。但し、奴隷的拘束の禁止（日本国憲法第18条[20]）と、児童の酷使の禁止（日本国憲法第27条第3項）については、私人間に直接適用されるとされています。

15 【日本国憲法第99条】
天皇又は摂政及び国務大臣、国会議員、裁判官その他の公務員は、この憲法を尊重し擁護する義務を負ふ。

16 【日本国憲法第12条】
この憲法が国民に保障する自由及び権利は、国民の不断の努力によつて、これを保持しなければならない。又、国民は、これを濫用してはならないのであつて、常に公共の福祉のためにこれを利用する責任を負ふ。

17 【日本国憲法第26条】
1 すべて国民は、法律の定めるところにより、その能力に応じて、ひとしく教育を受ける権利を有する。
2 すべて国民は、法律の定めるところにより、その保護する子女に普通教育を受けさせる義務を負ふ。義務教育は、これを無償とする。

18 【日本国憲法第27条】
1 すべて国民は、勤労の権利を有し、義務を負ふ。
2 賃金、就業時間、休息その他の勤労条件に関する基準は、法律でこれを定める。
3 児童は、これを酷使してはならない。

19 【日本国憲法第30条】
国民は、法律の定めるところにより、納税の義務を負ふ。

20 【日本国憲法第18条】
何人も、いかなる奴隷的拘束も受けない。又、犯罪に因る処罰の場合を除いては、その意に反する苦役に服させられない。

繰り返しとなりますが、憲法はあくまでも対国家規範であり、憲法を守らなければいけないのは、国家と国家の担い手である公務員に限られます。このことから、昨今見受けられる一私人に対する、その人が憲法違反を犯しているといった指摘は、原則として、間違った指摘であるということができます。

法律と憲法とはまったく異質なものであり、そもそも、対象としているものが国民であるのか、国家であるのかという点で大きく異なっています。また、対象としているものが違うということ以外にも、法律と憲法とでは違うところが多々あります。さらに、後述しますが、憲法に反する法律は制定できません（日本国憲法第 98 条[21]第 1 項）。そのため、「憲法という法律は～」といったことはまったく法律も憲法も理解していないことを露呈しているのです。

憲法については、本書の姉妹書でその内容を詳細に扱います。

7　強行規定（強行法規）と任意規定（任意法規）

法の効力について注目した分類です。

（1）強行規定（強行法規）

強行規定（強行法規）とは、当事者の意思の如何に拘わらず適用される規定のことをいいます。法全体が強行規定の場合もありますし、一部の条文だけが強行規定である場合もあります。主に、公法が強行規定である場合が多いのですが、民法第 90 条[22]のように、私法の中に強行規定がある場合もあります。

（2）任意規定（任意法規）

任意規定（任意法規）とは、当事者の意思が優先し、当事者が法の規定と異なる意思を表示しない場合に初めて適用される規定のことをいいます。法全体が任意規定の場合もありますし、一部の条文だけが任意規定である場合もあります。主に、私法が任意規定である場合が多く、公法において任意規定がおかれることはほぼありません。

21　【日本国憲法第 98 条】

1　この憲法は、国の最高法規であつて、その条規に反する法律、命令、詔勅及び国務に関するその他の行為の全部又は一部は、その効力を有しない。

2　日本国が締結した条約及び確立された国際法規は、これを誠実に遵守することを必要とする。

22　【民法第 90 条】

公の秩序又は善良の風俗に反する法律行為は、無効とする。

三　法の読み方

1　法令の読み方

（1）法令の構造

民法第622条の2[23]を例にみていきます。

①　編

編とは、法令の条文数が多くなり、内容が複雑多岐に渡る場合に、その法令の構成を明らかにして、内容を理解しやすくするために、整理するもののうち最も大きな単位のことをいいます。民法のような条文数の多い法律で特に用いられます。

民法第622条の2は、民法という法律の中の「第三編　債権」におかれています。

②　章

章とは、法令の条文数が多くなり、内容が複雑多岐に渡る場合に、その法令の構成を明らかにして、内容を理解しやすくするために、整理するもののうち「編」よりも小さな単位のことをいいます。

民法第622条の2は、民法という法律の中の「第三編　債権」の中の「第二章　契約」におかれています。

23　【民法第622条の2】

1　賃貸人は、敷金（いかなる名目によるかを問わず、賃料債務その他の賃貸借に基づいて生ずる賃借人の賃貸人に対する金銭の給付を目的とする債務を担保する目的で、賃借人が賃貸人に交付する金銭をいう。以下この条において同じ。）を受け取っている場合において、次に掲げるときは、賃借人に対し、その受け取った敷金の額から賃貸借に基づいて生じた賃借人の賃貸人に対する金銭の給付を目的とする債務の額を控除した残額を返還しなければならない。

一　賃貸借が終了し、かつ、賃貸物の返還を受けたとき。

二　賃借人が適法に賃借権を譲り渡したとき。

2　賃貸人は、賃借人が賃貸借に基づいて生じた金銭の給付を目的とする債務を履行しないときは、敷金をその債務の弁済に充てることができる。この場合において、賃借人は、賃貸人に対し、敷金をその債務の弁済に充てることを請求することができない。

③ 節

節とは、法令の条文数が多くなり、内容が複雑多岐に渡る場合に、その法令の構成を明らかにして、内容を理解しやすくするために、整理するもののうち「章」を細分するために用いる単位のことをいいます。

民法第622条の２は、民法という法律の中の「第三編 債権」の中の「第二章 契約」の中の「第七節 賃貸借」におかれています。

④ 款

款とは、法令の条文数が多くなり、内容が複雑多岐に渡る場合に、その法令の構成を明らかにして、内容を理解しやすくするために、整理するもののうち「節」をさらに細分するために用いる単位のことをいいます。なお、「款」をさらに細分するために用いる単位に「目」があります。

民法第622条の２は、民法という法律の中の「第三編 債権」の中の「第二章 契約」の中の「第七節 賃貸借」の中の「第四款 敷金」におかれています。

⑤ 条

条とは、法令の理解と検索の便を図るために分けて規定するもののうち基本的なもののことをいいます。

民法第622条の２においては、「第622条の２」というのが全体で条に該当します。

⑥ 枝

枝とは、法改正等によって追加された条文であって、追加されたからといってこれまでの条文番号を繰り下げていくと、これまでの条文番号との差異で混乱が生じるために、その混乱を避けるために間に追加する技術のことをいいます。

民法第622条の２においては、「の２」というのが枝に該当します。「の２」、「の３」と追加していきますが、「の２」と「の３」の間に追加したい場合には、「の２の２」という形で追加していきます。

法律家は、日々実務において法令の条文を利用していることから、条文番号と内容を一体として記憶して用いていることも多く、法令改正のたびに条文番号をずらしていくと使い勝手が悪く、業務に支障を来すために、追加をしていくこととなっています。大規模な法令改正が行われた場合は、整理統合されて条文番号が変わることもあります。

⑦ 項

項とは、法令の理解と検索の便を図るために分けて規定するもののうち、条の内容をさらに区分する必要がある場合に用いるもののことをいいます。

民法第622条の２においては、「賃貸人は、敷金～」から始まる部分が民法第622条の２第１項に、「賃貸人は、賃借人が～」から始まる部分が民法第622条の２第２項に該当します。

⑧ 号

号とは、条や項の中で多くの事項を列記する必要がある場合に用いるもののことをいいます。

民法第622条の２においては、「一 賃貸借が終了し、かつ、賃貸物の返還を受けたとき。」とある部分が民法第622条の２第１項第１号に、「二 賃借人が適法に賃借権を譲り渡したとき。」とある部分が民法第622条の２第１項第２号に該当します。

⑨ 柱書

柱書とは、条文中に「号」が列挙される場合に、その「号」の列挙を除いたその理由や目的を述べた本文のことをいいます。

民法第622条の２においては、「賃貸人は、敷金～返還しなければならない。」の部分が民法第622条の２第１項柱書に該当します。

⑩ 前段・後段

前段・後段とは、条や項の中で２つの文に分けたときの前の部分と後の部分のことをいいます。

民法第622条の２においては、「賃貸人は、賃借人～弁済に充てることができる。」の部分が民法第622条の２第２項前段に、「この場合において～請求することができない。」の部分が民法第622条の２第２項後段に該当します。

条や項の中で２つの文に分けるものの中で、特に特殊なものに本文・但書があります。

⑪ 本文・但書

本文・但書とは、「ただし」を書き出しの語として、その前にある本文についての説明や条件・例外を示す場合等について、法規・条約・規約等を補足するために用いるもののことをいいます。

前段としての本文と、後段としての但書との関係は、多くの場合、本文が原則を示し、但書がその例外を示す原則・例外の関係となっています。

例えば、民法第93条[24]においては、第1項で「意思表示は、表意者がその真意ではないことを知ってしたときであっても、そのためにその効力を妨げられない。」の部分が民法第93条第1項本文に、「ただし、相手方がその意思表示が表意者の真意ではないことを知り、又は知ることができたときは、その意思表示は、無効とする。」の部分が民法第93条第1項但書にあたります。読み方としては、原則として、表意者が真意ではないということを知りながら意思表示をしたときであってもその意思表示通りのことが起こるけれども、例外として、相手方がその意思表示が真意ではないことを知っていたり、知ることができたりした場合には、その意思表示は無効となるとなります。第2項との関係においては、この例外としての無効は、その意思表示が真意であるとは知らない第三者に対して主張することができないこととなります。

本書では、第二講において民法についての内容を扱います。

(2) 法令の用語

法令には、独特の用語や独特の用語の使い方があります。

① 又は・若しくは

「又は」と「若しくは」は、双方とも英語での“or”を意味します。

例えば、民法第104条[25]のように、単層的に複数のものを選択的に分類する場合には、「又は」を用います。しかし、刑法第199条[26]のように重層的に複数のものを選択的に分類する場合には、「又は」と「若しくは」を用います。

24 【民法第93条】

1 意思表示は、表意者がその真意ではないことを知ってしたときであっても、そのためにその効力を妨げられない。ただし、相手方がその意思表示が表意者の真意ではないことを知り、又は知ることができたときは、その意思表示は、無効とする。

2 前項ただし書の規定による意思表示の無効は、善意の第三者に対抗することができない。

25 【民法第104条】

委任による代理人は、本人の許諾を得たとき、又はやむを得ない事由があるときでなければ、復代理人を選任することができない。

26 【刑法第199条】

人を殺した者は、死刑又は無期若しくは五年以上の懲役に処する。

刑法第199条では、まず、「無期」と「五年以上の懲役」を「若しくは」という文言で接続しています。この「無期」と「五年以上の懲役」は同じ懲役に分類されています。次に、この懲役のグループと「死刑」というのは懲役とは異質な刑罰なので、「又は」という文言で接続しています。つまり、重層構造である場合には、大きな分類を行うのには「又は」を用い、それ以外の小さな分類では「若しくは」を使うのです。

② 及び・並びに

「及び」と「並びに」は、双方とも英語での“and”を意味します。

例えば、日本国憲法第36条[27]のように、単層的に複数のものを併合的に接続する場合には、「及び」を用います。しかし、民法第315条[28]のように重層的に複数のものを併合的に接続する場合には、「及び」と「並びに」を用います。

民法第315条では、まず、「前期」・「当期」・「次期」を「及び」という文言で接続しています。また、「前期」と「当期」も「及び」という文言で接続しています。その上で、「前期、当期及び次期の賃料その他の債務」と「前期及び当期に生じた損害の賠償債務」とを「並びに」という文言で接続しています。つまり、重層構造である場合には、大きな接続を行うのには「並びに」を用い、それ以外の小さな接続では「及び」を使うのです。なお、「かつ」という文言も併合的に接続する場合に用いられることがありますが、これについてはどのような場合に用いられるのか明確に使い分けされていません。

③ その他の・その他

A その他の

「その他の」は、その前にある語句が後にある語句の例示となる場合に用います。例えば、民法第315条においては、「その他の」という語句の前にある「前期、当期及び次期の賃料」というのは、「その他の」という語句の後にある「債務」の例示となっています。

27 【日本国憲法第36条】
公務員による拷問及び残虐な刑罰は、絶対にこれを禁ずる。

28 【民法第315条】
賃借人の財産のすべてを清算する場合には、賃貸人の先取特権は、前期、当期及び次期の賃料その他の債務並びに前期及び当期に生じた損害の賠償債務についてのみ存在する。

B その他

「その他」は、その前後にある語句が並列の関係にある場合に用います。例えば、刑法第254条[29]においては、「漂流物」と「占有を離れた他人の物」という語句が「その他」によって並列に接続されています。

④ 場合・とき・時

A 場合・とき

「場合」と「とき」とは、双方とも仮定的な条件や前提条件を表す場合に用います。どちらを用いても意味は同じですが、条件が重なった場合は、大きい条件に「場合」を用い、小さい条件に「とき」を用います。

例えば、刑法第107条[30]においては、「暴行又は脅迫をするため多衆が集合した場合」という大きい条件において、「なお解散しなかったとき」という小さい条件を満たす場合に刑罰に処されるとしています。

B 時

「時」とは、ある時点のことを表す場合に用います。

例えば、民法第159条[31]においては、「婚姻の解消」の時点から、6箇月を経過するまで時効が完成しないとしています。

⑤ しなければならない・するものとする

「しなければならない」とは、何かをしなければならないことを強く義務付ける場合に用い、「するものとする」は、「しなければならない」よりもやや弱く義務付ける場合に用います。

「しなければならない」の場合は、従わないことは認められませんが、「するものとする」の場合は、合理的な理由があれば、従わないことが認められます。

---

29 【刑法第254条】
遺失物、漂流物その他占有を離れた他人の物を横領した者は、一年以下の懲役又は十万円以下の罰金若しくは科料に処する。

30 【刑法第107条】
暴行又は脅迫をするため多衆が集合した場合において、権限のある公務員から解散の命令を三回以上受けたにもかかわらず、なお解散しなかったときは、首謀者は三年以下の懲役又は禁錮に処し、その他の者は十万円以下の罰金に処する。

31 【民法第159条】
夫婦の一方が他の一方に対して有する権利については、婚姻の解消の時から六箇月を経過するまでの間は、時効は、完成しない。

例えば、民法第 191 条[32]但書においては、占有物がその占有物について所有の意思のない占有者側の事情で、その専有物を壊したり、傷つけたりした場合には、その回復者に対して、「全部の賠償」を義務付けています。また、民法第 36 条[33]においては、法人及び外国法人に対して、民法やその他の法令に従って、「登記」をするように義務付けています。

⑥ 善意・悪意

A 善意

善意とは、ある事情を知らないことをいいます。

例えば、民法第 191 条本文においては、その占有物について自身が正当な権利を有しないことを知らない占有者が、その占有物を壊したり傷つけたりした場合には、その回復者に対して、現に利益を受けている限度において賠償をする義務を負うとされています。

a 無過失

無過失とは、注意してもわからないことをいい、善意無過失とは、善意でありかつ無過失であることをいいます。

b 有過失

有過失とは、注意すればわかることをいい、善意有過失とは、善意でありかつ有過失であることをいいます。また、有過失のうち、過失の度合いの重いものを重過失、過失の度合いの軽い物を軽過失といいます。

B 悪意

悪意とは、ある事情を知っていることをいいます。

例えば、民法第 191 条本文においては、その占有物について自身が正当な権利を有しないことを知っている占有者が、その占有物を壊したり傷つけたりした場合には、その回復者に対して、その損害の全部の賠償をする義務を負うとされています。

---

32 【民法第 191 条】

占有物が占有者の責めに帰すべき事由によって滅失し、又は損傷したときは、その回復者に対し、悪意の占有者はその損害の全部の賠償をする義務を負い、善意の占有者はその滅失又は損傷によって現に利益を受けている限度において賠償をする義務を負う。ただし、所有の意思のない占有者は、善意であるときであっても、全部の賠償をしなければならない。

33 【民法第 36 条】

法人及び外国法人は、この法律その他の法令の定めるところにより、登記をするものとする。

また、悪意有過失といった場合には、悪意でありまたは善意有過失であることをいいます。善意無過失が「善意 and 無過失」、善意有過失が「善意 and 有過失」であるところ、悪意有過失は「悪意 or 善意有過失」となります。

例えば、「悪意有過失の場合」を除くといった場合、結果的に、善意無過失の場合を意味するということとなります。なぜなら、事情を知っているか知っていないかを論じる場合、知っている場合である「悪意」の場合、または、うっかり知らなかったという「善意有過失」の場合を除くと、結果的に、注意深くしていても知らなかったという「善意無過失」の場合に限定されるからです。

⑦ みなす・推定する

A みなす

「みなす」とは、ある事項を扱うことについて、反証を許さない場合に用います。

例えば、民法第 121 条[34]においては、取り消された行為は、初めから無効であったものとみなすとされています。このことは、取り消された行為については、どのような反証がなされようとも、初めから無効であったものとするということとなります。つまり、取り消された行為は、必ず、初めから無効であったこととするということです。

B 推定する

「推定する」とは、ある事項を扱うことについて、反証を許す場合に用います。

例えば、民法第 188 条[35]においては、占有者が占有物について行使する権利は、適法に有するものと推定するとされています。もし、何らかの反証によって、占有者が占有物について有する権利が、適法に得られたものではないということがわかった場合には、適法に有するものではないと主張できるということとなります。つまり、あくまでも反証されないといった場合に限って、占有者が占有物について行使する権利が、適法に有するものとされるということです。

---

34 【民法第 121 条】
取り消された行為は、初めから無効であったものとみなす。

35 【民法第 188 条】
占有者が占有物について行使する権利は、適法に有するものと推定する。

⑧ 適用する・準用する・例による・なお従前の例による

A 適用する

「適用する」とは、法の規定を特定の人や事物に対して、個別的・具体的にあてはめて作用させる場合に用います。

例えば、民法第263条[36]においては、「共有の性質を有する入会権」については、「各地方の慣習」に従うほか、民法第2編「物権」第3章「所有権」第3節「共有」の規定に従うこととしています。つまり、入会権自体は各地域の慣習によって認められる権利ですが、その入会権の中で、特に共有の性質を有するものについては民法上の「共有」の規定も直接あてはめて考えるということです。

B 準用する

「準用する」とは、法の規定を他の類似する事項に対して、必要な修正を加えた上で、あてはめて作用させる場合に用います。

例えば、民法第341条[37]においては、「先取特権の効力」については、民法第2編「物権」第8章「先取特権」第4節「先取特権の効力」の規定のほか、その性質に反しない限り、「抵当権」に関する規定を準用することとしています。つまり、「先取特権」も「抵当権」も同じ担保物権であることから、「抵当権」に関する規定を「先取特権」についてもそれに合うように修正を加えた上で、あてはめて考えるということです。

C 例による

「例による」とは、法令全体を包括的にあてはめて作用させる場合に用います。

D なお従前の例による

「なお従前の例による」とは、法令の改廃において、新旧法令の適用関係について経過措置を規定している附則の中で使用される用語であり、新法令に直前の旧法令をそのまま適用する場合に用います。

36 【民法第263条】
共有の性質を有する入会権については、各地方の慣習に従うほか、この節の規定を適用する。

37 【民法第341条】
先取特権の効力については、この節に定めるもののほか、その性質に反しない限り、抵当権に関する規定を準用する。

⑨ 直ちに・速やかに・遅滞なく

３つとも時間的即時性を表す言葉ですが、緊急性が高い順に、「直ちに」・「速やかに」・「遅滞なく」となります。

A 直ちに

「直ちに」とは、時間的即時性が強く、「何をおいてもすぐに」という義務的な意味を表そうとする場合に用います。また、義務を怠った場合は、違法という問題が生じる場合や目的の効力が発生しない場合があります。

例えば、民法第 337 条[38]においては、不動産の保存の先取特権の効力を保存するために、保存行為が完了した後に何をおいてもすぐに登記をしなければならないとしており、登記をしなかった場合は不動産の保存の先取特権の効力は保存できないこととなります。

B 速やかに

「速やかに」とは、「できるだけ早く」という訓示的な意味を表そうとする場合に用います。但し、「直ちに」や「遅滞なく」とは異なり、あくまでも訓示的な意味であることから、義務を怠った場合でも、違法という問題は生じません。

例えば、行政手続法第７条[39]においては、行政庁は、申請書の記載事項に不備等がないことや、期間内にされたものであること等、申請の形式上の要件に適合しない申請については、できるだけ早く、申請者に対して、相当の期間を設定してその申請の補正を求めたり、その申請により求められた許認可等の拒否をしたりしなければならないとされています。あくまでも「できるだけ早く」という訓示的な意味であって、この義務を怠ったとしても違法という問題は生じません。

38 【民法第 337 条】
　不動産の保存の先取特権の効力を保存するためには、保存行為が完了した後直ちに登記をしなければならない。

39 【行政手続法第７条】
　行政庁は、申請がその事務所に到達したときは遅滞なく当該申請の審査を開始しなければならず、かつ、申請書の記載事項に不備がないこと、申請書に必要な書類が添付されていること、申請をすることができる期間内にされたものであることその他の法令に定められた申請の形式上の要件に適合しない申請については、速やかに、申請をした者（以下「申請者」という。）に対し相当の期間を定めて当該申請の補正を求め、又は当該申請により求められた許認可等を拒否しなければならない。

C 遅滞なく

「遅滞なく」とは、時間的即時性が強く、「すぐに」という義務的な意味を表そうとする場合であるにも拘わらず、正当な理由や合理的理由に基づく遅滞については例外的に許されるという場合に用います。「遅滞なく」は、「直ちに」と同様に、義務的な意味を有するので、義務を怠った場合は、違法という問題が生じる場合や目的の効力が発生しない場合があります。

例えば、行政手続法第７条においては、行政庁は、申請がその事務所に到達したときはすぐにその申請の審査を開始しなければなりません。もし、正当な理由や合理的な理由があれば遅滞することについては例外的に許されますが、正当な理由や合理的な理由がないにも拘わらず遅滞した場合には、行政庁はその違法を問われることとなります。

⑩ 違法・不法・不当

A 違法・不法

「違法」・「不法」とは、ある行為や状態が法令に違反している場合のことをいいます。「違法」と「不法」は概ね同義で用いられます。

結果はどうであれ、法令に違反していれば、「違法」または「不法」であり、法令に違反していなければ「適法」ということとなります。

B 不当

「不当」とは、法令に違反しているわけではないですが、法令の目的や趣旨から考えるとその結果が妥当であるとはいえない場合のことをいいます。

たとえ法令に違反せず「適法」であったとしても、その結果が道義上非難されるべきというにとどまる場合には、「不当」ということとなります。

（３）法令の解釈

① 文理解釈

文理解釈とは、法令の意味内容について、その文言について、通常の意味に従って明らかにする解釈方法のことをいいます。

その文言について、通常の意味に従って明らかにすることから、解釈する者によって、その内容に差が生じることはほとんどありません。そのため、最も安定した解釈方法であるともいえます。

文理解釈では、「当マンションでは犬・猫の飼育を禁じる。」といった場合、当マンションで飼育を禁じられているのは犬と猫のみであると解釈します。

② 論理解釈

論理解釈とは、法令の意味内容について、立法目的や趣旨、体系的な関連性を考慮しながら明らかにする解釈方法のことをいいます。

その文言について、通常の意味に従って明らかにするとどうしてもうまくいかない場合に、例外的に用いられる解釈方法です。通常の意味とは異なる意味で解釈することとなるため、解釈する者によって、その解釈した内容に差が生じることとなります。そのため、不安定な解釈方法であるともいえます。

A 拡大解釈（拡張解釈）

拡大解釈（拡張解釈）とは、法令の意味内容について、その文言を通常の意味より広く解釈する解釈方法のことをいいます。法令の文言の意味を、文理解釈の場合よりも広げて解釈する解釈方法であるともいえます。

拡大解釈では、「当マンションでは犬・猫の飼育を禁じる。」といった場合には、この文言の趣旨は、生き物を飼うことを禁じるものであると捉えると、当マンションで飼育を禁じられているのは犬と猫のみならずペット全般であると解釈します。

B 縮小解釈

縮小解釈とは、法令の意味内容について、その文言を通常の意味より狭く解釈する解釈方法のことをいいます。法令の文言の意味を、文理解釈の場合よりも狭めて解釈する解釈方法であるともいえます。

縮小解釈では、「当マンションでは犬・猫の飼育を禁じる。」といった場合には、この文言の趣旨は、住民を怖がらせたり、住民に怪我をさせたりする生き物を飼うことを禁じるものであると捉えると、当マンションで飼育を禁じられているのは犬と猫のうちのどちらも大型のものであって、小型の犬や猫については飼育可能であると解釈します。

C 類推解釈

類推解釈とは、法令の意味内容について、ある事項についての規定がある場合に、それ以外の事項ではあっても類似性があれば、条文の趣旨や目的等から修正を加えて適用し解釈する解釈方法のことをいいます。

類推解釈では、「当マンションでは犬・猫の飼育を禁じる。」といった場合には、この文言の趣旨は、そのマンションの住民が犬や猫を飼育することを禁じるのであるから、各戸内で飼育していなくても、マンションの敷地内で野良猫に餌をやることも飼育類似の行為といえることから、飼育類似行為も飼育行為として禁じられていると解釈します。

D　反対解釈

反対解釈とは、法令の意味内容について、ある事項についての規定がある場合に、それ以外の事項には適用しないと解釈する解釈方法のことをいいます。

反対解釈では、「当マンションでは犬・猫の飼育を禁じる。」といった場合、この文言は、あくまでも住民が犬や猫を飼育するのを禁じているのであるから、ウサギや小鳥を飼育するのは禁じられていないと解釈します。

E　勿論解釈

勿論解釈とは、法令の意味内容について、法令の意図するところから当然であると解釈する解釈方法のことをいいます。

勿論解釈では、「当マンションでは犬・猫の飼育を禁じる。」といった場合、犬や猫を飼育することですら禁じているのであるから、当然、馬や牛の飼育も禁じていると解釈します。

F　変更解釈

変更解釈とは、法令の意味内容について、法令の規定の意味を変更して、別の意味に解釈する解釈方法のことをいいます。

変更解釈は、法の意味するところとかけ離れた解釈方法となるため、立法上、誤りが明白である場合等のような余程の事情がある場合でない限りこれを採用することはできません。

③　法令の解釈の必要性

実際に、裁判官は、裁判において法令を適用する場合、事実の有無を判断し、その事実に法令をあてはめることによって、判決という結論を出すこととなります。この一連の作業を法の適用といいますが、現実問題として、このあてはめるべき法令が抽象的な表現であるために、あてはめる時に困難が生じます。もちろん、法令をそのままあてはめることができれば、つまり、文理解釈でことが足りるのであればそれでよいのですが、それでは妥当な結果が得られないような場合については、どうしても法令を解釈した上で、適用する必要が生じます。

（4）法令の効力

法令は、その相互間において、その規定の内容に矛盾や衝突があることが予想されます。そこで、どのような法令をどのような場合にどのように優先させるべきかをあらかじめ決めておく必要があります。それが法令の効力の問題です。

① 法令の効力の強弱関係

A 憲法

国内の法令において、最も強い効力を有するのは憲法です。憲法とは、国家の統治体制の根本的事項を規定する基本法であり、最高法規でもあります。その最高法規である憲法に反する法令はすべて無効となります（日本国憲法第98条[40]第1項）。

B 法律

国内の法令において、憲法の次に強い効力を有するのは法律です。法律は、憲法の規定する方式に従い、民主的基盤を有する国会の議決を経て制定されます（日本国憲法第41条[41]）。

C 政令

国内の法令において、法律の次に強い効力を有するのは政令です。政令は、内閣によって制定される命令のことをいい、憲法及び法律の規定を実施するためのものと、法律の委任に基づくものとがあります（日本国憲法第73条[42]第6号本文）。政令には、特にその法律の委任がある場合を除いては、罰則を設けることができません（日本国憲法第73条第6号但書）。

40 【日本国憲法第98条】
1 この憲法は、国の最高法規であつて、その条規に反する法律、命令、詔勅及び国務に関するその他の行為の全部又は一部は、その効力を有しない。
2 日本国が締結した条約及び確立された国際法規は、これを誠実に遵守することを必要とする。

41 【日本国憲法第41条】
国会は、国権の最高機関であつて、国の唯一の立法機関である。

42 【日本国憲法第73条】
内閣は、他の一般行政事務の外、左の事務を行ふ。
一 法律を誠実に執行し、国務を総理すること。
二 外交関係を処理すること。
三 条約を締結すること。但し、事前に、時宜によつては事後に、国会の承認を経ることを必要とする。
四 法律の定める基準に従ひ、官吏に関する事務を掌理すること。
五 予算を作成して国会に提出すること。
六 この憲法及び法律の規定を実施するために、政令を制定すること。但し、政令には、特にその法律の委任がある場合を除いては、罰則を設けることができない。
七 大赦、特赦、減刑、刑の執行の免除及び復権を決定すること。

D 省令・府令

国内の法令において、政令の次に強い効力を有するのは省令です。省令とは、各省大臣が主任の行政事務について法律や政令を施行するためや、法律や政令の特別の委任に基づいて発する命令のことをいいます。

また、内閣府の長たる内閣総理大臣の発する命令は府令（内閣府令）と特別に呼ばれますが、法律上の性質は省令と同等のものであるとされています。

E 規則

国内の法令において、省令や府令の次に強い効力を有するのは規則です。規則は、その制定権及び所管事項についてそれぞれの根拠法に明示されています。

F 条例

条例とは、地方公共団体が制定する法形式であって、民主的基盤を有する地方公共団体の議会の議決を経て制定されます（日本国憲法第94条[43]）。条例で規定できる事項は、地域における事務及びその事務で法令により地方公共団体が処理することとされているものに関するものです。条例は法令の範囲内で制定されなくてはならず、法令の明文の規定やその趣旨に反する条例を制定することは許されず、制定されたとしても条例としての効力は有しないとされています。

また、地方公共団体の長が制定する規則というものもあります。

② 法令の人的効力

A 属地主義

属地主義とは、法の適用範囲を、それが制定された国の領域内においてのみ認める立場のことをいいます。

我が国においては、原則として、この属地主義の立場を採用しています。

B 属人主義

属人主義とは、法の適用関係を設定するに際して、その人が本来所属する国家や地域から離れた他の場所に赴いた場合にも、その人に追随して、法の領土外的適用を認める立場のことをいいます。

我が国においては、例外的に、この属人主義の立場を採用しています。

---

43 【日本国憲法第94条】
地方公共団体は、その財産を管理し、事務を処理し、及び行政を執行する権能を有し、法律の範囲内で条例を制定することができる。

③ 法令の場所的効力

我が国の法令の場所的効力は、我が国の領域内に及びます。

我が国の領域内とは、我が国の領土内はもちろん、我が国の領海内、我が国の領空内も含みます。

ちなみに、領土とは、我が国の陸上の土地をいい、基線の内側の内海、基線から外側12海里の領海、領土・内海・領海の上空にある領空がすべて我が国法令の効力が及ぶ場所ということとなります。

④ 法令の時間的効力

A 時間的効力の始期

我が国の法令の時間的効力の始期については、法律の場合は、原則として、公布（官報に掲載）の日から起算して20日を経過した日（法の適用に関する通則法第２条[44]本文）であり、条例の場合は、公布の日から起算して10日を経過した日（地方自治法第16条[45]第３項）となります。

なお、近年、法律や条例には、特定の日が施行日として規定されていることが多くなってきており、その場合には、その規定された日が施行日となり、効力が発生することとなります（法の適用に関する通則法第２条但書及び地方自治法第16条第３項）。

44 【法の適用に関する通則法第２条】

法律は、公布の日から起算して二十日を経過した日から施行する。ただし、法律でこれと異なる施行期日を定めたときは、その定めによる。

45 【地方自治法第16条】

1 普通地方公共団体の議会の議長は、条例の制定又は改廃の議決があつたときは、その日から三日以内にこれを当該普通地方公共団体の長に送付しなければならない。

2 普通地方公共団体の長は、前項の規定により条例の送付を受けた場合は、その日から二十日以内にこれを公布しなければならない。ただし、再議その他の措置を講じた場合は、この限りでない。

3 条例は、条例に特別の定があるものを除く外、公布の日から起算して十日を経過した日から、これを施行する。

4 当該普通地方公共団体の長の署名、施行期日の特例その他条例の公布に関し必要な事項は、条例でこれを定めなければならない。

5 前二項の規定は、普通地方公共団体の規則並びにその機関の定める規則及びその他の規程で公表を要するものにこれを準用する。但し、法令又は条例に特別の定があるときは、この限りでない。

B 時間的効力の終期

我が国の法令の時間的効力の終期については、規定されていないことが原則です。しかし、例外として、法令自らが有効期限を設定している限時法や、一時的な事態に対応するために制定する有効期限を設定していない臨時法と呼ばれる法令もあります。

2 紛争の解決方法

先述したように、私たちは、社会共同生活というものを営んでいることから、紛争の発生ということは避けては通れないこととなります。本来、紛争は、その紛争の当事者間での自律的な解決がなされることが望ましいといえます。しかし、実際には、その中には適切な紛争解決方法ばかりではなく、暴力に訴える等の不適切な紛争解決方法が採られる場合もあるのです。そこで、司法権による裁判という公平な解決を図っていくことが必要となります。

(1) 司法権

① 司法権の意義

司法権とは、当事者の具体的な法律上の争訟について、当事者の訴えの提起により、法を解釈・適用し、宣言することによって、裁定する国家作用を行う権限のことをいいます。司法権は、裁判所という国家機関を通じて行使されます。

② 裁判所の行う裁判

A 裁判所の意義

裁判所とは、様々な訴訟に対して、司法権を行使し、その解決を図る国家機関のことをいいます。裁判所と国会や内閣との違いは、他の両者が能動的な機関であることに対して、受動的な機関であることです。

また、裁判所には、最高法規である憲法によって違憲審査権(日本国憲法第81条[46])が付与されていることにより、立法行為や行政行為等の国家行為についても合憲性の統制機関としての役割を与えられている点でも他の国家機関とは異なった機関であるといえます。

46 【日本国憲法第81条】
最高裁判所は、一切の法律、命令、規則又は処分が憲法に適合するかしないかを決定する権限を有する終審裁判所である。

B 裁判所の種類

裁判所には、憲法上、最高裁判所と法律の規定するところにより設置する下級裁判所があります（日本国憲法第 76 条[47]第 1 項）。

a 最高裁判所

最高裁判所とは、司法権を担当する最高機関であり、直接日本国憲法に基づいて設置された裁判所のことをいいます。

最高裁判所は、民事事件訴訟・刑事事件訴訟・行政事件訴訟についての終審裁判所であり、上告及び特別抗告に関する裁判権を有しています。

最高裁判所の構成員は、長たる裁判官（最高裁判所長官）及び 14 人の最高裁判所裁判官の計 15 人です（日本国憲法第 79 条[48]第 1 項及び裁判所法第 5 条[49]）。

---

47 【日本国憲法第 76 条】
1 すべて司法権は、最高裁判所及び法律の定めるところにより設置する下級裁判所に属する。
2 特別裁判所は、これを設置することができない。行政機関は、終審として裁判を行ふことができない。
3 すべて裁判官は、その良心に従ひ独立してその職権を行ひ、この憲法及び法律にのみ拘束される。

48 【日本国憲法第 79 条】
1 最高裁判所は、その長たる裁判官及び法律の定める員数のその他の裁判官でこれを構成し、その長たる裁判官以外の裁判官は、内閣でこれを任命する。
2 最高裁判所の裁判官の任命は、その任命後初めて行はれる衆議院議員総選挙の際国民の審査に付し、その後十年を経過した後初めて行はれる衆議院議員総選挙の際更に審査に付し、その後も同様とする。
3 前項の場合において、投票者の多数が裁判官の罷免を可とするときは、その裁判官は、罷免される。
4 審査に関する事項は、法律でこれを定める。
5 最高裁判所の裁判官は、法律の定める年齢に達した時に退官する。
6 最高裁判所の裁判官は、すべて定期に相当額の報酬を受ける。この報酬は、在任中、これを減額することができない。

49 【裁判所法第 5 条】
1 最高裁判所の裁判官は、その長たる裁判官を最高裁判所長官とし、その他の裁判官を最高裁判所判事とする。
2 下級裁判所の裁判官は、高等裁判所の長たる裁判官を高等裁判所長官とし、その他の裁判官を判事、判事補及び簡易裁判所判事とする。
3 最高裁判所判事の員数は、十四人とし、下級裁判所の裁判官の員数は、別に法律でこれを定める。

最高裁判所における裁判審理は、15人の最高裁判所裁判官全員で構成する大法廷、または、５人の最高裁判所裁判官で構成する３つの小法廷において行われます（裁判所法第９条[50]）。また、大法廷は、憲法問題の判断及び判例変更の場合等の裁判を担当します（裁判所法第10条[51]）。

b　高等裁判所

高等裁判所とは、下級裁判所のうち、最上位の裁判所のことをいいます。全国に８箇所（東京都・大阪市・名古屋市・広島市・福岡市・仙台市・札幌市・高松市）の高等裁判所が設置されています。

高等裁判所は、原則として、地方裁判所・家庭裁判所・簡易裁判所における第１審判決に対する控訴及び決定・命令に対する抗告についての裁判権を有している裁判所となります。また、例外として、上告審あるいは第１審裁判所となります。

裁判については、原則として、裁判長・左陪席裁判官・右陪席裁判官の３人の合議体で行います。

c　地方裁判所

地方裁判所とは、下級裁判所のうち、原則として、訴訟の第１審を行う裁判所のことをいいます。全国に50箇所の地方裁判所が設置されています。

50　【裁判所法第９条】

1　最高裁判所は、大法廷又は小法廷で審理及び裁判をする。

2　大法廷は、全員の裁判官の、小法廷は、最高裁判所の定める員数の裁判官の合議体とする。但し、小法廷の裁判官の員数は、三人以上でなければならない。

3　各合議体の裁判官のうち一人を裁判長とする。

4　各合議体では、最高裁判所の定める員数の裁判官が出席すれば、審理及び裁判をすることができる。

51　【裁判所法第10条】

事件を大法廷又は小法廷のいずれで取り扱うかについては、最高裁判所の定めるところによる。但し、左の場合においては、小法廷では裁判をすることができない。

一　当事者の主張に基いて、法律、命令、規則又は処分が憲法に適合するかしないかを判断するとき。（意見が前に大法廷でした、その法律、命令、規則又は処分が憲法に適合するとの裁判と同じであるときを除く。）

二　前号の場合を除いて、法律、命令、規則又は処分が憲法に適合しないと認めるとき。

三　憲法その他の法令の解釈適用について、意見が前に最高裁判所のした裁判に反するとき。

地方裁判所は、通常の訴訟事件について、第1審としての裁判権を有している裁判所となります。また、簡易裁判所の判決及び決定・命令に対する控訴及び抗告についての裁判権も有しています。

裁判については、原則として、1名の裁判官単独で行われますが、例外として、重要な事件については3人の合議体で行われます。

d　家庭裁判所

家庭裁判所とは、家庭に関する事件の審判（家事審判）及び調停（家事調停）、少年の保護事件の審判（少年審判）等を主として審理する第1審裁判所のことをいい、地方裁判所の所在地に同数設置されています。

家庭裁判所は、家庭事件の審判・調停、少年保護事件の審判をする他、少年法に関する訴訟についての第1審裁判権を有する裁判所となります。

裁判については、原則として、1名の裁判官単独で行われます。

なお、日本国憲法第76条[52]第2項前段は、特別裁判所の設置を禁止しています。特別裁判所とは、特定の人または特定の事件について、終審として裁判を行う裁判所のことをいい、通常の裁判所の系列に属さない裁判所のことをいいます。確かに、家庭裁判所は特別な性質の事件を処理する裁判所ではありますが、最終的に最高裁判所への上訴の道が確保されている限りは、日本国憲法第76条第2項前段に反するものではないとされています。

e　簡易裁判所

簡易裁判所とは、日常生活において発生する軽微な民事事件・刑事事件を迅速・簡易に処理するための第1審裁判所のことをいいます。全国に438箇所の簡易裁判所が設置されています。

簡易裁判所は、訴訟目的の価額（訴額）が少額の事件（140万円までの民事訴訟）及び軽微な事件（原則として、罰金以下の刑に該当する罪に関する刑事訴訟）についての第1審裁判権を有する裁判所となります。

裁判については、原則として、1名の裁判官単独で行われます。

52　【日本国憲法第76条】

1　すべて司法権は、最高裁判所及び法律の定めるところにより設置する下級裁判所に属する。

2　特別裁判所は、これを設置することができない。行政機関は、終審として裁判を行ふことができない。

3　すべて裁判官は、その良心に従ひ独立してその職権を行ひ、この憲法及び法律にのみ拘束される。

C　裁判の種類

裁判は、扱う事件によって以下の３つに区分されています。

また、我が国の裁判制度は、審級制を採用しており、事件についての裁判に不服がある場合には、上級の裁判所に上訴することができます。我が国の審級制は、その回数から三審制といわれています。第１審の判断に不服がある場合には、控訴して第２審（控訴審）へ、さらに不服がある場合は上告して第３審（上告審）へと進みます。但し、すべての事件において常に３回の審理や裁判を受けることができるわけではありませんし、４回目の審理を受けることができる場合もあります。

a　民事裁判（民事訴訟）

民事裁判（民事訴訟）とは、私人が対等な地位において営む生活関係から生じる私法上の権利・義務に関して生じる紛争や利害の衝突について、国家の司法機関である裁判所で行われる法律的かつ強制的に解決・調整するための裁判手続のことをいいます。

民事実体法である民法や会社法等の要件を充たしているかを、民事手続法である民事訴訟法・民事執行法・民事保全法等に従って判断していくこととなります。

例えば、金銭の貸し借りについて、いくら貸したとか、いや借りていないとか、もう返したといった主張を明らかにして、紛争を解決していく裁判がこの民事裁判（民事訴訟）に該当します。

審級制との関係では、訴額が140万円以下の場合には、簡易裁判所が第１審の裁判所となります。もし、簡易裁判所での判決に不服がある場合には、地方裁判所が第２審（控訴審）となります。さらに、地方裁判所での判決に不服がある場合には、高等裁判所が第３審（上告審）となります。通常ですと、我が国は三審制を採用していることから、これで３つの審理を経たこととなるので審理終了ということとなるのですが、憲法問題を含む場合には、憲法問題の終審は最高裁判所（日本国憲法第81条[53]）であることから、高等裁判所での判決に不服がある場合には、特別上告という特別に第４審がある場合もあります。基本的には、各裁判所の判決に不服がある場合には、簡易裁判所（第１審）→地方裁判所（控訴審）→高等裁判所（上告審）の３回の審理を経て終結します。

53　【日本国憲法第81条】
最高裁判所は、一切の法律、命令、規則又は処分が憲法に適合するかしないかを決定する権限を有する終審裁判所である。

また、夫婦間の問題や親子間の問題といった家庭内の問題については、家庭裁判所が第１審の裁判所となります。家庭内問題というのは、家庭内の事柄であるので、極めてプライベートな問題が多く、一般の裁判手続には馴染まないといった特徴があるため、特別に家庭裁判所で扱うとされています。しかし、家庭裁判所は憲法が禁止している特別裁判所ではない（日本国憲法第 76 条[54]第２項）ので、もし、家庭裁判所での判決内容に不服がある場合には第２審（控訴審）である高等裁判所へと進むこととなります。さらに、高等裁判所での判決に不服がある場合には、最高裁判所が第３審（上告審）となり、ここでの判決をもって集結します。つまり、家庭裁判所（第１審）→高等裁判所（控訴審）→最高裁判所（上告審）と進みます。

以上の２つの場合以外、つまり、家庭内の問題でもなく、訴額が 140 万円を超える場合や、不動産に関する問題を扱う場合には、地方裁判所が第１審の裁判所となります。もし、地方裁判所での判決に不服がある場合には、高等裁判所が第２審（控訴審）となります。さらに、高等裁判所での判決に不服がある場合には、最高裁判所が第３審（上告審）となります。つまり、地方裁判所（第１審）→高等裁判所（控訴審）→最高裁判所（上告審）と進みます。

b　刑事裁判（刑事訴訟）

刑事裁判（刑事訴訟）とは、犯罪の嫌疑を受けた者に対して、犯罪の存否・刑罰を科すことの可否を確定し、科すべき刑罰を決定するためにする裁判手続のことをいいます。

刑事実体法である刑法等の犯罪の構成要件を充たしているかを、刑事手続法である刑事訴訟法等に従って判断していくこととなります。

例えば、ある人がどうも他者を殺害したらしいといった場合、本当に殺害したのか、刑罰はどれくらいなのかといったことを証拠に基づいて判断していく裁判がこの刑事裁判（刑事訴訟）に該当します。

54　【日本国憲法第 76 条】

1　すべて司法権は、最高裁判所及び法律の定めるところにより設置する下級裁判所に属する。

2　特別裁判所は、これを設置することができない。行政機関は、終審として裁判を行ふことができない。

3　すべて裁判官は、その良心に従ひ独立してその職権を行ひ、この憲法及び法律にのみ拘束される。

審級制との関係では､刑罰が軽微なものや万引き等の窃盗の場合には､簡易裁判所が第１審の裁判所となります。もし、簡易裁判所での判決に不服がある場合には、民事裁判（民事訴訟）の場合とは異なり、地方裁判所ではなく、高等裁判所が第２審（控訴審）となります。さらに、高等裁判所での判決に不服がある場合には､最高裁判所が第３審(上告審)となります。つまり、簡易裁判所（第１審）→高等裁判所（控訴審）→最高裁判所（上告審）と進みます。

また､少年事件については､家庭裁判所が第１審の裁判所となります。少年はまだ更生の可能性が高いということで、一般の裁判手続には馴染まないといった特徴があるため、特別に家庭裁判所で扱うとされています。もし、家庭裁判所での判決内容に不服がある場合には第２審（控訴審）である高等裁判所へと進むこととなります。さらに、高等裁判所での判決に不服がある場合には、最高裁判所が第３審（上告審）となります。つまり、家庭裁判所（第１審）→高等裁判所（控訴審）→最高裁判所（上告審）と進みます。

以上の２つの場合以外、つまり、少年事件でもなく、軽微な刑罰の場合でもない場合には、地方裁判所が第１審の裁判所となります。もし、地方裁判所での判決に不服がある場合には、高等裁判所が第２審（控訴審）となります。さらに、高等裁判所での判決に不服がある場合には、最高裁判所が第３審（上告審）となります。つまり、地方裁判所（第１審）→高等裁判所（控訴審）→最高裁判所（上告審）と進みます。

c　行政裁判（行政事件訴訟）

行政裁判（行政事件訴訟）とは、行政機関の行為の違法性の有無を判断し、処分の無効や取消し等を行う裁判手続のことをいいます。

なお、行政裁判は、行政訴訟ではなく、あくまでも行政事件訴訟のことをいいます。というのは、行政訴訟とは、行政上の法律関係についての紛争につき、行政部内に設定された行政裁判所という特別の裁判所が手続に従って裁判をする訴訟類型をいい、特別裁判所の設置を禁じられている（日本国憲法第 76 条第２項）現在の我が国においては存在できません。他方、行政事件訴訟は、司法裁判所において、行政機関の行為の違法性の有無について判断することから、行政訴訟とは異なります。

我が国においても、大日本帝國憲法の下では、行政裁判所が行政訴訟を行っていました。しかし、現在においても、行政機関が行政行為の妥当性や違法性を判断する方が簡易迅速であることから、行政不服審査制度が設けられています。

裁判所法第３条[55]第２項においては、行政機関は前審として審判をすることを妨げないとあることから、行政機関は行政不服審査制度に従い、行政機関の行政行為や不作為についての妥当・不当、適法・違法を審査することができます。

本書では、第八講において行政事件訴訟及び行政不服審査について詳しく扱います。

③　法律上の争訟

法律上の争訟（裁判所法第３条第１項）とは、当事者間に具体的な法律関係ないし権利義務の存否に関する争いであること（主観訴訟）という事件性の要件、及び、法令の適用により終局的に解決できるものであることという争訟性の要件、という２つの要件を備えた紛争のことをいうものとされています。

つまり、司法権が扱える紛争とは、まず、具体的な権利義務に関する争いについてのみ扱えます。ですから、単なる事実に関する争い、例えば、10年前の天気が晴れだったか雨だったかとかには扱えないということとなります。また、法を解釈して適用することによって解決できるようなものであることについてのみ扱えます。ですから、ある宗教上の教義が正しいのか誤っているのか等については、法を解釈して、それを適用することによって確認することができないため扱えないということとなります。さらに、それによって強制的に終局的な解決を図ることとなります。このことによって繰り返し同じことについて争いを続けることを避けているのです。このことが司法権による紛争の解決の本質となります。

なお、主観訴訟の要件を欠いていたとしても、行政事件訴訟法においては、例外的に、法律に規定のある場合において、法律で規定する者に限って、客観訴訟の提起を認めています（行政事件訴訟法第42条[56]）。

55　【裁判所法第３条】

１　裁判所は、日本国憲法に特別の定のある場合を除いて一切の法律上の争訟を裁判し、その他法律において特に定める権限を有する。

２　前項の規定は、行政機関が前審として審判することを妨げない。

３　この法律の規定は、刑事について、別に法律で陪審の制度を設けることを妨げない。

56　【行政事件訴訟法第42条】

民衆訴訟及び機関訴訟は、法律に定める場合において、法律に定める者に限り、提起することができる。

（２）紛争解決の具体的な方法

紛争解決の具体的な方法には、法的三段論法という方法を用います。法的三段論法とは、通常の三段論法を法適用の場合に応用したものをいいます。

それでは、通常の三段論法とはどのようなものをいうのでしょうか。三段論法とは、小前提を大前提にあてはめて結論を導く論法のことをいいます。例えば、ＡはＢであるという大前提として、「人間は死ぬ」という事実があります。また、ＣはＡであるという小前提として、「甲さんは人間である」という事実もあります。この小前提を大前提にあてはめるとＣはＢである、つまり、「甲さんは死ぬ」という結論が導かれるわけです。

法的三段論法は、三段論法の考え方を法的に応用したものとなります。どのように応用したかというと、小前提である事実を、大前提である法規範にあてはめて、結論である法的効果を導きます。例えば、小前提として「乙さんはコンビニでパンを万引きした」という事実があるとします。この事実を大前提である法規範、つまり、刑法という法律にあてはめます。刑法第235条[57]には、窃盗罪の規定があります。「他人の財物を窃取した者は、窃盗の罪とし、十年以下の懲役又は五十万円以下の罰金に処する」とあるので、この条文の規定にあてはめます。実際に、乙さんはコンビニのパンを窃取したわけですから、結論として、効果の発生、この場合は、刑罰権の発生として、「十年以下の懲役又は五十万円以下の罰金」が乙さんに科されることとなります。というわけで、この法的三段論法によって結果を導くためには、まず、小前提である事実をどのように認定していくべきかということが重要となります（事実認定）。また、大前提としてどのような法規範を選択し、解釈していくべきかということが重要となります（法解釈）。さらに、事実認定によって認定した事実をどのように法解釈によって確定した法規範にあてはめていくべきかということが重要となります（あてはめ）。以上のように３つの段階で認定して判断していくことが重要となります。

また、この法的三段論法はＩＲＡＣともいわれます。このＩＲＡＣは、Issue、Rule、Application、Conclusionの頭文字をとったものです。

Issueとは、問題点を意味します。つまり、今、何が問題になっているのかということを理解することです。

---

57 【刑法第235条】
他人の財物を窃取した者は、窃盗の罪とし、十年以下の懲役又は五十万円以下の罰金に処する。

Rule とは、法規を意味します。つまり、その問題となっていることを解決するためにはどのような法規が必要であるのかを考え、必要であれば解釈を施します。

Application とは、あてはめることを意味します。つまり、今、問題となっている事実に法規をあてはめます。

Conclusion とは、結論を意味します。つまり、結論を導き出すことです。

まとめると、今、何が問題になっているのかということを理解し、その問題を解決するための法規を示し、今回の問題はどのような事実なのか、その事実を法規にあてはめて、結論を導き出していくわけです。

法的三段論法またはＩＲＡＣの思考方法は紛争解決には不可欠な技法となります。

おわりに

法的三段論法を身につけることは重要ですが、それと同じくらい重要なことはバランスをとるということです。法はバランスの学問といわれます。ある人とある人が争っている場合には両方の言い分を聞いた上で、バランスのとれた解決法を導く必要があります。どちらかに偏ったり、都合の悪い事実を無視したりすることは許されません。

また、原則通りに考えると紛争が解決できない、紛争を解決するためには原則通りに考えるわけにはいかないという場合には、原則と紛争解決との間でバランスのとれた解決法を導く必要があります。原則を貫くことも、原則をないがしろにすることもやはり偏っているといわざるを得ません。

そもそも複数の原則が矛盾しているという場合もあります。その場合にもそれらの原則のバランスをとる必要があります。どれか１つの原則を貫き、他の原則を無視することは偏っていると判断せざるを得ません。

その問題のありとあらゆることを考慮し、バランスをとろうとする姿勢が重要となります。

これから、民法・商法・民事訴訟法・刑法・刑事訴訟法・憲法・行政法といった個々の法分野をみていきます。それぞれの分野にはやはりそれぞれの事情に応じたバランスのとり方というものがあります。その点に注目しつつ確認していっていただければと思います。

こらむ
Column

条文の素読と判例の読解のススメ

法を理解するのに学生に奨めていることに、条文の素読と判例の読解があります。

法は条文から成り立っています。条文を読むだけである程度の問題は解決できるといっても過言ではありません。とはいえ、条文は独特ないいまわしをしていたり、他の条文を引用していたりと読み慣れていないと読みこなせない部分があります。そこで、条文になれる意味で、条文の素読を奨めています。本書においては、なるべく多くの条文になれていただけるように、各頁の下の欄に必ず条文を掲載するようにしています。条文を見ないで読み進めることもできますが、できれば条文を確認しながら読み進めていただけるとより効果的に学習できるかと思います。

先に、条文を読むだけである程度の問題は解決できると申し上げましたが、条文だけで解決できない場合やそもそも条文の意味が何通りに解釈できるため条文自体が問題となっている場合、そもそも条文が存在していないため問題が解決できない場合等、様々なことが起こり得ます。法や条文は神ならぬ人間がつくったものであるため、ありとあらゆる事態を想定してある完璧な法や条文というものはあり得ません。とはいえ、法が想定していない事態が生じた場合に何もできないというのも困ります。そこで、実際の司法の現場でどのように解決をしたのかの記録が判例です。条文の解釈自体に対立がある場合や、条文が想定していないような事件が起こった場合に、どうやってそれらを解決したのかがわかります。中には納得いかないようなものもあるかもしれないですし、中にはそういう考え方もあるのかと感心することもあるかと思います。ただただ条文を読んでいた時と異なり、実際にどう使うのかがわかるので楽しめると思います。本書では紙面の関係から、あまり多くの判例を掲載することができませんでしたが、もし、興味があれば『判例百選』シリーズ（有斐閣）等を一緒に読むとより効果的な学習が可能となるかと思います。

第Ⅱ部

民事法学入門

第二講　民法学入門

はじめに

本講では、民法について学びます。民法は法律の王様ともいってもよいくらい重要な法律で、非常に条文数も多いことから、民法上重要と思われる部分を中心に学んでいきたいと思います。

民法は私法の一般法といわれます。私法と公法とは何か、一般法と特別法とは何かといった分類とその意味については第一講で既に詳しく述べたので再確認しておいてください。まず、民法は私法か公法かといえば、私法であるということとなります。また、私法の中においては、民法以上の一般法が存在しないため（商法は会社法との関係では一般法、民法との関係では特別法となります）、私法の一般法といった場合には、民法のことをいうものであるとされています。

また、民法は民事実体法でもあります。民法は、民事法の分野における権利の発生・変更・消滅について規定した法でもあるので、民事訴訟法・民事執行法・民事保全法等の民事手続法に規定された手続に従って実現されていくこととなります。

民事手続法である民事訴訟法については、本書第四講にて入門的な内容を扱います。

一　民法の内容

民法は次のような内容を有しています。

1　総則

総則とは、民法全体に共通する規定のことをいいます。

（1）人（自然人及び法人）

人とは、権利・義務の主体となるもののことをいいます。この人は、自然人と法人に分類することができます。自然人とは、生身の人間のことをいいます。対して、法人とは、法が特別に人と認めている社団または財団のことをいいます。

（2）物（有体物＝気体・液体・固体）

物とは、権利・義務の客体となるもののことをいいます。この物とは、有体物、つまり、気体・液体・固体を意味します（民法第85条[1]）。

また、この物は、不動産と動産に分類することができます（民法第86条[2]）。

不動産とは、土地及びその定着物のことをいいます（民法第86条第1項）。

対して、動産とは、不動産以外の物のことをいいます（民法第86条第2項）。従って、身の回りにあるほとんどの物は動産ということとなります。

（3）法律行為（意思表示＝契約）

法律行為とは、権利・義務の変動（発生・変更・消滅）の原因となるもののことをいいます。民法は、意思主義を採用しているので、原則として、意思のない場合には、権利・義務の変動は生じません。

（4）時効（権利の発生及び消滅の原因）

時効とは、権利・義務の変動の原因のうちの例外（意思表示によらない）となるもののことをいいます。

また、この時効は、取得時効と消滅時効に分類することができます。

取得時効とは、時の経過によって権利を取得することをいいます（民法第162条[3]及び第163条[4]）。

1 【民法第85条】
この法律において「物」とは、有体物をいう。

2 【民法第86条】
1 土地及びその定着物は、不動産とする。
2 不動産以外の物は、すべて動産とする。

3 【民法第162条】
1 二十年間、所有の意思をもって、平穏に、かつ、公然と他人の物を占有した者は、その所有権を取得する。
2 十年間、所有の意思をもって、平穏に、かつ、公然と他人の物を占有した者は、その占有の開始の時に、善意であり、かつ、過失がなかったときは、その所有権を取得する。

4 【民法第163条】
所有権以外の財産権を、自己のためにする意思をもって、平穏に、かつ、公然と行使する者は、前条の区別に従い二十年又は十年を経過した後、その権利を取得する。

対して、消滅時効とは、時の経過によって権利を喪失することをいいます（民法第166条[5]）。

2 財産法

財産法とは、財産に関わる権利に関係する法のことをいいます。この財産法は、日本国憲法第29条[6]にある財産権の内容を具体化したものとなります。

財産法の分野は、物権法の分野と債権法の分野に分類することができます。

（1）物権法

物権とは、物に対する直接的及び排他的な支配権のことをいいます。この物権について規定している分野を物権法といいます。

（2）債権法

債権とは、特定人（債務者）に一定の請求ができる権利のことをいいます。この権利を有している者を債権者、対して、この義務を負う者を債務者といいます。この債権について規定している分野を債権法といいます。

3 家族法

家族法とは、身分に関係する法のことをいいます。

家族法は、親族法の分野と相続法の分野に分類することができます。

5 【民法第166条】

1 債権は、次に掲げる場合には、時効によって消滅する。

一 債権者が権利を行使することができることを知った時から五年間行使しないとき。

二 権利を行使することができる時から十年間行使しないとき。

2 債権又は所有権以外の財産権は、権利を行使することができる時から二十年間行使しないときは、時効によって消滅する。

3 前二項の規定は、始期付権利又は停止条件付権利の目的物を占有する第三者のために、その占有の開始の時から取得時効が進行することを妨げない。ただし、権利者は、その時効を更新するため、いつでも占有者の承認を求めることができる。

6 【日本国憲法第29条】

1 財産権は、これを侵してはならない。

2 財産権の内容は、公共の福祉に適合するやうに、法律でこれを定める。

3 私有財産は、正当な補償の下に、これを公共のために用ひることができる。

（１）親族法

親族法とは、夫婦関係や親子関係といった通常の私人間の人間関係よりも濃密な人間関係を中心に規定している法分野のことをいいます。

（２）相続法

相続法とは、人の死を原因とする財産関係について規定している法分野のことをいいます。相続法は財産関係について規定していることから、家族法的側面のみならず、財産法的側面も有しています。

二　民法の大原則

民法には次の４つの大原則があります。

１　権利能力平等の原則

権利能力平等の原則とは、すべての人は、差別されることなく、平等に権利・義務の主体となることができるという原則のことをいいます。

従って、すべての生存している自然人は例外なく権利能力を有しているということができます（民法第３条[7]第１項）。但し、外国人の場合は例外となる場合があります（民法第３条第２項）

２　私的所有権絶対の原則

私的所有権絶対の原則とは、所有権が物に対する完全な支配権であるという原則のことをいいます。

この私的所有権絶対の原則は私有財産制度の根幹をなす原則であるともいえます。所有権は、所有者がその所有物に対する完全な支配権を有することであることから、所有者は、自由にその所有物の使用・収益・処分をする権利を有することとなります（民法第206条[8]）。

7　【民法第３条】

１　私権の享有は、出生に始まる。

２　外国人は、法令又は条約の規定により禁止される場合を除き、私権を享有する。

8　【民法第206条】

所有者は、法令の制限内において、自由にその所有物の使用、収益及び処分をする権利を有する。

3　私的自治の原則

(1) 私的自治の原則の意義

私的自治の原則とは、すべての人は、自由な意思に基づいて法律関係を形成することができ、また、その自由な意思によらなければ、権利を取得し、義務を負わされることはないという原則のことをいいます。

この原則は、当然のことですから、明文の規定は存在しません。また、契約自由の原則をその中核とします。この原則に基づき、法律行為制度は、意思表示があるときにのみその意思内容が実現されます。あくまでも自由な意思に基づくことが原則となるので、民法には、必ず守らなくはならない強行規定と、必ずしも守らなくてよい任意規定の双方が規定されています（民法第91条[9]）。

(2) 私的自治の原則の修正

①　公共の福祉による制限

私的自治の原則は、公共の福祉による制限を受けます（民法第1条[10]第1項）。公共の福祉による制限は、他人に迷惑をかけないことを目的としています。この公共の福祉による制限は、公序良俗を維持するための制限と弱者保護のための制限に分類することができます。

A　公序良俗を維持するための制限

公の秩序または善良な風俗（これを略して「公序良俗」といいます）に反する法律行為は無効となります（民法第90条[11]）。

例えば、愛人契約や殺し屋を雇う契約等は、この公序良俗に反する契約なので無効となります。法の助力によって実現させることに問題のある契約はこの公序良俗に反する契約であると考えて問題はありません。

9　【民法第91条】
法律行為の当事者が法令中の公の秩序に関しない規定と異なる意思を表示したときは、その意思に従う。

10　【民法第1条】
1　私権は、公共の福祉に適合しなければならない。
2　権利の行使及び義務の履行は、信義に従い誠実に行わなければならない。
3　権利の濫用は、これを許さない。

11　【民法第90条】
公の秩序又は善良の風俗に反する法律行為は、無効とする。

B 弱者保護のための制限

経済的弱者や社会的弱者を保護するために、一般法である民法の規定が借地借家法や労働基準法といった特別法の規定によって修正されています。特別法であるこれらの法律の規定が、一般法である民法の規定に優先して適用されることは、先に述べた通りです。この理由は、特別法を優先させないと弱者保護の目的が達成されないからです。

例えば、どこかの事業所で働こうとする場合、雇用契約という契約を結ぶこととなります（民法第623条[12]）。また、私的自治の原則（＝契約自由の原則）から、雇用契約はどのような内容のものでも締結することが可能となります。しかし、雇用契約の内容が自由であると、立場の強い使用者と立場の弱い労働者の間で契約が結ばれることとなるため、労働者にとって不利な内容の契約が結ばれる危険性が生じます。そこで、労働基準法や最低賃金法といった特別法を規定することによって、労働者と使用者が対等な立場で契約を結べるようにし（労働基準法第２条[13]第１項)、賃金の最低額を保障することによって、労働者の生活の安定を図っています（最低賃金法第１条[14]）。

② 信義誠実の原則による制限

信義誠実の原則（これを略して「信義則」といいます）とは、契約も条文もない場合に常識的な結論を出すための最後の拠り所となる原則のことをいいます（民法第１条第２項)。従って、具体的な条文や契約書があれば、それを優先して適用することとなります。つまり、信義則は最後の拠り所となるのです。

12 【民法第623条】
雇用は、当事者の一方が相手方に対して労働に従事することを約し、相手方がこれに対してその報酬を与えることを約することによって、その効力を生ずる。

13 【労働基準法第２条】
１ 労働条件は、労働者と使用者が、対等の立場において決定すべきものである。
２ 労働者及び使用者は、労働協約、就業規則及び労働契約を遵守し、誠実に各々その義務を履行しなければならない。

14 【最低賃金法第１条】
この法律は、賃金の低廉な労働者について、賃金の最低額を保障することにより、労働条件の改善を図り、もつて、労働者の生活の安定、労働力の質的向上及び事業の公正な競争の確保に資するとともに、国民経済の健全な発展に寄与することを目的とする。

相手に損害を発生させないという当然の結論は、健全な社会のための義務となります。民法上の取引は、相互に信頼してはじめて成り立つため、特定の法律関係（契約関係）に入った者同士は、信義則の支配する緊密な関係に入り、互いに相手方の信頼を裏切らないという義務を負うこととなるのです。

③ 権利濫用の禁止による制限

権利濫用の禁止（民法第１条第３項）の効果は、たとえ正当な権利を有していたとしても、その権利の行使の仕方が不当であった場合、つまり、権利の濫用と認められる場合には、その権利行使が認められないということです。それぱかりではなく、場合によっては損害賠償責任が発生することもあります。これは、妥当な結論を導くための考え方となります。

《重要判例民法》大審院昭和10年10月５日判決【宇奈月温泉事件】

【事件の概要】

宇奈月温泉はＹによって経営されており、その湯は長距離に及ぶ引湯管によって黒薙温泉から引かれていた。Ｘは、引湯管がその一部をかすめる本件係争地を買い受けて、Ｙに対して不法占拠を理由に引湯管の撤去を迫り、周辺の土地と合わせて高額な価格で買い取るよう要求した。Ｙがこれに応じなかったために、Ｘが所有権に基づく妨害排除を求めて訴訟を起こした。

第１審及び第２審ではＹが勝訴。Ｘが上告。

【判旨】

上告棄却。

「所有権ニ対スル侵害又ハ其ノ危険ノ存スル以上、所有者ハ斯ル状態ヲ除去又ハ禁止セシムル為メ裁判上ノ保護ヲ請求シ得ヘキヤ勿論ナレトモ、該侵害ニ因ル損失云フニ足ラス而モ侵害ノ除去著シク困難ニシテ縦令之ヲ為シ得トスルモ莫大ナル費用ヲ要スヘキ場合ニ於テ、第三者ニシテ斯ル事実アルヲ奇貨トシ不当ナル利得ヲ図リ殊更侵害ニ関係アル物件ヲ買収セル上、一面ニ於テ侵害者ニ対シ侵害状態ノ除去ヲ迫リ、他面ニ於テハ該物件其ノ他ノ自己所有物件ヲ不相当ニ巨額ナル代金ヲ以テ買取ラレタキ旨ノ要求ヲ提示シ他ノ一切ノ協調ニ応セスト主張スルカ如キニ於テハ、該除去ノ請求ハ単ニ所有権ノ行使タル外形ヲ構フルニ止マリ、真ニ権利ヲ救済セムトスルニアラス。即チ、如上ノ行為ハ、全体ニ於テ専ラ不当ナル利益ノ摑得ヲ目的トシ、所有権ヲ以テ其ノ具ニ供スルニ帰スルモノナレハ、**社会観念上所有権ノ目的ニ違背シ其ノ機能トシテ許サルヘキ範囲ヲ超脱スルモノニシテ、権利ノ濫用ニ外ナラス。**」

権利濫用の禁止と信義則違反との両者の違いは、権利濫用の禁止が特別の信頼関係を前提とせず違法性が重いのに対して、信義則違反は特別の信頼関係を前提とし違法性が軽いということにあります。

④　自力救済の禁止による制限

権利内容の実現はあくまでも裁判所が行うことですから、自力救済は禁止されます。これは、個人が勝手に行うと間違いを起こす可能性があるからです。つまり、社会秩序の維持が目的となります。

自力救済の禁止は、法制度が整った近代社会では当然のことですから、あえて規定されておらず、その根拠条文は存在しません。

例えば、自分の自転車が盗難に遭ったという場合において、盗難に遭ったその数日後に、その盗まれた自転車を発見したのであれば、たとえそれが自分のものであったとしても、勝手にそれを自分のものとして持ち帰ってはいけないということです。

4　過失責任の原則

過失責任の原則とは、不利益を被るには、必ず本人に原因、つまり、故意（わざと）または過失（うっかり）がなければならないという原則のことをいいます。これは、自己をコントロールする原則ともいえます。

また、この原則は、自らの行為について充分注意を払っていれば責任を負わされることはないという意味で、個人の自由な行動をバックアップしているともいえます。

5　４つの原則の相互関係

権利能力の平等（権利能力平等の原則）を前提として、所有権という絶対的な道具（所有権絶対の原則）が人には与えられています。この所有権という絶対的な道具をどのように使うかはその所有者の意思に完全に委ねられています。つまり、その道具は完全に自由に使うことができるのです（私的自治の原則）。しかし、完全に自由に使うことができるからといって、他人に迷惑をかけることはできません。そこには責任が伴います。とはいっても、自分に落ち度がないことにまで責任を取る必要はありません。落ち度がある場合にのみ責任を取れば充分です（過失責任の原則）。

以上のように、権利能力平等の原則・私的所有権絶対の原則・私的自治の原則・過失責任の原則といった民法の４つの大原則は、相互に密接に関連しているのです。

三　民法総則

民法総則とは、民法全体に共通する規定のことをいいます。

1　人

（1）権利能力

①　権利能力の意義

権利能力とは、権利・義務の主体となり得る能力のことをいいます。また、権利能力とは、法律関係を有することができる最低限の能力のことをいい、この能力を有しているのが、民法上、権利・義務の主体となる人（自然人及び法人）です。なお、先述したように、自然人とは、私たちのような生身の人間のことを意味し、法人とは、自然人ではなく、法によって法人格（権利・義務の主体となり得る地位）を認められたもののことを意味します。

②　権利能力の始期

自然人の権利能力の始期は出生時となります（民法第３条[15]）。まだ生まれていない場合や、既に亡くなっている死者やペット等の動物には権利能力は認められません。

A　出生の意義

a　民法上の出生の意義（全部露出説）

民法の立場では、人を権利や義務の主体として捉えることから、母体から完全に分離し、独立した時点を出生として扱います。

b　刑法上の出生の意義（一部露出説）

刑法の立場では、人を侵害の客体として捉えることから、母体から一部でも露出し、直接侵害することが可能となった時点を出生として扱います。

c　行政法上の出生の意義

行政法の立場では、人を行政サービスの客体として捉えることから、出生届が受理された時点を出生として扱います。

15　【民法第３条】
　1　私権の享有は、出生に始まる。
　2　外国人は、法令又は条約の規定により禁止される場合を除き、私権を享有する。

B 胎児の例外規定

まだ出生していない胎児については、不法行為における損害賠償請求（民法第721条[16]）・相続（民法第886条[17]第１項）・遺贈（民法第965条[18]）の３つについて、胎児は既に生まれたものとみなされます。これらは、出生後の子と出生前の胎児との相互の公平を図る趣旨で設けられています。

C 「既に生まれたものとみなす」の解釈方法

a 法定停止条件説（判例・通説）

法定停止条件説では、胎児には原則通り権利能力が認められず、生きて生まれてきたらという条件（停止条件）が成就されると、胎内にいた時点に遡って権利能力を取得するとされています。法定停止条件説では、胎児には法定代理人が付されないという特徴があります。

b 法定解除条件説（有力説）

法定解除条件説では、胎児の間でも制限的に権利能力が認められ、生きて生まれてこなかった（死産）という条件（解除条件）が成就されると、遡及的に権利能力を喪失するとされています。法定解除条件説では、胎児には法定代理人が付されるという特徴があります。

③ 権利能力の終期

自然人の権利能力の終期は死亡時となります。死亡は、社会通念上、心拍動の停止・呼吸の停止・瞳孔の拡大及び対光反射の停止という３兆候をもって判断されます。従って、脳死の段階ではまだ死亡とは判断されません。

A 同時死亡の推定

数人の者が死亡し、その数人のうち死亡の時期の前後が不明の場合には、これらの者は同時に死亡したものとして扱われます（民法第32条の２[19]）。

---

16 【民法第721条】
胎児は、損害賠償の請求権については、既に生まれたものとみなす。

17 【民法第886条】
1 胎児は、相続については、既に生まれたものとみなす。
2 前項の規定は、胎児が死体で生まれたときは、適用しない。

18 【民法第965条】
第八百八十六条及び第八百九十一条の規定は、受遺者について準用する。

19 【民法第32条の２】
数人の者が死亡した場合において、そのうちの一人が他の者の死亡後になお生存していたことが明らかでないときは、これらの者は、同時に死亡したものと推定する。

死亡時が前後すると相続の順位が異なることとなることから、死亡時は相続にとって非常に重要な要因となります。そこで、数人の者が死亡し、その数人のうち死亡の時期の前後が不明の場合には、同時に死亡したと推定し、互いの間で相続を発生させないことによって混乱を防止しています。

B　失踪宣告制度

失踪宣告制度とは、失踪宣告によって、失踪者を死んだこととする制度のことをいいます（民法第31条[20]）。これによって、失踪者の財産関係、身分関係といった法律関係をすべて解決することができるようになります。

失踪者が長期間行方不明の状態が続くと、失踪者の生存を諦め、失踪者の財産関係や身分関係を整理したいと考えることもあることから、この失踪宣告制度によって、法律上、失踪者が死亡したのと同じ効果を生じさせて、失踪者の財産関係や身分関係の整理をすることが可能となります。

a　普通失踪

普通失踪とは、不在者の生死が７年間不明の場合、この７年の期間満了時にその者を死亡したこととみなす制度のことをいいます（民法第30条[21]第１項）。

普通失踪の場合は、７年間行方不明であると失踪宣告を求めることができるようになり、７年経過時に死亡したこととみなされます。

b　特別失踪

特別失踪とは、特別の危難に遭った者の生死が危難の去った後１年間不明の場合、その者を死亡したこととみなす制度のことをいいます（民法第30条第２項）。

特別失踪の場合は、危難が去った時から１年間行方不明であると失踪宣告を求めることができるようになり、危難が去った時に死亡したこととみなされます。

20　【民法第31条】

前条第一項の規定により失踪の宣告を受けた者は同項の期間が満了した時に、同条第二項の規定により失踪の宣告を受けた者はその危難が去った時に、死亡したものとみなす。

21　【民法第30条】

１　不在者の生死が七年間明らかでないときは、家庭裁判所は、利害関係人の請求により、失踪の宣告ができる。

２　戦地に臨んだ者、沈没した船舶の中に在った者その他死亡の原因となるべき危難に遭遇した者の生死が、それぞれ、戦争が止んだ後、船舶が沈没した後又はその他の危難が去った後一年間明らかでないときも、前項と同様とする。

c　失踪宣告の取消し

失踪者が生存または異なる時点で死亡したことの証明があった場合には、失踪者の保護と取引の安全との調和を図る趣旨から、本人等の請求により、家庭裁判所は失踪宣告を取り消さなければなりません（民法第32条[22]第1項前段）。

この場合において、その取消しは、失踪の宣告後その取消し前に善意でした行為の効力に影響を及ぼしません（民法第32条第1項後段）。

ここで、「善意でした行為」の善意というのは、失踪宣告によって利益を得た者が善意であることを意味するのか、その相手方が善意であることを意味するのか、それとも、それら双方が善意であることを意味するのかが問題となります。この条文の規定された趣旨は、失踪宣告の取り消しの遡及効によって影響を受ける者を保護し、失踪者の保護と取引の安全との調和を図るところにあります。であるならば、当事者の一方のみに善意を要求することは、失踪者の保護という点において妥当ではありません。また、ここでいう「善意でした行為」とは、契約等の場合については当事者双方のことを問題としていると解すことができることから、善意であることは当事者双方に要求されるべきと考えられます。

また、民法第32条第1項後段は、直接の相手方のみに適用されるべきかどうかが問題となります。この条文の規定された趣旨は、上記の通りです。であるならば、直接の相手方ではなかったとしても、信頼して取引行為に及んだ者がいる以上、その者を保護することによって、取引の安全を図るべきです。従って、民法第32条第1項後段は、直接の相手方に限らず適用されるべきと考えられます。

失踪の宣告によって財産を得た者は、その取消しによって権利を失います（民法第32条第2項本文）が、現に利益を受けている限度においてのみ、その財産を返還する義務を負うこととなります（民法第32条第2項但書）。

22　【民法第32条】

1　失踪者が生存すること又は前条に規定する時と異なる時に死亡したことの証明があったときは、家庭裁判所は、本人又は利害関係人の請求により、失踪の宣告を取り消さなければならない。この場合において、その取消しは、失踪の宣告後その取消し前に善意でした行為の効力に影響を及ぼさない。

2　失踪の宣告によって財産を得た者は、その取消しによって権利を失う。ただし、現に利益を受けている限度においてのみ、その財産を返還する義務を負う。

(2) 意思能力

① 意思能力の意義

意思能力とは、自己の行為の結果を弁識するに足りるだけの精神的能力のことをいいます。

② 意思無能力者の行為の効力

民法は、私的自治の原則を採用することから、法律行為をするためには、意思能力が当然必要となることとなります。従って、意思能力を欠く者(意思無能力者)は法律行為を有効にすることはできないということとなります。そこで、意思無能力者を保護するために、意思無能力者の法律行為の効果は無効とすることとされています(民法第3条の2[23])。

(3) 行為能力

① 行為能力の意義

行為能力とは、単独かつ有効に法律行為をすることができる能力のことをいいます。行為能力を有する者を行為能力者、制限される者を制限行為能力者といいます。

② 制限行為能力者制度

A 制限行為能力者制度の意義

意思無能力者の行為は無効ですが、意思能力を欠いていたかどうかについては、法律行為ごとにそれを行った瞬間に判断することとなる(民法第3条の2)ため、その立証には大変な困難が伴い、無効主張は認められ難いということが現実です。また、意思能力が不充分な者が単独かつ有効に法律行為をすることができるとすると、自由取引競争社会の犠牲となる危険性もあります。そこで、一般的・恒常的に意思能力が不充分であるとされる者を定型化し、その者の行為を取消しをすることができるものとすることによって、その者を保護しようとしたのが制限行為能力者制度です。

23 【民法第3条の2】
法律行為の当事者が意思表示をした時に意思能力を有しなかったときは、その法律行為は、無効とする。

B 制限行為能力者の行為

意思無能力者のなした法律行為は無効であり初めから効力が生じませんが、制限行為能力者のなした法律行為は取消しをすることができる法律行為となります（民法第 120 条[24]第 1 項)。つまり、意思無能力者のなした法律行為は無効であり初めから効力が生じませんが、制限行為能力者がなした法律行為は取り消されるまでは有効な行為として扱われ、取り消されるとその法律行為はその法律行為を行った当初に遡って無効となります（民法第 121 条[25])。以上のように法律行為が取り消されるまで有効、取消しをしたらその法律行為を行った当初に遡って無効となることを遡及的無効（取消しの遡及効）といいます。

それでは、制限行為能力者が単独で行った取消しについては、取消をすることができるのでしょうか。制限行為能力者制度は、意思能力が不充分な者が単独かつ有効に法律行為を行えるとすると、自由取引競争社会の犠牲となる危険性があるため、一般的・恒常的に意思能力が不充分であるとされる者をあらかじめ定型化し、その者の行為を取消しをすることができるものとすることによって、その者を保護しようとする制度です。であるならば、取消しをすることを認めればその保護は充分であるといえ、その取消しについて取消しをすることまで認める必要はないといえます。また、取消しをすることができる取消しを認めれば、取引の相手方の地位を不安定にし、その取引の安全を害することにもなります。さらに、民法第 120 条第 1 項は、制限行為能力者自身による取消しを規定しています。

C 制限行為能力者の種類

α 未成年者

未成年者とは、20 歳に達しない者のことをいいます（民法第４条[26])。

24 【民法第 120 条】

1 行為能力の制限によって取り消すことができる行為は、制限行為能力者（他の制限行為能力者の法定代理人としてした行為にあっては、当該他の制限行為能力者を含む。）又はその代理人、承継人若しくは同意をすることができる者に限り、取り消すことができる。

2 錯誤、詐欺又は強迫によって取り消すことができる行為は、瑕疵ある意思表示をした者又はその代理人若しくは承継人に限り、取り消すことができる。

25 【民法第 121 条】

取り消された行為は、初めから無効であったものとみなす。

26 【民法第４条】

年齢二十歳をもって、成年とする。

原則として、未成年者は成年者と比べると充分な判断能力がないため制限行為能力者とされています。

また、例外として、20歳未満でも婚姻をなすと成年とみなされます（民法第753条[27]）。これを成年擬制といいます。なお、2022（令和4）年4月1日以降、改正民法の施行により、成人年齢は18歳となり、婚姻適齢は男女ともに18歳となるため、成人と同時に婚姻適齢となります。そのため、成年擬制の制度はなくなることとなります。

い　未成年者が単独かつ有効にすることができること

イ　単に権利を得または義務を免れるべき行為

未成年者は、単に権利を得る法律行為や義務を免れる法律行為については、単独かつ有効にすることができます（民法第5条[28]第1項但書）。単に権利を得または義務を免れるべき行為は、未成年者にとって不利益とはならず、また、未成年者が自由取引競争社会の犠牲となる危険性もないため、単独かつ有効にすることができるとされています。

ロ　処分を許された財産の処分

未成年者は、法定代理人が目的を設定して処分を許した財産をその目的の範囲内において自由に処分することができます（民法第5条第3項前段）。また、未成年者は、法定代理人が目的を設定しないで処分を許した財産も自由に処分することができます（民法第5条第3項後段）。法定代理人が目的を設定していても（家賃としてお金を渡す場合等）、目的を設定していなくても（お小遣いとしてお金を渡す場合等）、法定代理人が未成年者に対して処分を許したということは、未成年者に対して包括的な同意を与えたことと同様に解すことができることから、そのような財産の処分については、未成年者は単独かつ有効にすることができるとされています。

27　【民法第753条】
未成年者が婚姻をしたときは、これによって成年に達したものとみなす。

28　【民法第5条】
1　未成年者が法律行為をするには、その法定代理人の同意を得なければならない。ただし、単に権利を得、又は義務を免れる法律行為については、この限りでない。
2　前項の規定に反する法律行為は、取り消すことができる。
3　第一項の規定にかかわらず、法定代理人が目的を定めて処分を許した財産は、その目的の範囲内において、未成年者が自由に処分することができる。目的を定めないで処分を許した財産を処分するときも、同様とする。

ハ 許された営業に関する行為

未成年者が1種または数種の営業を許された場合には、その営業に関しては、成年者と同一の行為能力を有するとされています。(民法第6条[29]第1項)。未成年者が営業をするからといって、個々の行為を取消しをすることができる行為としていては営業が成り立たないこととなります。そこで、未成年者が営業を許された場合には、その営業に関しては法定代理人によって包括的な同意を与えられたことと同様に解すことができることから、その営業に関する行為は成年者と同様に単独かつ有効にすることができるとされています。

ろ 未成年者の保護者

未成年者の保護者は法定代理人です。この法定代理人とは、具体的には、原則として、親権者、つまり、父母のことをいいます（民法第818条[30]第1項)。

父母が婚姻中の場合には、父母が共同して親権を行使することとなります（民法第818条第3項本文)。このことを共同親権の原則といいます。対して、父母が離婚をした場合には、父母の一方のみが親権者となります（民法第818条第3項但書)。

父母が離婚した場合の親権者の決定は、協議の離婚の場合には、その協議によって行い（民法第819条[31]第1項)、裁判上の離婚の場合には、裁判で親権者の決定について行います（民法第819条第2項)。

29 【民法第6条】

1 一種又は数種の営業を許された未成年者は、その営業に関しては、成年者と同一の行為能力を有する。

2 前項の場合において、未成年者がその営業に堪えることができない事由があるときは、その法定代理人は、第四編（親族）の規定に従い、その許可を取り消し、又はこれを制限することができる。

30 【民法第818条】

1 成年に達しない子は、父母の親権に服する。

2 子が養子であるときは、養親の親権に服する。

3 親権は、父母の婚姻中は、父母が共同して行う。ただし、父母の一方が親権を行うことができないときは、他の一方が行う。

31 【民法第819条】(抄)

1 父母が協議上の離婚をするときは、その協議で、その一方を親権者と定めなければならない。

2 裁判上の離婚の場合には、裁判所は、父母の一方を親権者と定める。

は　法定代理人の権限

イ　取消権

法定代理人は、未成年者のした法律行為について、取消権を行使することができます（民法第５条[32]第２項）。

取消権は事後の行為であり、未成年者が法定代理人の同意を得ずにした身分行為以外の法律行為に対して行います。また、取消しをした場合には、未成年者は取消権の実効性確保の観点から、現に利益を受けている限度（現存利益）でのみ返還の義務を負うこととなります（民法第121条の２[33]第３項後段）。

ロ　同意権

法定代理人は、未成年者のする法律行為について、同意権を行使することができます（民法第５条第１項本文）。

同意権は事前の行為であり、あくまでも未成年者本人が法律行為をし、その法律行為に対して、法定代理人が事前に承認を与えておくことをいいます。そのことによって、未成年者のした法律行為は初めから取消しをすることができない完全に有効な法律行為となることとなります。つまり、あらかじめ取消権を封じておくこととなるわけです。

32　【民法第５条】

１　未成年者が法律行為をするには、その法定代理人の同意を得なければならない。ただし、単に権利を得、又は義務を免れる法律行為については、この限りでない。

２　前項の規定に反する法律行為は、取り消すことができる。

３　第一項の規定にかかわらず、法定代理人が目的を定めて処分を許した財産は、その目的の範囲内において、未成年者が自由に処分することができる。目的を定めないで処分を許した財産を処分するときも、同様とする。

33　【民法第121条の２】

１　無効な行為に基づく債務の履行として給付を受けた者は、相手方を原状に復させる義務を負う。

２　前項の規定にかかわらず、無効な無償行為に基づく債務の履行として給付を受けた者は、給付を受けた当時その行為が無効であること（給付を受けた後に前条の規定により初めから無効であったものとみなされた行為にあっては、給付を受けた当時その行為が取り消すことができるものであること）を知らなかったときは、その行為によって現に利益を受けている限度において、返還の義務を負う。

３　第一項の規定にかかわらず、行為の時に意思能力を有しなかった者は、その行為によって現に利益を受けている限度において、返還の義務を負う。行為の時に制限行為能力者であった者についても、同様とする。

ハ 追認権

法定代理人は、未成年者のした法律行為について、追認権を行使することができます（民法第122条[34]）。この追認権とは、未成年者本人がした法律行為に対して、事後に法定代理人が追って認めることをいいます。

追認権は事後の行為であり、未成年者が法定代理人の同意を得ずにした法律行為に対して行います。そのことによって、未成年者のした法律行為は、以後、取消しをすることができない完全に有効な法律行為となります。つまり、事後に取消権を封じることとなるわけです。

ニ 代理権

法定代理人は、未成年者に代わって法律行為を行うことができます（民法第824条[35]本文）。

この代理行為は、行為能力者である法定代理人の行為であるので、確定的に有効な行為となり、原則として、取消しをすることができない行為となります。

b 成年被後見人

成年被後見人とは、精神上の障害により事理を弁識する能力を欠く常況にある者のことをいいます（民法第7条[36]）。つまり、成年被後見人とは極めて重度の精神的障害がある者のこと、意思無能力者に近い常況にある者のことをいいます。手続的な要件としては、一定の範囲の者の請求と家庭裁判所による後見開始の審判が必要となります。この手続は、本人以外の者の請求による場合であっても本人の同意は不要です。

---

34 【民法第122条】
取り消すことができる行為は、第百二十条に規定する者が追認したときは、以後、取り消すことができない。

35 【民法第824条】
親権を行う者は、子の財産を管理し、かつ、その財産に関する法律行為についてその子を代表する。ただし、その子の行為を目的とする債務を生ずべき場合には、本人の同意を得なければならない。

36 【民法第7条】
精神上の障害により事理を弁識する能力を欠く常況にある者については、家庭裁判所は、本人、配偶者、四親等内の親族、未成年後見人、未成年後見監督人、保佐人、保佐監督人、補助人、補助監督人又は検察官の請求により、後見開始の審判をすることができる。

い　成年被後見人が単独かつ有効にすることができること

イ　日用品の購入その他日常生活に関する行為

成年被後見人は、日用品の購入その他日常生活に関する行為については、単独かつ有効にすることができます（民法第９条[37]但書）。成年被後見人は常にその能力を欠いているので、原則として、法律行為を単独かつ有効にすることはできませんが、例外として、日々の生活に関する物の購入やその他日常生活に関することについては、単独かつ有効にすることができるとされています。

ロ　身分行為の一部

成年被後見人は、身分行為の一部、例えば、婚姻・離婚・養子縁組・離縁については、単独かつ有効にすることができます。身分行為は、本人の意思が尊重される事柄であるため、成年被後見人でも単独かつ有効にすることができるとされています。

ろ　成年被後見人の保護者

成年被後見人の保護者は成年後見人です（民法第８条[38]）。

家庭裁判所は後見開始の審判と同時に、成年被後見人に対して、成年後見人を選任することとなります（民法第843条[39]第１項）。

成年後見人は複数選任でき（民法第843条第３項）、法人を選任することもできます（民法第843条第４項）。

37　【民法第９条】

成年被後見人の法律行為は、取り消すことができる。ただし、日用品の購入その他日常生活に関する行為については、この限りでない。

38　【民法第８条】

後見開始の審判を受けた者は、成年被後見人とし、これに成年後見人を付する。

39　【民法第843条】

１　家庭裁判所は、後見開始の審判をするときは、職権で、成年後見人を選任する。

２　成年後見人が欠けたときは、家庭裁判所は、成年被後見人若しくはその親族その他の利害関係人の請求により又は職権で、成年後見人を選任する。

３　成年後見人が選任されている場合においても、家庭裁判所は、必要があると認めるときは、前項に規定する者若しくは成年後見人の請求により又は職権で、更に成年後見人を選任することができる。

４　成年後見人を選任するには、成年被後見人の心身の状態並びに生活及び財産の状況、成年後見人となる者の職業及び経歴並びに成年被後見人との利害関係の有無（成年後見人となる者が法人であるときは、その事業の種類及び内容並びにその法人及びその代表者と成年被後見人との利害関係の有無）、成年被後見人の意見その他一切の事情を考慮しなければならない。

また、成年後見人については、成年被後見人本人の意思尊重義務や身上配慮義務が課せられています（民法第858条[40]）

は　成年後見人の権限

イ　取消権

成年後見人は、成年被後見人のした法律行為について、取消権を行使することができます（民法第９条本文）。

取消権は事後の行為であり、成年被後見人のした身分行為以外の法律行為に対して行います。また、取消しをした場合、成年被後見人は取消権の実効性確保の観点から、現に利益を受けている限度（現存利益）でのみ返還の義務を負うこととなります（民法第121条の２[41]第３項後段）。

ロ　同意権

成年後見人は、成年被後見人のする法律行為について、同意権を行使することができません。つまり、成年後見人の権限に同意権はありません。

成年被後見人は、精神上の障害により事理を弁識する能力を欠く常況にある者であるため、成年後見人が成年被後見人に対して同意を与えたとしても、その同意の通りに成年被後見人が法律行為をすることを期待することができません。従って、成年後見人の権限には、同意権が含まれないこととなります。

40　【民法第858条】

成年後見人は、成年被後見人の生活、療養看護及び財産の管理に関する事務を行うに当たっては、成年被後見人の意思を尊重し、かつ、その心身の状態及び生活の状況に配慮しなければならない。

41　【民法第121条の２】

1　無効な行為に基づく債務の履行として給付を受けた者は、相手方を原状に復させる義務を負う。

2　前項の規定にかかわらず、無効な無償行為に基づく債務の履行として給付を受けた者は、給付を受けた当時その行為が無効であること（給付を受けた後に前条の規定により初めから無効であったものとみなされた行為にあっては、給付を受けた当時その行為が取り消すことができるものであること）を知らなかったときは、その行為によって現に利益を受けている限度において、返還の義務を負う。

3　第一項の規定にかかわらず、行為の時に意思能力を有しなかった者は、その行為によって現に利益を受けている限度において、返還の義務を負う。行為の時に制限行為能力者であった者についても、同様とする。

ハ　追認権

成年後見人は、成年被後見人のした法律行為について、追認権を行使することができます（民法第122条[42]）。

追認権は事後の行為であり、成年被後見人のした法律行為に対して行います。そのことによって、成年被後見人のした法律行為は、以後、取消しをすることができない完全に有効な法律行為となります。つまり、事後に取消権を封じることとなります。

ニ　代理権

成年後見人は、成年被後見人に代わって法律行為を行うことができます（民法第859条[43]本文）。

この代理行為は、行為能力者である成年後見人の行為であるので、確定的に有効な行為となり、原則として、取消しをすることができない行為となります。

c　被保佐人

被保佐人とは、精神上の障害により事理を弁識する能力が著しく不十分である者のことをいいます（民法第11条[44]）。つまり、被保佐人とは比較的重度の精神的障害がある者のことをいいます。手続的な要件としては、一定の範囲の者の請求と家庭裁判所による保佐開始の審判が必要となります。この手続は、本人以外の者の請求による場合であっても、本人の同意は不要です。

い　被保佐人が単独かつ有効にすることができること

被保佐人は、成年被後見人に比べると精神上の障害が軽度であることから、原則として、単独かつ有効に法律行為をすることができます。

42　【民法第122条】

取り消すことができる行為は、第百二十条に規定する者が追認したときは、以後、取り消すことができない。

43　【民法第859条】

1　後見人は、被後見人の財産を管理し、かつ、その財産に関する法律行為について被後見人を代表する。

2　第八百二十四条ただし書の規定は、前項の場合について準用する。

44　【民法第11条】

精神上の障害により事理を弁識する能力が著しく不十分である者については、家庭裁判所は、本人、配偶者、四親等内の親族、後見人、後見監督人、補助人、補助監督人又は検察官の請求により、保佐開始の審判をすることができる。ただし、第七条に規定する原因がある者については、この限りでない。

しかし、例外的に、民法第13条[45]第1項所定の行為については、重要な法律行為であるので、保佐人の同意を得る必要があります。成年被後見人と同様に、日用品の購入その他日常生活に関する行為については、単独かつ有効にすることができます（民法第13条第1項柱書但書）。加えて、一定の範囲の者が請求すれば、この他の法律行為についても、保佐人の同意を得なければならないとすることができます（民法第13条第2項本文）。

しかし、日用品の購入その他日常生活に関する行為については、保佐人の同意を得なければならないとすることができません（民法第13条第2項但書）。

---

45 【民法第13条】

1 被保佐人が次に掲げる行為をするには、その保佐人の同意を得なければならない。ただし、第九条ただし書に規定する行為については、この限りでない。

一 元本を領収し、又は利用すること。

二 借財又は保証をすること。

三 不動産その他重要な財産に関する権利の得喪を目的とする行為をすること。

四 訴訟行為をすること。

五 贈与、和解又は仲裁合意（仲裁法（平成十五年法律第百三十八号）第二条第一項に規定する仲裁合意をいう。）をすること。

六 相続の承認若しくは放棄又は遺産の分割をすること。

七 贈与の申込みを拒絶し、遺贈を放棄し、負担付贈与の申込みを承諾し、又は負担付遺贈を承認すること。

八 新築、改築、増築又は大修繕をすること。

九 第六百二条に定める期間を超える賃貸借をすること。

十 前各号に掲げる行為を制限行為能力者（未成年者、成年被後見人、被保佐人及び第十七条第一項の審判を受けた被補助人をいう。以下同じ。）の法定代理人としてすること。

2 家庭裁判所は、第十一条本文に規定する者又は保佐人若しくは保佐監督人の請求により、被保佐人が前項各号に掲げる行為以外の行為をする場合であってもその保佐人の同意を得なければならない旨の審判をすることができる。ただし、第九条ただし書に規定する行為については、この限りでない。

3 保佐人の同意を得なければならない行為について、保佐人が被保佐人の利益を害するおそれがないにもかかわらず同意をしないときは、家庭裁判所は、被保佐人の請求により、保佐人の同意に代わる許可を与えることができる。

4 保佐人の同意を得なければならない行為であって、その同意又はこれに代わる許可を得ないでしたものは、取り消すことができる。成年被後見人の法律行為は、取り消すことができる。

ろ 被保佐人の保護者

被保佐人の保護者は保佐人です（民法第 12 条[46]）。

保佐は家庭裁判所による保佐開始の審判と同時に開始され（民法第 876 条[47]）、家庭裁判所は、被保佐人に対して、保佐人を選任することとなります（民法第 876 条の２[48]第１項）。

は 保佐人の権限

イ 取消権

保佐人は、被保佐人の行った法律行為について、取消権を行使することができます（民法第 13 条第４項本文）。

取消権は事後の行為であり、被保佐人がした民法第 13 条第１項所定の重要な法律行為に対して行います。また、取消しをした場合、被保佐人は取消権の実効性確保の観点から、現に利益を受けている限度（現存利益）でのみ返還の義務を負うこととなります（民法第 121 条の２[49]第３項後段）。

---

46 【民法第 12 条】

保佐開始の審判を受けた者は、被保佐人とし、これに保佐人を付する。

47 【民法第 876 条】

保佐は、保佐開始の審判によって開始する。

48 【民法第 876 条の２】

１ 家庭裁判所は、保佐開始の審判をするときは、職権で、保佐人を選任する。

２ 第八百四十三条第二項から第四項まで及び第八百四十四条から第八百四十七条までの規定は、保佐人について準用する。

３ 保佐人又はその代表する者と被保佐人との利益が相反する行為については、保佐人は、臨時保佐人の選任を家庭裁判所に請求しなければならない。ただし、保佐監督人がある場合は、この限りでない。

49 【民法第 121 条の２】

１ 無効な行為に基づく債務の履行として給付を受けた者は、相手方を原状に復させる義務を負う。

２ 前項の規定にかかわらず、無効な無償行為に基づく債務の履行として給付を受けた者は、給付を受けた当時その行為が無効であること（給付を受けた後に前条の規定により初めから無効であったものとみなされた行為にあっては、給付を受けた当時その行為が取り消すことができるものであること）を知らなかったときは、その行為によって現に利益を受けている限度において、返還の義務を負う。

３ 第一項の規定にかかわらず、行為の時に意思能力を有しなかった者は、その行為によって現に利益を受けている限度において、返還の義務を負う。行為の時に制限行為能力者であった者についても、同様とする。

なお、日用品の購入その他日常生活に関する行為については、取消しをすることはできません（民法第13条第1項但書）。

ロ　同意権

保佐人は、被保佐人の行う民法第13条所定の重要な法律行為について、同意権を行使することができます（民法第13条第1項柱書本文）。

また、保佐人は、一定の範囲の者の請求により、民法第13条所定の重要な法律行為以外の法律行為についても、保佐人の同意を得なければならないとされた場合に、その法律行為について、同意権を行使することができます（民法第13条第2項本文）。

同意権は事前の行為であり、あくまでも被保佐人本人が民法第13条所定の重要な法律行為をなす場合や、一定の範囲の者の請求により、民法第13条所定の重要な法律行為以外の法律行為についても、保佐人の同意を得なければならないとされた法律行為をする場合に、その法律行為に対して、保佐人が事前に承認を与えておくことをいいます。そのことによって、被保佐人のなした重要な法律行為は初めから取消しをすることができない完全に有効な法律行為となることとなります。つまり、あらかじめ取消権を封じておくこととなるわけです。

また、保佐人が被保佐人の利益を害する危険がないにも拘わらず、保佐人が必要な同意をしない場合には、家庭裁判所は被保佐人に対して保佐人の同意に代わる許可を与えることができます（民法第13条第3項）。

ハ　追認権

保佐人は、被保佐人のした重要な法律行為について、追認権を行使することができます（民法第122条[50]）。

追認権は事後の行為であり、被保佐人がした重要な法律行為（民法第13条第1項所定の法律行為及び第2項で規定された法律行為）に対して行います。そのことによって、被保佐人のした重要な法律行為は、以後、取消しをすることができない完全に有効な法律行為となります。つまり、事後に取消権を封じることとなります。

50　【民法第122条】
取り消すことができる行為は、第百二十条に規定する者が追認したときは、以後、取り消すことができない。

ニ 代理権

保佐人は、原則として、被保佐人に代わって重要な法律行為を行うことができません。つまり、保佐人には、原則として、代理権はありません。

被保佐人は、残存能力が高いので、保佐人に代わって法律行為を行ってもらう必要性が乏しく、保佐人から同意を与えてもらうことで披保佐人の保護には充分に足りるといえます。しかし、被保佐人本人の同意がある場合に限って、一定の範囲の者が請求すれば、家庭裁判所は特定の法律行為について保佐人に代理権を付与する旨の審判をすることができます（民法第 876 条の4[51]第１項及び第２項）。

d 被補助人

被補助人とは、精神上の障害により事理を弁識する能力が不十分である者のことをいいます（民法第 15 条[52]）。つまり、被補助人とは比較的軽度の精神的障害がある者のことをいいます。手続的な要件としては、一定の範囲の者の請求と家庭裁判所による補助開始の審判が必要となります。本人以外の者の請求による場合には、成年被後見人・被保佐人の場合とは異なり、必ず、本人の同意が必要となります（民法第 15 条第２項）。

---

51 【民法第876条の４】
1 家庭裁判所は、第十一条本文に規定する者又は保佐人若しくは保佐監督人の請求によって、被保佐人のために特定の法律行為について保佐人に代理権を付与する旨の審判をすることができる。
2 本人以外の者の請求によって前項の審判をするには、本人の同意がなければならない。
3 家庭裁判所は、第一項に規定する者の請求によって、同項の審判の全部又は一部を取り消すことができる。

52 【民法第 15 条】
1 精神上の障害により事理を弁識する能力が不十分である者については、家庭裁判所は、本人、配偶者、四親等内の親族、後見人、後見監督人、保佐人、保佐監督人又は検察官の請求により、補助開始の審判をすることができる。ただし、第七条又は第十一条本文に規定する原因がある者については、この限りでない。
2 本人以外の者の請求により補助開始の審判をするには、本人の同意がなければならない。
3 補助開始の審判は、第十七条第一項の審判又は第八百七十六条の九第一項の審判とともにしなければならない。

い　被補助人が単独かつ有効にすることができること

被補助人は、成年被後見人や被保佐人に比べると精神上の障害が非常に軽度であることから、原則として、単独かつ有効に法律行為をすることができます。

しかし、例外的に、家庭裁判所が、一定の者の請求により、被補助人が特定の法律行為をするには補助人の同意を得なければならない旨の審判をした場合には、民法第 13 条第 1 項所定の行為の一部については補助人の同意を得る必要があります（民法第 17 条[53]第 1 項但書）。

なお、家庭裁判所が、本人以外の者の請求によって、被補助人が特定の法律行為をするには補助人の同意を得なければならない旨の審判をするには、本人の同意がなければなりません（民法第 17 条第２項）。

以上のことから、家庭裁判所が本人以外の者の請求によって、被補助人に補助人の同意を得なければならない旨の審判をするには、補助開始の審判をする時と、被補助人が特定の法律行為をするには補助人の同意を得なければならない旨の審判をする時とで、２回本人の同意を得る必要があります。

この被補助人が特定の法律行為をするには補助人の同意を得なければならない旨の審判を請求しなかった場合には、被補助人であっても制限行為能力者とはなりません。というのも、結果的にすべての法律行為について、補助人の同意なく、言い換えれば、単独かつ有効に法律行為をすることができるため、制限行為能力者に該当しなくなるためです。

53　【民法第 17 条】

1　家庭裁判所は、第十五条第一項本文に規定する者又は補助人若しくは補助監督人の請求により、被補助人が特定の法律行為をするにはその補助人の同意を得なければならない旨の審判をすることができる。ただし、その審判によりその同意を得なければならないものとすることができる行為は、第十三条第一項に規定する行為の一部に限る。

2　本人以外の者の請求により前項の審判をするには、本人の同意がなければならない。

3　補助人の同意を得なければならない行為について、補助人が被補助人の利益を害するおそれがないにもかかわらず同意をしないときは、家庭裁判所は、被補助人の請求により、補助人の同意に代わる許可を与えることができる。

4　補助人の同意を得なければならない行為であって、その同意又はこれに代わる許可を得ないでしたものは、取り消すことができる。

ろ　被補助人の保護者

被補助人の保護者は補助人です（民法第16条[54]）。

補助は家庭裁判所による補助開始の審判と同時に開始され（民法第876条の6[55]）、家庭裁判所は、被補助人に対して、補助人を選任することとなります（民法第876条の7[56]第1項）。

補助人は、補助人に選任されただけでは、何の権限もありません。家庭裁判所により、被補助人が特定の法律行為をするにはその補助人の同意を得なければならない旨の審判を受けて同意権を行使する権限（民法第17条第1項本文）、取消権を行使する権限（民法第17条第4項）、追認権を行使する権限（民法第122条[57]）を得るか、被補助人のために特定の法律行為について補助人に代理権を付与する旨の審判（民法第876条の9[58]）を受けて代理権を行使する権限を得るか、または、双方の審判を受けて取消権・同意権・追認権・代理権のすべてを行使する権限を得る必要があります。

なお、家庭裁判所より、補助人が被補助人のために特定の法律行為についての代理権のみを付与された場合は、被補助人は制限行為能力者とはなりません。

54　【民法第16条】
　補助開始の審判を受けた者は、被補助人とし、これに補助人を付する。

55　【民法第876条の6】
　補助は、補助開始の審判によって開始する。

56　【民法第876条の7】
1　家庭裁判所は、補助開始の審判をするときは、職権で、補助人を選任する。
2　第八百四十三条第二項から第四項まで及び第八百四十四条から第八百四十七条までの規定は、補助人について準用する。
3　補助人又はその代表する者と被補助人との利益が相反する行為については、補助人は、臨時補助人の選任を家庭裁判所に請求しなければならない。ただし、補助監督人がある場合は、この限りでない。

57　【民法第122条】
　取り消すことができる行為は、第百二十条に規定する者が追認したときは、以後、取り消すことができない。

58　【民法第876条の9】
1　家庭裁判所は、第十五条第一項本文に規定する者又は補助人若しくは補助監督人の請求によって、被補助人のために特定の法律行為について補助人に代理権を付与する旨の審判をすることができる。
2　第八百七十六条の四第二項及び第三項の規定は、前項の審判について準用する。

は　補助人の権限

イ　取消権

特定の法律行為について家庭裁判所により同意をする旨の審判を受けた補助人は、被補助人の行った特定の法律行為について、取消権を行使することができます（民法第 17 条第４項）。

取消権は事後の行為であり、家庭裁判所によって特定の法律行為をするにはその補助人の同意を得なければならない旨の審判を受けた被補助人がした特定の法律行為に対して行います。この特定の法律行為は、民法第 13 条第１項所定の行為の一部に限定されなければなりません（民法第 17 条第１項但書）。また、取消しをした場合、被補助人は取消権の実効性確保の観点から、現に利益を受けている限度（現存利益）でのみ返還の義務を負うこととなります（民法第 121 条の２[59]第３項後段）。

ロ　同意権

特定の法律行為について家庭裁判所により同意をする旨の審判を受けた補助人は、被補助人の行った特定の法律行為について、同意権を行使することができます（民法第 17 条第１項本文）。

同意権は事前の行為であり、あくまでも家庭裁判所によって特定の法律行為をするにはその補助人の同意を得なければならない旨の審判を受けた被補助人本人が特定の法律行為をし、その法律行為に対して、その補助人が事前に承認を与えておくことをいいます。このことによって、この被補助人のした法律行為は初めから取消しをすることができない完全に有効な法律行為となることとなります。つまり、あらかじめ取消権を封じておくこととなるわけです。

59　【民法第 121 条の２】

1　無効な行為に基づく債務の履行として給付を受けた者は、相手方を原状に復させる義務を負う。

2　前項の規定にかかわらず、無効な無償行為に基づく債務の履行として給付を受けた者は、給付を受けた当時その行為が無効であること（給付を受けた後に前条の規定により初めから無効であったものとみなされた行為にあっては、給付を受けた当時その行為が取り消すことができるものであること）を知らなかったときは、その行為によって現に利益を受けている限度において、返還の義務を負う。

3　第一項の規定にかかわらず、行為の時に意思能力を有しなかった者は、その行為によって現に利益を受けている限度において、返還の義務を負う。行為の時に制限行為能力者であった者についても、同様とする。

また、家庭裁判所によって特定の法律行為をするにはその補助人の同意を得なければならない旨の審判を受けた被補助人の利益を害する危険がないにも拘わらず、補助人が必要な同意をしない場合には、家庭裁判所はこの被補助人に対して補助人の同意に代わる許可を与えることができます（民法第 17 条第３項）。

ハ　追認権

補助人は、被補助人のした重要な法律行為について、追認権を行使することができます（民法第 122 条）。

追認権は事後の行為であり、家庭裁判所によって特定の法律行為をするにはその補助人の同意を得なければならない旨の審判を受けた被補助人がした特定の法律行為（民法第 13 条第１項所定の法律行為の一部）に対して行います。それによって、この被補助人のした重要な法律行為は、以後、取消しをすることができない完全に有効な法律行為となります。つまり、事後に取消権を封じることとなります。

ニ　代理権

補助人は、原則として、被補助人に代わって重要な法律行為を行うことができません。つまり、補助人には、原則として、代理権はありません。

被補助人は、未成年者や成年被後見人・保佐人と比べると、残存能力が高く、ある程度何でもできるので、補助人に代わって法律行為を行ってもらう必要性が乏しいといえます。しかし、被補助人本人の同意がある場合に限って、一定の範囲の者が請求すれば、家庭裁判所は特定の法律行為について補助人に代理権を付与する旨の審判をすることができます（民法第 876 条の９第１項及び第２項）。

e　まとめ

制限 行為能力者	未成年者	成年 被後見人	被保佐人	被補助人
保護者	法定代理人	成年後見人	保佐人	補助人
保護者の 権限	取消権 同意権 追認権 代理権	取消権 追認権 代理権	取消権 同意権 追認権 代理権※	取消権※ 同意権※ 追認権※ 代理権※

※　一定の者の請求によって、家庭裁判所によって付与できるもの。

D 制限行為能力者の相手方の保護

民法は、制限行為能力者を保護していますが、私人間を規律していることから、その私人間の均衡を保つ必要もあります。つまり、民法は制限行為能力者を保護しつつも、そればかりに偏ってはならず、私人間の均衡を保つために制限行為能力者と取引をした相手方も保護しないといけないということです。従って、制限行為能力者を保護しつつ、取引の安全の保護を図る必要があります。そのことによって、私人間の均衡を保つことができることとなります。

a 相手方の催告権

催告権とは、制限行為能力者と取引をした相手方から制限行為能力者側に対して、1箇月以上の期間を設定して、その法律行為を追認して完全に有効にするか、それとも取消しして無効にするかどうかの返答を請求する権利のことをいいます。以下、催告権の行使に対して、制限行為能力者側が確答しなかった場合の処理について扱います。

い 制限行為能力者が行為能力者となった後に催告し確答がない場合

制限行為能力者の取引の相手方は、その制限行為能力者が、行為能力者となった後に、その者に対して催告をし、その確答がない場合には、その法律行為を追認したものとみなすことができます（民法第20条[60]第1項）。

60 【民法第20条】

1 制限行為能力者の相手方は、その制限行為能力者が行為能力者（行為能力の制限を受けない者をいう。以下同じ。）となった後、その者に対し、一箇月以上の期間を定めて、その期間内にその取り消すことができる行為を追認するかどうかを確答すべき旨の催告をすることができる。この場合において、その者がその期間内に確答を発しないときは、その行為を追認したものとみなす。

2 制限行為能力者の相手方が、制限行為能力者が行為能力者とならない間に、その法定代理人、保佐人又は補助人に対し、その権限内の行為について前項に規定する催告をした場合において、これらの者が同項の期間内に確答を発しないときも、同項後段と同様とする。

3 特別の方式を要する行為については、前二項の期間内にその方式を具備した旨の通知を発しないときは、その行為を取り消したものとみなす。

4 制限行為能力者の相手方は、被保佐人又は第十七条第一項の審判を受けた被補助人に対しては、第一項の期間内にその保佐人又は補助人の追認を得るべき旨の催告をすることができる。この場合において、その被保佐人又は被補助人がその期間内にその追認を得た旨の通知を発しないときは、その行為を取り消したものとみなす。

ろ　制限行為能力者が行為能力者とならない間にその保護者に催告し確答がない場合

制限行為能力者の取引の相手方は、その制限行為能力者が行為能力者とならない間にその保護者に対して催告をし、その確答がない場合には、その法律行為を追認したものとみなすことができます（民法第20条第2項）。

は　被保佐人や家庭裁判所によって特定の法律行為をするにはその補助人の同意を得なければならない旨の審判を受けた被補助人に対してその保佐人や補助人の追認を得るべき旨の催告し確答がない場合

制限行為能力者の取引の相手方は、その被保佐人や被補助人に対して、保佐人や補助人の追認を得るべき旨の催告をし、その確答がない場合には、その法律行為の取消をしたものとみなすことができます（民法第20条第4項）。

に　未成年者や成年被後見人に対して、その法定代理人や成年後見人の追認を得るべき旨を催告し、確答がない場合

未成年者や成年被後見人には、相手方の意思表示を受領する能力（受領能力）が存在しません。従って、受領能力のない未成年者や成年被後見人に対しては、その保護者である法定代理人や成年後見人の追認を得るべき旨を催告しても、その催告自体が無意味であり、その効果は生じないこととなります（民法第98条の2[61]柱書本文）。

b　制限行為能力者の詐術

詐術とは、制限行為能力者が取引の相手方に対して、自己が行為能力者であると信じさせることをいいます。

制限行為能力者が、自らが行為能力者であると信じさせるために詐術を用いて法律行為をした場合には、そのような制限行為能力者に対して、取引の安全を犠牲にしてまでその保護を図る必要はなく、むしろ制限行為能力者の取引の相手方を保護する必要が生じます。

61　【民法第98条の2】

意思表示の相手方がその意思表示を受けた時に意思能力を有しなかったとき又は未成年者若しくは成年被後見人であったときは、その意思表示をもってその相手方に対抗することができない。ただし、次に掲げる者がその意思表示を知った後は、この限りでない。

一　相手方の法定代理人

二　意思能力を回復し、又は行為能力者となった相手方

従って、制限行為能力者が行為能力者であることを信じさせるための詐術を用いた場合には、その法律行為の取消しをすることができなくなります（民法第21条[62]）。

なお、この場合、詐術の成立要件としては、①制限行為能力者が、②行為能力者と信じさせるための、③詐術を用い、④相手方が信じたこと、の４つであり、この４つの要件をすべて充たすと、この制限行為能力者の行った法律行為の取消しをすることができなくなる、つまり、確定的な法律行為となるという効果が生じます。

例えば、制限行為能力者が、自らが行為能力者であると詐術を用いた場合であっても、その取引の相手方が信じなかった場合や相手方がその者が制限行為能力者であると知っていた場合にも、その法律行為の取消しをすることができなくなるかという場合には、④の要件がないことから、効果は発生せず、制限行為能力者はその法律行為の取消しをすることができるということとなります。また、制限行為能力者が、自らが行為能力者であると詐術を用いた場合であっても、その取引の相手方が信じなかった場合や制限行為能力者であると知っていた場合には、その相手方に対する取引の安全の保護を図る必要性がなくなり、むしろ制限行為能力者の方を保護する必要が生じることとなるからともいえます。

それでは、詐術といえるためにはどの程度の行為が必要となるのでしょうか。例えば、単に自らが制限行為能力者であるということを黙秘していただけで詐術に該当するといえるかが問題となります。この場合、単に制限行為能力者であることを黙秘していただけでは、取引の安全を犠牲にしてまでその制限行為能力者の保護を図る必要はないとまでは判断できません。また、通常は、取引において自らが制限行為能力者であるとは告げることは少ないといえます。そのため、単に黙秘していたというだけで詐術に該当する行為をしたとすると、制限行為能力者の法律行為の取消しをすることができる場合がほとんどなくなり、制限行為能力者制度の意義が失われてしまうこととなります。従って、単に自らが制限行為能力者であるということを黙秘していただけでは、詐術には該当しないと解すべきであり、黙秘以上のより積極的な行為が必要であると解すべきです。

62　【民法第21条】
制限行為能力者が行為能力者であることを信じさせるため詐術を用いたときは、その行為を取り消すことができない。

それでは、単に黙秘していただけではなく、他の言動と相まって相手方の誤認を強めた場合にはどのように考えるべきでしょうか。そのような場合には、取引の安全を犠牲にしてまでその制限行為能力者の保護を図る必要はないという民法第 21 条の趣旨に合致することとなるため、詐術に該当すると解すべきです。

また、例えば、制限行為能力者が、自らが行為能力者であると信じさせるために詐術を用いて法律行為をした場合ではなく、法定代理人の同意を得たと偽って法律行為をした場合はどう考えるべきでしょうか。民法第 21 条は、「行為能力者であることを信じさせるため」とあることから、法定代理人の同意を得たと偽った場合には、民法第 21 条の想定している場合とは異なるため、民法第 21 条は適用できないように思えます。しかし、民法第 21 条の趣旨は、制限行為能力者が、自らが行為能力者であると信じさせるために詐術を用いた場合には、取引の安全を犠牲にしてまでその制限行為能力者の保護を図る必要はないというところにあります。であるならば、この場合も取引の安全を犠牲にしてまで制限行為能力者を保護するに値しないという点では異なるものではないことから、民法第 21 条を類推適用し、取消しをすることができなくなると解すべきです。民法第 21 条が想定している場面と違う場面であることから、民法第 21 条を直接適用することはできませんが、趣旨には合致しているため類推適用をするわけです。直接適用ができない場合でも趣旨から考えて類推適用ができないか探ることは民法学の分野では重要となります。

c　法定追認

法定追認とは、自らの意思で追認したのではなく、あらかじめ法で規定された行為をすることによって、自動的に追認したものとみなされる場合をいいます（民法第 125 条[63]）。

63　【民法第 125 条】

追認をすることができる時以後に、取り消すことができる行為について次に掲げる事実があったときは、追認をしたものとみなす。ただし、異議をとどめたときは、この限りでない。

一　全部又は一部の履行
二　履行の請求
三　更改
四　担保の供与
五　取り消すことができる行為によって取得した権利の全部又は一部の譲渡
六　強制執行

追認ができる時期以後に制限行為能力者の側が民法第125条所定の行為をすると、制限行為能力者と取引をした相手方は、もはや取消しをすることはないだろうと信頼することとなり、この信頼を保護するために追認をしたものとみなされ、以後、その法律行為の取消しをすることができなくなります。

d　取消権の短期消滅時効

いつまでも制限行為能力者の側が取消しをするかどうかわからない状態が続くと、相手方の地位は不安定なものとなるため、民法は取消権の行使に対する期間制限を設けています（民法第126条[64]）。具体的には、取消権は追認可能時から５年間行使しないと時効によって消滅し（民法第126条前段）、行為時から20年を経過した場合にも取消権は消滅します（民法第126条後段）。この取消権の行使については、通常の債権等の消滅時効（民法第166条[65]）よりも短く設定されています。

例えば、親権者が民法第126条により取消することのできなくなった場合に、未成年者も取消しをすることができなくなるかどうかを考えてみましょう。民法第126条本文の規定から、５年以内に未成年者が成年者とならない場合には、親権者の取消権は民法第126条本文によって消滅し、未成年者自身の取消権は成年者になっていないため消滅しないようにも思えます。つまり、親権者の取消権が消滅した後に未成年者自身の取消権が未成年者が成年者となったと同時に発生することとなるのです。

64　【民法第126条】
取消権は、追認をすることができる時から五年間行使しないときは、時効によって消滅する。行為の時から二十年を経過したときも、同様とする。

65　【民法第166条】
1　債権は、次に掲げる場合には、時効によって消滅する。
一　債権者が権利を行使することができることを知った時から五年間行使しないとき。
二　権利を行使することができる時から十年間行使しないとき。
2　債権又は所有権以外の財産権は、権利を行使することができる時から二十年間行使しないときは、時効によって消滅する。
3　前二項の規定は、始期付権利又は停止条件付権利の目的物を占有する第三者のために、その占有の開始の時から取得時効が進行することを妨げない。ただし、権利者は、その時効を更新するため、いつでも占有者の承認を求めることができる。

この点、未成年者を保護しようとした制限行為能力者制度の趣旨から、未成年者はこの場合においてもまだ取消権を行使できるという見解も確かにあります。しかし、民法第126条の趣旨は、制限行為能力者と取引をした相手方の法的安定性を早期に図るところにあるので、その保護者である法定代理人の取消権が消滅した場合には、未成年者の取消権もともに消滅すると解するのが妥当であると思われます。従って、親権者が民法第126条によって取消しをすることができなくなると、未成年者も取消しをすることができなくなると解すべきです。

2 物

(1) 物の意義

物とは、有体物（固体・液体・気体）のことをいい、権利の客体となります（民法第85条[66]）。従って、電気等のエネルギーは、民法上の物とはなりません。

なお、ペット等の動物は、権利能力の享有主体とはならず、あくまでも物（権利の客体）となることから、相続権を有しないこととなります。

(2) 物の種類

① 不動産と動産

A 不動産

不動産とは、土地及びその定着物のことをいいます（民法第86条[67]第1項）。

土地に対する権利は、その土地の上空や地下にも及ぶこととなります。

また、土地の定着物には、建物や立木等を含み、原則として、土地の構成部分となります。しかし、建物については実務上土地とは独立の不動産として扱っています。

なお、不動産は、すべて特定物となります。

66 【民法第85条】
この法律において「物」とは、有体物をいう。

67 【民法第86条】
1 土地及びその定着物は、不動産とする。
2 不動産以外の物は、すべて動産とする。

B 動産

動産とは、不動産以外のすべての物のことをいいます（民法第 86 条第 2 項）。

身の回りの物はほとんど動産ということとなります。

なお、動産は、特定物と不特定物に分けることができます。

② 特定物と不特定物

A 特定物

特定物とは、当事者がその取引において、その物の個性に着目している物のことをいいます。

B 不特定物

不特定物とは、当事者がその取引において、その物の個性に着目していない物のことをいいます。

③ 主物と従物

A 主物

主物とは、従物を附属させる対象となる物のことをいいます。

B 従物

従物とは、独立の物でありつつも経済的には主物に従属してその効用を助ける物のことをいい、主物と法律的運命をともにする物のことをいいます（民法第 87 条[68]）。

従物に似たものに従たる権利というものがあります。建物に付着している土地利用権等がこの従たる権利に該当します。従たる権利は主物と法律的運命をともにするのでしょうか。民法第 87 条第 2 項は、物に関する規定であり、権利に直接適用することはできません。しかし、民法第 87 条第 2 項の趣旨は、主物と従物は緊密な経済的一体関係にあることから、その法律的運命をともにさせることで、社会経済上の不利益を防止することができるところにあります。であるならば、主物と従たる権利についても、緊密な経済的一体関係が認められる限り、その法律的運命をともにさせるべきこととは異なるものではありません。

---

68 【民法第 87 条】

1 物の所有者が、その物の常用に供するため、自己の所有に属する他の物をこれに附属させたときは、その附属させた物を従物とする。

2 従物は、主物の処分に従う。

従って、民法第87条第２項を類推適用して、従たる権利も主物と法的運命をともにすると解すべきです。ここでも直接適用ではなく、類推適用が出てきました。条文が想定している場合のことなのかどうか、そうではない場合にその条文の趣旨は何なのかを考えることが重要となります。

それでは、従物の要件とはどのようなものでしょうか。①従物が主物から独立した物であることをいう独立性、②従物が継続的に主物の効用を助けることをいう常用性、③従物が主物に附属するくらいの場所的関係にあることをいう附属性、④主物と従物は、同一の所有者に属していること（民法第87条第１項）、という４つの要件が必要となります。

ここで④の要件について考えてみましょう。つまり、主物と従物は必ず同一の所有者に属しなければならないかという問題です。民法第87条第２項の趣旨は、主物と従物は緊密な経済的一体関係にあることから、その法律的運命をともにさせることで、社会経済上の不利益を防止することができるところにあります。従って、他人が所有する物であっても、緊密な経済的一体関係が認められる限りにおいては、その法律的運命をともにさせるべきです。以上のことから、民法第87条第１項の規定は、通常の場合を規定したに過ぎず、主物と従物は必ずしも同一の所有者に属す必要はないと解すべきです。

④　天然果実と法定果実

A　天然果実

天然果実とは、物の用法に従い収取する産出物のことをいいます（民法第88条[69]第１項）。

天然果実の例としては、みかんや牛乳等が挙げられます。この場合、みかんの木や乳牛が元物となります。

また、天然果実は、元物から分離する場合に、これを収取する権利を有する者に帰属することとなります（民法第89条[70]第１項）。

69　【民法第88条】
１　物の用法に従い収取する産出物を天然果実とする。
２　物の使用の対価として受けるべき金銭その他の物を法定果実とする。

70　【民法第89条】
１　天然果実は、その元物から分離する時に、これを収取する権利を有する者に帰属する。
２　法定果実は、これを収取する権利の存続期間に応じて、日割計算によりこれを取得する。

B　法定果実

法定果実とは、物の使用の対価として受けるべき金銭その他の物のことをいいます（民法第88条第２項）。

法定果実の例としては、利息が挙げられます。この場合、元本が元物となります。

また、法定果実は、法定果実を収取する権利の存続期間に応じて、日割計算でこれを取得することとなります（民法第89条第２項）。

3　法律行為

法律行為とは、人が法律効果を発生させようとする意思に基づく行為のことをいい、権利変動の主たる原因となります。

私的自治の原則から、本人の意思に従って意図した通りの権利変動が起こるのが原則となるので、民法の規定に反する意思表示も有効となります。なぜなら、民法上の規定のほとんどは、当事者の意思に左右されずに適用される強行規定ではなく、当事者の意思が優先される任意規定が原則であるからです。民法は、当事者の意思が不明確な場合に備えて紛争解決の拠り所とするに過ぎず、効力優先順位については、強行規定が最優先され、強行規定がなければ個々の契約（意思表示）、契約がなければ慣習、慣習がない場合に初めて任意規定を適用することとなります。

(1) 意思表示

意思表示は、内心的効果意思→表示意思→表示行為という過程を経て行われます。

なお、意思表示において、表意者の内心的効果意思を重視する考え方を意思主義といい、表意者の表示行為を重視する考え方を表示主義といいます。

①　動機

動機とは、意思表示を行うきっかけのことをいいます。あくまでもきっかけに過ぎないので、動機自体は、意思表示には含まれません。

動機の内容が社会的妥当性を欠く（公序良俗に反する）場合（動機の不法）は、その不法な動機が明示または黙示に相手方に表示された場合に限り、その法律行為は無効とすべきものとなります。行為者の動機という内心の事項については、相手方にはわからないため、取引の安全を図る必要性から、原則、法律行為自体は有効とされます。しかし、相手方がわかっている場合には、取引の安全を図る要請はないため、法律行為自体も無効とされます。

② 内心的効果意思（効果意思）

内心的効果意思とは、法律上の効果を発生させようとする意思（法律効果を求める意思）のことをいいます。

内心的効果意思がない場合の意思表示を意思の不存在といい、その意思表示は、原則として、無効となります。

また、内心的効果意思の内容が社会的妥当性を欠く（公の秩序又は善良の風俗に反する）場合は、その意思表示は公序良俗違反により無効な意思表示となります（民法第 90 条[71]）。

③ 表示意思

表示意思とは、内心的効果意思を外部に表そうとする意思のことをいいます。

④ 表示行為

表示行為とは、内心的効果意思を現実に外部に表す行為のことをいいます。

（2）意思表示の効力

① 到達主義

意思表示は、その通知が相手方に到達した時点で効力が発生するとされています（民法第 97 条[72]第 1 項）。この到達したといえるためには、相手方が現実に了知する必要はなく、例えば、ポストに投函される等相手方の勢力圏内に入ればよいとされています。

また、相手方が正当な理由なく意思表示の通知が到達することを妨げた場合には、その通知は通常到達すべきであった時点で到達したものとみなされます（民法第 97 条第 2 項）。

71 【民法第 90 条】
公の秩序又は善良の風俗に反する法律行為は、無効とする。

72 【民法第 97 条】
1 意思表示は、その通知が相手方に到達した時からその効力を生ずる。
2 相手方が正当な理由なく意思表示の通知が到達することを妨げたときは、その通知は、通常到達すべきであった時に到達したものとみなす。
3 意思表示は、表意者が通知を発した後に死亡し、意思能力を喪失し、又は行為能力の制限を受けたときであっても、そのために その効力を妨げられない。

A 表意者が意思表示の発信後に死亡・意思能力を喪失・行為能力の制限を受けた場合

意思表示をした者（表意者）が、発信後かつ到達前に死亡・意思能力の喪失・行為能力の制限を受けた場合であっても、意思表示の効力に影響を与えません（民法第97条第3項）。

しかし、申込みの意思表示を発信後に死亡した場合や、意思能力を有しない常況になった場合、行為能力の制限を受けた場合において、申込者がその事実が生じたとすればその申込みは効力を有しない旨の意思表示をしていた場合、または、相手方が承諾の通知を発するまでにその事実が生じたことを知った場合には、その効力は発生しません（民法第526条[73]）

B 相手方自体が誰かわからない場合や相手方の所在がわからない場合

意思表示をしたくとも、相手方自体が誰かわからない場合や相手方の所在がわからない場合もあります。そのような場合には、公示の方法によって意思表示をすることができます（民法第98条[74]第1項）。

73 【民法第526条】
申込者が申込みの通知を発した後に死亡し、意思能力を有しない常況にある者となり、又は行為能力の制限を受けた場合において、申込者がその事実が生じたとすればその申込みは効力を有しない旨の意思を表示していたとき、又はその相手方が承諾の通知を発するまでにその事実が生じたことを知ったときは、その申込みは、その効力を有しない。

74 【民法第98条】
1 意思表示は、表意者が相手方を知ることができず、又はその所在を知ることができないときは、公示の方法によってすることができる。
2 前項の公示は、公示送達に関する民事訴訟法（平成八年法律第百九号）の規定に従い、裁判所の掲示場に掲示し、かつ、その掲示があったことを官報に少なくとも一回掲載して行う。ただし、裁判所は、相当と認めるときは、官報への掲載に代えて、市役所、区役所、町村役場又はこれらに準ずる施設の掲示場に掲示すべきことを命ずることができる。
3 公示による意思表示は、最後に官報に掲載した日又はその掲載に代わる掲示を始めた日から二週間を経過した時に、相手方に到達したものとみなす。ただし、表意者が相手方を知らないこと又はその所在を知らないことについて過失があったときは、到達の効力を生じない。
4 公示に関する手続は、相手方を知ることができない場合には表意者の住所地の、相手方の所在を知ることができない場合には相手方の最後の住所地の簡易裁判所の管轄に属する。
5 裁判所は、表意者に、公示に関する費用を予納させなければならない。

公示による意思表示は、最後に官報に掲載した日、または、その掲載に代わる掲示を始めた日から２週間を経過した時に、相手方に到達したものとみなされます（民法第98条第３項本文）。但し、表意者が相手方を知らないこと、または、その所在を知らないことについて過失があった場合には、到達の効力は発生しません（民法第98条第３項但書）。

② 発信主義

民法は原則として到達主義を採用していますが、例外として、意思表示はその通知を発信した時点で効力が発生するとされる発信主義を採用しています。発信主義は、相手方の催告に対する制限行為能力者側の確答において採用されています（民法第20条[75]）。一定期間内に確答を発信しなければ、追認擬制や取消擬制となりますが、この追認擬制や取消擬制となる時点は、一定期間内に確答を発しなかった時点となります。

（３）意思表示の受領能力

意思表示の受領能力とは、意思表示の内容を理解した上で、それを受け取ることのできる能力のことをいいます。自ら意思表示を発信する場合ではなく、他者の意思表示の内容を理解した上で受け取ることのできるという能力であるため、行為能力と比較してある程度低い精神能力で足ります。

75　【民法第20条】

1　制限行為能力者の相手方は、その制限行為能力者が行為能力者（行為能力の制限を受けない者をいう。以下同じ。）となった後、その者に対し、一箇月以上の期間を定めて、その期間内にその取り消すことができる行為を追認するかどうかを確答すべき旨の催告をすることができる。この場合において、その者がその期間内に確答を発しないときは、その行為を追認したものとみなす。

2　制限行為能力者の相手方が、制限行為能力者が行為能力者とならない間に、その法定代理人、保佐人又は補助人に対し、その権限内の行為について前項に規定する催告をした場合において、これらの者が同項の期間内に確答を発しないときも、同項後段と同様とする。

3　特別の方式を要する行為については、前二項の期間内にその方式を具備した旨の通知を発しないときは、その行為を取り消したものとみなす。

4　制限行為能力者の相手方は、被保佐人又は第十七条第一項の審判を受けた被補助人に対しては、第一項の期間内にその保佐人又は補助人の追認を得るべき旨の催告をすることができる。この場合において、その被保佐人又は被補助人がその期間内にその追認を得た旨の通知を発しないときは、その行為を取り消したものとみなす。

以上のことから、被保佐人及び被補助人については意思表示の受領能力が認められますが、意思表示の受領時に意思無能力者であった者・未成年者・成年被後見人については意思表示の受領能力が認められないこととなります（民法第98条の2[76]）。

（4）意思の不存在

意思の不存在とは、内心的効果意思が欠けている意思表示がされた場合のことをいいます。内心的効果意思が伴わない意思表示であるので、この場合の意思表示は、原則として、無効となります。但し、錯誤の場合は取消しをすることができるものとなります。

① 心裡留保

A 心裡留保の意義

心裡留保とは、表意者が真意ではないことを知りながら単独で意思表示をする（本気ではない意思表示）ことをいいます（民法第93条[77]第1項）。法律行為は原則有効ではありますが、相手方がその真意について悪意有過失の場合は無効となります。

心裡留保の成立要件としては、原則として、①表意者が真意ではないことを知りながら単独で意思表示をし、②そのことについて相手方が善意無過失（善意かつ無過失）であり、これらを充たすと、その意思表示が有効なものとして扱われることとなります（民法第93条第1項本文）。

---

76 【民法第98条の2】

意思表示の相手方がその意思表示を受けた時に意思能力を有しなかったとき又は未成年者若しくは成年被後見人であったときは、その意思表示をもってその相手方に対抗することができない。ただし、次に掲げる者がその意思表示を知った後は、この限りでない。

一 相手方の法定代理人

二 意思能力を回復し、又は行為能力者となった相手方

77 【民法第93条】

1 意思表示は、表意者がその真意ではないことを知ってしたときであっても、そのためにその効力を妨げられない。ただし、相手方がその意思表示が表意者の真意ではないことを知り、又は知ることができたときは、その意思表示は、無効とする。

2 前項ただし書の規定による意思表示の無効は、善意の第三者に対抗することができない。

しかし、例外として、①表意者が真意ではないことを知りながら単独で意思表示をし、②そのことについて相手方が悪意有過失（悪意または有過失）であると、その意思表示が無効なものとして扱われることとなります（民法第93条第1項但書）。

この規定は、原則として表示主義を、例外として意思主義を採用しているといえます。

それでは、なぜ、相手方が表意者の真意を知っているか否かで結論が変わるのでしょうか。まず、甲さんが乙さんに対して、自己が所有する高価な時計をあげるとの意思表示をした事例について考えてみましょう。

まず、甲さんは乙さんに対して、この時計をあげるつもりはまったくありません。しかし、実際に乙さんに対して、時計をあげるとの意思表示をしてしまっています。民法は意思主義を採用しているので、意思がなければ表示があっても表示通り実現はしないのが原則です。しかし、意思は外部からはわからないことが多いというのも現実です。乙さんからしてみれば甲さんが時計をあげるとの意思表示に対して期待や信頼をしてしまいます。その結果、意思表示に対する期待や信頼を重視し、甲さんの意思表示の通り時計は乙さんのものとした方がよいこととなります。以上のように、表意者の相手方が抱く期待を重視する考え方、つまり、取引行為によって新たに権利や利益を取得しようとする場合にその取得行為が法律上保護されるという考え方を動的安全の保護（取引の安全の保護）といいます。

対して、乙さんが、そもそも甲さんが思ってもいないことを意思表示をしているということを知っているか、または、不注意で知らなかったりする場合には、乙さんの期待はそれほど高いものではないといえます。この場合はむしろ、本来の時計の持ち主である甲さんを保護した方がよいということとなります。なぜなら、所有権は絶対だからです。以上のように、本来の持ち主の権利を重視する考え方、つまり、既に獲得した権利や利益が他人によってみだりに奪われることのないように法律上保護されるという考え方を静的安全の保護といいます。

第一講の最後に、法はバランスの学問であると述べました。民法学においては、この静的安全の保護と動的安全の保護とのバランスをどう図るべきかということを考える必要があります。

民法は、所有権絶対の原則を採用しているため、原則としては、静的安全の保護を図ることとなります。対して、私的自治の原則も採用していることから、取引の安全、つまり、動的安全の保護も図る必要があります。ここで重要となるのがどちらの帰責性が重いかという視点です。

さて、心裡留保について規定する民法第93条第1項ですが、先述したように、原則として、①表意者が真意ではないことを知りながら単独で意思表示をし、②そのことについて相手方が善意無過失（善意かつ無過失）であり、これらを充たすと、その意思表示が有効なものとして扱われることとなり（民法第93条第1項本文）、例外として、①表意者が真意ではないことを知りながら単独で意思表示をし、②そのことについて相手方が悪意有過失（悪意または有過失）であると、その意思表示が無効なものとして扱われることとなります（民法第93条第1項但書）。そもそも、条文は、本文が原則的規定、但書が例外的規定という書き方をするので、以上のように考えます。しかし、実際には、本文では相手方が善意無過失（善意かつ無過失）の場合であり、但書の相手方が悪意有過失（悪意または有過失）の場合と比較するとかなり限定的です。つまり、現実には、但書の方が原則であり、本文の方が例外であるともいえます。実際、但書が規定しているのは、相手方が悪意有過失で、本人の責任が軽いことから、静的安全の保護のことを規定しているのであり、本文が規定しているのは、相手方が善意無過失で、本人の責任が重いことから、動的安全の保護のことを規定しています。

B　心裡留保の例外規定

心裡留保による意思表示は、善意の第三者には対抗できません（民法第93条第2項）。

ここで、先ほどの甲さんが乙さんに対して、自己が所有する高価な時計をあげると意思表示をした事例について考えてみましょう。乙さんは甲さんが本気でそう思っていないということは知っていました。この時点では、甲さんの意思表示は民法第93条第1項但書から無効、つまり、この時計は甲さんの物のままです。しかし、乙さんはこの時計を、事情をまったく知らない丙さんに譲渡してしまいます。そうなると、民法第93条第2項により、甲さんは、自分が本気でなかった、つまり、この意思表示は心裡留保により無効であるということを丙さんに対して主張できなくなります。

よくここで、乙さんのことを問題にする人がいます。確かに、乙さんは甲さんが真意でないと知りながら、それを自分のものとして丙さんに譲渡しています。つまり、他人の物を譲渡しているので、本来であれば無効となります。甲さんからしてみれば、自分の物を勝手に譲渡されていることとなりますし、丙さんからしてみれば、他人である甲さんの物を乙さんの物として譲渡されていることとなります。そうなると、どう考えても3人の中で一番悪いのは乙さんということとなります。

しかし、実際には、甲さんからしてみれば、この時計が自分の物のままであればよいのであり、丙さんからしてみれば、せっかく手に入れた時計が自分のものであればよいのです。つまり、この時計をめぐって甲さんと丙さんが争っているのであり、双方から見てどう考えても時計についてもう権利のない乙さんについては、とりあえずはどうでもよいことなのです。

そこで、本来の持ち主である甲さんと、新たに権利者となった丙さんとの間で考えます。甲さんを保護する考え方が静的安全の保護、丙さんを保護する考え方が動的安全の保護です。甲さんの方はそもそも真意ではない意思表示を乙さんにした時点で責任があります。対して、丙さんは事情をまったく知らないで取引をしただけなので責任はありません。そうなると、責任の重い甲さんと、責任のない丙さんとを比較すると、丙さんの方を保護すべきという結論になります。つまり、動的安全の保護を重視するということとなります。なお、甲さんは丙さんに対して主張できないというだけなので、乙さんに対してはいつまでも無効主張をすることができます。

これがもし、丙さんが悪意、つまり、今回の事情を知っているということとなると、丙さんにも責任があるということとなります。そうなると、双方とも責任があるということとなります。その場合、時計をあげる気がない甲さんと、他人の時計であると知っていて手に入れた丙さんとを比較することとなります。この場合は、原則通り、本来の所有者である甲さんを保護することとなります。つまり、静的安全の保護を重視するということとなります。以上のように、民法学においては、静的安全の保護と動的安全の保護とのバランスをどう図るべきかということが重要となるのです。

② 通謀虚偽表示

A 通謀虚偽表示の意義

通謀虚偽表示とは、相手方と通じてした虚偽の意思表示のことをいいます（民法第94条[78]第1項）。本人たちの帰責性が重いのが特徴です。

通謀虚偽表示の成立要件としては、相手方と通じてした虚偽の意思表示であり、それがあると、その意思表示が無効なものとして扱われることとなります（民法第94条第1項）。

この規定は、意思主義を採用しているといえます。

78 【民法第94条】
1 相手方と通じてした虚偽の意思表示は、無効とする。
2 前項の規定による意思表示の無効は、善意の第三者に対抗することができない。

心裡留保（民法第93条）の場合には、意思表示の表意者は、真意ではないことを知りながら、単独で勝手に意思表示をしており、その相手方が、その真意ではない意思表示について、そのことを知っているのか（悪意）、そのことを不注意で知らないでいるのか（善意有過失）、そのことを知り得なかったのか（善意無過失）によって、その結論である効果が変わってくることとなります。

これに対して、通謀虚偽表示（民法第94条）の場合には、そもそも、意思表示の表意者は、真意ではないことを知りながら、相手方と通じて意思表示をしており、この時点で心裡留保の場合とは異なり、相手方は、その真意ではない意思表示について、そのことを知っている（悪意）ということとなります。従って、心裡留保の場合において、相手方が悪意のときと同じように、意思表示は無効となります。

それでは、通謀虚偽表示をなぜ行う必要があるのでしょうか。甲さんが乙さんに対して、自己が所有する高価な時計をあげたというような虚偽の外観を作出する事例について考えてみましょう。そもそも、なぜ、虚偽の外観を作出する必要があるのでしょうか。通常は虚偽の外観を作出する必要はありません。しかし、甲さんが丙さんという人から借金をしていて、現在、甲さんにはめぼしい財産がこの高価な時計しかないという場合、丙さんはこの時計を金銭化して、そこから返済を得ようとするはずです。ここで甲さんがそれでもよいとすれば、この高価な時計を現金化して、そこから返済をして一件落着ということとなりますが、甲さんがこの時計を手放したくない場合は問題となります。そもそも、丙さんがこの時計に目を付けたのは、甲さんが他にめぼしい財産を有していないからです。言い換えれば、この時計が甲さんの物だから目を付けたのです。であるならば、甲さんの物ではなければ、丙さんはこの時計には手を出すことができません。そこで、甲さんの物のまま、甲さんの物ではないように見せかける必要があります。ここで通謀虚偽表示が登場するのです。

この高価な時計を甲さんが乙さんにあげたこととすれば、見かけ上は、この時計の所有者は乙さんとなります。この乙さんと丙さんとは無関係なので、丙さんは乙さんに対して、その時計を現金化しろとは主張できません。借金をしている甲さんだったから主張できたのです。というわけで、通謀虚偽表示によって、虚偽の外観を作出したために、甲さんは自分の財産を守ることができるし、あくまでも乙さんに所有者のふりをしてもらうだけなので、その効果は無効となるのです。しかし、通謀虚偽表示の目的から鑑みると、虚偽の外観を作出する責任は悪質かつ重大です。

B　通謀虚偽表示の例外規定

通謀虚偽表示における意思表示の無効は、善意の第三者には対抗することができません（民法第94条第2項）。本人と相手方との間では、意思表示は無効であり、相手方は権利取得をすることができないことから、相手方と取引した第三者も当然権利取得をすることができないこととなります。しかし、自ら虚偽の外観を作出した帰責性のある本人は、その外観を信頼した善意の第三者に対して、その外観通りの責任を負うことによって取引の安全を図るべきです（権利外観法理）。従って、本人は、善意の第三者に対して、その意思表示の無効を対抗できなくなります。

ここでも、静的安全の保護と動的安全の保護のバランスを図ることとなります。つまり、善意の第三者に対しては、動的安全の保護が優先されることとなります。対して、悪意の第三者に対しては、原則通り、静的安全の保護が優先されることとなります。

民法第94条第2項の成立要件としては、①相手方と通じてした虚偽の意思表示があり、②善意の第三者が新たにその当事者から独立した利益を有するに至った場合であり、これらを充たすと、その通謀虚偽表示でなした意思表示の無効を善意の第三者に対抗できないという効果が発生します。

この規定は、表示主義を採用しているといえます。

a　民法第94条第2項における善意の第三者

民法第94条第2項における善意の第三者とは、通謀虚偽表示の当事者及びその包括承継人以外の者であって、それに基づき新たにその当事者から独立した利益を有するに至った者のうち、その事実を知らない者、つまり、通謀虚偽表示が有効であると信じている者のことをいいます。

先ほどの甲さんが乙さんに対して、自己が所有する高価な時計をあげたような虚偽の外観を作出する事例で、乙さんがその高価な時計を甲さんに無断で丁さんに売却してしまったという場合について考えてみましょう。

先ほどの事例では、そもそも甲さんと乙さんとは、甲さんが借金をしている丙さんからの追及を逃れるために、甲さんの唯一の財産であるこの時計を乙さんにあげたこととしていました。あくまでも、乙さんにあげたこととしたのであり、その実質は、この時計を乙さんに預けているに過ぎません。つまり、このあげたこととするという通謀虚偽表示は無効な意思表示であり、実態としては、この時計は甲さんが所有者であり、乙さんは甲さんの物を預かっているだけなのです。従って、この時計の所有者が従来通り甲さんであり、乙さんは無権利者となります。

しかし、無権利者である乙さんはこの時計を、甲さんと乙さんの通謀虚偽表示についての事情をまったく知らない丁さんに売却してしまいます。そうなると、民法第94条第２項により、甲さんは、この意思表示は通謀虚偽表示により無効であるということを丁さんに対して主張できなくなります。

よくここで、乙さんのことを問題にする人がいます。確かに、乙さんは甲さんから預かっているだけに過ぎないこの時計を勝手に丁さんに売却しています。また、丁さんからしてみれば、他人の物を売りつけられたこととなります。そうなると、一番悪いのは乙さんということとなります。しかし、民法第93条第２項の場合と同様、実施には、甲さんからしてみれば、この時計が自分の物のままであればよいのであり、丁さんからしてみれば、せっかく購入した時計が自分のものであればよいのです。つまり、この時計をめぐって甲さんと丁さんが争っているのであり、双方から見て時計について何ら権利のない乙さんについては、とりあえずはどうでもよいことなのです。甲さんや丁さんの主張を生の利益主張といいます。

では、本来の持ち主である甲さんと、新たに権利者となった丁さんとの間で考えます。甲さんを保護する考え方が静的安全の保護、丁さんを保護する考え方が動的安全の保護です。そもそも、借りた物は返すというは社会の常識です。であるにも拘わらず、甲さんは乙さんと通謀虚偽表示を行い、虚偽の外観を作出することによって財産隠しをし、借りた物を返すという当然のことから免れようと画策しています。そのこと自体非難されるべきであり、重大な帰責性があります。

対して、丁さんは事情をまったく知らないで乙さんから購入をしただけなので責任はありません。そうなると、責任の重い甲さんと、責任のない丁さんとを比較すると、丁さんの方を保護すべきという結論になります。つまり、動的安全の保護を重視するということとなります。なお、甲さんは丁さんに対して主張できないというだけなので、乙さんに対してはいつまでも無効主張をすることができます。

これがもし、丁さんが悪意、つまり、今回の事情を知っているということとなると、丁さんにも責任があるということとなります。その場合、本来の所有者である甲さんと、他人の時計であると知っていて購入した丁さんとを比較することとなります。この場合は、原則通り、本来の所有者である甲さんを保護することとなります。つまり、静的安全の保護を重視するということとなります。

それでは、民法第 94 条第２項における善意の第三者として保護されるためには、無過失であることが必要なのでしょうか。そもそも、民法第 94 条第２項が規定された趣旨は、自ら虚偽の外観を作出した帰責性のある本人は、その外観を信頼した善意の第三者に対して、その外観通りの責任を負うことによって取引の安全を図るべきところにあります。つまり、本人と善意の第三者の帰責性の軽重は既に決まっているともいえます。であるならば、善意の第三者にたとえ過失があったとしても、この善意の第三者を犠牲にしてまで自ら虚偽の外観を作出した帰責性のある本人の保護を図る必要はないといえます。また、無過失まで要求することは、この善意の第三者に対して酷であるともいえます。従って、民法第 94 条第２項における善意の第三者とは、文言通り、善意のみで充分であり、無過失までは必要ではないと解すべきであるといえます。

また、以下の者が、民法第 94 条第２項における善意の第三者に該当するとされています。

い　通謀虚偽表示による譲受人から目的物を譲り受けた者

通謀虚偽表示による譲受人から目的物を譲り受けた者で、その通謀虚偽表示についての事情を知らない者は、民法第 94 条第２項における善意の第三者に該当します。

先ほどの事例は、本人である甲さんとの通謀虚偽表示によって譲受人となった乙さんから、目的物である高価な時計を譲り受けた丁さんが、民法第 94 条第２項における善意の第三者に該当する場合を扱っています。

ろ　通謀虚偽表示による譲受人から目的物に担保権の設定を受けた者

通謀虚偽表示による譲受人から目的物に担保権の設定を受けた者で、その通謀虚偽表示についての事情を知らない者は、民法第 94 条第２項における善意の第三者に該当します。

は　通謀虚偽表示による譲受人の債権者で目的物の差押えをした者

通謀虚偽表示による譲受人の債権者のうち、その目的物の差押えをした者で、その通謀虚偽表示についての事情を知らない者は、民法第 94 条第２項の善意の第三者に該当します。

に　通謀虚偽表示により債権を取得した者からその仮装債権を譲り受けた者

通謀虚偽表示により債権を取得した者からその仮装債権を譲り受けた者で、その通謀虚偽表示についての事情を知らない者は、民法第 94 条第２項の善意の第三者に該当します。

b　転得者

転得者とは、第三者からさらに権利を取得した者のことをいいます。

それでは、通謀虚偽表示の相手方と取引をした第三者と取引をした転得者は、民法第94条第2項における第三者に含まれるのでしょうか。つまり、転得者が善意の場合に、民法第94条第2項によって保護されるのでしょうか。先ほどの甲さんが乙さんに対して、自己が所有する高価な時計をあげたような虚偽の外観を作出する事例で、乙さんがその高価な時計を甲さんに無断で丁さんに売却してしまった後に、丁さんが戊さんという別の人にそれを転売したという場合について考えてみましょう。

繰り返しになりますが、そもそも、民法第94条第2項が規定された趣旨は、自ら虚偽の外観を作出した帰責性のある本人は、その外観を信頼した善意の第三者に対して、その外観通りの責任を負うことによって取引の安全を図るべきところにあります。であるならば、通謀虚偽表示の相手方と直接取引をしていない転得者であっても、虚偽の外観を信頼した上で、取引に加わる場合には、これを保護することによって取引の安全を図るべき点では、直接取引をした第三者の場合と異なるべきものではないといえます。つまり、既に虚偽の外観を作出したとして帰責性のある本人に比べると、転得者は保護をされる必要があるのです。従って、転得者も民法第94条第2項における第三者に含まれると解すべきであるといえます。よって、転得者である戊さんも民法第94条第2項における第三者に含まれることとなります。

それでは、民法第94条第2項における第三者が善意でも、転得者が悪意ならその転得者は保護されないのでしょうか。確かに、転得者が悪意の場合には、民法第94条第2項により、その者は保護される必要はないものと思われます。一人ずつどうであったか検討することによって保護されるかされないかどうかを考えることを相対的構成といいます。相対的構成の考え方を採用した場合、転得者が現れるごとにその転得者が保護されたり、されなかったりするため、いつまでも法律関係が確定せずに不安定となります。また、悪意者である転得者が保護されない、つまり、対象となっている物が本人の物となると、善意者である第三者に対して追奪担保責任を追及することができることとなり、善意者保護ができなくなります。従って、相対的構成を採用することは妥当ではないと考えられます。よって、一度、第三者である善意者が保護された以上、その後の転得者が悪意であったとしても保護されると解するのが妥当であると考えられます。以上のような考え方を絶対的構成といいます。

なお、相対的構成の立場からは、絶対的構成に対して、何も知らない者を第三者として立ててから転得すれば本人よりも保護されることとなり、そのような者を保護するようになることから妥当ではないとの批判もあります。先ほどの事例にあてはめると、戊さんは、甲さんと乙さんの通謀虚偽表示について知っており、また、自分が乙さんからこの時計を購入すると、民法第94条第2項の反対解釈から、甲さんに取り戻されてしまうということを知っている場合、何も事情を知らない丁さんという人を間に入れて、まず、乙さんと丁さんとで取引をさせて、民法第94条第2項によって保護させた上で、戊さんが自ら丁さんから買い受けることで、この時計を自分の物とすることができるので、絶対的構成は認めるべきではないということとなります。

以上のように、絶対的構成を採用すべきか、相対的構成を採用すべきかについては、対立のあるところではありますが、本書においては、判例（大審院判決昭和6年10月24日）の立場である絶対的構成を採用した上で、本人に対して転得者が保護されるかどうかについて考えていきます。

い　第三者が善意であり転得者も善意の場合

第三者が善意であり、転得者も善意の場合は、転得者は本人よりも保護されることとなります。ここでは、動的安全の保護が静的安全の保護よりも優先されることとなります。

先ほどの事例にあてはめると、丁さんも戊さんも、甲さんと乙さんの通謀虚偽表示についての事情を知らない場合には、その時計の所有者は戊さんということとなります。

ろ　第三者が悪意であり転得者も悪意の場合

第三者が悪意であり、転得者も悪意の場合は、転得者は本人よりも保護されないこととなります。ここでは、静的安全の保護が動的安全の保護よりも優先されることとなります。

先ほどの事例にあてはめると、丁さんも戊さんも、甲さんと乙さんの通謀虚偽表示についての事情を知っている場合には、その時計の所有者は甲さんのままということとなります。

は　第三者が悪意であり転得者が善意の場合

第三者が悪意であり、転得者が善意の場合は、転得者も民法第94条第2項における善意の第三者となりますから、転得者が善意である限りは、本人よりも保護されることとなります。つまり、動的安全の保護が静的安全の保護よりも優先されることとなります。

先ほどの事例にあてはめると、丁さんについては、甲さんと乙さんの通謀虚偽表示についての事情を知っている、戊さんについては、甲さんと乙さんの通謀虚偽表示についての事情を知らない場合には、その時計の所有者は戊さんということとなります。

に　第三者が善意であり転得者が悪意の場合

第三者が善意であり、転得者が悪意の場合も、転得者が本人よりも保護されることとなります。第三者が善意であれば、その時点で、民法第94条第2項により、通謀虚偽表示の当事者は、第三者に対して無効主張ができなくなります。そのため、この時点で、第三者が権利者として確定することとなります。結果として、本人はこの時点で無権利者となっているため、第三者からの譲受人である転得者に対しても無効主張ができなくなります。ここでは、動的安全の保護が静的安全の保護よりも優先されることとなります。

先ほどの事例にあてはめると、丁さんについては、甲さんと乙さんの通謀虚偽表示についての事情を知らない、戊さんについては、甲さんと乙さんの通謀虚偽表示についての事情を知っている場合には、そもそも、丁さんが善意の時点で、本来の所有者である甲さんは保護されないこととなり、丁さんが時計の所有者として確定することとなるため、その丁さんから時計を購入した戊さんがその時計の所有者ということとなります。

もし、相対的構成を採用した場合は、この場合についてのみ結論が異なることとなります。つまり、転得者が悪意であれば、転得者が本人よりも保護されないこととなり、静的安全の保護が動的安全の保護よりも優先されることとなります。先ほどの事例にあてはめると、戊さんは、甲さんと乙さんの通謀虚偽表示についての事情を知っているため、本来の所有者である甲さんに劣後し、結果として、この時計は本来の所有者である甲さんの物のままであるということとなります。

なお、第三者が善意であり転得者も善意の場合については、結論は同じですが、理由付けが異なることとなります。つまり、絶対的構成を採用した場合には、第三者が善意であるという時点で、権利者は第三者に確定し、その後の転得者が善意であるか、悪意であるかによって結論は異ならないのに対して、相対的構成を採用すると、第三者、転得者と登場するごとに、善意であるか、悪意であるかについて判定するため、転得者が本人よりも優先するためには、善意であることが不可欠ということとなります。

③ 錯誤

A 錯誤の意義

錯誤とは、意思表示に対応する内心的効果意思を欠く場合や、表意者が法律行為の基礎とした事情についてのその認識が真実に反する場合に、表意者本人がそのことに気付いていないことをいいます（民法第95条[79]第1項）。

α 意思表示に対応する意思を欠く錯誤

意思表示に対応する意思を欠く錯誤とは、内心的効果意思と表示行為との不一致について、表意者本人が知らないことをいいます（民法第95条第1項第1号）。ここでは、意思主義を採用しているといえます。

甲さんが乙さんに対して、自己が所有する高価な時計を売却するという事例について考えてみましょう。甲さんが、この時計を100、000円で売却するつもりが、0を1つ付け忘れて、10、000円で売却すると意思表示をしてしまった場合、内心的効果意思は、100、000円で売却するということですが、表示行為は、10、000円で売却するということとなってしまっています。つまり、内心的効果意思と表示行為との間に不一致が生じてしまっているのです。以上のような場合が、意思表示に対応する意思を欠く錯誤に該当します。結果として、甲さんは意思表示の取消しをすることができるということとなります(民法第95条第1項柱書)。

---

79 【民法第95条】

1 意思表示は、次に掲げる錯誤に基づくものであって、その錯誤が法律行為の目的及び取引上の社会通念に照らして重要なものであるときは、取り消すことができる。

一 意思表示に対応する意思を欠く錯誤

二 表意者が法律行為の基礎とした事情についてのその認識が真実に反する錯誤

2 前項第二号の規定による意思表示の取消しは、その事情が法律行為の基礎とされていることが表示されていたときに限り、することができる。

3 錯誤が表意者の重大な過失によるものであった場合には、次に掲げる場合を除き、第一項の規定による意思表示の取消しをすることができない。

一 相手方が表意者に錯誤があることを知り、又は重大な過失によって知らなかったとき。

二 相手方が表意者と同一の錯誤に陥っていたとき。

4 第一項の規定による意思表示の取消しは、善意でかつ過失がない第三者に対抗することができない。

b 表意者が法律行為の基礎とした事情についてのその認識が真実に反する錯誤

表意者が法律行為の基礎とした事情についてのその認識が真実に反する錯誤とは、内心的効果意思を形成する過程である動機の段階に錯誤があることをいいます（民法第95条第1項第2号）。この錯誤は、「動機の錯誤」ともいわれます。ここでは、意思主義を採用しているといえます。

甲さんが乙さんから、乙さんの所有する絵画を購入するという事例について考えてみましょう。乙さんの所有する絵画は著名な画家の作品であり、甲さんはそれをその画家の真作であると思い購入をしました。しかし、実はその絵画は真作ではなく贋作でした。甲さんは真作だと思ったから購入したのであって、贋作だとわかっていたら購入しなかったとします。

まず、この絵画を乙さんから購入するということについては、甲さんの内心的効果意思と表示行為とは一致していますから、意思表示に対応する意思を欠く錯誤には該当しません。しかし、甲さんがこの絵画を乙さんから購入するという内心的効果意思の形成過程の動機に瑕疵がありますので、表意者が法律行為の基礎とした事情についてのその認識が真実に反する錯誤に該当します。表意者が法律行為の基礎とした事情についてのその認識が真実に反する錯誤があった場合には、その事実が法律行為の基礎とされていることが表示されている場合に限り、取消しをすることができます（民法第95条第2項）。なぜなら、動機とは、意思表示の前段階に過ぎず、意思表示の一部とは認められないですし、動機は相手方から容易には知り得ないことから、錯誤に該当する法律行為であるとして、この意思表示に基づく法律行為の取消しをすることができるものであるとすると、取引の安全を害する危険が生じてしまうからです。よって、甲さんは、この絵画を乙さんから購入するにあたって、この絵画が真作だから購入するということを表示していた場合は、取消しをすることができるということとなります。もし、甲さんが真作だから購入するということを表示しないで乙さんから購入した場合、乙さんとしては、甲さんが複製品でもいいからこの目の前にある絵画を購入したいのだと考えるだろうし、甲さんの本心は表示されなければわからないので、安心して取引ができないということとなります。というわけで、表示をせずに購入した場合は甲さんが勝手に真作だと思い込んだということで甲さんに責任があるということとなります。対して、表示したのに贋作を購入させた場合は、乙さんの責任になります。

B 錯誤の例外規定

a 重大な過失による錯誤

錯誤による意思表示が表意者の重大な過失によって行われた場合には、原則として、取消しをすることができません（民法第 95 条第 3 項柱書）。

先ほどの甲さんが乙さんから、乙さんの所有する絵画を購入するという事例で、乙さんの所有する絵画は著名な画家の作品であり、甲さんはそれをその画家の真作であると思い購入をしましたが、実はその絵画は真作ではなく贋作であったという事例について考えてみましょう。甲さんは真作だと思ったから購入したのであって、贋作だとわかっていたら購入しなかったので、これは錯誤による意思表示で取消しをすることができるのですが、表意者である甲さんに重大な過失があった場合には、売買契約を錯誤によって取消しをすることができません。

但し、錯誤の表意者に重大な過失があったとしても、①相手方が表意者に錯誤があることを知っていたり、重大な過失によって知らなかったりした場合や（民法第 95 条第 3 項第 1 号）、②相手方が表意者と同一の錯誤に陥っていた場合（民法第 95 条第 3 項第 2 号）には、表意者は依然として取消しをすることが可能です。

先ほどの事例では、甲さんが錯誤による意思表示をしたことを乙さんが知っていた場合や重大な過失によって知らなかった場合には、甲さんが重大な過失により錯誤による意思表示をしていたとしても取消しをすることが可能です。

また、甲さんがこの贋作の絵画が真作であると思い込んで、錯誤による意思表示をしていたとしても、乙さんの方も同様に、この絵画が贋作ではなく真作であると思い込んでいた場合には、甲さんが重大な過失により錯誤による意思表示をしていたとしても取消しをすることが可能です。相手方が表意者と同一の錯誤に陥っていたような場合のことを共通の錯誤といいます。

b 善意の第三者との関係

錯誤による意思表示の取消しは、善意無過失の第三者には対抗できません（民法第 95 条第 4 項）。

甲さんが乙さんに対して、甲さんの所有する絵画を売却するという事例で考えてみましょう。甲さんは自己が所有するこの絵画は贋作であると思い、乙さんに対して贋作なりの低価格で売却をしたとします。しかし、実は、この絵画は贋作ではなく真作であった、つまり、甲さんは錯誤に陥ったことにより、売却するという意思表示をしています。

ここで、甲さんが乙さんに対して、錯誤に陥っていたので取消しをすると意思表示をすればよかったのですが、それをする前に、乙さんが、甲さんが錯誤に陥っていたことについて善意無過失の丙さんにこの絵画を売却してしまうと、動的安全の保護の観点から、甲さんは取消しをすることができなくなります。

対して、丙さんが、甲さんが錯誤に陥っていたことについて悪意有過失であった場合には、静的安全の保護の観点から、甲さんは錯誤による意思表示の取消しをすることができます。

（5）瑕疵ある意思表示

瑕疵ある意思表示とは、意思表示自体には問題がない（内心的効果意思から表示行為に至るまでの間に不一致は生じていない）けれども、その内心的効果意思を形成する過程である動機の段階に問題がある場合のことをいいます。

この瑕疵ある意思表示については、民法上、詐欺と強迫の２つがあります。

①　詐欺

A　詐欺の意義

詐欺とは、他人を欺罔して（欺して）錯誤に陥らせる行為のことをいいます。詐欺による意思表示は取消しをすることができます（民法第 96 条[80]第１項）。

この詐欺の成立要件としては、①他人を欺そうとする故意があること、②実際に欺罔行為があること、③その欺罔行為によって相手方に動機の錯誤が生じたこと、④その錯誤によって内心的効果意思が形成され意思表示がなされたことであり、これらを充たすと、本人はその意思表示の取消しをすることが可能となります。なお、他人を欺そうとする故意があることといえるためには、他人を錯誤に陥れようとする故意及びそれに基づいて意思表示をさせようとする故意という二重の故意が必要となります。

80　【民法第 96 条】
１　詐欺又は強迫による意思表示は、取り消すことができる。
２　相手方に対する意思表示について第三者が詐欺を行った場合においては、相手方がその事実を知り、又は知ることができたときに限り、その意思表示を取り消すことができる。
３　前二項の規定による詐欺による意思表示の取消しは、善意でかつ過失がない第三者に対抗することができない。

詐欺の場合は、意思の不存在の場合とは異なり、内心的効果意思から表示行為に至るまでの過程に不一致が生じていないため、その意思表示は心裡留保や通謀虚偽表示の場合のように無効とはなりません。しかし、内心的効果意思の形成過程である動機の段階に問題が生じているため（詐欺の場合は他者の不法な行為による動機付け）、その意思表示をひとまずは有効としながらも、取消しをすることができるものとしました。詐欺についての取消権者は、表意者本人・その代理人・その承継人となります（民法第120条[81]第２項）。

この規定は、意思主義を採用しているといえます。

それでは、ここで甲さんが乙さんに欺されて、甲さんが所有する高価な時計を乙さんに安価で売ってしまったという場合について考えてみましょう。まず、民法第96条第１項の詐欺を成立させるためには、相手方である乙さんの側には、①甲さんを欺そうとする故意、つまり、甲さんを錯誤に陥れようとする故意と、それに基づいて甲さんに意思表示をさせようとする故意という二重の故意が必要となり、その上で、②実際に乙さんが甲さんに対して実際に欺罔行為を行ったことが必要となります。対して、本人である甲さんの側には、③甲さんが乙さんの欺罔行為によって動機の錯誤が生じたことと、④その錯誤によって甲さんが乙さんにその時計を安価で売却するような内心的効果意思が形成され、意思表示をすることが必要となります。以上のような詐欺行為が行われた場合は、甲さんは取消しをすることができるようになります。

B　詐欺の例外規定

α　第三者による詐欺

相手方に対する意思表示について、第三者が詐欺を行った場合においては、相手方がその詐欺を行ったことの事実を知り、または、その事実を知ることができたときに限っては、その意思表示の取消しをすることができます（民法第96条第２項）。

81　【民法第120条】

1　行為能力の制限によって取り消すことができる行為は、制限行為能力者（他の制限行為能力者の法定代理人としてした行為にあっては、当該他の制限行為能力者を含む。）又はその代理人、承継人若しくは同意をすることができる者に限り、取り消すことができる。

2　錯誤、詐欺又は強迫によって取り消すことができる行為は、瑕疵ある意思表示をした者又はその代理人若しくは承継人に限り、取り消すことができる。

この詐欺の成立要件としては、①他人を欺そうとする故意があること、②実際に欺罔行為があること、③その欺罔行為によって相手方に動機の錯誤が生じたこと、④その錯誤によって内心的効果意思が形成され意思表示がなされたこと、⑤相手方が善意無過失であることであり、これらを充たすと、本人は意思表示の取消しをすることが不可能となります。

詐欺の被害者は保護されなければならないことから、民法第 96 条第1項において、取消しをすることができるとされていますが、詐欺が第三者によって行われた場合には、突然その意思表示の取消しをされたのでは、相手方が害されることとなるため、相手方が第三者の詐欺行為について悪意有過失である場合に限って、本人は意思表示の取消しをすることができることとしました。

この規定は、本人の保護と取引の安全の保護との調和を図った規定であるといえます。

それでは、ここで甲さんが乙さんに欺されて、甲さんが所有する高価な時計を丙さんに安価で売ってしまったという場合について考えてみましょう。まず、民法第 96 条第２項の詐欺を成立させるためには、第三者である乙さんの側には、①甲さんを欺そうとする故意と、②実際に乙さんが甲さんに対して欺罔行為を行ったことが必要となります。対して、本人である甲さん側には、③甲さんが乙さんの欺罔行為によって動機の錯誤が生じたことと、④その錯誤によって甲さんが乙さんにその時計を安価で売却するような内心的効果意思が形成され、意思表示をすることが必要となります。さらに、相手方である丙さんの側には、⑤その詐欺行為について善意無過失であることが必要となります。これらの要件が揃っている場合に限り、甲さんは詐欺の被害者であるにも拘わらず、取消しをすることができなくなります。相手方である丙さんからしたら、甲さんが第三者である乙さんによって欺された上で丙さんと取引をしたということは知らないことであり、いきなり取消しをされると酷であるからです。つまり、この民法第 96 条第２項の規定は動的安全の保護を図った規定であるといえます。

対して、相手方である丙さんが、甲さんが乙さんに欺されたという事実について悪意有過失である場合には、丙さんを保護する必要はないので、当然、詐欺の被害者である甲さんの保護を図る必要、つまり、静的安全の保護を図る必要があります。

以上のように、民法第 96 条第２項の規定は、静的安全の保護と動的安全の保護とのバランスを図っている規定であるといえます。

b　詐欺行為の第三者

詐欺による意思表示の取消しは、善意無過失の第三者には対抗することができません（民法第96条第３項）。

成立要件としては、①民法第96条第１項または第２項における詐欺行為が行われていること、②その詐欺行為について善意無過失の第三者がいることの２点であり、これらを充たすと、本人はその意思表示の取消しを第三者に対抗できなくなります。なお、詐欺行為をした相手方に対しては、いつでも取消しをすることが可能です。

本人が取消しをすると、意思表示は遡及的に無効となるため、相手方は無権利者となり、無権利者である相手方と取引をした第三者は権利取得することができないこととなります。しかし、外観を信頼した善意無過失の第三者に対しては、取引の安全を図る必要があるため、善意無過失の第三者に対しては、取消しの効果を主張できないとしました。

この規定は、表示主義を採用しているといえます。

民法第96条第３項における善意無過失の第三者をどう解すべきでしょうか。民法第96条第３項の趣旨は、意思表示の取消しの遡及効によって影響を受ける善意無過失の第三者を保護することにより、取引の安全を図るところにあります。であるならば、民法第96条第３項の善意無過失の第三者とは、取消しにより影響を受ける善意無過失の第三者のことであり、善意無過失の第三者は取消し前に現れた善意無過失の第三者を示すものと解するのが妥当です。従って、取消し後に現れた善意無過失の第三者までは含まれないと解すべきです。

甲さんが乙さんに欺されて、自己が所有する高価な時計を安価で売却してしまったという事例で、甲さんがその詐欺行為に気がついて、この売却の意思表示の取消しをする前に、乙さんがその高価な時計を丙さんに売却してしまったという場合について考えてみましょう。ここで問題となっているのは、この時計が誰に帰属するかという問題です。詐欺についてはその行為自体が詐欺罪（刑法第246条[82]）という犯罪行為であるため、乙さんに目が行ってしまい、乙さんをどうするかということばかり考えがちになりますが、ここでまず考えるのはそこではありません。

82　【刑法第246条】

１　人を欺いて財物を交付させた者は、十年以下の懲役に処する。

２　前項の方法により、財産上不法の利益を得、又は他人にこれを得させた者も、同項と同様とする。

あくまでも、この時計の帰属主体は誰かということが問題となりますので、甲さんと丙さんとの間で考えます。そもそも甲さんは、詐欺の被害者です。被害者が保護されないという酷な事態は極力避けなければなりません。対して、乙さんは取引に入ってきただけです。買った物が取り返されるということは、安心して社会経済活動を営むことを侵害しますので、そのような事態も極力避けなければなりません。つまり、ここでも静的安全の保護を図るか、動的安全の保護を図るかのバランスを図らなければならないのです。

既にお気づきかもしれませんが、この民法第 96 条[83]第３項の場面は、民法第 94 条[84]第２項の場面と非常によく似ています。異なるところは、本人である甲さんの責任の重さです。民法第 94 条第２項においては、本人である甲さんは、虚偽の外観を作出するという非常に大きな責任を負っています。それに対して、民法第 96 条第３項においては、本人である甲さんは、詐欺の被害者であり、欺されたという責任はあるとしても、それほど重いものではありません。そこで、民法は動的安全の保護と静的安全の保護とのバランスを図り、民法第 94 条第２項の第三者が保護される場合については単に善意であればよいとし、民法第 96 条第３項の第三者が保護される場合については、単なる善意では足りず、無過失まで要求することとしました。つまり、本人が保護される範囲、静的安全の保護が図られる範囲は、本人の帰責性がより軽い民法第 96 条第３項の場合が広く、本人の帰責性が重大な民法第 94 条第２項の場合は狭いということとなります。

それでは転得者についてはどのように考えるべきでしょうか。転得者については、民法第 94 条第２項の場合と同様に考えつつ、善意というところを善意無過失にして考えればよいのです。

83　【民法第 96 条】

1　詐欺又は強迫による意思表示は、取り消すことができる。

2　相手方に対する意思表示について第三者が詐欺を行った場合においては、相手方がその事実を知り、又は知ることができたときに限り、その意思表示を取り消すことができる。

3　前二項の規定による詐欺による意思表示の取消しは、善意でかつ過失がない第三者に対抗することができない。

84　【民法第 94 条】

1　相手方と通じてした虚偽の意思表示は、無効とする。

2　前項の規定による意思表示の無効は、善意の第三者に対抗することができない。

② 強迫

強迫とは、他人に畏怖を与えて、その意思決定に影響を与える行為のことをいいます。強迫による意思表示は取消しをするができます（民法第96条[85]第1項）。

この強迫の成立要件としては、①他人を強迫すること、②その強迫行為によって相手方に動機の錯誤が生じたこと、③その錯誤によって内心的効果意思が形成され意思表示がなされたことであり、これらを充たすと、本人はその意思表示の取消しをすることが可能となります。

強迫の場合は、意思の不存在の場合とは異なり、内心的効果意思から表示行為に至るまでの過程に不一致が生じていないため、その意思表示は心裡留保や通謀虚偽表示の場合のように無効とはなりません。しかし、内心的効果意思の形成過程である動機の段階に問題が生じているため（強迫の場合は他者の不法な行為による動機付け）、その意思表示をひとまずは有効としながらも、取消しをすることができるものとしました。詐欺についての取消権者は、表意者本人・その代理人・その承継人となります（民法第120条[86]第2項）。

この規定は、意思主義を採用しているといえます。

この強迫については、詐欺の場合と異なり、第三者からの強迫であっても、強迫後取消し前の善意無過失の第三者がいる場合でも本人は取消しをすることができます（民法第96条第2項及び第3項）。

85　【民法第96条】

1　詐欺又は強迫による意思表示は、取り消すことができる。

2　相手方に対する意思表示について第三者が詐欺を行った場合においては、相手方がその事実を知り、又は知ることができたときに限り、その意思表示を取り消すことができる。

3　前二項の規定による詐欺による意思表示の取消しは、善意でかつ過失がない第三者に対抗することができない。

86　【民法第120条】

1　行為能力の制限によって取り消すことができる行為は、制限行為能力者（他の制限行為能力者の法定代理人としてした行為にあっては、当該他の制限行為能力者を含む。）又はその代理人、承継人若しくは同意をすることができる者に限り、取り消すことができる。

2　錯誤、詐欺又は強迫によって取り消すことができる行為は、瑕疵ある意思表示をした者又はその代理人若しくは承継人に限り、取り消すことができる。

ここでも静的安全の保護と動的安全の保護とのバランスをどう図るかが問題となります。民法は、詐欺の被害者である本人と通謀虚偽表示の本人とを比較した場合、詐欺の被害者である本人の帰責性は軽いものであるとしていますが、強迫の被害者である本人とを比較した場合は、帰責性は重いものであるとしています。詐欺に遭う場合は、やはり本人が迂闊だった、落ち度があるということもありますが、強迫に遭う場合は、本人には落ち度はないであろうと考えています。そこで、強迫の場合は、どのような場合でも取消しをすることができるものとされています。

また、強迫によって、意思の自由を完全に失った状態で意思表示をした場合には、その意思表示は当然に無効となります（民法第３条の２[87]）。

（６）代理

①　代理制度

A　代理制度の意義

代理制度とは、代理人のなした法律行為の効果が直接本人に帰属する制度のことをいいます。

代理制度は、あくまでも目的達成のための手段（道具）であるので、代理権のみが与えられるということはなく、その目的達成に必要な場合にのみ利用されることとなります。

B　代理制度の機能

a　私的自治の補充

私的自治の補充とは、意思無能力者や制限行為能力者が単独かつ有効には法律行為をすることができないことから、本人に代わって法律行為をなす者の存在が不可欠となり、そのような者に本人に代わって法律行為をさせることをいいます。

b　私的自治の拡張

私的自治の拡張とは、現代社会では、取引の内容が複雑かつ専門化しており、専門家に依頼した方が円滑に進む場合が多々あることから、本人に代わって法律行為をする専門家が必要となり、そのような者に本人に代わって法律行為をさせることをいいます。

87　【民法第３条の２】

法律行為の当事者が意思表示をした時に意思能力を有しなかったときは、その法律行為は、無効とする。

C　代理制度の種類

a　法定代理

法定代理とは、法の規定によって、代理権が自動的に発生する代理のことをいいます。

自ら単独かつ有効には意思表示ができない場合には、他人に意思表示をしてもらう必要があります。そのような他人（代理人）を法があらかじめ規定されている場合が法定代理に該当します。

法定代理は、私的自治の補充からの要請であるといえます。

b　任意代理

任意代理とは、本人の意思表示によって代理権が発生する代理のことをいいます。

同時に別の取引をする必要がある場合や、専門家に取引を委任する必要がある場合等に、本人が代理人に代理権を与える代理権授与行為（授権行為）によって発生する代理が任意代理に該当します。

任意代理は、私的自治の拡張からの要請であるといえます。

D　代理制度の要件

代理制度は、本人・代理人・相手方という三者間における関係（法的三面関係）を意味します。つまり、代理人と相手方がなした法律行為の効果が本人に及ぶということです。

代理制度の成立には、以下の３つの要件が必要となります。

a　顕名

顕名とは、代理人が意思表示の効果が帰属する本人を相手方に対して顕かにすることをいいます。

b　代理権

代理権とは、代理行為をする権限のことをいいます。

代理行為を行う場合には、代理人が本人より代理権を与えられていること（任意代理の場合）、または、法律の規定が存すること（法定代理の場合）が必要となります。

c　代理行為

代理行為とは、代理人が本人のために相手方と法律行為をすることをいいます。

E　代理制度類似の制度

a　代表

代表とは、法人の代表機関である自然人が法人に代わって意思表示をすることをいいます。

法人の活動において、個別具体的な事案ごとにその法人の代表を選んだ上で法律行為を行わせることは、非常に非合理的なことであるといえます。

そこで、あらかじめ包括的な代表権限を与えられた者を機関として常設しておくことは合理的なことであり、法人にとって望ましいことであるといえます。

以上のような機関を法人の代表機関といいます。

代表機関は、原則として、法人の一切の事務について法人を代表する包括的代表権を有することとなります（一般法人法第77条[88]第4項）。

b　使者

使者とは、本人の決定した内心的効果意思を相手方に表示する表示者または完成した意思表示を相手方に伝達する伝達者のことをいいます。

代理人が自ら意思決定ができるのに対して、使者は意思決定をすることができず、本人が自ら意思決定をすることとなります。

また、代理人には行為能力は不要（民法第102条[89]本文）であっても、自ら意思決定をするために意思能力は必要となりますが、使者には行為能力のみならず意思能力も、場合によっては権利能力も不要となります。

さらに、代理の場合は、本人には意思能力も行為能力も不要となりますが、使者の場合は、本人自ら意思決定をしなければならないため、意思能力も行為能力も必要となります。

88　【一般社団法人及び一般財団法人に関する法律（一般法人法）第77条】

1　理事は、一般社団法人を代表する。ただし、他に代表理事その他一般社団法人を代表する者を定めた場合は、この限りでない。

2　前項本文の理事が二人以上ある場合には、理事は、各自、一般社団法人を代表する。

3　一般社団法人（理事会設置一般社団法人を除く。）は、定款、定款の定めに基づく理事の互選又は社員総会の決議によって、理事の中から代表理事を定めることができる。

4　代表理事は、一般社団法人の業務に関する一切の裁判上又は裁判外の行為をする権限を有する。

5　前項の権限に加えた制限は、善意の第三者に対抗することができない。

89　【民法第102条】

制限行為能力者が代理人としてした行為は、行為能力の制限によっては取り消すことができない。ただし、制限行為能力者が他の制限行為能力者の法定代理人としてした行為については、この限りでない。

② 顕名主義

顕名とは、先述したように、代理人が意思表示の効果が帰属する本人を相手方に対して顕かにすることをいいます。

契約においては、真の相手方が一体誰であるのかということは非常に重要なことであり、顕名は法律行為の効果の帰属主体を明らかにすることによって取引の安全を図ることから、顕名という行為は、代理制度において不可欠の行為となります。

顕名によって代理人が相手方にした意思表示は、本人に対して直接その効力を生じることとなり（民法第 99 条[90]第 1 項)、相手方が代理人にした意思表示も本人に対して直接その効力を生じることとなります（民法第 99 条第 2 項)。

顕名を必要とするのは、法律行為の効果の帰属主体を顕かにすることによって取引の安全を図るためです。従って、顕名がない場合には、相手方に法律行為の真の当事者が誰であるか示されていないため、代理人が自己のためにした行為とみなす（民法第 100 条[91]本文）というのが取引の安全からの要請であるといえます。つまり、顕名がない場合には、法律行為の効果は本人には帰属せず、代理人自身に帰属することとなります。

しかし、相手方が法律行為における効果の帰属主体が誰であるかについて悪意有過失であるならば、相手方は本人と契約しているということがわかっていることとなるため、その効果は当然に本人に直接帰属することとなります（民法第 100 条但書)。

それでは、代理人が顕名ではなく、直接に本人の名を示した場合については、どのように考えるべきでしょうか。顕名主義の趣旨は、法律行為の効果の帰属主体を顕かにすることによって取引の安全を図るところにあります。従って、直接に本人の名を示した場合には、その法律行為の効果帰属主体を顕かにしているといえ、その効果を本人に帰属させることが可能となります。

90 【民法第 99 条】

1 代理人がその権限内において本人のためにすることを示してした意思表示は、本人に対して直接にその効力を生ずる。

2 前項の規定は、第三者が代理人に対してした意思表示について準用する。

91 【民法第 100 条】

代理人が本人のためにすることを示さないでした意思表示は、自己のためにしたものとみなす。ただし、相手方が、代理人が本人のためにすることを知り、又は知ることができたときは、前条第一項の規定を準用する。

③ 代理人

A 代理人の意義

代理人の法律行為の効果が帰属するのは本人であることから、代理人が制限行為能力者であっても代理人自身には不利益は生じません。代理人自身には不利益は生じませんが、本人に不利益が生じるのみであることから、制限行為能力者も代理人になることができるとされています（民法第102条[92]本文）。

制限行為能力者も代理人になることができるとされていることから、代理人が制限行為能力者であることを理由としてその法律行為の取消しをすることはできません（民法第102条本文）。但し、制限行為能力者が他の制限行為能力者の法定代理人としてした行為については、取消しをすることが可能となります（民法第102条但書）。これは、本人である制限行為能力者を保護するためです。また、代理人を選任した後に代理人が後見開始の審判を受けた場合には、その代理権はこのことを理由として消滅するものとされています（民法第111条[93]第1項第2号）。

B 代理人の権限濫用

代理人の権限濫用とは、代理人が代理権の範囲内で自らの利益を図る目的で法律行為を行う場合のことをいいます。代理権の濫用ともいいます。

代理人の権限濫用は、代理制度の成立要件である顕名・代理権の存在・代理行為という要件は具備している、つまり、代理制度の客観面については問題がないのですが、代理人の真意が本人のためではなく、代理人自身のために代理行為をしている、つまり、代理制度の主観面について問題が生じているという場面を意味します。

---

92 【民法第102条】
制限行為能力者が代理人としてした行為は、行為能力の制限によっては取り消すことができない。ただし、制限行為能力者が他の制限行為能力者の法定代理人としてした行為については、この限りでない。

93 【民法第111条】
1 代理権は、次に掲げる事由によって消滅する。
一 本人の死亡
二 代理人の死亡又は代理人が破産手続開始の決定若しくは後見開始の審判を受けたこと。
2 委任による代理権は、前項各号に掲げる事由のほか、委任の終了によって消滅する。

代理人の権限濫用の効果については、先述したように、客観的には代理制度の要件を具備していることから、原則として、本人に効果が及ぶこととなります。しかし、相手方が代理人の真意について悪意有過失である場合には、例外として、本人に効果は及ばないこととなります（民法第 107 条[94]）。

C 代理人が行った法律行為の効果

代理人が行った法律行為の効果は、直接本人に帰属し、法律行為の瑕疵についても同様に直接本人に帰属します（民法第 99 条第 1 項）。

また、代理行為についての瑕疵は、代理人についてこれを決するのが原則です（民法第 101 条[95]第 1 項）。代理行為の取消権は、代理人にではなく本人にあるのが原則となります。

④ 代理権

A 代理権の意義

代理権とは、代理人がなした法律行為の効果を直接本人に帰属させることができる権限のことをいいます。この代理権は、本人から代理人に対する代理権授与行為（授権行為）、または、法の規定に従って発生します。

B 代理権の発生原因

a 法定代理

法定代理権は、法の規定により当然に発生します。

94 【民法第 107 条】

代理人が自己又は第三者の利益を図る目的で代理権の範囲内の行為をした場合において、相手方がその目的を知り、又は知ることができたときは、その行為は、代理権を有しない者がした行為とみなす。

95 【民法第 101 条】

1 代理人が相手方に対してした意思表示の効力が意思の不存在、錯誤、詐欺、強迫又はある事情を知っていたこと若しくは知らなかったことにつき過失があったことによって影響を受けるべき場合には、その事実の有無は、代理人について決するものとする。

2 相手方が代理人に対してした意思表示の効力が意思表示を受けた者がある事情を知っていたこと又は知らなかったことにつき過失があったことによって影響を受けるべき場合には、その事実の有無は、代理人について決するものとする。

3 特定の法律行為をすることを委託された代理人がその行為をしたときは、本人は、自ら知っていた事情について代理人が知らなかったことを主張することができない。本人が過失によって知らなかった事情についても、同様とする。

b　任意代理

任意代理権は、本人から代理人への代理権授与行為により発生することとなります。

C　代理権の範囲

a　法定代理

法定代理における代理権の範囲は、あらかじめ法定されています。

b　任意代理

任意代理権は、本人から代理人への代理権授与行為により決定されることとなります。

D　代理権の範囲が不明な場合

代理権の範囲が不明な場合には、管理行為（保存行為・利用行為・改良行為）が行えますが、処分行為は行うことができません（民法第103条[96]）。

a　保存行為

保存行為とは、財産の現状維持を図る行為のことをいいます。

b　利用行為

利用行為とは、財産の変更に該当しない範囲で、その経済的用法に従って使用・収益をする行為のことをいいます。

c　改良行為

改良行為とは、財産の変更に該当しない範囲で、改良を施し、その使用価値や交換価値の増大を図る行為のことをいいます。

E　代理権の消滅

法定代理及び任意代理共通の消滅原因としては、本人の死亡（民法第111条第1項第1号）・代理人の死亡・代理人の破産（財産の管理能力に関係するため）・代理人の成年後見開始（保佐開始及び補助開始は含まない）の場合（民法第111条第1項第2号）があります。

任意代理（委任による代理）固有の消滅原因としては、委任の終了があります（民法第111条第2項）。

法定代理固有の消滅原因としては、特に存在しません。つまり、法定代理及び任意代理共通の消滅原因が存在します。

96　【民法第103条】

権限の定めのない代理人は、次に掲げる行為のみをする権限を有する。

一　保存行為

二　代理の目的である物又は権利の性質を変えない範囲内において、その利用又は改良を目的とする行為

F　自己契約及び双方代理の禁止

a　自己契約の禁止

自己契約とは、当事者の一方が相手方の代理人を兼ねることをいい、取引における交渉の過程が存在しないため、本人に不利な契約が締結される危険性から禁止されています（民法第108条[97]第1項本文）。

この禁止は本人の承諾があれば解除され（民法第108条第1項但書）、本人の承諾なくなされた場合には、自己契約として行われた代理行為は、無権代理として扱われます。

b　双方代理の禁止

双方代理とは、双方の当事者の代理人を兼ねることをいい、取引における交渉の過程が存在しないため、本人に不利な契約が締結される危険性から禁止されています（民法第108条第1項本文）。

この禁止は本人の承諾があれば解除され（民法第108条第1項但書）、本人の承諾なくなされた場合には、双方代理として行われた代理行為は、無権代理として扱われます。

⑤　復代理

A　復代理の意義

復代理とは、代理人が選任する代理人であって、本人を代理する者のことをいいます（民法第106条[98]）。

あくまでも本人を代理するので、その選任及び責任には一定の規定があります。

また、復代理人が選任されても代理人の代理権は存続します。つまり、本人の代理人が複数存在することとなります。

97　【民法第108条】

1　同一の法律行為について、相手方の代理人として、又は当事者双方の代理人としてした行為は、代理権を有しない者がした行為とみなす。ただし、債務の履行及び本人があらかじめ許諾した行為については、この限りでない。

2　前項本文に規定するもののほか、代理人と本人との利益が相反する行為については、代理権を有しない者がした行為とみなす。ただし、本人があらかじめ許諾した行為については、この限りでない。

98　【民法第106条】

1　復代理人は、その権限内の行為について、本人を代表する。

2　復代理人は、本人及び第三者に対して、その権限の範囲内において、代理人と同一の権利を有し、義務を負う。

B 復代理人の選任と原代理人の責任

a 任意代理における場合

復代理人の選任について、任意代理における場合には、本人の許諾を得た場合またはやむを得ない事由がある場合にのみ復代理人を選任することができるとされています（民法第104条[99]）。そもそも、本人は、任意代理人（原代理人）を信頼して選任していることから、任意代理人は、原則として、復代理人を選任することはできません。

任意代理人（原代理人）が復代理人を選任した場合、その責任については、債務不履行の一般規定によって処理されます。

b 法定代理における場合

復代理人の選任について、法定代理における場合には、自己の責任でいつでも復代理人を選任することができるとされています（民法第105条[100]前段）。そもそも、法定代理人は、任意代理人の場合とは異なり、委任された代理人ではなく、法の規定によって必然的に選任される代理人であることから、いつでも復代理人を選任することができます。

法定代理人（原代理人）が復代理人を選任した場合、その責任については、全責任を負わなければなりません（民法第105条前段）。但し、やむを得ない事情があれば、その選任と監督についてのみ責任を負うこととなります（民法第105条後段）。

C 復代理人の地位

復代理人は、原代理人の代理人ではなく、あくまでも本人の代理人となります（民法第106条第1項）。従って、復代理人が代理行為を行う場合には、本人の名を示す必要があります。また、復代理人の行った代理行為の効果は、直接本人に帰属することとなります。

なお、原代理人が復代理人を選任する行為については、原代理人自身の名においてすれば足ります。つまり、原代理人が復代理人を選任するに際しては、本人のためにすることを示して行う必要はありません。

---

99 【民法第104条】

委任による代理人は、本人の許諾を得たとき、又はやむを得ない事由があるときでなければ、復代理人を選任することができない。

100 【民法第105条】

法定代理人は、自己の責任で復代理人を選任することができる。この場合において、やむを得ない事由があるときは、本人に対してその選任及び監督についての責任のみを負う。

D 復代理人の権限と原代理人の権限

a 復代理人の権限

復代理人は、原代理人と同一の権利・義務を有することとなります。つまり、復代理人の代理権は、原代理人の権限の範囲内で行使することができることとなります（民法第106条第2項）。

また、原代理人の代理権が消滅した場合には、復代理人の代理権もそれに伴い消滅します。

b 原代理人の権限

原代理人が復代理人を選任したとしても、原代理人の代理権は消滅しません。つまり、原代理人と復代理人は、同一の立場で本人を代理することができるようになるということです。

⑥ 無権代理

A 無権代理の意義と効果

無権代理とは、代理権がないにも拘わらず、本人の代理人であるとの顕名をし、相手方と法律行為を行うことをいいます。

代理権を欠いている法律行為の効果は、直接本人には帰属することはなく、本人の知らないところで自称代理人（無権代理人）が行った無権代理行為の効果は原則発生しない（無効）こととなります（民法第113条[101]第1項反対解釈）。

B 無権代理行為による相手方の救済方法

a 本人による追認

本人の追認があれば、無権代理行為であっても効力が生じることとなります（民法第113条第1項）。効力が生じるとは、追認によって、無権代理行為が契約時に遡って有効となるということを意味します（民法第116条[102]本文）。つまり、本来無効である無権代理行為が有効な代理行為となるのです。

---

101 【民法第113条】

1 代理権を有しない者が他人の代理人としてした契約は、本人がその追認をしなければ、本人に対してその効力を生じない。

2 追認又はその拒絶は、相手方に対してしなければ、その相手方に対抗することができない。ただし、相手方がその事実を知ったときは、この限りでない。

102 【民法第116条】

追認は、別段の意思表示がないときは、契約の時にさかのぼってその効力を生ずる。ただし、第三者の権利を害することはできない。

但し、追認によって無権代理行為を有効にするために第三者の権利を害することはできません（民法第116条但書）。

結果として、追認によって法律行為の効果は本人に直接帰属するようになりますが、この点、同じ追認であっても、制限行為能力者の保護者のする追認はそれまで有効であった法律行為を、今後取消しをすることができない法律行為として確定しますが、無権代理行為における本人の追認は本来無効な法律行為を有効な法律行為に転換するという点で、その役割が異なります。

この追認は相手方に対してしなければ効果は生じません（民法第113条第２項本文）。追認を無権代理人に対してしても意味はなく、相手方にしなければ効果は生じません。しかし、無権代理人に対して追認をした場合には、相手方がその追認の事実を知っていたのであれば、その無権代理行為は有効な代理行為となります（民法第113条第２項但書）。

なお、民法第116条本文にある「別段の意思表示」とは、本人及び相手方双方の合意という意味で用いられています。従って、本人のみで「別段の意思表示」は決めることはできません。また、無権代理行為の追認には、法定追認は含まれませんが、黙示の追認は含まれます。

また、本人は相手方に対して追認の拒絶もできます（民法第113条第２項本文）。無権代理人に対して追認の拒絶をした場合には、相手方がその追認を拒絶したという事実を知っていたのであれば、その無権代理行為は無効な代理行為と確定します（民法第113条第２項但書）。

b　相手方による催告

先述したように、本人が無権代理行為について追認をすれば、その無権代理行為は有効なものとなりますが、本人が追認をしなければその無権代理は無効なままとなります。つまり、無権代理行為を無効なままにしておくか、有効なものとするかについては本人次第であるということとなります（不確定無効）。相手方としては、不安定な地位におかれることとなるため、相手方は、本人に対して追認をするか否かを問い合わせることができる催告権を行使できることとしました（民法第114条[103]本文）。

103　【民法第114条】
前条の場合において、相手方は、本人に対し、相当の期間を定めて、その期間内に追認をするかどうかを確答すべき旨の催告をすることができる。この場合において、本人がその期間内に確答をしないときは、追認を拒絶したものとみなす。

本人としては、勝手に無権代理人にされた行為についての問い合わせに対して回答する義務はないため、本人から追認または追認の拒絶の返答がない場合には、相手方は、本人から追認の拒絶をされたものとみなすこととなります（民法第 114 条後段）。

なお、この催告権は、無権代理人の相手方が、その無権代理人に代理権がないことを知っている場合（悪意の場合）にも行使することができます。つまり、相手方がこの催告権を行使するための要件に、この無権代理行為について善意であることや善意無過失であることは含まれません。

c　相手方による取消し

先述したように、本人が無権代理行為について追認をすればその無権代理行為は有効なものとなりますが、本人が追認をしなければその無権代理は無効なままとなります。つまり、無権代理行為を無効なままにしておくか、有効なものとするかについては本人次第であるということとなります（不確定無効）。相手方としては、不安定な地位におかれることとなるため、相手方は、本人が追認をしない間に限り取引から引き上げる取消権を行使できることとしました（民法第 115 条[104]本文）。取消権を行使した場合には、その無権代理行為は、初めからなかったこととなります。重要なことは、本人が追認をしていないというところです。本人が追認している場合は、その時点で確定的に有効となっているため、その後の取消権の行使は認められません。

但し、取消権は、無権代理人の相手方が、無権代理人に代理権がないことを知らない場合（善意の場合）のみ行使することができます（民法第 115 条但書）。つまり、相手方がその無権代理行為について悪意の場合には、取消権の行使はできません。また、善意であればよく、善意無過失であることまでは要求されません。

以上のことから、相手方が無権代理人の無権代理行為に対して、取消権の行使をするための要件は、①本人がまだ無権代理行為を追認していないこと、②相手方が無権代理行為について善意であることの２点が必要となります。

104　【民法第 115 条】
代理権を有しない者がした契約は、本人が追認をしない間は、相手方が取り消すことができる。ただし、契約の時において代理権を有しないことを相手方が知っていたときは、この限りでない。

d　相手方による無権代理人に対する責任追及

無権代理行為について善意無過失の相手方は、無権代理人に対して、履行の請求をするか、損害賠償の請求をするかを選択することができます（民法第117条[105]第1項）。

履行の請求とは、相手方が無権代理人に対して、契約内容の実現を請求することができるということを意味します。つまり、本人には関係なく、あくまでも相手方と無権代理人との間での契約とすることを意味します。

また、損害賠償の請求をする場合には、履行利益についてのみ請求できます。履行利益とは、契約が履行されていれば得ることができた利益のことを意味します。履行利益に対して、信頼利益とは、契約締結のための調査費用や準備費用等の契約が有効であると信じたことによって被った損害のことを意味します。

あくまでも、履行の請求と損害賠償の請求とは、選択的に請求できるのであって、履行の請求と損害賠償の請求とを併用することはできません。

無権代理人が本人の所有物を売却するという契約をした場合には、事実上、履行責任の追及ができないこととなるため、結果として、損害賠償の請求をすること以外の方法はありません。

相手方による無権代理人の無権代理行為に対して、履行の請求をするか、損害賠償の請求をするかについては、①本人がまだ無権代理行為を追認していないこと、②相手方が無権代理行為について善意無過失であることの２点が必要となります。善意無過失まで要求されるところが取消権の行使の場合と異なります。

105　【民法第117条】

1　他人の代理人として契約をした者は、自己の代理権を証明したとき、又は本人の追認を得たときを除き、相手方の選択に従い、相手方に対して履行又は損害賠償の責任を負う。

2　前項の規定は、次に掲げる場合には、適用しない。

一　他人の代理人として契約をした者が代理権を有しないことを相手方が知っていたとき。

二　他人の代理人として契約をした者が代理権を有しないことを相手方が過失によって知らなかったとき。ただし、他人の代理人として契約をした者が自己に代理権がないことを知っていたときは、この限りでない。

三　他人の代理人として契約をした者が行為能力の制限を受けていたとき。

しかし、①自己の代理権を証明した場合（民法第117条第1項）、②本人の追認を得た場合（民法第117条第1項）、③相手方が無権代理人に代理権がないことを知っていた（無権代理行為について悪意）場合（民法第117条第2項第1号）、④無権代理人が自己に代理権がないことを知っていた場台を除き、相手方が無権代理人に代理権がないことを過失によって知らなかった（無権代理行為について善意有過失）場合（民法第117条第2項第2号但書及び本文）、⑤無権代理人が制限行為能力者の場合（民法第117条第2項第3号）は、無権代理人は責任を負わないこととなります（民法第117条第2項柱書）。

e　まとめ

	相手方が 悪意	相手方が 善意有過失	相手方が 善意無過失
催告権	行使可能	行使可能	行使可能
取消権	行使不可能	行使可能	行使可能
責任追求	行使不可能	行使不可能	行使可能

C　無権代理と相続との関係

無権代理行為がされた後に、その無権代理行為をされた本人が死亡し、その無権代理行為をした無権代理人がその本人を相続する場合や、その無権代理行為をした無権代理人が死亡し、その無権代理行為をされた本人がその無権代理人を相続する場合に、相続が包括承継であることから様々な問題が生じることとなります。

つまり、相続が包括承継であることから、相続が起こると被相続人の地位が相続人にそのまま引き継がれることとなり、被相続人を本人として、相続人が無権代理行為を行った場合、相続人である無権代理人は、被相続人である本人の地位を相続により引き継ぐこととなり、相続によって1人の人間に本人としての地位と無権代理人としての地位が併存することとなるのです。

また、相続人を本人として、被相続人が無権代理行為を行った場合、相続人である本人は、被相続人である無権代理人の地位を相続により引き継ぐこととなり、相続によって1人の人間に無権代理人としての地位と本人としての地位が併存することとなるのです。

このように、1人の人間に、本人と無権代理人というまったく異なる2つの人格が備わることにより、この無権代理行為の効果をどのように処理すべきかが問題となるのです。

a　無権代理人が本人を単独相続する場合

無権代理行為がされた後に、その無権代理行為をされた本人が死亡し、その無権代理行為をした無権代理人がその本人を相続する場合には、無権代理人の無権代理行為が有効な行為となり、その無権代理人はこの無権代理行為についての追認を拒絶することができなくなります。

但し、本人が、あらかじめ追認を拒絶していたという場合には、本人がこの無権代理行為の追認を拒絶した時点で、無権代理行為の効果については、本人に帰属しないということが確定することとなるため、その後に無権代理人が本人を相続したとしても、この無権代理行為が有効となることはありません。

以上のことから、本人が追認や追認拒絶をした後に死亡したという場合にはその通りに、する前に死亡したという場合には追認拒絶ができなくなるということとなります。

b　本人が無権代理人を単独相続する場合

無権代理行為がされた後に、その無権代理行為をした無権代理人が死亡し、その無権代理行為をされた本人がその無権代理人を相続する場合には、相続人である本人が被相続人の無権代理行為の追認を拒絶したとしても、何ら信義に反するところはないから、被相続人の無権代理行為は、原則として、本人の相続により当然有効とはなりません。

しかし、無権代理人が民法第117条により、相手方から責任追及を受けるような場合においては、本人は、無権代理行為について追認を拒絶できる地位にあったということを理由として、責任追及を免れることができません。

c　無権代理人が本人を共同相続する場合

無権代理行為がされた後に、その無権代理行為をされた本人が死亡し、その無権代理行為をした無権代理人がその本人を他の者と共同相続する場合には、無権代理行為を追認する権利は、その性質上、相続人全員に不可分的に帰属するので、共同相続人全員が共同して追認権を行使しない限りは、無権代理行為が当然有効とはなりません。

しかし、他の共同相続人の全員が無権代理行為について追認をしている場台は、無権代理人が追認を拒絶することは 信義則上許されません。

d　他の者が無権代理人と本人の双方相続をする場合

ある者が、無権代理人としての地位を相続した後に、本人としての地位も相続した場合に、その相続人は、相手方からの請求を拒むことは可能かという問題がこれに該当します。

その場合、無権代理人が本人を単独で相続した場合と同様の状況となるといえることから、無権代理人の無権代理行為が有効な行為となり、その相続人はその無権代理行為についての追認を拒絶することができなくなります。

⑦ 表見代理

表見代理とは、本人と無権代理人との間に緊密な関係、つまり、代理権があるような客観的事情が存在し、相手方がそれを信頼して取引に入ったという主観的事情が存在する場合に、相手方の保護のために正式な代理権があるものとして本人に直接効果帰属をさせる制度のことをいいます。あたかも代理権があるかのような外観を信じた相手方を保護し、そのことによって取引の安全を図るための制度です。

A 代理権授与の表示による表見代理

代理権授与の表示による表見代理とは、本人が代理権を授与したと表示したが、実は代理権を授与していなかった場合のことをいいます。

本人には、代理権を授与していないにも拘らず、代理権を授与したと表示し、そのことによってあたかも代理権があるかのような虚偽の外観が作出したところに帰責性があります。その虚偽の外観に対して相手方が信頼（善意無過失）をしていれば、表見代理が成立し、その取引は有効となります（民法第109条[106]第1項）。

代理権授与の表示による表見代理が成立するためには、①本人から相手方に対して代理権を与えたとの表示をしたこと、②無権代理人がその示された代理権の範囲内で代理行為をすること、③相手方が善意無過失であることが必要であり、３つの要件を充たすと、本人は無権代理であることを理由に効果の帰属を否定することができなくなります。

106 【民法第109条】

1 第三者に対して他人に代理権を与えた旨を表示した者は、その代理権の範囲内においてその他人が第三者との間でした行為について、その責任を負う。ただし、第三者が、その他人が代理権を与えられていないことを知り、又は過失によって知らなかったときは、この限りでない。

2 第三者に対して他人に代理権を与えた旨を表示した者は、その代理権の範囲内においてその他人が第三者との間で行為をしたとすれば前項の規定によりその責任を負うべき場合において、その他人が第三者との間でその代理権の範囲外の行為をしたときは、第三者がその行為についてその他人の代理権があると信ずべき正当な理由があるときに限り、その行為についての責任を負う。

B　権限外の行為の表見代理

権限外の行為の表見代理とは、代理人が本人から本来授権された代理権の範囲を超えて代理行為をした場合のことをいいます。権限踰越の表見代理ともいいます。

本人には、代理権の範囲を逸脱するような信用できない代理人を選任したという帰責性があります。そのことによってあたかも基本代理権を超えた部分についても代理権があるかのような虚偽の外観が作出され、その虚偽の外観に対して相手方が信頼（善意無過失）していれば、表見代理が成立し、その取引は有効となります（民法第110条[107]）。

権限外の行為の表見代理が成立するためには、①代理人に基本代理権が存在すること、②その権限を越えた代理行為があること、③相手方が善意無過失であることが必要であり、３つの要件を充たすと、本人は無権代理であることを理由に効果の帰属を否定することができなくなります。

C　代理権消滅後の表見代理

代理権消滅後の表見代理とは、代理人の代理権が消滅し、もはや代理人でなくなった後もなお本人の代理人として代理行為をした場合のことをいいます。

本人には、代理権の消滅後にも代理行為をするような信用のできない代理人を選任したという帰責性があります。そのことによってあたかもまだ代理権があるかのような虚偽の外観が作出され、その虚偽の外観に対して相手方が信頼（善意無過失）していれば、表見代理が成立し、その取引は有効となります（民法第112条[108]第1項）。

107　【民法第110条】

前条第一項本文の規定は、代理人がその権限外の行為をした場合において、第三者が代理人の権限があると信ずべき正当な理由があるときについて準用する。

108　【民法第112条】

1　他人に代理権を与えた者は、代理権の消滅後にその代理権の範囲内においてその他人が第三者との間でした行為について、代理権の消滅の事実を知らなかった第三者に対してその責任を負う。ただし、第三者が過失によってその事実を知らなかったときは、この限りでない。

2　他人に代理権を与えた者は、代理権の消滅後に、その代理権の範囲内においてその他人が第三者との間で行為をしたとすれば前項の規定によりその責任を負うべき場合において、その他人が第三者との間でその代理権の範囲外の行為をしたときは、第三者がその行為についてその他人の代理権があると信ずべき正当な理由があるときに限り、その行為についての責任を負う。

代理権消滅後の表見代理が成立するためには、①代理権が存在していたが消滅したこと、②消滅以前の代理権の範囲内で代理行為をしたこと、③相手方が善意無過失であることが必要であり、３つの要件を充たすと、本人は無権代理であることを理由に効果の帰属を否定することができなくなります。

D　表見代理の重畳適用

表見代理の重畳適用とは、無権代理行為について、本人が誰かに代理権を授与したと表示していたが、実は代理権を授与されていなかった者が基本代理権の範囲を超えて法律行為をした場合（民法第109条第２項）や、代理権終了後に基本代理権の範囲を超えて法律行為をした場合（民法第112条第２項）のことをいいます。重畳適用の場合も、あたかも代理権があるかのような外観を信じた相手方を保護し、もって取引の安全を図る必要がある場合に該当するため、その虚偽の外観に対して相手方が信頼（善意無過失）をしていれば、表見代理が成立し、その取引は有効となります。

E　表見代理と無権代理との関係

表見代理が成立する場合、無権代理として扱えるかが問題となります。

この点、表見代理が成立する以上、無権代理人の責任を追及する必要はないとする見解もありますが、相手方を保護するための規定である表見代理の制度が無権代理人の保護のために利用されることとなり妥当であるとはいえません。また、表見代理と無権代理とでは、その成立要件が異なります。従って、相手方を保護する観点から、表見代理の成立の主張と、無権代理人の責任の追及については、相手方の選択に委ねることが妥当であると解すべきです。

また、無権代理人が表見代理の成立要件を主張立証して自己の責任を免れることも許されません。

（７）無効及び取消し

①　無効

無効とは、当然かつ絶対的に効力が発生しないことをいいます。従って、原則として、すべての者に対してその無効を主張することができることとなります（絶対的無効）。

しかし、例外として、通謀虚偽表示において、善意の第三者が現れた場合（民法第94条第２項）には、その無効をその善意の第三者に対して主張することができなくなります（相対的無効）。

無効な行為は、当然かつ絶対的に効力が発生しない行為のことをいうことから、行為者の追認によって初めから有効な行為とすることはできません（民法第119条[109]本文）。しかし、行為者が無効な行為であると知って、あえてその行為に対して追認をしたのであれば、その追認時に新たな法律行為をしたものとみなすことができます（民法第119条但書）。

②　取消し

取消しとは、一度有効となった意思表示を、表意者が制限行為能力者であった場合や意思表示に瑕疵がある場合に、初めに遡って無効な行為とすることをいいます（民法第121条[110]）。

取消権者は、表意者が制限行為能力者であった場合には、制限行為能力者本人・その代理人や承継人・同意権を有する保佐人及び補助人であり（民法第120条[111]第１項）、意思表示に瑕疵があった場合には、表意者本人・その代理人や承継人となります（民法第120条第２項）。

取消しは、取消権者が相手方に対して一方的に取消しの意思表示をすることによって行われます（確定的無効）。対して、追認をした場合には、以後、取消しをすることはできなくなります（確定的有効）。

③　無効と取消しの関係

成年被後見人が意思能力を欠いている場合や、詐欺の被害者がした意思表示が錯誤による無効と詐欺による取消しの双方の条件を満たす場合には、無効とするか取消しとするか選択的に用いることができます。

109　【民法第119条】
無効な行為は、追認によっても、その効力を生じない。ただし、当事者がその行為の無効であることを知って追認をしたときは、新たな行為をしたものとみなす。

110　【民法第121条】
取り消された行為は、初めから無効であったものとみなす。

111　【民法第120条】
１　行為能力の制限によって取り消すことができる行為は、制限行為能力者（他の制限行為能力者の法定代理人としてした行為にあっては、当該他の制限行為能力者を含む。）又はその代理人、承継人若しくは同意をすることができる者に限り、取り消すことができる。
２　錯誤、詐欺又は強迫によって取り消すことができる行為は、瑕疵ある意思表示をした者又はその代理人若しくは承継人に限り、取り消すことができる。

（8）条件及び期限

① 条件

条件とは、法律行為の効力の発生や消滅を将来の不確実な事実の成否にかからしめる附款のことをいいます。なお、附款とは、法律行為の効力の発生・消滅について当事者が加えた制約のことをいいます。

A 停止条件

停止条件とは、その条件が成就したら法律行為の効力が発生する旨の条件のことをいいます。つまり、条件が成就するまでは法律行為の効力の発生が停止されるということを意味します。従って、原則として、停止条件が成就した時から法律行為の効力が発生します（民法第127条[112]第1項）。但し、例外として、当事者の意思表示によって、効力の発生を条件が成就した時よりも前に遡らせることができます（民法第127条第3項）。

B 解除条件

解除条件とは、その条件が成就したら法律行為の効力が消滅する旨の条件のことをいいます。つまり、条件が成就すると法律行為の効力が解除されることを意味します。従って、原則として、解除条件が成就した時点で法律行為の効力が消滅します（民法第127条第2項）。但し、例外として、当事者の意思表示によって、効力の発生を条件が成就した時よりも前に遡らせることができます（民法第127条第3項）。

C 条件の成否未確定の間における利益侵害の禁止の場合

条件付法律行為の各当事者は、条件の成否が未定である間には、条件が成就した場合にその法律行為から発生すべき相手方の利益を害することができません（民法第128条[113]）。その場合、利益を侵害された相手方は、債務不履行や不法行為に基づく損害賠償請求をすることができるようになります。

112 【民法第127条】
1 停止条件付法律行為は、停止条件が成就した時からその効力を生ずる。
2 解除条件付法律行為は、解除条件が成就した時からその効力を失う。
3 当事者が条件が成就した場合の効果をその成就した時以前にさかのぼらせる意思を表示したときは、その意思に従う。

113 【民法第128条】
条件付法律行為の各当事者は、条件の成否が未定である間は、条件が成就した場合にその法律行為から生ずべき相手方の利益を害することができない。

D　条件の成就の妨害の場合

条件が成就することにより不利益を受ける当事者が、故意にその条件の成就を妨げた場合には、相手方はその条件が成就したものとみなすことができます（民法第130条[114]第1項）。また、条件の成就によって利益を受ける当事者が、不正にその条件を成就させた場合には、相手方はその条件が成就していないものとみなすことができます（民法第130条第2項）。

E　条件が既に成就していた場合

停止条件が既に成就していた場合には、法律行為は無条件となり、有効となります（民法第131条[115]第1項）。対して、解除条件が既に成就していた場合には、法律行為は無効となります（民法第131条第1項）。

F　条件不成就が既に確定していた場合

停止条件が成就しないことが法律行為をした時点で既に確定していた場合には、法律行為の効果の不発生が確定するので、法律行為は無効となります（民法第131条第2項）。対して、解除条件が成就しないことが法律行為をした時点で既に確定していた場合には、法律行為は無条件となり、法律行為の有効が確定します（民法第131条第2項）。

G　不法な条件を付した場合

不法な条件を付した法律行為は無効となります（民法第132条[116]）。不法な行為をしないことを条件とする場合も無効となります（民法第132条）。

114　【民法第130条】
1　条件が成就することによって不利益を受ける当事者が故意にその条件の成就を妨げたときは、相手方は、その条件が成就したものとみなすことができる。
2　条件が成就することによって利益を受ける当事者が不正にその条件を成就させたときは、相手方は、その条件が成就しなかったものとみなすことができる。

115　【民法第131条】
1　条件が法律行為の時に既に成就していた場合において、その条件が停止条件であるときはその法律行為は無条件とし、その条件が解除条件であるときはその法律行為は無効とする。
2　条件が成就しないことが法律行為の時に既に確定していた場合において、その条件が停止条件であるときはその法律行為は無効とし、その条件が解除条件であるときはその法律行為は無条件とする。
3　前二項に規定する場合において、当事者が条件が成就したこと又は成就しなかったことを知らない間は、第百二十八条及び第百二十九条の規定を準用する。

116　【民法第132条】
不法な条件を付した法律行為は、無効とする。不法な行為をしないことを条件とするものも、同様とする。

H　不能な条件を付した場合

成就することがあり得ないような不能な停止条件を付した法律行為は無効となります（民法第133条[117]第1項）。対して、成就することがあり得ないような不能な解除条件を付した法律行為は無条件となり、法律行為の有効が確定します（民法第133条第2項）。

I　随意条件を付した場合

債務者の気が向いたら行われるような停止条件は、意味が無いので無効となります（民法第134条[118]）。あくまでも、債務者の意思のみにかかる停止条件についてのみ無効であるので、債務者の意思にのみにかかる解除条件・債権者の意思のみにかかる停止条件・債権者の意思のみにかかる解除条件については有効となります。

②　期限

期限とは、法律行為の効力の発生や消滅を将来の確実な事実の成否にかからしめる附款のことをいいます。

A　確定期限

確定期限とは、いつ到来するかについて確定している期限のことをいいます。

B　不確定期限

不確定期限とは、到来することについては確実であるといえますが、いつ到来するかについては確定していない期限のことをいいます。

C　期限の始期と終期

a　期限の始期

期限の始期とは、法律行為の効力の発生の期限や債務の履行に関する期限のことをいいます。

b　期限の終期

期限の終期とは、法律行為の効力の消滅に関する期限のことをいいます。

117　【民法第133条】
1　不能の停止条件を付した法律行為は、無効とする。
2　不能の解除条件を付した法律行為は、無条件とする。

118　【民法第134条】
停止条件付法律行為は、その条件が単に債務者の意思のみに係るときは、無効とする。

D　期限の利益

a　期限の利益の意義

期限の利益とは、期限が到来しないことによって受ける当事者の利益のことをいいます。期限の利益は、債務者が有すると推定されます（民法第136条[119]第1項）。

b　期限の利益の放棄

期限の利益は、放棄することができます（民法第136条第2項本文）。しかし、期限の利益を放棄することによって、相手方の利益を害することはできません（民法第136条第2項但書）。

c　期限の利益の喪失

債務者が破産手続開始の決定を受けた場合（民法第137条[120]第1号）、債務者が担保を滅失させたり、損傷させたり、減少させたりした場合（民法第137条第2号）、債務者が担保を供しなくてはいけない義務を負っているのにも拘らずこれを供しない場合（民法第137条第3号）には、債務者は期限の利益を主張することができなくなります。

③　出世払いの考え方

出世払いとは、「出世したら、返済する」と約束して金銭等を借りることをいいます。

この出世払いをどう捉えるかが問題となります。つまり、出世というのは不確実なものであると捉えれば条件の問題となりますが、いつかは必ず出世するのであると捉えれば不確定期限の問題となります。

判例は、借りたものは返さなくてはならないという社会常識を根拠に、結局返済しなければならないものを、出世するまで猶予しているに過ぎないと捉えて、出世するか否かが判明した時点で返済しなければならないとしています。つまり、出世払いは不確定期限の問題とされているのです。

119　【民法第136条】
1　期限は、債務者の利益のために定めたものと推定する。
2　期限の利益は、放棄することができる。ただし、これによって相手方の利益を害することはできない。

120　【民法第137条】
次に掲げる場合には、債務者は、期限の利益を主張することができない。
一　債務者が破産手続開始の決定を受けたとき。
二　債務者が担保を滅失させ、損傷させ、又は減少させたとき。
三　債務者が担保を供する義務を負う場合において、これを供しないとき。

4 期間の計算

(1)初日不算入の原則

期間を設定した場合には、原則として、期間の初日は算入しません(民法第140条[121]本文)。例外として、その期間が初日の午前0時から開始する場合には、初日を算入することとなります(民法第140条但書)。

(2)期間の満了

① 期間の満了の原則

期間を設定した場合には、期間はその末日の終了をもって満了します(民法第141条[122])。

② 期間の満了の例外

期間の末日が休日である場合には、その日に取引をしない慣習がある場合に限り期間の満了日はその翌日となります(民法第142条[123])。

5 時効

(1)時効総則

① 時効制度

A 時効制度の意義

時効とは、ある事実状態が一定期間継続することにより、その事実状態における権利関係が確定する制度のことをいいます。

121 【民法第140条】
日、週、月又は年によって期間を定めたときは、期間の初日は、算入しない。ただし、その期間が午前零時から始まるときは、この限りでない。

122 【民法第141条】
前条の場合には、期間は、その末日の終了をもって満了する。

123 【民法第142条】
期間の末日が日曜日、国民の祝日に関する法律(昭和二十三年法律第百七十八号)に規定する休日その他の休日に当たるときは、その日に取引をしない慣習がある場合に限り、期間は、その翌日に満了する。

時効成立の一般的な要件は、①一定の事実状態が一定期間継続していること、②援用することの２点です。

B 時効制度の趣旨

a 永続した事実状態の尊重

永続した事実状態が存在すると、それを前提として、数々の事実関係及び法律関係が形成されることとなります。しかし、真の事実関係及び法律関係が、この事実状態と異なっている場合には、その事実状態を真の事実関係及び法律関係に戻そうとすると、これを前提に形成された事実関係及び法律関係に多大な影響を与えることとなり、これによって社会的混乱を招くこととなり得ません。従って、このような社会的混乱が起きることを避けるために、永続した事実状態を尊重し、その事実状態が維持されるようにするべきです。そこで、時効制度が規定され、一定期間以上継続した事実状態を正当な事実状態であると認めることとしました。

b 権利の上に眠る者は保護しない

権利を有しているのにも拘らず、あえてその権利を行使しないという場合には、その権利を保護する必要については、もはやないものであると判断することができます。そこで、時効制度が規定され、本来の所有者を保護するということに比べて、事実状態の維持の方を優先させることとしました。

c 立証の困難の救済（法定の証拠）

真の権利関係がある場合であったとしても、その真の権利関係を証明することができなければ、原則として、その権利関係は否定されます。しかし、ある事実状態が長期間存続している場合には、証拠の散逸等により、さらにその立証は困難となります。そこで、このような立証の困難を救済することを目的として、時効制度が規定され、証拠がなくても、その事実状態を正当な事実関係及び法律関係であると認めることとしました。

C 時効制度の種類

a 取得時効

取得時効とは、ある一定期間の占有の継続により、その所有権の取得が認められることをいいます。

b 消滅時効

消滅時効とは、権利の不行使という事実状態が、ある一定期間の継続により、権利の消滅が認められることをいいます。

② 時効の完成と援用・放棄

A 時効の完成の効果

時効が完成すると、その効果は遡及効により、時効期間の起算点に遡って、あたかも初めからそのような状態であったかのように発生します（民法第 144 条[124]）。

B 時効の利益の援用

時効利益の援用とは、時効による利益を受けようとする者が、その旨の意思表示をすることをいいます。時効制度は永続した事実状態を尊重することから、援用によって、権利を取得したり、権利を喪失したりする効果が生じることとなります（民法第 145 条[125]）。時効を援用する当事者については、時効によって正当な利益を受ける者に限られています。

C 時効の利益の放棄

時効利益の放棄とは、時効の利益を受けないという意思表示のことをいいます。時効の利益を受けることを潔しとしない者の意思を尊重する制度であるともいえます。時効利益の放棄は、あらかじめ可能となると、債権者が債務者にそれを強いることとなり得ることとなり、不都合であることから、時効完成後にのみすることができます（民法第 146 条[126]）。

③ 時効の更新

時効の更新とは、時効期間の進行中の何らかの事情により、それまでに経過した期間を無意味にし、新たに算定し直すことをいいます。

④ 時効の完成猶予

時効の完成猶予とは、一定の事由が生じた場合において、その事由の消滅した後に一定期間が経過するまでは、時効の完成が猶予されることをいいます。

124 【民法第 144 条】
時効の効力は、その起算日にさかのぼる。

125 【民法第 145 条】
時効は、当事者（消滅時効にあっては、保証人、物上保証人、第三取得者その他権利の消滅について正当な利益を有する者を含む。）が援用しなければ、裁判所がこれによって裁判をすることができない。

126 【民法第 146 条】
時効の利益は、あらかじめ放棄することができない。

（２）取得時効

① 取得時効の意義と要件及び効果

取得時効とは、他人の物を自己の物として、ある一定期間の占有（事実上の支配）を継続した場合に、その物の所有権の取得が認められる制度のことをいいます（民法第 162 条[127]）。取得時効によって権利を取得することを時効取得といいます。

この時効取得が成立するためには、①所有の意思をもった占有(自主占有)、②平穏かつ公然と占有を開始すること、③他人の物を占有したこと、④一定期間継続的に占有したこと、⑤時効の援用をすることの５つの要件が必要となり、これらの要件を充たした場合に、占有を開始した時点から、新たに完全な所有権を取得するという効果が発生することとなります。このような占有開始の時点から、新たに完全な所有権を取得することを原始取得といいます。

所有の意思とは、ある物を自己の物として占有することをいいます。また、所有の意思をもった占有のことを自主占有といい、所有の意思をもたない占有のことを他主占有といいます。取得時効が成立するためには、他主占有ではなく、自主占有である必要があります。

平穏かつ公然とは、暴行や強迫等によって占有を取得したのではなく、かつ、密かに占有をしているのではない場合のことをいいます。

一定期間の継続については、占有開始時点において、善意無過失の場合は 10 年間（民法第 162 条第２項）、悪意有過失の場合は 20 年間継続的に占有する必要があります（民法第 162 条第 1 項）。このように、占有における善意無過失か悪意有過失かについての判断は、占有の開始時点にされます。占有の開始時点においては善意無過失であったけれども、占有の途中で悪意有過失になった場合には、善意無過失の占有として、10 年間占有を継続すれば時効取得ができるようになります。

127 【民法第 162 条】

1 二十年間、所有の意思をもって、平穏に、かつ、公然と他人の物を占有した者は、その所有権を取得する。

2 十年間、所有の意思をもって、平穏に、かつ、公然と他人の物を占有した者は、その占有の開始の時に、善意であり、かつ、過失がなかったときは、その所有権を取得する。

他人の物を占有したことということが要件となっていますが、自己の物（自己物）について時効取得することは可能なのでしょうか。時効制度の趣旨は、永続した事実状態の尊重・権利の上に眠る者は保護しない・立証の困難の救済というところにあります。この趣旨は、目的物が他人の物のみならず、自分の物についても同様にあてはまるといえます。従って、民法第162条は、他人物を占有することを要件としていますが、あくまでも通常想定される場合を規定していることに過ぎず、自己物も時効取得できるものと解すべきです。

それでは、どのように一定期間継続的に占有したことを立証すればよいのでしょうか。この点、民法においては、占有の開始時点と10年または20年の期間満了時点の２箇所において占有を証明することができれば、その間、占有が継続されていたものと推定され（民法第186条[128]第２項）、その占有は、善意で、平穏に、かつ、公然と行われたものと推定されるとしています（民法第186条第１項）。

② 占有の承継

２つ以上の占有が承継された場合には、占有者は自己の占有のみを主張することも、前の占有者の占有を併せて主張することも可能です（民法第187条[129]第１項）。また、併せて主張する場合には、前の占有者の瑕疵も承継することとなります（民法第187条第２項）。

自己だけの占有の場合は自己の占有開始時に善意無過失か悪意有過失かで判断しますが、前占有者の占有と併せて主張する場合には、その併せて主張する前占有者の占有開始時に善意無過失か悪意有過失かで判断することとなります。そこで必要な占有期間が10年間であるのか、20年間であるのかが決まり、前占有者の占有期間と併せてその期間を充たしているかどうかで、時効取得ができるかを判断します。

128　【民法第186条】

１　占有者は、所有の意思をもって、善意で、平穏に、かつ、公然と占有をするものと推定する。

２　前後の両時点において占有をした証拠があるときは、占有は、その間継続したものと推定する。

129　【民法第187条】

１　占有者の承継人は、その選択に従い、自己の占有のみを主張し、又は自己の占有に前の占有者の占有を併せて主張することができる。

２　前の占有者の占有を併せて主張する場合には、その瑕疵をも承継する。

（3）消滅時効

①　消滅時効の意義と要件及び効果

消滅時効とは、権利を有する者が、権利の不行使という事実状態について、ある一定期間継続することにより、権利の消滅が認められる制度のことをいいます（民法第166条[130]）。

この消滅時効が成立するためには、①権利の不行使という事実状態について一定期間継続すること、②時効の援用をすることの２つの要件が必要となり、これらの要件を充たした場合に、消滅時効が成立し、権利を喪失することとなります。

債権の場合には、原則として、債権者が権利を行使できることを知った時から５年間権利を行使しなかった場合（民法第166条第1項第1号）、または、権利を行使することができるときから10年間権利を行使しなかった場合（民法第166条第1項第２号）には、時効によって権利が消滅します（民法第166条第1項柱書）。

また、債権及び所有権以外の財産権については、原則として、20年間行使しなかった場合には、時効によって権利が消滅します（民法第166条第２項）。

消滅時効が完成すると、起算日に遡ってその権利がなかったこととなります（民法第144条[131]）。

なお、所有権は消滅時効にかかりません。消滅時効にかかるのは、債権、所有権以外の財産権となります。

130　【民法第166条】

1　債権は、次に掲げる場合には、時効によって消滅する。

一　債権者が権利を行使することができることを知った時から五年間行使しないとき。

二　権利を行使することができる時から十年間行使しないとき。

2　債権又は所有権以外の財産権は、権利を行使することができる時から二十年間行使しないときは、時効によって消滅する。

3　前二項の規定は、始期付権利又は停止条件付権利の目的物を占有する第三者のために、その占有の開始の時から取得時効が進行することを妨げない。ただし、権利者は、その時効を更新するため、いつでも占有者の承認を求めることができる。

131　【民法第144条】

時効の効力は、その起算日にさかのぼる。

② 消滅時効の起算点

消滅時効は、権利行使の可能時をその起算点とし、権利が行使できない間は進行しません（民法第 166 条）。

A　確定期限付債権の場合

確定期限付債権の場合には、期限の到来した時点から消滅時効が進行します。

B　不確定期限付債権の場合

不確定期限付債権の場合には、期限の到来した時点から消滅時効が進行します。

C　期限の設定のない債権の場合

期限の設定のない債権の場合には、債権成立の時点から消滅時効が進行します。

四　物権法

1　物権総論

（1）物権の意義

物権とは、特定の物に対して、直接的及び排他的に支配する権利のことをいいます。

物権には、直接性・排他性・物権法定主義という３つの特徴があります

①　直接性

直接性とは、物に対しての支配（使用・収益・処分）を実現するのに他者の協力が不要であることをいい、物権はこの特徴を有しています。

対して、債権については、債権者が債権を実現するのに債務者の協力が必要となる点で物権とは異なっています。

②　排他性

排他性とは、同一の物に対して同一内容の権利は両立できないこと（一物一権主義）をいい、物権はこの特徴を有しています。

対して、債権については、同一の債務者に対して同一内容の債権が両立することができるという点で物権とは異なっています。

この物権の特徴から、その権利の所在を明確にしないと取引の安全を害する可能性があることとなり、権利の所在を明確にする必要が生じることとなります（公示の要請）。

③ 物権法定主義

物権法定主義とは、ある物に対する権利の公示を確実にするためには、あらかじめその権利が法律で規定されている必要があるということをいいます（民法第175条[132]）。

一方、債権については、私的自治の原則から、法定されていない新しい債権を創設することが可能となりますが、物権については、物権法定主義の観点から、法定されていない新しい物権を創設することが、原則として、不可能となります。

（2）物権の種類

① 占有権

占有権とは、ある物に対する事実上の支配権のことをいいます。

② 本権

A 所有権

所有権とは、ある物に対する使用・収益・処分をすることができる完全な支配権のことをいいます。

その物の価値を把握するという価値権と、その物を使用するという用益権を有することとされています。

B 制限物権

制限物権とは、ある物を全面的・包括的に支配できる権利である所有権に対して、一定の限られた内容をもってその物を支配する物権のことをいいます。

a 用益物権

用益物権とは、所有権のうち用益権の機能に制限を加えた物権のことをいいます。

用益物権には、地上権・永小作権・地役権があります。

132 【民法第175条】
物権は、この法律その他の法律に定めるもののほか、創設することができない。

b 担保物権

担保物権とは、所有権のうち価値権の機能に制限を加えた物権のことをいいます。

担保物権には、留置権・先取特権・質権・抵当権があります。

（3）物権変動

物権変動とは、ある物権が発生・移転・消滅することをいいます（民法第176条[133]）。物権変動は、当事者の意思表示によってのみ生じます（意思主義）。

① 不動産物権変動

A 不動産物権変動の意義と対抗要件

物権は、物を直接的・排他的に支配する権利であるため、その変動が対外的に認識されないと取引の安全に対して重大な影響を及ぼすこととなります。また、動産に比べて不動産は高額である場合が多いため、その影響は著しく大きいといえます。そのため、登記という公示手段を用いて不動産物権変動の対抗要件としました（民法第177条[134]）。民法第177条は、物権の得喪及び変更について、「登記をしなければ、第三者に対抗することができない」とすることによって、その公示を徹底させ、取引の安全を確保しようとしています。従って、不動産が二重に譲渡された場合（二重譲渡）には、先に登記を取得した者がその所有権を取得することとなります。

B 第三者の範囲

本来、第三者とは、当事者及びその相続人等の包括承継人以外のすべての者を意味しますが、先述したように、民法第177条は、「登記をしなければ、第三者に対抗することができない」とすることによって、その公示を徹底させ、そのことにより、取引の安全を確保しようとしています。従って、民法第177条における第三者とは、当事者及びその包括承継人以外の者であって、公示によって取引の安全を図る必要のある者、つまり、登記の欠缺を主張する正当な利益を有する者に限定して解釈すべきです。

133 【民法第176条】

物権の設定及び移転は、当事者の意思表示のみによって、その効力を生ずる。

134 【民法第177条】

不動産に関する物権の得喪及び変更は、不動産登記法（平成十六年法律第百二十三号）その他の登記に関する法律の定めるところに従いその登記をしなければ、第三者に対抗することができない。

このように解釈すると、不法占拠者等の単なる無権利者は、登記の欠缺を主張する正当な利益を有する者とはならないので、ここでの第三者には該当しないこととなります。

対して、単なる悪意者については、自由競争社会であることから、登記の欠缺を主張することについて正当な利益を有する者に該当することとなります。

C　背信的悪意者排除法則

背信的悪意者とは、その事実を知っているというだけの単なる悪意者を超え、信義則上是認できないような悪意者のことをいいます。

単なる悪意者は、社会生活上正当な自由取引競争と認められる範囲内においては保護されますが、背信的悪意者は、このような社会生活上の正当な自由取引競争と認められる範囲を逸脱して不当な利益を受けることを目的としているため保護には値せず、社会生活上正当な自由取引競争から排除されるべきであるとされています。このことを背信的悪意者排除法則といいます。

背信的悪意者は、登記の欠缺を主張することについて正当な利益を有する者に該当しないため、民法第177条における第三者には該当しないこととなります。結果的に、当事者及びその包括承継人以外の者であって単なる悪意者を含む登記の欠缺を主張する正当な利益を有する者に対しては、不動産に関する物権の得喪及び変更を主張するために登記が必要となりますが、背信的悪意者に対しては登記がなくても不動産に関する物権の得喪及び変更を主張することが可能となります。

また、登記がなくても不動産に関する物権の得喪及び変更を主張することができる第三者には、背信的悪意者の他に、不動産登記法第５条[135]第１項における詐欺または強迫によって登記を妨げた第三者や、不動産登記法第５条第２項における他人のために登記を申請する義務を負う第三者（司法書士等）も該当するとされています。

135　【不動産登記法第５条】

1　詐欺又は強迫によって登記の申請を妨げた第三者は、その登記がないことを主張することができない。

2　他人のために登記を申請する義務を負う第三者は、その登記がないことを主張することができない。ただし、その登記の登記原因（登記の原因となる事実又は法律行為をいう。以下同じ。）が自己の登記の登記原因の後に生じたときは、この限りでない。

② 動産物権変動

A 動産物権変動の意義と対抗要件

物権は、物を直接的・排他的に支配する権利であるため、その変動が対外的に認識されないと取引の安全に対して重大な影響を及ぼすこととなります。また、不動産に比べて動産は取引が頻繁であり、種類や数量が著しく多いことから、不動産のように登記を公示方法として採用することは難しいといえます。そのため、動産の場合は占有をもって公示することにし、物権変動を公示するためには占有を移転する引渡しを受けることが対抗要件としました（民法第178条[136]）。

B 第三者の範囲

本来、第三者とは、当事者及びその相続人等の包括承継人以外のすべての者を意味しますが、民法第178条は、「その動産の引渡しがなければ、第三者に対抗することができない」とすることによって、取引の安全を確保しようとしています。従って、民法第178条における第三者とは、当事者及びその包括承継人以外の者であって、公示によって取引の安全を図る必要のある者、つまり、引渡しによって取引の安全を図る必要のある正当な利益を有する者に限定して解釈すべきです。

このように解釈すると、不法占有者等の単なる無権利者は、引渡しのないことを主張する正当な利益を有する者とはならないので、民法第178条における第三者には該当しないこととなります。対して、単なる悪意者については、自由競争社会であることから、引渡しのないことを主張することについて正当な利益を有する者に該当することとなります。

C 背信的悪意者

背信的悪意者は、登記の欠缺を主張することについて正当な利益を有する者に該当しないため、民法第178条における第三者には該当しないこととなります。結果的に、当事者及びその包括承継人以外の者であって単なる悪意者を含む引渡しの欠缺を主張する正当な利益を有する者に対しては、動産に関する物権の得喪及び変更を主張するために引渡しが必要となりますが、背信的悪意者に対しては引渡しがなくても不動産に関する物権の得喪及び変更を主張することが可能となります。

---

136 【民法第178条】
動産に関する物権の譲渡は、その動産の引渡しがなければ、第三者に対抗することができない。

（4）物権的請求権

① 物権的請求権の意義

物権的請求権とは、物権の支配状態が妨害された場合や妨害の危険がある場合に、妨害者に対して妨害の停止や予防を求める権利のことをいいます。

② 物権的請求権の種類

A 物権的返還請求権

物権的返還請求権とは、無権原者が物を占有している場合に、その物に対する権利者がその物の返還を求める権利のことをいいます。

後述する占有訴権のうち占有回収の訴えに相当します。

B 物権的妨害排除請求権

物権的妨害排除請求権とは、物権の内容の実現が目的物の占有侵奪以外の方法で妨げられた場合に、その物に対する権利者が妨害者に対してその妨害を排除することを請求する権利のことをいいます。

後述する占有訴権のうち占有保持の訴えに相当します。

C 物権的妨害予防請求権

物権的妨害予防請求権とは、まだ侵害されていないが将来侵害される危険がある場合に、その物に対する権利者が将来その物を侵害する危険がある者に対して、適当な処置を採ることを請求する権利のことをいいます。

後述する占有訴権のうち占有保全の訴えに相当します。

（5）混同

混同とは、ある物に対する所有権とその他の物権の権利者が同一人となった場合に、所有権以外の物権が消滅することをいいます（民法第 179 条[137]第 1 項本文）。

137 【民法第 179 条】

1 同一物について所有権及び他の物権が同一人に帰属したときは、当該他の物権は、消滅する。ただし、その物又は当該他の物権が第三者の権利の目的であるときは、この限りでない。

2 所有権以外の物権及びこれを目的とする他の権利が同一人に帰属したときは、当該他の権利は、消滅する。この場合においては、前項ただし書の規定を準用する。

3 前二項の規定は、占有権については、適用しない。

また、所有権以外の物権及びこれを目的とする他の権利が同一人に帰属した場合もその他の権利が消滅します（民法第 179 条第２項）。

その物またはその他の物権が第三者の権利の目的である場合には、混同は起こりません（民法第 179 条第 1 項但書）。占有権が混同により消滅することもありません（民法第 179 条第３項）。

2　占有権

（1）占有及び占有権の意義とその態様

①　占有の意義

占有とは、法律上の根拠の有無に拘らず、物を自己のためにする意思をもって事実上に支配することをいいます。占有の性質は、その占有の開始時において決せられ、その占有の有無については社会通念によって決せられます。

②　占有権の意義

占有権とは、占有という事実上の支配に法的効果が付与された、法的保護が認められる権利のことをいいます（民法第 180 条[138]）。

占有権の要件は、①物に対する事実上の支配としての所持と、②その事実上の利益を自己に帰属させせようとする意思です。占有権は、あくまでも事実上の支配に対する法的保護であるので、占有権者が真の権利者であるとは限りません。対して、後述する所有権については、所有権という権利が物に対する完全な支配権であることから、所有権者が真の権利者であるということとなります。この点が、占有権と所有権との大きな違いです。

③　占有の態様

A　間接占有と直接占有

α　間接占有

間接占有とは、他人の所持を通して本人が占有していることをいいます（民法第 181 条[139]）。間接占有は代理占有ともいいます。

138　【民法第 180 条】
占有権は、自己のためにする意思をもって物を所持することによって取得する。

139　【民法第 181 条】
占有権は、代理人によって取得することができる。

間接占有の場合における本人のために物を占有している他人のことを占有代理人といいます。

b　**直接占有**

直接占有とは、間接占有における占有代理人の占有のことをいいます。直接占有は自己占有ともいいます。

B　**自主占有と他主占有**

a　**自主占有**

自主占有とは、所有の意思を有してする占有のことをいいます。

所有の意思の判断は、客観的権原（占有正当化根拠）を基準として行います。

b　**他主占有**

他主占有とは、所有の意思を有さずにする占有のことをいいます。

C　**善意占有と悪意占有**

a　**善意占有**

善意占有とは、所有権がないにも拘らず、所有権があると誤信した占有のことをいいます。

b　**悪意占有**

悪意占有とは、所有権がないことを知りながら、または、所有権がないと疑いつつ行う占有のことをいいます。

D　**過失ある占有と過失なき占有**

a　**過失ある占有**

過失ある占有とは、所有権がないにも拘らず、所有権があると誤信することに過失がある占有のことをいいます。

b　**過失なき占有**

過失なき占有とは、所有権がないにも拘らず、所有権があると誤信することに過失がない占有のことをいいます。

E　**瑕疵ある占有と瑕疵なき占有**

a　**瑕疵ある占有**

瑕疵ある占有とは、悪意であること・過失があること・強暴であること・隠避であること等の完全な占有としての効果を妨げる事由が存在する占有のことをいいます。

b　**瑕疵なき占有**

瑕疵なき占有とは、善意であること・過失がないこと・平穏であること・公然であること等の完全な占有としての効果を発生させる事由が存在する占有のことをいいます。

（2）占有権の移転

意思に基づく占有の移転には、引渡しが必要となります。引渡しには以下の4つの態様があります。

また、意思に基づかない占有の移転には相続があります。

① 現実の引渡し

現実の引渡しとは、目的となる動産を相手方に現実に引渡しをすることをいいます（民法第182条[140]第1項）。

この方法では、実際に、物の所在が譲渡人から譲受人へ移転することとなります。

② 簡易の引渡し

簡易の引渡しとは、既に買主が目的となる動産を所持している場合に、売主と買主の意思表示のみによってなされる引渡しのことをいいます（民法第182条第2項）。

この方法では、物の所在は元々譲受人の手元にあることから、譲渡人から譲受人への引渡しはあくまでも観念的なものに過ぎず、実際に物の所在は移転しないこととなります。

③ 占有改定

占有改定とは、物の譲渡後も引き続き譲渡人がその目的となる物を所持する場合にされる引渡しのことをいいます（民法第183条[141]）。

この方法では、物の所在は引渡し後も譲渡人の手元にあるので、譲渡人から譲受人への引渡しはあくまでも観念的なものに過ぎず、実際に物の所在は移転しないこととなります。物の所在は引渡し後もそのまま譲渡人の手元にあることから、外部から占有の移転が最もわかりにくい態様となります。

---

140 【民法第182条】

1 占有権の譲渡は、占有物の引渡しによってする。

2 譲受人又はその代理人が現に占有物を所持する場合には、占有権の譲渡は、当事者の意思表示のみによってすることができる。

141 【民法第183条】

代理人が自己の占有物を以後本人のために占有する意思を表示したときは、本人は、これによって占有権を取得する。

④ 指図による占有移転

指図による占有移転とは、目的物を第三者に保持させている場合で、売主がその第三者に対して、以後、その目的となる物を買主のために占有するようにと命じ、そのことを買主が承諾することによってなされる引渡しのことをいいます（民法第184条[142]）。

この方法では、物の所在は、元々第三者である代理人の手元にあり、引渡し後も引き続き代理人の手元にあり続けるので、譲渡人から譲受人への引渡しは、あくまでも観念的なものに過ぎず、実際に物の所在は移転しないこととなります。

（3）即時取得

① 即時取得の意義

動産物権の所在は占有によって公示されることから、これを信頼した者を保護し、そのことによって取引の安全を図る必要があります。しかし、この占有は登記に比べると公示手段として不完全であるため、誤って占有を信じた者を救済する必要が生じることとなります。そこで、民法上規定されたのが公信の原則を採用した即時取得の制度です。従って、即時取得とは、取引行為によって、平穏かつ公然と、善意無過失で動産の占有を始めた者が、即時にその動産について行使する権利を取得する制度のことをいいます（民法第192条[143]）。

② 即時取得の要件

A 目的物が動産であること

即時取得における目的物は動産の場合に限られ、不動産の場合には即時取得をすることができないこととなります。

142 【民法第184条】
代理人によって占有をする場合において、本人がその代理人に対して以後第三者のためにその物を占有することを命じ、その第三者がこれを承諾したときは、その第三者は、占有権を取得する。

143 【民法第192条】
取引行為によって、平穏に、かつ、公然と動産の占有を始めた者は、善意であり、かつ、過失がないときは、即時にその動産について行使する権利を取得する。

B　前主が無権利者であること

前主が無権利者であることは即時取得の大前提となります。前主が権利者である場合には即時取得をすることができないこととなります。

この無権利者とは、他人の物を盗んで占有している者等を意味します。また、賃借人や受寄者等は占有権原を有していますが、処分権限を有していないことから、無権限者に該当するといえます。

C　前主に占有があること

即時取得の制度は、前主の占有を信じた者を救うための制度であることから、前主に占有があることが前提となります。前主に占有がない場合には即時取得をすることができないこととなります。

D　前主である無権利者との間に有効な取引行為が存在すること

即時取得の制度は、取引の安全を図るための制度であるので、目的物を有効な取引行為によって取得することが前提となります。目的物を有効な取引行為以外の態様によって取得した場合には即時取得をすることができないこととなります。

有効な取引行為によって占有が移転する、つまり、引渡しによって占有を取得する必要がありますが、この引渡しの態様に占有改定が含まれるかが問題となります。そもそも、動産物権の所在は引渡しによって公示されることから、これを信頼した者を保護し、そのことによって取引の安全を図る必要があるといえます。しかし、この引渡しは不動産取引における公示方法である登記に比べると公示手段としてはきわめて不完全なものであるといえるため、誤ってその占有を信じて取引行為をした者を救済する必要が生じることとなります。そこで、民法上設置されたのがこの即時取得の制度です。従って、どのような引渡しの態様であったとしても、その占有を取得した者は、前主の占有を信頼して取引を開始した者である以上、その取引の安全を図る必要があるといえます。しかし、占有改定という引渡しの態様は、きわめて観念的な引渡しの態様であり、これをもって確定的な所有権の取得を認めることは、かえって取引の安全を害する危険性があるともいえます。そもそも、即時取得の要件に、有効な取引行為による占有の取得があることは、原権利者を犠牲にしてまでも保護するに値するだけの利害関係を要求したものであるといえます。従って、即時取得をすることができるための動産の占有の取得態様においては、現実の引渡し・簡易の引渡し・指図による占有移転については含まれますが、以上のような理由から、占有改定については、即時取得をすることができる動産の占有の取得方法には含まれないとされています。

E　取得者は、平穏・公然・善意・無過失で占有を取得すること

取得者は、前主である無権利者の占有を信じて取引をし、平穏・公然・善意・無過失で占有を開始したことが必要となります。

ここにいう平穏かつ公然とは、暴行や強迫等によって占有を取得したのではなく、かつ、密かに占有をしているのではない場合のことをいいます。この平穏かつ公然に加え、善意については、民法第186条[144]第1項によって推定されます。

また、民法第188条[145]が、占有者に対して、「占有物について行使する権利は、適法に有するものと推定する」（権利適法の推定）ことから、その者から占有を譲り受けた者についても、基本そのことについて落ち度はなく、無過失であることが推定されます。

従って、以上のことから、民法第186条第1項及び第188条から、民法第192条における平穏・公然・善意・無過失はすべて推定を受けることとなります。

③　動産が盗品や遺失物であった場合の回復

即時取得がされたとしても、その物が盗品または遺失物であった場合には、盗難の被害者または遺失者から、その物について即時取得をした者に対して、返還請求がなされたのであれば、盗難または遺失時から２年間に限って、即時取得をした者はその物を盗難の被害者または遺失者に対して返還しなければならないとされています（民法第193条[146]）。

この盗難の被害者または遺失物の遺失者に対する盗品または遺失物の返還については、原則として、有償での返還ではなく、無償での返還が行われることとなります。

144　【民法第186条】

1　占有者は、所有の意思をもって、善意で、平穏に、かつ、公然と占有をするものと推定する。

2　前後の両時点において占有をした証拠があるときは、占有は、その間継続したものと推定する。

145　【民法第188条】

占有者が占有物について行使する権利は、適法に有するものと推定する。

146　【民法第193条】

前条の場合において、占有物が盗品又は遺失物であるときは、被害者又は遺失者は、盗難又は遺失の時から二年間、占有者に対してその物の回復を請求することができる。

但し、公の市場等でこれらの盗品や遺失物を買い受けた場合については、取引の安全を図る必要性が高いため、例外として、代価による弁償をしなければ、それらの盗品や遺失物を回復することはできません(民法第194条[147])。

(4)動物の占有による権利の取得

他人が飼養していた家畜以外の動物(ペット等)を占有する場合には、その動物についての占有の開始時に、その動物が他人の飼養している動物であるということについて善意であり、その動物が本来の飼養者(飼い主)の占有を離れてから1箇月以内にその飼養者からの占有回復の請求を受けなければ、その動物について行使することができる権利を取得することができます(民法第195条[148])。

(5)占有者の果実取得権

① 善意占有者の果実取得権

果実を取得する権利がないにも拘らず、その権利を有すると誤信して占有する者(善意占有者)は、その果実を取得し、消費することが通常であるといえます。

また、このような善意占有者については、後に真の権利者からその返還や賠償を請求されることは酷であるといえます。

従って、善意占有者には占有物が生じる果実の取得が認められています(民法第189条[149]第1項)。

147 【民法第194条】
占有者が、盗品又は遺失物を、競売若しくは公の市場において、又はその物と同種の物を販売する商人から、善意で買い受けたときは、被害者又は遺失者は、占有者が支払った代価を弁償しなければ、その物を回復することができない。

148 【民法第195条】
家畜以外の動物で他人が飼育していたものを占有する者は、その占有の開始の時に善意であり、かつ、その動物が飼主の占有を離れた時から一箇月以内に飼主から回復の請求を受けなかったときは、その動物について行使する権利を取得する。

149 【民法第189条】
1 善意の占有者は、占有物から生ずる果実を取得する。
2 善意の占有者が本権の訴えにおいて敗訴したときは、その訴えの提起の時から悪意の占有者とみなす。

② 悪意占有者の果実取得権

悪意占有者は、真の権利者に対して果実の取得をさせなかったこととなります。

従って、悪意占有者については、真の権利者に対して、果実の返還と果実を取得させなかったことによって生じた損害について賠償しなければならないこととなります（民法第190条[150]第1項）。

（6）占有者の損害賠償

① 善意占有者の損害賠償

占有物が善意占有者の責めに帰すべき事由によって、滅失または損傷した場合には、真の権利者に対して現に利益を受けている限度において賠償する義務を負うこととなります（民法第191条[151]本文）。

また、善意占有者であったとしても、所有の意思を欠く場合には、悪意占有者の場合と同様、全部の賠償をしなければならないとされています（民法第191条但書）。

② 悪意占有者の損害賠償

占有物が悪意占有者の責めに帰すべき事由によって、滅失または損傷した場合には、真の権利者に対して全部を賠償する義務を負うこととされています（民法第191条本文）。

また、所有の意思を欠く場合にも、善意占有者の場合と同様、全部の賠償をしなければならないとされています（民法第191条但書）。

---

150 【民法第190条】
1 悪意の占有者は、果実を返還し、かつ、既に消費し、過失によって損傷し、又は収取を怠った果実の代価を償還する義務を負う。
2 前項の規定は、暴行若しくは強迫又は隠匿によって占有をしている者について準用する。

151 【民法第191条】
占有物が占有者の責めに帰すべき事由によって滅失し、又は損傷したときは、その回復者に対し、悪意の占有者はその損害の全部の賠償をする義務を負い、善意の占有者はその滅失又は損傷によって現に利益を受けている限度において賠償をする義務を負う。ただし、所有の意思のない占有者は、善意であるときであっても、全部の賠償をしなければならない。

（7）費用償還請求権

①　必要費の費用償還請求権

必要費とは、物の保存・管理・維持をするために必要とされる費用のことをいいます。

占有者はその占有について善意であるか悪意であるかを問わず、また、所有の意思も問わず、必要費を支出していれば、真の権利者（回復者）に対して、直ちに全額についてその償還を請求することができます（民法第196条[152]第1項本文）。

但し、占有者が賃料等の果実を取得した場合には、小規模の修繕や公租公課といった通常の必要費については、占有者が負担することとなり、真の権利者に償還を請求することができません（民法第196条第1項但書）。

②　有益費の費用償還請求権

有益費とは、物を改良し、その物の価値を増加させるための費用のことをいいます。

占有者はその占有について善意であるか悪意であるかを問わず、また、所有の意思も問わず、有益費を支出していれば、その価格の増加が現存している場合に限り、真の権利者（回復者）に対して、その物の返還時にその真の権利者（回復者）の選択に従って、占有者の費やした有益費の金額または占有物の価格の増加額の償還について請求することができます（民法第196条第2項本文）。

悪意占有者にも償還請求権が認められますが、裁判所は真の権利者（回復者）の請求により、その償還について一定の期限の猶予を与えることができます（民法第196条第2項但書）。

152　【民法第196条】

1　占有者が占有物を返還する場合には、その物の保存のために支出した金額その他の必要費を回復者から償還させることができる。ただし、占有者が果実を取得したときは、通常の必要費は、占有者の負担に帰する。

2　占有者が占有物の改良のために支出した金額その他の有益費については、その価格の増加が現存する場合に限り、回復者の選択に従い、その支出した金額又は増価額を償還させることができる。ただし、悪意の占有者に対しては、裁判所は、回復者の請求により、その償還について相当の期限を許与することができる。

（8）占有訴権

占有訴権とは、占有者がその占有を奪われたり、妨害されたり、妨害される虞があったりした場合に、その占有を奪った者に対して占有の回復を求めたり、妨害の排除を請求したり、妨害の予防を請求したりして、その占有の回復と維持を図る権利のことをいいます（民法第197条[153]）。占有訴権は、占有という事実上の支配を保護することをその趣旨とした物権的請求権のことを意味します。

① 占有保持の訴え

占有保持の訴えとは、物権的妨害排除請求権（物権の内容の実現が目的物の占有侵奪以外の方法で妨げられた場合に、その物に対する権利者が妨害者に対してその妨害を排除することを請求する権利）に対応する占有訴権のことをいいます（民法第198条[154]）。

妨害の停止及び損害賠償を請求するためには、占有妨害に対する妨害者の故意または過失が必要となります。

占有妨害があるとの要件を充たせば、占有保持の訴えをすることができ、妨害者に対して、妨害の停止及び損害賠償の請求をすることとなります。

占有保持の訴えの行使期間は、占有に対する妨害の存する間または占有に対する妨害が止んでから1年以内に提起しなければならないとされています（民法第201条[155]第1項本文）。

153 【民法第197条】
占有者は、次条から第二百二条までの規定に従い、占有の訴えを提起することができる。他人のために占有をする者も、同様とする。

154 【民法第198条】
占有者がその占有を妨害されたときは、占有保持の訴えにより、その妨害の停止及び損害の賠償を請求することができる。

155 【民法第201条】
1 占有保持の訴えは、妨害の存する間又はその消滅した後一年以内に提起しなければならない。ただし、工事により占有物に損害を生じた場合において、その工事に着手した時から一年を経過し、又はその工事が完成したときは、これを提起することができない。
2 占有保全の訴えは、妨害の危険の存する間は、提起することができる。この場合において、工事により占有物に損害を生ずるおそれがあるときは、前項ただし書の規定を準用する。
3 占有回収の訴えは、占有を奪われた時から一年以内に提起しなければならない。

但し、工事により占有物に損害を生じた場合においては、その工事に着手した時から1年を経過したり、その工事が完成したりしたら、占有保持の訴えは提起することができません（民法第201条第1項但書）。

② 占有保全の訴え

占有保全の訴えとは、物権的妨害予防請求権（まだ侵害されていないが将来侵害される危険がある場合に、その物に対する権利者が将来その物を侵害する危険がある者に対して、適当な処置を採ることを請求する権利）に対応する占有訴権のことをいいます（民法第199条[156]）。

妨害の予防または損害賠償の担保を請求するためには、占有妨害に対する相手方の故意または過失は不要です。

占有妨害の虞があるとの要件を充たせば、占有保全の訴えをすることができ、相手方に対して、妨害の予防または損害賠償の担保の請求をすることとなります。

占有保全の訴えの行使期間は、占有に対する妨害の危機が存する間に提起しなければならないとされています（民法第201条第2項前段）。工事により占有物に損害が生じた場合には、妨害者の工事着手時から1年を経過した後またはその工事の完成した後には、占有に対する妨害の危機が存する間であったとしても、占有保全の訴えは提起することができません（民法第201条第2項後段）。

③ 占有回収の訴え

占有回収の訴えとは、物権的返還請求権（無権原者が物を占有している場合に、その物に対する権利者がその物の返還を求める権利）に対応する占有訴権のことをいいます（民法第200条[157]第1項）。

返還及び損害賠償を請求するためには、占有侵奪に対する侵奪者の故意または過失が必要となります。

156 【民法第199条】
占有者がその占有を妨害されるおそれがあるときは、占有保全の訴えにより、その妨害の予防又は損害賠償の担保を請求することができる。

157 【民法第200条】
1 占有者がその占有を奪われたときは、占有回収の訴えにより、その物の返還及び損害の賠償を請求することができる。
2 占有回収の訴えは、占有を侵奪した者の特定承継人に対して提起することができない。ただし、その承継人が侵奪の事実を知っていたときは、この限りでない。

占有侵奪があるとの要件を充たせば、占有回収の訴えをすることができ、侵奪者に対して、その物の返還及び損害賠償の請求をすることとなります。

占有回収の訴えは、事態が沈静化している以上、善意者を保護すべきであることから、占有を侵奪した者の特定承継人が善意の場合については提起することができません（民法第200条第２項但書）。

④　本権の訴えと占有訴権との関係

占有の訴えは、本権の存在とは関係なく提起することができます（民法第202条[158]第１項）。また、占有の訴えに対しての被告側による所有権等の本権の存在に基づく主張は、民法第202条第２項が「占有の訴えについては、本権に関する理由に基づいて裁判をすることができない」と明確に規定していることから認められません。

（９）占有権の消滅

占有権は、占有者が占有の意思を放棄した場合または占有の所持を失った場合に消滅します（民法第203条[159]本文）。但し、占有の所持を失った場合であっても、占有回収の訴えを提起し、占有を回復した場合には、その占有権は消滅しないこととされています（民法第203条但書）。

3　所有権

（１）所有権の意義

所有権とは、その物について使用・収益・処分をすることができる権利のことをいいます（民法第206条[160]）。全面的支配権ともいいます。

158　【民法第202条】

　１　占有の訴えは本権の訴えを妨げず、また、本権の訴えは占有の訴えを妨げない。

　２　占有の訴えについては、本権に関する理由に基づいて裁判をすることができない。

159　【民法第203条】

　占有権は、占有者が占有の意思を放棄し、又は占有物の所持を失うことによって消滅する。ただし、占有者が占有回収の訴えを提起したときは、この限りでない。

160　【民法第206条】

　所有者は、法令の制限内において、自由にその所有物の使用、収益及び処分をする権利を有する。

（2）所有権の取得

① 承継取得

承継取得とは、前主の権利を前提として所有権を取得することをいいます。

A 包括承継

包括承継とは、前主の権利・義務を一括して承継することをいいます。

B 特定承継

特定承継とは、前主の権利を個々に取得することをいいます。

② 原始取得

原始取得とは、前主の権利を前提とはしないで、これとは無関係に所有権を取得することをいいます。

A 時効取得

時効取得とは、取得時効によって所有権を取得することをいいます（民法第162条[161]）。

B 即時取得

即時取得とは、誤って占有を信頼した者を救済するために認められた公信の原則に基づく制度のことをいいます（民法第192条[162]）。

a 公信の原則

公信の原則とは、真の権利状態と異なる公示が存在する場合に、公示を信頼して取引した者に対して、公示通りの権利状態があったものと同様の保護を与える原則のことをいいます。

b 公示の原則

公示の原則とは、物権変動について公示をしなければならないという原則のことをいいます。

---

161 【民法第162条】

1 二十年間、所有の意思をもって、平穏に、かつ、公然と他人の物を占有した者は、その所有権を取得する。

2 十年間、所有の意思をもって、平穏に、かつ、公然と他人の物を占有した者は、その占有の開始の時に、善意であり、かつ、過失がなかったときは、その所有権を取得する。

162 【民法第192条】

取引行為によって、平穏に、かつ、公然と動産の占有を始めた者は、善意であり、かつ、過失がないときは、即時にその動産について行使する権利を取得する。

C　無主物先占

無主物先占とは、現に所有者の存在しない動産を所有の意思をもって占有することをいいます（民法第239条[163]第1項）。

D　遺失物拾得

遺失物とは、占有者の意思に基づかないで所持を離れた物のうち盗品ではない物のことをいいます。

遺失物拾得とは、遺失物を所有の意思をもって占有し、公告の後、所有者が判明しないまま一定期間の経過した後に所有権を取得することをいいます（民法第240条[164]）。

E　埋蔵物発見

埋蔵物発見とは、土地等の中に埋蔵されていて、それが誰の物であるかについて、容易には判明しない物を発見することをいいます（民法第241条[165]）。

この場合、占有の必要はなく、公告し、所有者が判明しないまま一定期間を経過した後に、その物の所有権を取得することとなります（民法第241条本文）。

但し、他人の所有する物の中から埋蔵物を発見した場合には、当該物の所有者と当該埋蔵物の発見者が等しい割合で所有権を取得することとなります（民法第241条但書）。

F　添付

添付とは、所有者の異なる２つ以上の物が結合または混合することをいいます。

163　【民法第239条】
1　所有者のない動産は、所有の意思をもって占有することによって、その所有権を取得する。
2　所有者のない不動産は、国庫に帰属する。

164　【民法第240条】
遺失物は、遺失物法（平成十八年法律第七十三号）の定めるところに従い公告をした後三箇月以内にその所有者が判明しないときは、これを拾得した者がその所有権を取得する。

165　【民法第241条】
埋蔵物は、遺失物法の定めるところに従い公告をした後六箇月以内にその所有者が判明しないときは、これを発見した者がその所有権を取得する。ただし、他人の所有する物の中から発見された埋蔵物については、これを発見した者及びその他人が等しい割合でその所有権を取得する。

この場合、それらを分離または復旧することは、困難であったり、過分の費用が必要となったりし、社会経済上不利益を生じるので認められないこととなります。

a 付合

付合とは、所有者の異なる２つ以上の物が結合した状態のことをいいます。

不動産の付合の場合と動産の付合の場合とで扱いが異なります。

い 不動産の付合

不動産の付合とは、不動産に動産が結合し、その動産が不動産の一部となることをいいます。

不動産の付合によって独立性を失った動産については、不動産の所有者がその動産の所有権を取得します（民法第 242 条[166]本文）。

但し、賃借人や地上権者等の権原を有している者が動産を付合させた場合については、動産の所有者はその動産の所有権を失いません（民法第 242 条但書）。とはいえ、権原によって付合させた場合であっても、付合させた動産が不動産の構成部分の一部となり、完全に独立性を失った場合については、不動産の所有者がその動産の所有権を取得することとなります。

ろ 動産の付合

動産の付合とは、所有者の異なる複数の動産が結合することをいいます。

動産の付合の場合には、主たる動産の所有者が付合した動産の所有者となります（民法第 243 条[167]）。

しかし、動産の主従関係の区別がつかない場合は、付合前の動産の価格の割合に応じて共有することとなります（民法第 244 条[168]）。

166 【民法第 242 条】
不動産の所有者は、その不動産に従として付合した物の所有権を取得する。ただし、権原によってその物を附属させた他人の権利を妨げない。

167 【民法第 243 条】
所有者を異にする数個の動産が、付合により、損傷しなければ分離することができなくなったときは、その合成物の所有権は、主たる動産の所有者に帰属する。分離するのに過分の費用を要するときも、同様とする。

168 【民法第 244 条】
付合した動産について主従の区別をすることができないときは、各動産の所有者は、その付合の時における価格の割合に応じてその合成物を共有する。

b　混和

混和とは、所有者の異なる２つ以上の物が混じり合って識別できなくなった状態のことをいいます。

混和した場合には、主たる動産の所有者が、混和した動産の所有者となります（民法第 245 条[169]）。

しかし、動産の主従関係の区別がつかない場合は、付合前の動産の価格の割合に応じて共有することとなります（民法第 244 条）。

c　加工

加工とは、他人の動産に手を加えて新たな動産を作り出すことをいいます。

原則として、手を加える前の材料である動産の所有者が加工物の所有権を取得します（民法第 246 条[170]第１項本文）。

しかし、加工者が手を加えたことによって著しく価格が増加した場合には、例外として、手を加えた加工者が所有権を取得します（民法第 246 条第１項但書）。また、加工者が材料の一部を提供した場合には、その価格に工作によって生じた価格を加えたものが他人の材料の価格を超える場合に限って、加工者がその加工物の所有権を取得します（民法第 246 条第２項）。

（３）共有

①　共有の意義

共有とは、１つの物について、２人以上の者で、共同して所有することをいいます。

169　【民法第 245 条】
前二条の規定は、所有者を異にする物が混和して識別することができなくなった場合について準用する。

170　【民法第 246 条】
１　他人の動産に工作を加えた者（以下この条において「加工者」という。）があるときは、その加工物の所有権は、材料の所有者に帰属する。ただし、工作によって生じた価格が材料の価格を著しく超えるときは、加工者がその加工物の所有権を取得する。
２　前項に規定する場合において、加工者が材料の一部を供したときは、その価格に工作によって生じた価格を加えたものが他人の材料の価格を超えるときに限り、加工者がその加工物の所有権を取得する。

各持ち分については、1つの持分権しか生じないことから、一物一権主義の原則は保たれているといえます。

② 共有物の使用方法

各共有者は、その持分に応じて共有物の全部について使用することができるのであり（民法第249条[171]）、その共有物の一部についてのみ使用できるわけではありません。

③ 共有物の持分割合についての推定

各共有持分については、共有者間の合意や法律の規定によって決定されますが、持分が不明な場合には、各共有者の持分は相等しいものと推定されます（民法第250条[172]）。

④ 共有物の変更

共有物に変更を加えるためには共有者全員の同意を得て行う必要があります（民法第251条[173]）。

共有物の変更とは、共有地の地目を宅地から農地へと変更する場合や、共有物を売却したり、放棄したりする場合の共有物の処分のことを意味しています。

⑤ 共有物の管理

A 共有物の管理行為

共有物の管理行為を行う場合には、共有者の過半数ではなく共有者の持分の価格の過半数によって行います（民法第252条[174]）。

171 【民法第249条】
各共有者は、共有物の全部について、その持分に応じた使用をすることができる。

172 【民法第250条】
各共有者の持分は、相等しいものと推定する。

173 【民法第251条】
各共有者は、他の共有者の同意を得なければ、共有物に変更を加えることができない。

174 【民法第252条】
共有物の管理に関する事項は、前条の場合を除き、各共有者の持分の価格に従い、その過半数で決する。ただし、保存行為は、各共有者がすることができる。

B　共有物の保存行為

共有物の保存行為を行う場合には、各共有者は単独で行うことができます（民法第252条但書）。

⑥　共有物に関する管理費用の負担

各共有者は、その持分に応じて管理費用を支払い、その他共有物に関する負担を負うこととなります（民法第253条[175]第１項）。

共有者が１年以内にこの義務を履行しない場合には、他の共有者は相当の償金を支払ってその持分を取得することが可能となります（民法第253条第２項）。

管理費用の負担を履行しない共有者が、その持分を第三者に売却した場合には、その共有者に対して債権を有する他の共有者は、その第三者に対してもその債権を行使することが可能となります（民法第254条[176]）。

⑦　共有物の持分放棄

共有者の１人がその持分を放棄した場合や、共有者の１人が死亡して相続人がいない場合には、その持分は、他の共有者に持分の割合に応じて帰属することとなります（民法第255条[177]）。

持分の移転の法的性質は、共有者の１人がその持分を放棄した場合や、共有者の１人が死亡して相続人がいない場合には、法律の規定によって、他の共有者に帰属する法定移転です。

なお、死亡して相続人が不存在の場合には、その財産は、まず、特別縁故者への分与となり、特別縁故者が不存在の場合や特別縁故者への分与がない場合には、他の共有者に帰属することとなります。

175　【民法第253条】
１　各共有者は、その持分に応じ、管理の費用を支払い、その他共有物に関する負担を負う。
２　共有者が一年以内に前項の義務を履行しないときは、他の共有者は、相当の償金を支払ってその者の持分を取得することができる。

176　【民法第254条】
共有者の一人が共有物について他の共有者に対して有する債権は、その特定承継人に対しても行使することができる。

177　【民法第255条】
共有者の一人が、その持分を放棄したとき、又は死亡して相続人がないときは、その持分は、他の共有者に帰属する。

⑧ 共有物の分割

A 共有物の分割請求

共有状態というのは、物権の大原則である一物一権主義の例外状態であることから、一時的に認められるものであり、できるだけ解消されるべきものです。そこで、共有状態を解消するための手段として、各共有者はいつでも他の共有者に対して共有物の分割請求ができることとなっています（民法第256条[178]第1項本文）。

この分割請求権は消滅時効にかかりません。

また、5年を超えない期間内はこの分割請求をしない旨の特約を共有者間で行うことができ（民法第256条第1項但書）、この特約を、5年を超えない期間内で更新することができます（民法第256条第2項）。

B 共有物の分割方法

共有物についての分割は、共有者間の協議によって行われます。その分割の方法としては、現物分割・価格賠償・代金分割の3つがあります。

a 現物分割

現物分割とは、共有物を共有者の持分に応じて分割する分割方法のことをいいます。

それまで1つの物だった共有物は、共有者の人数分の物に現実に分割されることとなります。

b 価格賠償

価格賠償とは、共有物を共有者の持分に応じて分割することが好ましくない場合や共有物を分割することが不可能な場合に、共有者の1人がその物を単独所有（単有）とし、持分を失うその他の共有者に対してその持分に応じた価格を支払うことによって分割する分割方法のことをいいます。

c 代金分割

代金分割とは、共有物を売却し、その売却代金を共有者が持分に応じて分割する分割方法のことをいいます。

---

178 【民法第256条】

1 各共有者は、いつでも共有物の分割を請求することができる。ただし、五年を超えない期間内は分割をしない旨の契約をすることを妨げない。

2 前項ただし書の契約は、更新することができる。ただし、その期間は、更新の時から五年を超えることができない。

C 裁判による共有物の分割

共有物の分割は協議が原則です。しかし、その協議が調わない場合及び協議をすることができない場合には、裁判所に分割を請求することができます（民法第258条[179]第1項）。

この裁判による共有物の分割は、原則として、現物分割の方法を採用しており、例外として、現物分割の方法が採れない場合や現物分割をするとその価格を著しく減少させる危険がある場合には、代金分割の方法を採用しています（民法第258条第2項）。

4 用益物権

(1) 地上権

地上権とは、用益物権の1つであり、他人の土地の上に工作物または竹林を所有するために、その他人の土地を利用できる土地利用権のことをいいます（民法第265条[180]）。地上権が認められるとその土地の所有権者は土地利用権を失うこととなります。

地上権の存続期間については制約がないため、存続期間を永久とすることも可能です。存続期間を設定しなかった場合には、地上権者はいつでもその地上権の放棄をすることができます（民法第268条[181]第1項本文）。

179 【民法第258条】
1 共有物の分割について共有者間に協議が調わないときは、その分割を裁判所に請求することができる。
2 前項の場合において、共有物の現物を分割することができないとき、又は分割によってその価格を著しく減少させるおそれがあるときは、裁判所は、その競売を命ずることができる。

180 【民法第265条】
地上権者は、他人の土地において工作物又は竹木を所有するため、その土地を使用する権利を有する。

181 【民法第268条】
1 設定行為で地上権の存続期間を定めなかった場合において、別段の慣習がないときは、地上権者は、いつでもその権利を放棄することができる。ただし、地代を支払うべきときは、一年前に予告をし、又は期限の到来していない一年分の地代を支払わなければならない。
2 地上権者が前項の規定によりその権利を放棄しないときは、裁判所は、当事者の請求により、二十年以上五十年以下の範囲内において、工作物又は竹木の種類及び状況その他地上権の設定当時の事情を考慮して、その存続期間を定める。

また、存続期間を設定しなかった場合には、地上権設定者または地上権者は、裁判所に対して、20 年以上 50 年以下の存続期間を設定するように請求することができます（民法第 268 条第２項）。

（２）永小作権

永小作権とは、用益物権の１つであり、小作料を支払うことによって、他人の土地において耕作または牧畜をするための土地利用権のことをいいます（民法第 270 条[182]）。

永小作権の存続期間は 20 年以上 50 年以下となります（民法第 278 条[183]第１項前段）。永小作権設定行為において、50 年よりも長い期間を設定した場合は、その期間は 50 年となります（民法第 278 条第１項後段）。

永小作権の設定は、存続期間が 50 年を超えない範囲で更新することができます（民法第 278 条第２項）。

また、設定行為で永小作権の存続期間を設定しなかった場合には、存続期間は、別段の慣習がある場合を除いて 30 年となります（民法第 278 条第３項）。

（３）地役権

地役権とは、用益物権の１つであり、自己の土地の便益のために他人の土地を利用する土地利用権のことをいいます（民法第 280 条[184]）。

地役権における便益を受ける自己の土地のことを承役地といいます。

地役権における便益に供する他人の土地のことを要役地といいます。

182 【民法第 270 条】
永小作人は、小作料を支払って他人の土地において耕作又は牧畜をする権利を有する。

183 【民法第 278 条】
１ 永小作権の存続期間は、二十年以上五十年以下とする。設定行為で五十年より長い期間を定めたときであっても、その期間は、五十年とする。
２ 永小作権の設定は、更新することができる。ただし、その存続期間は、更新の時から五十年を超えることができない。
３ 設定行為で永小作権の存続期間を定めなかったときは、その期間は、別段の慣習がある場合を除き、三十年とする。

184 【民法第 280 条】
地役権者は、設定行為で定めた目的に従い、他人の土地を自己の土地の便益に供する権利を有する。ただし、第三章第一節（所有権の限界）の規定（公の秩序に関するものに限る。）に違反しないものでなければならない。

地役権は､要役地の所有権に従たるものとして､その所有権とともに移転し､または、要役地について存在する他の権利の目的となります（民法第 281 条[185]第１項本文)。地役権は、要役地から分離して譲渡したり、他の権利の目的としたりすることができません（民法第 281 条第２項)。

また、土地の共有者の１人は、その持分について、その土地のために、または､その土地について存する地役権を消滅させることができません(民法第 282 条[186]第１項)。

5　担保物権

(１) 担保物権総論

①　担保物権の意義

担保とは、債務の履行をより確実にする方法のことをいい、人的担保と物的担保があります。

担保物権とは、物的担保のことを意味します。

担保物権は、物権として財産上に成立し、債務が弁済されない場合、その財産に直接権利行使されます。

弁済自体は確実なものとなりますが、財産の限度での執行（有限の責任）がされることとなります。

保証等の人的担保は、弁済は不確実なものとなりますが、無限の責任を追求することが可能となる点で、物的担保である担保物権と異なります。

185　【民法第 281 条】

１　地役権は、要役地（地役権者の土地であって、他人の土地から便益を受けるものをいう。以下同じ。)の所有権に従たるものとして､その所有権とともに移転し､又は要役地について存する他の権利の目的となるものとする。ただし、設定行為に別段の定めがあるときは、この限りでない。

２　地役権は、要役地から分離して譲り渡し、又は他の権利の目的とすることができない。

186　【民法第 282 条】

１　土地の共有者の一人は、その持分につき、その土地のために又はその土地について存する地役権を消滅させることができない。

２　土地の分割又はその一部の譲渡の場合には、地役権は、その各部のために又はその各部について存する。ただし、地役権がその性質により土地の一部のみに関するときは、この限りでない。

担保物権は、民法上、留置権・先取特権・質権・抵当権の４つがあります。

② 担保物権の分類

A 法定担保物権

法定担保物権とは、一定の立法政策に基づき、法律上当然に生じる担保物権のことをいいます。

法定担保物権には、留置権と先取特権があります。

B 約定担保物権

約定担保物権とは、当事者間の設定行為に基づき、はじめて発生する担保物権のことをいいます。

約定担保物権には、質権と抵当権があります。

③ 担保物権の効力

担保物権も物権の一種であるため、一般に直接性及び排他性を有していますが、担保物権は、この他にも以下の効力も有しています。

A 優先弁済的効力

優先弁済的効力とは、債務の弁済がなされない場合に、その目的物を金銭に換価して、他の債権者に先立って弁済を受けることができる効力のことをいいます。物の交換価値を把握することのできる効力であり、債権の担保を目的とする担保物権の中心的効力であるといえます。

優先弁済的効力は、４つの担保物権のうち、先取特権・質権・抵当権の３つに認められる効力ですが、留置権には認められません。

B 留置的効力

留置的効力とは、債務が完全に弁済されるまでは、債権者がその目的物を手元に留め置くこと（留置）ができる効力のことをいいます。この留置的効力の趣旨は、目的物を債権者の手元におき、債務者に心理的圧迫を加え、間接的に弁済を促すというところにあります。

留置的効力は、留置権及び質権に認められる効力ですが、先取特権及び抵当権には認められません。

④ 担保物権の通有性

A 付従性

付従性とは、担保物権がその担保する債権（被担保債権）が存在しなければ発生せず、被担保債権が弁済等で消滅すれば、それに伴って消滅するという性質のことをいいます。

B　随伴性

随伴性とは、被担保債権が譲渡等によって移転をする場合に、それに伴って担保物権も移転するという性質のことをいいます。

C　不可分性

不可分性とは、担保物権を有する者が債権の全部の弁済を受けるまでは、その担保目的物のすべての部分についてその権利を行使できる性質のことをいいます。

D　物上代位性

物上代位性とは、目的物が滅失または損傷したことによって、金銭に変化した場合には、担保権者はその金銭に対して、担保物権の効力を及ぼすことができるという性質のことをいいます。

物上代位性は、４つの担保物権のうち、先取特権・質権・抵当権の３つについては認められますが、留置権には認められません。つまり、物上代位性は、優先弁済的効力の認められる担保物権にのみ認められる性質であるといえます。

（２）留置権

留置権とは、他人の物に関して生じた債権がある場合に、その物の占有者である債権者（留置権者）がその物を留置することにより、間接的にその債権の弁済を強制することが公平であるために認められた法定担保物権のことをいいます（民法第295条[187]第１項本文）。

留置権は、①その物に関して生じた債権であること（民法第295条第１項本文）、②その債権が弁済期にあること（民法第295条第１項但書）、③留置権者が他人の物を占有していること（民法第295条第１項本文）、④占有が不法行為によって開始されたのではないこと（民法第295条第２項）の４つの要件を充たすと成立し、その債権の弁済を受けるまで、その物を留置することができるという効果が発生します（民法第295条第１項本文）。

留置権は、担保物権の効力としての優先弁済的効力が認められておらず、担保物権の通有性としての物上代位性も認められていません。

187　【民法第295条】
　１　他人の物の占有者は、その物に関して生じた債権を有するときは、その債権の弁済を受けるまで、その物を留置することができる。ただし、その債権が弁済期にないときは、この限りでない。
　２　前項の規定は、占有が不法行為によって始まった場合には、適用しない。

（3）先取特権

先取特権とは、法律の規定する特別な債権を有する者が債務者の財産から当然に優先弁済を受けることができる法定担保物権のことをいいます（民法第303条[188]）。先取特権には、一般の先取特権と特別の先取特権の２つがあります。

① 一般の先取特権

一般の先取特権とは、共益の費用・雇用関係・葬式の費用・日用品の供給によって生じた債権について、特定の物を対象とはせずに、特別の担保の目的となっていない債務者の総財産を対象とする先取特権のことをいいます（民法第306条[189]）。

一般の先取特権が互いに競合する場合には、その優先権の順位は、共益の費用の先取特権・雇用関係の先取特権・葬式の費用の先取特権・日用品の供給の先取特権の順となります（民法第329条[190]第１項）。

また、一般の先取特権と、後述する特別の先取特権とが競合する場合には、特別の先取特権が一般の先取特権に優先することとなります（民法第329条第２項本文）。

但し、共益の費用の先取特権については、その利益を受けたすべての債権者に対して優先することとなります（民法第329条第２項但書）。その他の一般の先取特権は、特別の先取特権に遅れますが、一般債権者には優先します。

188 【民法第303条】
先取特権者は、この法律その他の法律の規定に従い、その債務者の財産について、他の債権者に先立って自己の債権の弁済を受ける権利を有する。

189 【民法第306条】
次に掲げる原因によって生じた債権を有する者は、債務者の総財産について先取特権を有する。
一 共益の費用
二 雇用関係
三 葬式の費用
四 日用品の供給

190 【民法第329条】
1 一般の先取特権が互いに競合する場合には、その優先権の順位は、第三百六条各号に掲げる順序に従う。
2 一般の先取特権と特別の先取特権とが競合する場合には、特別の先取特権は、一般の先取特権に優先する。ただし、共益の費用の先取特権は、その利益を受けたすべての債権者に対して優先する効力を有する。

② 特別の先取特権

特別の先取特権には、動産の先取特権と不動産の先取特権の２つがあります。

A 動産の先取特権

動産の先取特権は特定の動産を対象としています（民法第311条[191]）。

動産の先取特権が互いに競合する場合には、その優先権の順位は、不動産賃貸の先取特権・旅館宿泊の先取特権・旅客または荷物運輸の先取特権の３つが第１順位の先取特権となり、動産保存の先取特権が第２順位の先取特権、動産売買の先取特権・種苗または肥料供給の先取特権・農業労務の先取特権・工業労務の先取特権の４つが第３順位の先取特権となります（民法第330条[192]第１項前段）。

191 【民法第311条】

次に掲げる原因によって生じた債権を有する者は、債務者の特定の動産について先取特権を有する。

一 不動産の賃貸借

二 旅館の宿泊

三 旅客又は荷物の運輸

四 動産の保存

五 動産の売買

六 種苗又は肥料（蚕種又は蚕の飼養に供した桑葉を含む。以下同じ。）の供給

七 農業の労務

八 工業の労務

192 【民法第330条】

１ 同一の動産について特別の先取特権が互いに競合する場合には、その優先権の順位は、次に掲げる順序に従う。この場合において、第二号に掲げる動産の保存の先取特権について数人の保存者があるときは、後の保存者が前の保存者に優先する。

一 不動産の賃貸、旅館の宿泊及び運輸の先取特権

二 動産の保存の先取特権

三 動産の売買、種苗又は肥料の供給、農業の労務及び工業の労務の先取特権

２ 前項の場合において、第一順位の先取特権者は、その債権取得の時において第二順位又は第三順位の先取特権者があることを知っていたときは、これらの者に対して優先権を行使することができない。第一順位の先取特権者のために物を保存した者に対しても、同様とする。

３ 果実に関しては、第一の順位は農業の労務に従事する者に、第二の順位は種苗又は肥料の供給者に、第三の順位は土地の賃貸人に属する。

また、第２順位である動産保存の先取特権については、後の保存者が前の保存者のためにもその動産についての保存行為を行っているのが通常であることから、後の保存者が前の保存者に優先します（民法第 330 条第 1 項後段）。

B　不動産の先取特権

不動産の先取特権は特定の不動産を対象としています（民法第 325 条[193]）。

不動産の先取特権が互いに競合する場合には、その優先権の順位は、不動産保存の先取特権・不動産工事の先取特権・不動産売買の先取特権の順となります（民法第 331 条[194]第 1 項）。

（4）質権

質権とは、債権者（質権者）がその債権の担保として債務者または第三者（質権設定者）から提供を受けた物を占有し、債権が弁済されない場合にはそれを換価し、他の債権者に先立って自己の債権の弁済を受けることができる約定担保物権のことをいいます（民法第 342 条[195]）。

質権設定者に目的物（質物）の占有がとどまらず、質権者が質物を占有することから、質権には留置的効力があるといえます。

また、債権の弁済を得られなかった場合には、質権者は目的物を換価し、その売却代金より優先的に弁済を受けることとなることから、質権には優先弁済的効力があるといえます。

193　【民法第 325 条】

次に掲げる原因によって生じた債権を有する者は、債務者の特定の不動産について先取特権を有する。

一　不動産の保存

二　不動産の工事

三　不動産の売買

194　【民法第 331 条】

1　同一の不動産について特別の先取特権が互いに競合する場合には、その優先権の順位は、第三百二十五条各号に掲げる順序に従う。

2　同一の不動産について売買が順次された場合には、売主相互間における不動産売買の先取特権の優先権の順位は、売買の前後による。

195　【民法第 342 条】

質権者は、その債権の担保として債務者又は第三者から受け取った物を占有し、かつ、その物について他の債権者に先立って自己の債権の弁済を受ける権利を有する。

質権は、約定担保物権であることから、質権設定契約という質権の設定を目的とする質権者と質権設定権者との間で締結する契約を質権者（質権を行使できる債権者）及び質権設定者（債務者のみならず物上保証人も含む）で結ぶ必要があります。

この質権設定契約の内容は、質権設定の合意及び目的物（質物）の引渡しであり、質権は、質権設定者が質物を質権者に引渡しをすることによってその効力を生じることとなります（民法第344条[196]）。従って、質権設定契約は後述する要物契約に該当します。

このように、質権は目的物の引渡しをすることによって効力を生じることとなることから、引渡しをすることができない物をその目的とすることはできません（民法第343条[197]）。

また、現実に引渡しをすることが必要となることから、質権者は、質権設定者に、自己に代わって質物の占有をさせることはできません（民法第345条[198]）。

質権には、動産を目的とする動産質、不動産を目的とする不動産質、債権その他の財産権を目的とした権利質の３つがあります。

①　動産質

動産質とは、動産を目的として設定された質権のことをいいます。

質権の本質は、質権設定者から質物の占有を質権者へ移転し、心理的圧迫を与えることにより債務の弁済を促すことにあります。従って、質権成立の要件である質物の引渡しには、占有改定を含まず、それ以外の方法によることとなります（民法第345条）。

また、質権者は継続して質物を占有しなければ、その質権を第三者に対抗することができません（民法第352条[199]）。従って、質権に基づく返還請求はできないこととなります。

196　【民法第344条】
質権の設定は、債権者にその目的物を引き渡すことによって、その効力を生ずる。

197　【民法第343条】
質権は、譲り渡すことができない物をその目的とすることができない。

198　【民法第345条】
質権者は、質権設定者に、自己に代わって質物の占有をさせることができない。

199　【民法第352条】
動産質権者は、継続して質物を占有しなければ、その質権をもって第三者に対抗することができない。

質権に基づく返還請求はできないことから、質物が奪われた場合には、占有回収の訴え（民法第 200 条[200]）によって質物の回収を図ることができることとなります（民法第 353 条[201]）。あくまでも、質物が奪われた場合に限り占有回収の訴えができるのであって、質物を遺失した場合、騙し取られた場合や、譲り渡した場合には、この民法第 353 条は適用できません。

② 不動産質

不動産質とは、不動産を目的として設定された質権のことをいいます。

質権の本質は、質権設定者から質物の占有を質権者へ移転し、心理的圧迫を与えることにより債務の弁済を促すことにあります。そのため、不動産質においても、目的物の引渡しがその効力発生要件となります（民法第 344 条）。この質権成立の要件である質物の引渡しには、占有改定を含まず、それ以外の方法によることとなります（民法第 345 条）。

また、動産質権の場合とは異なり、不動産質権の第三者対抗要件は登記となります（民法第 361 条[202]）。

不動産質権の存続期間は 10 年を超えることはできないとされており（民法第 360 条[203]第 1 項前段）、10 年を超える期間を設定した場合には、10 年に短縮されることとなります（民法第 360 条第 1 項後段）。この期間は更新をすることができます（民法第 360 条第２項本文）が、その期間も更新時から 10 年を超えることができません（民法第 360 条第２項但書）。

---

200 【民法第 200 条】
1 占有者がその占有を奪われたときは、占有回収の訴えにより、その物の返還及び損害の賠償を請求することができる。
2 占有回収の訴えは、占有を侵奪した者の特定承継人に対して提起することができない。ただし、その承継人が侵奪の事実を知っていたときは、この限りでない。

201 【民法第 353 条】
動産質権者は、質物の占有を奪われたときは、占有回収の訴えによってのみ、その質物を回復することができる。

202 【民法第 361 条】
不動産質権については、この節に定めるもののほか、その性質に反しない限り、次章（抵当権）の規定を準用する。

203 【民法第 360 条】
1 不動産質権の存続期間は、十年を超えることができない。設定行為でこれより長い期間を定めたときであっても、その期間は、十年とする。
2 不動産質権の設定は、更新することができる。ただし、その存続期間は、更新の時から十年を超えることができない。

不動産質権者は、その用法に従って、その目的不動産を使用・収益することができます（民法第356条[204]）が、その管理費用その他を負担する必要があります（民法第357条[205]）。

③ 権利質

権利質とは、債権その他の財産権を目的として設定された質権のことをいいます（民法第362条[206]第1項）。債権その他の財産権を目的とした場合には、動産や不動産に質権を設定する場合と同様に扱うこととなります（民法第362条第2項）。しかし、権利は動産や不動産のように目に見えるものではないことから、その対象となる権利の引渡しは問題とはなりませんので、契約のみでその効力が生じます。

指名債権を質権の目的とした場合には、質権設定行為は質権者と質権設定者間で行うことができることから、その債権の債務者の承諾等の必要はありませんが、質権を行使する場合には、債務者への通知または債務者の承諾がなければ、質権の設定を対抗することはできません（民法第364条[207]及び第467条[208]）。

---

204 【民法第356条】
　不動産質権者は、質権の目的である不動産の用法に従い、その使用及び収益をすることができる。

205 【民法第357条】
　不動産質権者は、管理の費用を支払い、その他不動産に関する負担を負う。

206 【民法第362条】
1 質権は、財産権をその目的とすることができる。
2 前項の質権については、この節に定めるもののほか、その性質に反しない限り、前三節（総則、動産質及び不動産質）の規定を準用する。

207 【民法第364条】
　債権を目的とする質権の設定（現に発生していない債権を目的とするものを含む。）は、第四百六十七条の規定に従い、第三債務者にその質権の設定を通知し、又は第三債務者がこれを承諾しなければ、これをもって第三債務者その他の第三者に対抗することができない。

208 【民法第467条】
1 債権の譲渡（現に発生していない債権の譲渡を含む。）は、譲渡人が債務者に通知をし、又は債務者が承諾をしなければ、債務者その他の第三者に対抗することができない。
2 前項の通知又は承諾は、確定日付のある証書によってしなければ、債務者以外の第三者に対抗することができない。

(5)抵当権

① 抵当権の意義

抵当権とは、債権者(抵当権者)がその債権を確保するために、債務者または第三者(抵当権設定者)から占有の移転をせずに、担保として提供された不動産・地上権・永小作権について、他の債権者に先立って弁済を受けることのできる約定担保物権のことをいいます(民法第369条[209])。

抵当権においては、抵当権設定者の下に抵当目的物の占有がとどまることから、抵当権には留置的効力がないといえます。また、債権の弁済を得られなかった場合には、抵当権者は目的物を換価し、その売却代金より優先的に弁済を受けることとなることから、抵当権には優先弁済的効力があるといえます。

抵当権は、約定担保物権であることから、抵当権設定契約という抵当権の設定を目的とする抵当権者と抵当権設定者との間で締結する契約を抵当権者(抵当権を行使できる債権者)及び抵当権設定者(債務者のみならず物上保証人も含む)で結ぶ必要があります。

② 抵当権の及ぶ目的物の範囲

A 付合物

土地と建物とは別個の不動産であることから、土地と建物双方を抵当権の目的物としたい場合には、土地と建物それぞれに対して別個の抵当権を設定する必要が生じます。対して、抵当不動産に付加して一体となっている物(付加一体物)については、一体として抵当権の効力が及ぶこととなります(民法第370条[210]本文)。

209 【民法第369条】
1 抵当権者は、債務者又は第三者が占有を移転しないで債務の担保に供した不動産について、他の債権者に先立って自己の債権の弁済を受ける権利を有する。
2 地上権及び永小作権も、抵当権の目的とすることができる。この場合においては、この章の規定を準用する。

210 【民法第370条】
抵当権は、抵当地の上に存する建物を除き、その目的である不動産(以下「抵当不動産」という。)に付加して一体となっている物に及ぶ。ただし、設定行為に別段の定めがある場合及び債務者の行為について第四百二十四条第三項に規定する詐害行為取消請求をすることができる場合は、この限りでない。

しかし、権原によってその物を附属させた他人の権利については抵当権の効力は及ばないこととなります（第242条[211]但書）。

B　果実

抵当権は、被担保債務の債務不履行があった場合は、その後に生じた抵当不動産の果実にその効力が及びます（民法第371条[212]）。この果実は天然果実及び法定果実の双方を含みます。披担保債権について債務不履行があった時点で、抵当権の実行が可能となることから、債務不履行後の抵当不動産の果実については、抵当権の効力が及ぶとされています。対して、債務不履行前の抵当不動産の果実については、抵当権の効力が及ばず、抵当権設定者が使用・収益することとなります。

C　従物

抵当権の効力は、主物のみならず、抵当権設定当時の従物にも及ぶこととなります。

D　分離物

分離物とは、付加物が土地から分離した物のことをいいます。分離する前は付加一体物であったため、抵当権の効力が及ぶこととされています。

③　法定地上権

法定地上権とは、法律の規定によって設定される地上権のことをいいます（民法第388条[213]）。法定地上権が認められる趣旨は、現行法上、自己借地権が認められないことから、同一人に帰属する土地と建物の一方または双方に抵当権が設定され、その抵当権が実行された場合に、土地利用権の成立を求めることが通常の当事者の意思に合致するので、そのことによって社会経済上の不利益を防止することができるところにあります。

211　【民法第242条】
不動産の所有者は、その不動産に従として付合した物の所有権を取得する。ただし、権原によってその物を附属させた他人の権利を妨げない。

212　【民法第371条】
抵当権は、その担保する債権について不履行があったときは、その後に生じた抵当不動産の果実に及ぶ。

213　【民法第388条】
土地及びその上に存する建物が同一の所有者に属する場合において、その土地又は建物につき抵当権が設定され、その実行により所有者を異にするに至ったときは、その建物について、地上権が設定されたものとみなす。この場合において、地代は、当事者の請求により、裁判所が定める。

法定地上権は、①抵当権設定時に土地上に建物が存在していること、②抵当権設定時に土地及び建物の所有者が同一人であること、③土地及び建物の一方または双方に抵当権が設定されていたこと、④土地及び建物の所有者が抵当権の実行による競売により異なるに至ったことの４つの要件を充たすことによって成立し、その建物について地上権が設定されたものとみなされることとなります。

④　一括競売

一括競売とは、土地及び建物を一括して競売することをいいます。

更地に抵当権を設定した後に、その土地の所有者がその土地上に建物を建築した場合には、法定地上権の成立を認めることはできません。抵当権者は土地を更地として評価している以上、当該土地の買受人はその土地上の建物の収去を請求することができ、当該土地を更地の状態に回復することができることとなります。しかし、建物の収去は事実上の競売価格の下落をもたらし、社会経済上の不利益をももたらすこととなります。そこで、土地と建物とを一括して競売できることとしました（民法第389条[214]第1項）。また、一括競売をした場合であっても、抵当権者が優先弁済を受けられるのは土地の競売代金のみであって、建物の競売代金からは優先弁済を受けることはできず、建物の競売代金については、建物所有者に権利があります（民法第389条第1項但書）。

⑤　代価弁済

代価弁済とは、抵当権者が抵当不動産の第三取得者（所有権を取得した者）に対して、代価の弁済を請求して抵当権を消滅させることをいいます（民法第378条[215]）。

214　【民法第389条】

1　抵当権の設定後に抵当地に建物が築造されたときは、抵当権者は、土地とともにその建物を競売することができる。ただし、その優先権は、土地の代価についてのみ行使することができる。

2　前項の規定は、その建物の所有者が抵当地を占有するについて抵当権者に対抗することができる権利を有する場合には、適用しない。

215　【民法第378条】

抵当不動産について所有権又は地上権を買い受けた第三者が、抵当権者の請求に応じてその抵当権者にその代価を弁済したときは、抵当権は、その第三者のために消滅する。

つまり、代価弁済とは、抵当権者の請求に応じて抵当不動産の代金を、売主ではなく抵当権者に対して支払い、抵当権を消滅させ、第三取得者が抵当権のない不動産を取得することをいいます。

代価弁済を請求するかどうかの決定権は、抵当権者の側にあります。これに対して、第三取得者には抵当権者からの代価弁済の請求に応じる義務はなく、応じるかどうかの決定権は第三取得者の側にあります。あくまでも第三取得者が、抵当権者からの代価弁済の請求に応じた場合にのみ、その抵当権が消滅します。

なお、代価弁済の性質上当然に、代価弁済の請求を受ける第三取得者とは、その不動産を買い受けた者に限られ、買い受けの対象は、抵当不動産についての所有権または地上権となります。

⑥　抵当権消滅請求

抵当権消滅請求とは、代価弁済の場合とは異なり、抵当不動産の第三取得者の側から抵当権者に対して抵当権の消滅を請求することをいいます（民法第379条[216]）。なお、この場合の第三取得者は代価弁済の場合のように買い受けた者に限られず、受贈者も含まれますが、包括承継人である相続人は含まれません。また、取得の対象は代価弁済の場合と異なり、地上権は含まれず、所有権に限られます。

抵当権消滅請求をするかどうかの決定権は、第三取得者の側にあります。対して、抵当権者にはこの抵当権消滅請求に応じる義務はなく、応じるかどうかの決定権は抵当権者の側にありますが、一定期間内に応じるか応じないかの選択をしなければなりません。応じれば抵当権が消滅しますが、応じなかった場合には、抵当権者はその抵当不動産の競売を自ら申し立てなければならないこととなります。また、抵当権消滅請求に応じる場合には、必ず登記されている債権者全員でしなければならず、1人でも抵当権の実行を選択すれば競売手続へと移行します（民法第386条[217]）。

216　【民法第379条】
抵当不動産の第三取得者は、第三百八十三条の定めるところにより、抵当権消滅請求をすることができる。

217　【民法第386条】
登記をしたすべての債権者が抵当不動産の第三取得者の提供した代価又は金額を承諾し、かつ、抵当不動産の第三取得者がその承諾を得た代価又は金額を払い渡し又は供託したときは、抵当権は、消滅する。

五　債権法

1　債権総論

（1）債権及び債務の意義

債権とは、特定人（債権者）から、特定人（債務者）に対して、一定の給付を請求できる権利のことをいいます。

対して、債務とは、債務者が債権者に対して一定の行為をすること、または、しないことを内容とする義務のことをいいます。

（2）債権及び債務の種類

①　与える債務

与える債務とは、物の引渡しを内容とする債務のことをいいます。

A　特定物債務と不特定物債務

α　特定物債務

特定物とは、当事者がその取引において、その物の個性に着目している物のことをいいます。

特定物債務とは、特定物の引渡しを目的とする債務のことをいいます。

特定物は、契約等の債権の発生原因や社会通念に照らして、通常の品質が想定できる場合には、その品質での引渡しをすることを要しますが、通常の品質が想定できない場合には、その引渡しをすべき時の現状でその物の引渡しをすることとなります（民法第483条[218]）。

特定物債務における債務者は、善管注意義務を負うこととなります（民法第400条[219]）。

218　【民法第483条】
債権の目的が特定物の引渡しである場合において、契約その他の債権の発生原因及び取引上の社会通念に照らしてその引渡しをすべき時の品質を定めることができないときは、弁済をする者は、その引渡しをすべき時の現状でその物を引き渡さなければならない。

219　【民法第400条】
債権の目的が特定物の引渡しであるときは、債務者は、その引渡しをするまで、契約その他の債権の発生原因及び取引上の社会通念に照らして定まる善良な管理者の注意をもって、その物を保存しなければならない。

善管注意義務とは、債務者の職業や社会及び経済的地位に基づいて、一般的かつ客観的に要求される注意義務のことを意味し、債務者本人の能力とは無関係の注意義務のことをいいます。

特定物は引渡し前に滅失すると履行不能となります。債務者が善管注意義務を怠った結果、滅失や損傷が生じた場合には、債務者は、債務不履行責任を負うこととなります（民法第415条[220]第1項本文）。

b　不特定物債務

不特定物とは、当事者がその取引においてその物の個性に着目していない、ある種類に着目した物のことをいいます。不特定物は種類物ともいいます。

不特定物債務とは、ある種類に属する不特定物の一定数量の引渡しを目的とする債務のことをいいます。不特定債務は、種類に着目していることから種類債務ともいいます。

債権の目的物を種類のみで指定した不特定物債権の場合において、法律行為の性質や当事者の意思によっては、その品質を認定することができないときには、債務者は、中等の品質を有する物の給付をしなければならないこととなります（民法第401条[221]第1項）。

220　【民法第415条】

1　債務者がその債務の本旨に従った履行をしないとき又は債務の履行が不能であるときは、債権者は、これによって生じた損害の賠償を請求することができる。ただし、その債務の不履行が契約その他の債務の発生原因及び取引上の社会通念に照らして債務者の責めに帰することができない事由によるものであるときは、この限りでない。

2　前項の規定により損害賠償の請求をすることができる場合において、債権者は、次に掲げるときは、債務の履行に代わる損害賠償の請求をすることができる。

一　債務の履行が不能であるとき。

二　債務者がその債務の履行を拒絶する意思を明確に表示したとき。

三　債務が契約によって生じたものである場合において、その契約が解除され、又は債務の不履行による契約の解除権が発生したとき。

221　【民法第401条】

1　債権の目的物を種類のみで指定した場合において、法律行為の性質又は当事者の意思によってその品質を定めることができないときは、債務者は、中等の品質を有する物を給付しなければならない。

2　前項の場合において、債務者が物の給付をするのに必要な行為を完了し、又は債権者の同意を得てその給付すべき物を指定したときは、以後その物を債権の目的物とする。

不特定物債務における債務者は、目的物が特定されるまでは、同種の物が市場からなくならない限り、市場から調達して引渡しをする調達義務を負うこととなります。従って、原則として、履行不能はあり得ないこととなります。その結果、履行不能の問題は生じず、調達義務もあることから、不特定物債務における債務者については、善管注意義務を負わないこととなります。

不特定物債務における債務者は、同種の物が市場に存在する限り、いつまでも調達しなければならないという非常に重い調達義務を負っているといえます。そこで、債務者が物の給付をするのに必要な行為を完了した場合や、債権者の同意を得てその給付すべき物を指定した場合には、債権の目的物を特定の物に限定し、その調達義務から債務者が解放されることとされています（民法第401条第2項）。なお、不特定物を目的として契約をしただけでは、契約の目的物が特定していないことから、所有権の移転は生じません。

特定が生じるのは、先述したように、債務者が物の給付をするのに必要な行為を完了した時点や、債権者の同意を得てその給付すべき物を指定した時点となります。特に、前者である物の給付をするための必要な行為を完了した時点については、後述する持参債務の場合と取立債務の場合とでは、目的物の特定方法が異なるため、注意が必要となります。

目的物が特定されると、特定物債務とほぼ同様に扱われることとなります。具体的には、まず、目的物の所有権が債務者から債権者に移転することとなります。また、契約等の債権の発生原因や社会通念に照らして、通常の品質が想定できる場合には、その品質で引渡しをすることを要しますが、通常の品質が想定できない場合には、その引渡しをすべき時の現状でその物の引渡しをすることとなります（民法第483条）。加えて、債務者は、善管注意義務を負うこととなります（民法第400条）。以上のことから、特定によって、調達義務からは解放されますが（民法第401条第2項）、滅失や損傷の責任が債務者にある場合には、債務者は、債務不履行責任を負うこととなります（民法第415条）。

対して、目的物が特定されていない間、つまり、不特定物債務のままである間に、引渡しをされた物に瑕疵があった場合には、債務の本旨に従った履行とはいえないことから、債権者は債務者に対して、代物請求や修補請求等の完全な給付を請求することができます。

また、不特定物債務には、不特定物を給付すべき範囲に制限が設けられている制限種類物債務があります。

制限種類物債務の場合については、その範囲にある目的物がなくなれば、たとえ市場での調達が可能であるとしても、その範囲内においてはもはや調達不可能となることから、債務者はその時点で債務不履行責任を負うこととなります。つまり、不特定物を給付すべき範囲も制限されていますが、調達義務についても制限されているという点で、通常の不特定物債務とは異なるのです。

B　持参債務と取立債務

a　持参債務

持参債務とは、債務者が債権者の住所地でその債務を履行すべきとされている債務のことをいいます。つまり、債務者が債権者の住所地まで、その目的物を持参するという債務のことをいいます。

持参債務の場合における不特定物の特定については、債務の本旨に従った現実の提供を行った時点で特定するとされています。つまり、債務者が債権者の住所地に目的物を持参し、その目的物を提供した時点で特定することとなります。

b　取立債務

取立債務とは、債務者が自らの住所地でその債務を履行すべきとされている債務のことをいいます。つまり、債権者が債務者の住所地まで、その目的物を取り立てるという債務のことをいいます。

契約当事者間で、持参債務か取立債務かの別段の意思表示がない場合には、特定物の引渡しについては、債権発生時にその特定物が存在した場所において、不特定物の引渡しについては、債権者の現住所においてしなければならないとされています（民法第484条[222]第1項）。

取立債務の場合における不特定物の特定については、債務者が目的物を他の物から分離し、引渡しの準備をし、このことを債権者に対して通知を行った時点で特定するとされています。つまり、債務者が、その目的物を分離し・準備し・債権者に対して通知した時点で特定することとなります。

222　【民法第484条】

1　弁済をすべき場所について別段の意思表示がないときは、特定物の引渡しは債権発生の時にその物が存在した場所において、その他の弁済は債権者の現在の住所において、それぞれしなければならない。

2　法令又は慣習により取引時間の定めがあるときは、その取引時間内に限り、弁済をし、又は弁済の請求をすることができる。

C 金銭債務

金銭債務とは、一定額の金銭の引渡しを目的とする債務のことをいいます。

債権の目的物が金銭である場合には、債務者は、その選択に従って、各種の通貨で弁済することができます（民法第402条[223]第1項本文）。但し、特定の種類の通貨の給付を債権の目的とした場合については、その特定の種類の通貨の給付をもって弁済しなければなりません（民法第402条第1項但書）。また、その特定の種類の通貨が弁済期に強制通用の効力を失っている場合には、債務者は、他の通貨で弁済をしなければなりません（民法第402条第2項）。以上のことは、外国の通貨の給付を債権の目的とした場合についても同様となります（民法第402条第3項）。

金銭債務は、常に履行遅滞となります。その損害賠償の額は、債務者が遅滞の責任を負った最初の時点における法定利率によって決まります（民法第419条[224]第1項本文）。但し、約定利率が法定利率を超える場合には、約定利率によって決まります（民法第419条第1項但書）。また、金銭債務における履行遅滞への損害賠償については、債権者の側は、損害の証明をする必要がなく（民法第419条第2項）、損害賠償の請求をすることができ、債務者の側は、不可抗力をもって抗弁とすることができません（民法第419条第3項）。

D 利息債務

利息債務とは、利息の支払いを目的とする債務のことをいいます。

---

223 【民法第402条】

1 債権の目的物が金銭であるときは、債務者は、その選択に従い、各種の通貨で弁済をすることができる。ただし、特定の種類の通貨の給付を債権の目的としたときは、この限りでない。

2 債権の目的物である特定の種類の通貨が弁済期に強制通用の効力を失っているときは、債務者は、他の通貨で弁済をしなければならない。

3 前二項の規定は、外国の通貨の給付を債権の目的とした場合について準用する。

224 【民法第419条】

1 金銭の給付を目的とする債務の不履行については、その損害賠償の額は、債務者が遅滞の責任を負った最初の時点における法定利率によって定める。ただし、約定利率が法定利率を超えるときは、約定利率による。

2 前項の損害賠償については、債権者は、損害の証明をすることを要しない。

3 第一項の損害賠償については、債務者は、不可抗力をもって抗弁とすることができない。

利息債務は、契約によって決まる約定利息と法律の規定により決められている法定利息とがあり、約定利息の利率は、契約によって決めますが（約定利率）、契約によって利率を決めていない場合には、法律の規定によって決まります（法定利率）。法定利息の利率は、法律に別段の規定がない場合には、法定利率となります。なお、民法は、法定利率について変動制を採用しており、利息を生じるべき債権について、別段の意思表示がない場合には、その利率は、その利息が生じた最初の時点における法定利率によるとし（民法第404条[225]第１項）、その法定利率は年３％であり（民法第404条第２項）、法務省令の規定によって、３年を１期として、１期ごとに変動します（民法第404条第３項）。

また、債務者が利息の支払を１年分以上延滞した場合において、債権者が催告をしたのにも拘らず、債務者がその利息を支払わなければ、債権者は、一方的な意思表示によって、利息を元本に組み入れることができます（民法第405条[226]）。このように、利息を元本に組み入れて、元本の一部として重ねて利息を付けることを重利といいます。

225 【民法第404条】

１ 利息を生ずべき債権について別段の意思表示がないときは、その利率は、その利息が生じた最初の時点における法定利率による。

２ 法定利率は、年三パーセントとする。

３ 前項の規定にかかわらず、法定利率は、法務省令で定めるところにより、三年を一期とし、一期ごとに、次項の規定により変動するものとする。

４ 各期における法定利率は、この項の規定により法定利率に変動があった期のうち直近のもの（以下この項において「直近変動期」という。）における基準割合と当期における基準割合との差に相当する割合（その割合に一パーセント未満の端数があるときは、これを切り捨てる。）を直近変動期における法定利率に加算し、又は減算した割合とする。

５ 前項に規定する「基準割合」とは、法務省令で定めるところにより、各期の初日の属する年の六年前の年の一月から前々年の十二月までの各月における短期貸付けの平均利率（当該各月において銀行が新たに行った貸付け（貸付期間が一年未満のものに限る。）に係る利率の平均をいう。）の合計を六十で除して計算した割合（その割合に〇・一パーセント未満の端数があるときは、これを切り捨てる。）として法務大臣が告示するものをいう。

226 【民法第405条】

利息の支払が一年分以上延滞した場合において、債権者が催告をしても、債務者がその利息を支払わないときは、債権者は、これを元本に組み入れることができる。

E 選択債務

選択債務とは、数個の給付の中から選択によって決まる１つの給付を目的とする債務のことをいいます。

選択債務における選択権者は、当事者間に特に合意がない場合には、債務者となります（民法第406条[227]）。

当事者間の合意がある場合については、債権者や第三者に与えることもできます。選択権者（債務者または債権者）が弁済期を渡過したのにその選択権を行使しないので、相手方（債権者または債務者）が選択についての催告をしたのにも拘らず、その選択権者が選択権を行使しなかった場合には、選択権は相手方に移転します（民法第408条[228]）。第三者に選択権がある場合に、その第三者が弁済期を渡過したのにその選択権を行使しなければ、選択権は債務者に移転します（民法第409条[229]第２項）。この場合、当事者からの催促は必要ありません。

当事者（債務者または債権者）に選択権がある場合には、選択権の行使は、相手方（債権者または債務者）に対する意思表示によって行います（民法第407条[230]第１項）。また、撤回する場合には、相手方の承諾が必要となります（民法第407条第２項）。

第三者に選択権がある場合には、選択権の行使は、債権者または債務者に対する意思表示によって行います（民法第409条第１項）。また、撤回する場合には、双方の承諾が必要となります（民法第407条第２項）。

227 【民法第406条】
債権の目的が数個の給付の中から選択によって定まるときは、その選択権は、債務者に属する。

228 【民法第408条】
債権が弁済期にある場合において、相手方から相当の期間を定めて催告をしても、選択権を有する当事者がその期間内に選択をしないときは、その選択権は、相手方に移転する。

229 【民法第409条】
1 第三者が選択をすべき場合には、その選択は、債権者又は債務者に対する意思表示によってする。
2 前項に規定する場合において、第三者が選択をすることができず、又は選択をする意思を有しないときは、選択権は、債務者に移転する。

230 【民法第407条】
1 前条の選択権は、相手方に対する意思表示によって行使する。
2 前項の意思表示は、相手方の承諾を得なければ、撤回することができない。

選択権を行使すると、選択権の行使時ではなく、債権発生時に遡ってその効力を生じることとなります（民法第411条[231]本文）。

選択をすべき目的物の一方について、選択権を有する者の過失によって履行不能となった場合には、契約の目的物は、自動的に他の一方に特定することとなります（民法第410条[232]）。このことは、選択権を有していない者の過失によって不能となった場合については、他の一方には特定せず、選択権者はなお履行不能となった物の給付をすることができるということも意味しています。

②　なす債務

なす債務とは、一定の行為をなすこと（作為）、または、一定の行為をなさないこと（不作為）を内容とする債務のことをいいます。

A　代替債務

代替債務とは、債務者以外の者の行為によっても債務の目的を達成できる債務のことをいいます。

B　不代替債務

不代替債務とは、債務者以外の者の行為によっては債務の目的が達成できない債務のことをいいます。

（３）債務不履行

①　債務不履行の意義と効果

債務不履行とは、債務者が自らの責めに帰すべき事由（帰責事由）によって、債務の本旨（本来あるべき姿）に従った債務を履行しないことをいいます。債務の本旨に従った履行をしないこととは、締結した契約の内容に従った履行がなされていないことを意味しており、そのような履行がされた場合やそもそも履行がされていない場合に債務不履行となります。

231　【民法第411条】
選択は、債権の発生の時にさかのぼってその効力を生ずる。ただし、第三者の権利を害することはできない。

232　【民法第410条】
債権の目的である給付の中に不能のものがある場合において、その不能が選択権を有する者の過失によるものであるときは、債権は、その残存するものについて存在する。

債務不履行であると認められた場合、つまり、債務者がその債務の本旨に従った履行をしないこと、または、債務の履行が不能であることという要件を充たすと、債権者は、これによって生じた損害の賠償を請求することが可能となります（民法第415条[233]第1項本文）。

但し、債務不履行について、契約等の債権の発生原因や社会通念に照らして、債務者の責めに帰することができない事由によるものである場合には、債務者は、損害賠償の責任を負わないこととなります（民法第415条第1項但書）。

② 債務不履行の種類

A 履行不能

履行不能とは、債務者が債務を履行することが、契約等の債権の発生原因や社会通念に照らして、不可能となったことにより、債務不履行となっていることをいいます（民法第412条の2[234]）。

履行不能においては、①履行が不可能であること、②債務者の責めに帰すべき事由によること、③履行が不可能であることが違法であること、④損害が発生していること、⑤履行が不可能であることと損害との間に因果関係があることの5つの要件を充たすと成立することとなります。

233 【民法第415条】

1 債務者がその債務の本旨に従った履行をしないとき又は債務の履行が不能であるときは、債権者は、これによって生じた損害の賠償を請求することができる。ただし、その債務の不履行が契約その他の債務の発生原因及び取引上の社会通念に照らして債務者の責めに帰することができない事由によるものであるときは、この限りでない。

2 前項の規定により損害賠償の請求をすることができる場合において、債権者は、次に掲げるときは、債務の履行に代わる損害賠償の請求をすることができる。

一 債務の履行が不能であるとき。

二 債務者がその債務の履行を拒絶する意思を明確に表示したとき。

三 債務が契約によって生じたものである場合において、その契約が解除され、又は債務の不履行による契約の解除権が発生したとき。

234 【民法第412条の2】

1 債務の履行が契約その他の債務の発生原因及び取引上の社会通念に照らして不能であるときは、債権者は、その債務の履行を請求することができない。

2 契約に基づく債務の履行がその契約の成立の時に不能であったことは、第四百十五条の規定によりその履行の不能によって生じた損害の賠償を請求することを妨げない。

履行が不可能であることについては、給付が物理的に不可能になった場合以外に、給付をすることが物理的には可能であっても法律によって禁止されている場合や、契約等の債務の発生原因や社会通念に照らして履行をすることが期待できない場合も含みます。

履行不能が認められる場合には、債権者はその債務の履行を請求することができなくなります（民法第412条の２第１項）。その結果、債権者は、債務の履行に代わる損害賠償の請求をすることができるようになります（民法第415条第２項第１号）。また、契約に基づく債務の履行が、その契約の成立時に既に不能であった場合には、債権者は債務者に対して、履行不能により生じた損害の賠償を請求することができます（民法第412条の２第２項）。

また、債権者は、債務の履行が不能となった場合において、債務者が履行不能を生じさせたのと同一の原因によって、履行の目的物に代わる権利や利益を得たときには、自らが受けた損害の額の限度において、債務者に対して、代償の償還を求めることができます（民法第422条の２[235]）。これを代償請求権といいます。

B　履行遅滞

履行遅滞とは、債務者が債務を履行期に履行することが可能であるにも拘わらず、それをしないで、その履行期を渡過したことにより、債務不履行となっていることをいいます（民法第412条[236]）。

履行期とは、その債務の履行をしなければならない期間のことをいいます。

235　【民法第422条の２】

債務者が、その債務の履行が不能となったのと同一の原因により債務の目的物の代償である権利又は利益を取得したときは、債権者は、その受けた損害の額の限度において、債務者に対し、その権利の移転又はその利益の償還を請求することができる。

236　【民法第412条】

１　債務の履行について確定期限があるときは、債務者は、その期限の到来した時から遅滞の責任を負う。

２　債務の履行について不確定期限があるときは、債務者は、その期限の到来した後に履行の請求を受けた時又はその期限の到来したことを知った時のいずれか早い時から遅滞の責任を負う。

３　債務の履行について期限を定めなかったときは、債務者は、履行の請求を受けた時から遅滞の責任を負う。

履行遅滞においては、①債務が履行期に履行可能なこと、②履行期を渡過したこと、③履行の遅滞が債務者の責めに帰すべき事由に基づくこと、④履行をしないことが違法であることの４つの要件を充たすと成立することとなります。

履行期については、確定期限のある債務の場合は、期限到来の時点（民法第412条第１項）、不確定期限のある債務の場合は、期限が到来し、債務者が期限の到来を知った時点、または、期限が到来した後に債権者が債務者に対して請求をした時点（民法第412条第２項）、期限の設定のない債務の場合は、債務者が履行の請求を受けた時点となります（民法第412条第３項）。

履行遅滞が認められる場合には、債権者は、債務の履行に代わる損害賠償の請求をすることができるようになります(民法第415条第２項第１号)。

また、債務者が、その債務について履行遅滞の責任を負っている最中に、当事者双方の責めに帰することができない事由によりその債務の履行が不能となった場合には、その履行の不能は、債務者の責めに帰すべき事由によるものとみなされます（民法第413条の２[237]第１項)。

対して、債務者が履行期に履行の提供をしたのにも拘わらず、債権者がその受領を拒み、または、その受領をすることができないことを受領遅滞といいますが、受領遅滞の最中に、当事者双方の責めに帰することができない事由によりその債務の履行が不能となった場合には、履行の不能は、債権者の責めに帰すべき事由によるものとみなされます（民法第413条の２第２項)。

C　不完全履行

不完全履行とは、債務者が、履行期を渡過することなく、その債務を履行したことには履行したが、その履行した債務が債務の本旨に従った債務というには不完全であることにより、債務不履行となっていることをいいます。

237　【民法第413条の２】

１　債務者がその債務について遅滞の責任を負っている間に当事者双方の責めに帰することができない事由によってその債務の履行が不能となったときは、その履行の不能は、債務者の責めに帰すべき事由によるものとみなす。

２　債権者が債務の履行を受けることを拒み、又は受けることができない場合において、履行の提供があった時以後に当事者双方の責めに帰することができない事由によってその債務の履行が不能となったときは、その履行の不能は、債権者の責めに帰すべき事由によるものとみなす。

不完全履行においては、①履行があったがその履行が不完全であったこと、②債務者の責めに帰すべき事由があること、③不完全履行が違法であることの３つの要件を充たすと成立することとなります。

不完全履行が認められる場合には、その追完（不完全履行を完全な履行とすること）が可能な場合と不可能な場合とで効果が異なります。追完が可能な場合は、債権者は、債務者に対して、損害賠償の請求、または、追完、つまり、目的物の修補の請求・代替物の引渡しの請求・不足分の引渡しの請求を行うこととなります。対して、追完が不可能な場合には、履行不能の場合に準じて損害賠償の請求を行うこととなります。

③　債務不履行に基づく損害賠償の種類・範囲・方法・算定基準時

A　債務不履行に基づく損害賠償の種類

債務不履行を理由とする損害賠償には、填補賠償と遅延賠償の２種類があります。

a　填補賠償

填補賠償とは、本来の履行に代わる損害賠償のことをいいます。

債務者が填補賠償を負うのは、①債務の履行が不能である場合（民法第 415 条第２項第 1 号）、②債務者がその債務の履行を拒絶する意思を明確に表示した場合（民法第 415 条第２項第２号）、③債務が契約によって生じたものであって、その契約が解除されたり、債務の不履行による契約の解除権が発生したりした場合（民法第 415 条第２項第３号）です。

b　遅延賠償

遅延賠償とは、本来の履行が遅れて行われたことにより生じた損害に対する賠償のことをいいます。

遅延賠償を請求する際には、何時をもって債務者が履行遅滞に陥るかが重要となります。履行遅滞に陥る時期については、確定期限のある債務の場合は、期限到来の時点（民法第 412 条第 1 項）、不確定期限のある債務の場合は、期限が到来し、債務者が期限の到来を知った時点、または、期限が到来した後に債権者が債務者に対して催告をした時点（民法第 412 条第２項）、期限の設定のない債務の場合は、債務者が履行の請求を受けた時点となります（民法第 412 条第３項）。

B　債務不履行に基づく損害賠償の範囲

債務者に債務不履行が認められた場合、債権者は損害賠償の請求ができることとなります。その際、債務者の責めに帰すべき事由（帰責事由）が要求されますが、債務者の側がないことを立証することとなります。

債務不履行が認められる場合、事実的因果関係から債権者の損害を認めてしまうと、その損害は無限に広がる危険性があります。その場合、その全損害を債務者に負担させることは、債務者にとって著しく酷なことであり、当事者間の公平に反することとなります。そこで、損害賠償の認められる範囲が規定されています。

また、債務者に債務不履行に基づく損害賠償を請求するためには、債務者の債務不履行と発生した損害との間に相当因果関係が成立している必要があります。

a 通常損害

通常損害とは、債務不履行によって現実に生じた損害のうち、債務不履行が認められたのであれば、一般的に生じると考えられる損害のことをいいます（民法第416条[238]第1項）。通常事情により生じた損害については、債務者は損害賠償責任を負うこととなります。

b 特別損害

特別損害とは、当事者がその事情を予見すべきであった場合について認められる損害のことをいいます（民法第416条第2項）。特別事情により生じた損害については、予見可能な場合に限り、債務者は損害賠償責任を負うこととなります。当事者とは、主に債務者のことを意味し、その事情とは、損害発生の起訴となる事情のことを意味します。予見すべきであるのはあくまでも事情のことであって、損害までを予見する必要はありません。また、予見すべき時期については、債務不履行のあった時であり、契約時ではありません。

C 債務不履行に基づく損害賠償の方法

損害賠償については、当事者間で別段の意思表示があればその方法で行うこととなりますが、当事者間で別段の意思表示がない場合には、金銭によってその損害を評価し、金銭によって賠償させる方法を採るのが原則となります（民法第417条[239]）。これを金銭賠償の原則といいます。

238 【民法第416条】
1 債務の不履行に対する損害賠償の請求は、これによって通常生ずべき損害の賠償をさせることをその目的とする。
2 特別の事情によって生じた損害であっても、当事者がその事情を予見すべきであったときは、債権者は、その賠償を請求することができる。

239 【民法第417条】
損害賠償は、別段の意思表示がないときは、金銭をもってその額を定める。

D　債務不履行に基づく損害賠償の算定基準時

債務不履行に基づく損害賠償の算定基準時については、原則として、履行不能の場合はその履行不能時、履行遅滞により解除された場合はその解除時、履行遅滞後に履行された場合はその履行時、履行の請求と同時にそれが不可能であれば履行に代わる損害賠償を請求するという場合は事実審の口頭弁論終結時となります。

④　債務不履行に基づく損害賠償の減額方法

A　過失相殺

過失相殺とは、債権者に過失があった場合に、その債権者の過失を考慮して、債権者の過失の程度に応じて債務者の損害賠償額を減額することをいいます。当事者間の公平の観点から認められるもので、裁判所は、必要的に、過失相殺をして、損害賠償の責任及びその額を決定しなければならないとされています。このことは、裁判所が、損害賠償額の減額をすることができるだけではなく、損害賠償責任自体をも否定できることを意味しています（民法第418条[240]）。

B　損益相殺

損益相殺とは、債権者が被害を被ったことと同時に、同一の原因において何らかの利益を得ていたという場合には、被った被害から得た利益を差し引いた上で損害賠償額を算定することをいいます。損益相殺については、明文の規定はありませんが、当事者間の公平を図る趣旨から認められています。

⑤　損害賠償額の予定

損害賠償額の予定とは、立証の困難を救済し、履行を間接的に強制するために、当事者があらかじめ債務不履行が発生した場合の損害賠償額を約定しておくことをいいます（民法第420条[241]第1項）。

240　【民法第418条】
債務の不履行又はこれによる損害の発生若しくは拡大に関して債権者に過失があったときは、裁判所は、これを考慮して、損害賠償の責任及びその額を定める。

241　【民法第420条】
1　当事者は、債務の不履行について損害賠償の額を予定することができる。
2　賠償額の予定は、履行の請求又は解除権の行使を妨げない。
3　違約金は、賠償額の予定と推定する。

損害賠償額の予定がされている場合には、債権者は債務不履行の事実のみ立証すれば、損害の発生や損害額の立証をしなくても予定賠償額の請求をすることができます（民法第 420 条第 1 項）。予定賠償額については、裁判所は、実際の損害額からみて過大であったり、過小であったりしても、その増減をすることは認められません。なお、損害賠償額の予定がされていた場合だとしても、履行の請求や解除権の行使をすることができます（民法第 420 条第２項）。また、損害賠償額の予定において、金銭ではない物を損害の賠償にあてるべき旨を予定することもできます（民法第 421 条[242]）。

違約金とは、債務不履行の場合において、債務者が債権者に支払うべきことを約束した金銭のことをいいますが、違約金は損害賠償額の予定であると推定されます（民法第 420 条第３項）。

⑥ 損害賠償による代位

損害賠償による代位とは、債権者が損害賠償としてその債権の目的である物や権利の価格の全部の支払いを受けた場合に、債務者がその物や権利について当然に債権者に代位することをいいます（民法第 422 条[243]）。この場合、債務者は、債権者からの債権譲渡を受けるまでもなく、法律上当然にその債権が移転することとなります。

⑦ 債務不履行に基づく契約の解除

解除とは、契約の締結後、その当事者の一方的な意思表示によって契約当初からその契約がなかったのと同様の状態に戻すことをいいます。

債務不履行が生じると、債権者は債務者に対して契約の解除をすることができます。このことは、債務不履行をされた債権者を契約の拘束力から解放することを意味します。つまり、債務不履行によって、債権者が契約を維持する利益や期待を既に失っている状態となっていることから、契約の拘束力から解放される権利を債権者に認めているのです。

242 【民法第 421 条】

前条の規定は、当事者が金銭でないものを損害の賠償に充てるべき旨を予定した場合について準用する。

243 【民法第 422 条】

債権者が、損害賠償として、その債権の目的である物又は権利の価額の全部の支払を受けたときは、債務者は、その物又は権利について当然に債権者に代位する。

この解除の制度は、損害賠償制度とは異なり、債務不履行を行った債務者に対する責任追及手段としてではなく、契約の拘束力からの離脱手段として設定されています。そのため、解除権を行使するためには、債務者の帰責事由は不要となります。

A 催告によらない解除

解除権の行使には、債務者に催告をして履行をする機会を与えるまでもなく、直ちに、契約の全部または一部の解除ができる場合があります（民法第542条[244]）

a 契約の全部を直ちに解除できる場合

債権者は、債務の全部が履行不能である場合（民法第542条第1項第1号）、債務者がその債務の全部の履行を拒絶する意思を明確に表示した場合（民法第542条第1項第2号）、債務の一部が履行不能または債務の一部の履行拒絶により残存部分のみでは契約目的が達成不可能な場合（民法第542条第1項第3号）、定期的な行為における履行がない場合（民法第542条第1項第4号）、債権者が催告をしても契約をした目的を達するのに足りる履行がされる見込みがないことが明らかである場合（民法第542条第1項第5号）には、催告をすることなく、直ちに、契約の全部の解除をすることができます（民法第542条第1項柱書）。

244 【民法第542条】

1 次に掲げる場合には、債権者は、前条の催告をすることなく、直ちに契約の解除をすることができる。

一 債務の全部の履行が不能であるとき。

二 債務者がその債務の全部の履行を拒絶する意思を明確に表示したとき。

三 債務の一部の履行が不能である場合又は債務者がその債務の一部の履行を拒絶する意思を明確に表示した場合において、残存する部分のみでは契約をした目的を達することができないとき。

四 契約の性質又は当事者の意思表示により、特定の日時又は一定の期間内に履行をしなければ契約をした目的を達することができない場合において、債務者が履行をしないでその時期を経過したとき。

五 前各号に掲げる場合のほか、債務者がその債務の履行をせず、債権者が前条の催告をしても契約をした目的を達するのに足りる履行がされる見込みがないことが明らかであるとき。

2 次に掲げる場合には、債権者は、前条の催告をすることなく、直ちに契約の一部の解除をすることができる。

一 債務の一部の履行が不能であるとき。

二 債務者がその債務の一部の履行を拒絶する意思を明確に表示したとき。

b 契約の一部を直ちに解除できる場合

債権者は、債権の一部が履行不能である場合（民法第542条第2項第1号)、債務者がその債務の全部についての履行を拒絶する意思を明確に表示した場合（民法第542条第2項第2号）には、催告をすることなく、直ちに、契約の一部の解除をすることができます（民法第542条第2項柱書)。

B 催告による解除

当事者の一方がその債務を履行しない場合において、相手方が相当の期間を設定しその履行の催告をし、その期間内に履行がないときは、その相手方は契約の解除をすることができます（民法第541条[245]本文)。

この場合、①債務者が債務の履行をしないこと（履行遅滞)、②相当の期間を設定した催告をしたこと、③この相当の期間内に債務者からの履行がないことの3つの要件を充たすと、解除権の行使をすることができます。催告が必要とされる趣旨は、債務者に対して翻意の機会を与えることにあります。催告をしたのにも拘らず、翻意もせず、履行をしない場合に、解除権が発生することとなります。また、相当の期間としたのは、債務の内容によって必要とする期間が異なるからです。また、履行遅滞が、その契約及び取引上の社会通念に照らして軽微である場合には、債権者は解除をすることができません（民法第541条但書)。

⑧ 履行の強制

履行の強制とは、債務者が任意に債務を履行しない場合に、債権者が裁判所に訴えを提起し、判決を得た上で、その債務者にその債務の履行を強制することができる制度のことをいいます（民法第414条[246]第1項本文)。

---

245 【民法第541条】

当事者の一方がその債務を履行しない場合において、相手方が相当の期間を定めてその履行の催告をし、その期間内に履行がないときは、相手方は、契約の解除をすることができる。ただし、その期間を経過した時における債務の不履行がその契約及び取引上の社会通念に照らして軽微であるときは、この限りでない。

246 【民法第414条】

1 債務者が任意に債務の履行をしないときは、債権者は、民事執行法その他強制執行の手続に関する法令の規定に従い、直接強制、代替執行、間接強制その他の方法による履行の強制を裁判所に請求することができる。ただし、債務の性質がこれを許さないときは、この限りでない。

2 前項の規定は、損害賠償の請求を妨げない。

この履行の強制の制度は、債権の効力の１つである強制力の顕れであるといえます。

履行の強制は、①債権が存在すること、②その債務が履行期にあること、③その債務の履行が可能であること、④債務の性質が履行の強制に適さないものではないことの４つの要件を充たすと行うことが可能となります。

履行の強制には、直接強制・代替執行・間接強制の３つの方法があります。

A　直接強制

直接強制とは、債務者の意思に拘わらず、国家の執行機関の強制力によって債務の内容をそのまま実現する履行の強制方法のことをいいます。金銭の支払い等の与える債務で主に用いられる履行の強制方法となります。

B　代替執行

代替執行とは、債権者または第三者が、債務者に代わって債務の内容を実現し、それに要した費用について債務者に取立てをする履行の強制方法のことをいいます。債務者のみが履行できる債務の場合には用いられず、当然に債権者でも第三者でも履行できる債務の場合でしか用いられない履行の強制方法となります。

C　間接強制

間接強制とは、債務者によって履行がなされるまで、債務者に対して相当程度の額の金銭の支払いを命じ、そのことによって債務者に心理的に圧迫を加えることにより、債務の内容を実現する履行の強制方法のことをいいます。直接強制や代替執行が可能な債務についても用いることができます。債務者に心理的な圧迫を与えても適切な債務の履行が望めない場合や、債務者が履行しようとしてもすぐに実現できない場合には、間接強制を用いることはできません。

（４）責任財産の保全

①　責任財産の保全の意義

責任財産の保全とは、債務者が債務の履行をしない場合に、強制執行の準備として、債務者の責任財産を確保することをいいます。

責任財産とは、強制執行の対象となる債務者の財産のことをいいます。責任財産は一般財産ともいわれます。

責任財産の保全は、本来、債務者が自己の財産を自由に処分できるという私的自治の原則の例外として特に認められており、民法上、債権者代位権と詐害行為取消権（債権者取消権）があります。

② 債権者代位権

A 債権者代位権の意義

債権者代位権とは、債権者が、自己の債権（被保全債権）について満足を得られない場合に、その債権を保全するために、債務者に帰属する権利（被代位権利）を債務者に代わって行使する制度のことをいいます（民法第423条[247]第1項本文）。債権者代位権は、債務者の責任財産の保全を図る機能を有し、もって被保全債権を保護することをその趣旨としています。

B 債権者代位権の行使が認められる要件

債権者代位権の行使が認められる要件としては、①被保全債権が強制執行によって実現することが可能であること（民法第423条第3項）、②被保全債権の履行期が到来していること（民法第423条第2項本文）、③債務者が無資力であること、④債務者が被代位権利の行使をしていないこと、⑤被代位権利が一身専属権や差押禁止債権ではないこと（民法第423条第1項但書）であり、すべて充たす必要があります。

α 被保全債権についての要件

あ 被保全債権が強制執行によって実現することが可能であること

債権者代位権は、自己の債権を保全するため（民法第423条第1項本文）に債権者に認められる制度であり、債権の対象となる財産である債務者の責任財産の保全を図ることによって、自己の債権である被保全債権の保全を図っていくこととなります。従って、この責任財産は、価値として把握できる債権であることから、強制執行により実現することが可能である必要があります（民法第423条第3項）。

い 被保全債権の履行期が到来していること

債権者は、その被保全債権の期限が到来しない間は、債権者代位権を行使することができない（民法第423条第2項本文）ことから、原則として、被保全債権の履行期が到来していることが必要となります。

247 【民法第423条】

1 債権者は、自己の債権を保全するため必要があるときは、債務者に属する権利（以下「被代位権利」という。）を行使することができる。ただし、債務者の一身に専属する権利及び差押えを禁じられた権利は、この限りでない。

2 債権者は、その債権の期限が到来しない間は、被代位権利を行使することができない。ただし、保存行為は、この限りでない。

3 債権者は、その債権が強制執行により実現することのできないものであるときは、被代位権利を行使することができない。

例外として、債務者の財産の現状を保つ行為である保存行為については、履行期が到来していなくとも行使することができます（民法第423条第2項但書）。

b 債務者についての要件

あ 債務者が無資力であること

債権者代位権は、責任財産の保全を図ることによって被担保債権の保全を図るために認められる制度であることから、原則として、その必要性が認められるような債務者が無資力である場合に限り代位行使を認めるべきです。

しかし、例外として、被保全債権が金銭債権以外の場合については、債務者に充分な資力があったとしても、その債権を保全する必要から、債務者についての無資力要件は要求されません。

い 債務者が被代位権利の行使をしていないこと

債権者代位権は、責任財産の保全を図ることによって被担保債権の保全を図るために認められる制度であることから、債務者が自ら既にその権利を行使しているのであれば、あえて債権者が債務者に代位する必要はないこととなります。つまり代位行使を認める必要はありません。

c 代位行使される権利についての要件（被代位権利が一身専属権や差押禁止債権ではないこと）

債権者代位権は、債権者が債務者に代わって第三債務者に対する権利を行使する制度であることから、債務者にその権利を行使するか否かについて個人的意思に委ねられているような一身に専属する権利（一身専属権）や差押禁止債権については代位行使される権利には該当しないとされています（民法第423条第1項但書）。

C 債権者代位権の行使の方法

a 債権者代位権の行使名義

債権者が債権者代位権を行使する際には、債権者が債務者の財産に対する管理権に基づいて行うこととなります。

従って、債権者代位権の行使については、債務者の名義で行うのではなく、債権者自身の名義によって行うこととなります。

b 債権者代位権の行使範囲

債権者代位権の行使については、債権者の具体的な債権を保全するためにあくまでも例外的に認められるものであることから、それに必要な範囲に限定されるべきです。

従って、債権者が被代位権利を行使するに際して、その被代位権利の目的が可分である場合には、債権者は、自己の債権の限度においてのみ、被代位権利を行使することが可能となります（民法第423条の2[248]）。

c　債権者代位権における直接請求の可否

債権者が債権者代位権を行使する場合は、原則として、第三債務者に債務者に対して履行をするように請求することができます。

しかし、金銭や動産の引渡しを目的としている場合には、債務者がそれを受領しないと、結局、債権者代位権の目的は達成されないこととなります。そこで、金銭や動産の引渡しを目的としている場合については、例外として、債権者は第三債務者に対して、目的物の引渡しを直接自己に対してするように請求できるとされています（民法第423条の3[249]）。

d　第三債務者の抗弁

第三債務者は、債務者に対して有していた抗弁を債権者に対しても主張することができます（民法第423条の4[250]）。

D　債権者代位権の行使の効果

債権者が債権者代位権を行使すると、原則として、その効果は直接債務者に帰属し、その目的物は、債権者以外の他の債権者をも含めた総債権者の共同担保となります。

しかし、例外として、被代位権利の目的物が、金銭の支払いや動産の引渡しである場合には、債権者が第三債務者に対して、その引渡しを直接自己にするように請求することができ、被保全債権との相殺を行うことが可能となることから、結果的に、事実上の優先弁済を受けることとなります。

248　【民法第423条の2】
債権者は、被代位権利を行使する場合において、被代位権利の目的が可分であるときは、自己の債権の額の限度においてのみ、被代位権利を行使することができる。

249　【民法第423条の3】
債権者は、被代位権利を行使する場合において、被代位権利が金銭の支払又は動産の引渡しを目的とするものであるときは、相手方に対し、その支払又は引渡しを自己に対してすることを求めることができる。この場合において、相手方が債権者に対してその支払又は引渡しをしたときは、被代位権利は、これによって消滅する。

250　【民法第423条の4】
債権者が被代位権利を行使したときは、相手方は、債務者に対して主張することができる抗弁をもって、債権者に対抗することができる。

③ 詐害行為取消権

A 詐害行為取消権の意義

詐害行為取消権とは、債務者が債権者を害することを認識しつつ、自己の財産に対して積極的に逸失させる行為をする場合に、債権者が、裁判所を通じて、債務者の行為（詐害行為）の効力を否定し、逸失した財産を第三者（受益者）から債務者の一般財産に取り戻す（取消しをする）制度のことをいいます（民法第424条[251]第1項本文）。詐害行為取消権は債権者取消権ともいいます。詐害行為取消権は債権者代位権と共通趣旨の制度です。

B 詐害行為取消権の行使が認められる要件

詐害行為取消訴訟の被告は、債務者ではなく、実際に利益を受けている受益者（民法第424条）、または、受益者からさらに利益を受けている転得者（民法第424条の5[252]）となります。民法上、詐害行為取消訴訟の被告が受益者である場合と転得者である場合とでは、詐害行為取消権の行使が認められる要件が異なるので注意を要します。

---

251 【民法第424条】

1 債権者は、債務者が債権者を害することを知ってした行為の取消しを裁判所に請求することができる。ただし、その行為によって利益を受けた者（以下この款において「受益者」という。）がその行為の時において債権者を害することを知らなかったときは、この限りでない。

2 前項の規定は、財産権を目的としない行為については、適用しない。

3 債権者は、その債権が第一項に規定する行為の前の原因に基づいて生じたものである場合に限り、同項の規定による請求（以下「詐害行為取消請求」という。）をすることができる。

4 債権者は、その債権が強制執行により実現することのできないものであるときは、詐害行為取消請求をすることができない。

252 【民法第424条の5】

債権者は、受益者に対して詐害行為取消請求をすることができる場合において、受益者に移転した財産を転得した者があるときは、次の各号に掲げる区分に応じ、それぞれ当該各号に定める場合に限り、その転得者に対しても、詐害行為取消請求をすることができる。

一 その転得者が受益者から転得した者である場合 その転得者が、転得の当時、債務者がした行為が債権者を害することを知っていたとき。

二 その転得者が他の転得者から転得した者である場合 その転得者及びその前に転得した全ての転得者が、それぞれの転得の当時、債務者がした行為が債権者を害することを知っていたとき。

詐害行為取消権の行使が認められる要件としては、①被保全債権が金銭債権であること、②債権者が被保全債権を詐害行為の前に取得していたこと（民法第424条第3項）、③債務者が無資力であること、④債務者が財産権を目的とする行為をしたこと（民法第424条第2項）、⑤詐害行為があること、⑥債務者に詐害の意思があること（民法第424条第1項本文）であり、これらに受益者が詐害行為取消訴訟の被告である場合は受益者が悪意であること（民法第424条第1項但書）、転得者が詐害行為取消訴訟の被告である場合は転得者が悪意であること（民法第424条の5）が加わり、すべて充たす必要があります。

い　債権者についての要件

イ　被保全債権が金銭債権であること

詐害行為取消権は、自己の債権を保全するために債権者に認められる制度であり、債権の対象となる財産である債務者の責任財産の保全を図ることにより、自己の債権である被保全債権の保全を図っていくこととなります。この責任財産は、強制執行によって実現することができる（民法第424条第4項）、価値として把握できる債権であることから、金銭的に満足が受けられる金銭債権であることが原則となります。

しかし、特定物債権も責任財産によって担保された債権であり、最終的には金銭債権に転化することができるものであるといえるため、詐害行為の時点で特定物債権が履行不能により金銭給付を目的とする債権に転じている場合には、特定物債権を被保全債権として詐害行為取消権を行使することも例外的に認められます。

ロ　債権者が被保全債権を詐害行為の前に取得していたこと

債権者は、その被保全債権を詐害行為の前に取得していなければ、詐害行為取消権を行使することができません。なぜなら、債権者が被保全債権を取得する前に、債務者が債権者を害することを知ってした法律行為（民法第424条第1項本文）というものが存在できないからです。ここで被保全債権を詐害行為の前に取得するとは、被保全債権の発生原因が詐害行為の前に生じたものであるということが必要となります（民法第424条第3項）。被保全債権の発生原因が詐害行為の前であるならば、被保全債権自体が詐害行為の後に発生したものであっても、それは詐害行為の前に取得していた被保全債権であるとなるので、債権者はこの債権を被保全債権として、詐害行為取消権を行使することができます。

ろ　債務者についての要件

イ　債務者が無資力であること

債権者が詐害行為取消権を行使するためには、債務者が債権者を害すること（民法第424条第1項本文）が必要となります。つまり、債務者の行為によって、責任財産が減少し、そのことによって債権者に完全な弁済をすることができない状態（無資力）に陥ることが必要となります（無資力要件）。なぜなら、債務を弁済するのに充分な資力がある場合には、取消しをする必要がないからです。この無資力要件については、債務者が詐害行為時に無資力であったことが必要であることは当然ですが、詐害行為取消権を行使した時点、つまり、事実審の口頭弁論終結時においても必要となります。

ロ　債務者が財産権を目的とする行為をしたこと

詐害行為取消権は、財産権を目的としない行為については、適用されません（民法第424条第2項）。相続の承認や放棄等の家族法上の行為によって財産状態が悪化したとしても、第三者がそのことに介入することは私的自治に反し妥当ではないことから、詐害行為取消権は、財産権を目的とする法律行為に限定して用いられます。但し、離婚に伴う財産分与が不相当に過大であり、財産分与に仮託された財産処分であると認められる場合については、不相当に過大な部分について詐害行為となり得ます。

ハ　詐害行為があること

詐害行為取消権を行使するには、債務者の行為が債権者を害する詐害行為である必要があります。

ニ　債務者に詐害の意思があること

債権者が詐害行為取消権を行使するためには、債務者が債権者を害することを知ってした行為（民法第424条第1項本文）が必要となります。つまり、債務者に詐害の意思があることが必要となります。

は　受益者または転得者についての要件

イ　受益者が悪意であること（受益者が被告となる場合）

その行為が詐害行為であったと認められるためには、債務者に詐害の意思があったこと（民法第424条第1項本文）のみならず、受益者がその詐害行為の当時、債務者の行った行為が債権者を害するという事実を知っていた（悪意）ことが必要となります（民法第424条第1項但書）。

ロ　転得者が悪意であること（転得者が被告となる場合）

i　当該転得者が受益者から転得した者である場合

詐害行為取消請求の相手方である転得者が、受益者から転得した者である場合には、受益者が悪意であることと、転得者がその転得の当時、債務者の行った行為が債権者を害するという事実を知っていた（悪意）ことが必要となります（民法第424条の５第１号）。

ii　当該転得者が他の転得者から転得した者である場合

詐害行為取消請求の相手方である転得者が、他の転得者から転得した者である場合には、受益者が悪意であることと、すべての転得者がそれぞれの転得の当時、債務者の行った行為が債権者を害するという事実を知っていた（悪意）ことが必要となります（民法第424条の５第２号）。

C　詐害行為取消権の行使の方法

a　詐害行為取消訴訟

詐害行為取消権は、債権者代位権の場合とは異なり、必ず、裁判上で行わなければなりません（民法第424条第１項本文）。

詐害行為取消権は、債権者代位権の場合とは異なり、他人間の法律行為の取消しをするという重大な効果を有することから、第三者にも行為が及ぶこととなるため、裁判所によって判断されることが適切であるからです。また、裁判所に請求することによって、詐害行為取消権によって、何の取消しをされ、何が再び責任財産に戻ったのかを他の債権者に対して公示することが可能となります。

b　詐害行為取消訴訟の被告

詐害行為取消訴訟の被告は、受益者に行使する場合は受益者（民法第424条の７[253]第１項第１号）、転得者に行使する場合はその詐害行為請求の相手方である転得者（民法第424条の７第１項第２号）となります。

253　【民法第424条の７】

１　詐害行為取消請求に係る訴えについては、次の各号に掲げる区分に応じ、それぞれ当該各号に定める者を被告とする。

一　受益者に対する詐害行為取消請求に係る訴え　受益者

二　転得者に対する詐害行為取消請求に係る訴え　その詐害行為取消請求の相手方である転得者

２　債権者は、詐害行為取消請求に係る訴えを提起したときは、遅滞なく、債務者に対し、訴訟告知をしなければならない。

c 訴訟告知義務

詐害行為取消請求を認容する確定判決は、債務者に対してもその効力を有することから（民法第 425 条[254]）、債権者は、詐害行為取消訴訟を提起した場合には、遅滞なく、債務者に対して訴訟告知を行わなければなりません（民法第 424 条の７第２項）。

D 詐害行為取消権の行使の効果

詐害行為によって逸失した財産が金銭や動産である場合には、詐害行為取消権を行使する債権者は、被告である受益者や転得者に対して、自己に直接金銭の支払いや動産の引渡しをするように請求することができます（民法第 424 条の９[255]）。その結果、自己の被保全債権と相殺することによって、事実上の優先弁済を受けることとなります。

（5）多数当事者の債権及び債務

多数当事者の債権及び債務とは、同一の給付を目的とする債権または債務が、複数の者に帰属している場合の関係のことをいいます。

① 分割債権及び分割債務

１つの債権及び債務について、相続等によって複数の当事者が生じた場合には、別段の意思表示がなければ、債権及び債務は分割可能である限り、それぞれ等しい割合で分割されることとなります（民法第 427 条[256]）。

254 【民法第 425 条】
詐害行為取消請求を認容する確定判決は、債務者及びその全ての債権者に対してもその効力を有する。

255 【民法第 424 条の９】
１ 債権者は、第四百二十四条の六第一項前段又は第二項前段の規定により受益者又は転得者に対して財産の返還を請求する場合において、その返還の請求が金銭の支払又は動産の引渡しを求めるものであるときは、受益者に対してその支払又は引渡しを、転得者に対してその引渡しを、自己に対してすることを求めることができる。この場合において、受益者又は転得者は、債権者に対してその支払又は引渡しをしたときは、債務者に対してその支払又は引渡しをすることを要しない。
２ 債権者が第四百二十四条の六第一項後段又は第二項後段の規定により受益者又は転得者に対して価額の償還を請求する場合についても、前項と同様とする。

256 【民法第 427 条】
数人の債権者又は債務者がある場合において、別段の意思表示がないときは、各債権者又は各債務者は、それぞれ等しい割合で権利を有し、又は義務を負う。

② 連帯債務

連帯債務関係とは、数人の債務者が、同一内容の債務について各々が独立にすべてを履行する義務を負い、そのうちの1人が履行をすることによって、他の債務者も債務を免れる関係のことをいいます。

連帯債務は、債務の目的がその性質上可分である場合において、法律の規定や法律行為によって成立します（民法第436条[257]）。

A 対外的関係

連帯債務においては、債権者は、連帯債務者の1人に対し、または、同時に、もしくは、順次に、すべての連帯債務者に対して、全部または一部の履行を請求することができます（民法第436条）。つまり、1人の債務者が債務の全部を履行すると、他の債務者は債務の履行義務を免れることとなります。

B 対内的関係

a 1人について生じた事由

い 相対的効力

相対的効力とは、複数の債権者または複数の債務者のうちの1人について生じた事由が、他の債権者または債務者には影響を及ぼさない場合のことをいいます。連帯債務については、原則として、絶対的効力が認められる以外は相対的効力しか有しません（民法第441条[258]）。

ろ 絶対的効力

絶対的効力とは、複数の債権者または複数の債務者のうちの1人について生じた事由が、他の債権者または債務者に影響を及ぼす場合のことをいいます。連帯債務については、例外として、弁済に関する事項・更改・相殺・混同の場合に限り、絶対的効力が認められています。

---

257 【民法第436条】

債務の目的がその性質上可分である場合において、法令の規定又は当事者の意思表示によって数人が連帯して債務を負担するときは、債権者は、その連帯債務者の一人に対し、又は同時に若しくは順次に全ての連帯債務者に対し、全部又は一部の履行を請求することができる。

258 【民法第441条】

第四百三十八条、第四百三十九条第一項及び前条に規定する場合を除き、連帯債務者の一人について生じた事由は、他の連帯債務者に対してその効力を生じない。ただし、債権者及び他の連帯債務者の一人が別段の意思を表示したときは、当該他の連帯債務者に対する効力は、その意思に従う。

イ　弁済に関する事項

弁済に関する事項（弁済・代物弁済・供託）については、絶対的効力があるとされています。つまり、連帯債務者の１人が弁済に関する事項について法律行為をした場合には、他の連帯債務者もその影響を受けることとなります。

ロ　更改

更改とは、債権者と債務者との間において、債務の要素（債権者・債務者・債務の内容）を変更することによって新たな債務を成立させ、従前の債務を消滅させることをいいます（民法第513条[259]）。

連帯債務者の１人と債権者との間に更改があった場合は、その更改には絶対的効力があるとされており、債権は、すべての連帯債務者の利益のために消滅します（民法第438条[260]）。

ハ　相殺

相殺とは、債務者及び債権者が相互に同種の目的を有する債務を負担している場合に、双方の債務について弁済期が到来しているのであれば、双方の債務を対等額において消滅させることができるという一方的な意思表示のことをいいます（民法第505条[261]第１項）。相殺がなされると、弁済をしたのと同様の効果が生じることとなります。

259　【民法第513条】

当事者が従前の債務に代えて、新たな債務であって次に掲げるものを発生させる契約をしたときは、従前の債務は、更改によって消滅する。

一　従前の給付の内容について重要な変更をするもの

二　従前の債務者が第三者と交替するもの

三　従前の債権者が第三者と交替するもの

260　【民法第438条】

連帯債務者の一人と債権者との間に更改があったときは、債権は、全ての連帯債務者の利益のために消滅する。

261　【民法第505条】

１　二人が互いに同種の目的を有する債務を負担する場合において、双方の債務が弁済期にあるときは、各債務者は、その対当額について相殺によってその債務を免れることができる。ただし、債務の性質がこれを許さないときは、この限りでない。

２　前項の規定にかかわらず、当事者が相殺を禁止し、又は制限する旨の意思表示をした場合には、その意思表示は、第三者がこれを知り、又は重大な過失によって知らなかったときに限り、その第三者に対抗することができる。

連帯債務者の１人が債権者に対して債権を有しており、その連帯債務者が相殺を援用した場合には、その相殺には絶対的効力があるとされており、債権は、すべての連帯債務者の利益のために消滅します（民法第439条[262]第１項）。

また、連帯債務者の１人が債権者に対して債権を有しており、その連帯債務者が相殺を援用しない間には、その連帯債務者の負担部分についてのみ他の連帯債務者が相殺を援用することができることとなります（民法第439条第２項）。

二　混同

混同とは、債権及び債務が同一人に帰属することをいい、通常、１人が債権者兼債務者となった場合には、その債権の存在を認める理由は乏しいこととなるため、混同が起こるとその債権は消滅することとなります（民法第520条[263]本文）。但し、その債権が第三者の権利の目的である場合には、混同は起こらず、債権は存続することとなります（民法第520条但書）。

連帯債務者の１人と債権者との間に混同があった場合には、その混同には絶対的効力があるとされており、その連帯債務者は、弁済をしたものとみなされます（民法第440条[264]）。

b　求償関係

求償関係とは、求償権を行使することができる関係のことをいいます。

求償権とは、連帯債務者の１人がその債務の全額を弁済した場合には、その債務者が、他の連帯債務者に対して、あらかじめ約定された負担部分に応じて求償できる権利のことをいいます。

262　【民法第439条】

１　連帯債務者の一人が債権者に対して債権を有する場合において、その連帯債務者が相殺を援用したときは、債権は、全ての連帯債務者の利益のために消滅する。

２　前項の債権を有する連帯債務者が相殺を援用しない間は、その連帯債務者の負担部分の限度において、他の連帯債務者は、債権者に対して債務の履行を拒むことができる。

263　【民法第520条】

債権及び債務が同一人に帰属したときは、その債権は、消滅する。ただし、その債権が第三者の権利の目的であるときは、この限りでない。

264　【民法第440条】

連帯債務者の一人と債権者との間に混同があったときは、その連帯債務者は、弁済をしたものとみなす。

連帯債務者の１人が弁済をし、その他自己の財産をもって共同の免責を得た場合には、その連帯債務者は、その免責を得た額が自己の負担部分を超えるかどうかに拘らず、他の連帯債務者に対して、その免責を得るために支出した財産の額のうち各自の負担部分に応じた額の求償権を有することとなります（民法第442条[265]第１項）。

連帯債務者の１人が債務を弁済する等によって、総債務者のために共同の免責を受けた場合の他の債務者に対して求償することができる範囲については、共同の免責を受けた額・免責があった日以後の法定利息・避けることができなかった費用・その他の損害の賠償を包含します（民法第442条第２項）。

また、連帯債務者が弁済等をする場合には、原則として、他の連帯債務者に事前及び事後の通知が必要となります。この通知を欠いて弁済をした場合には、他の連帯債務者は、債権者に対抗することができる事由があれば、その負担部分について、その事由をもってその弁済をした連帯債務者に対抗することができます（民法第443条[266]第１項前段）。

265 【民法第442条】

１ 連帯債務者の一人が弁済をし、その他自己の財産をもって共同の免責を得たときは、その連帯債務者は、その免責を得た額が自己の負担部分を超えるかどうかにかかわらず、他の連帯債務者に対し、その免責を得るために支出した財産の額（その財産の額が共同の免責を得た額を超える場合にあっては、その免責を得た額）のうち各自の負担部分に応じた額の求償権を有する。

２ 前項の規定による求償は、弁済その他免責があった日以後の法定利息及び避けることができなかった費用その他の損害の賠償を包含する。

266 【民法第443条】

１ 他の連帯債務者があることを知りながら、連帯債務者の一人が共同の免責を得ることを他の連帯債務者に通知しないで弁済をし、その他自己の財産をもって共同の免責を得た場合において、他の連帯債務者は、債権者に対抗することができる事由を有していたときは、その負担部分について、その事由をもってその免責を得た連帯債務者に対抗することができる。この場合において、相殺をもってその免責を得た連帯債務者に対抗したときは、その連帯債務者は、債権者に対し、相殺によって消滅すべきであった債務の履行を請求することができる。

２ 弁済をし、その他自己の財産をもって共同の免責を得た連帯債務者が、他の連帯債務者があることを知りながらその免責を得たことを他の連帯債務者に通知することを怠ったため、他の連帯債務者が善意で弁済その他自己の財産をもって免責を得るための行為をしたときは、当該他の連帯債務者は、その免責を得るための行為を有効であったものとみなすことができる。

弁済したことの通知を怠った場合には、他の連帯債務者がその弁済について善意であり、そのことによって重ねて弁済をしてしまったら、重ねて弁済をしてしまった連帯債務者は、自己のためにした行為を有効であったものとみなすことができます（民法第443条第２項）。つまり、最初に弁済をした連帯債務者から、重ねて弁済をした連帯債務者に対する求償は認められないこととなるのです。

もし、連帯債務者の中に、その債務を償還するだけの資力のない者がいる場合には、その償還をすることができない部分については、求償者及び他の資力のある債務者の間で、各自の負担部分に応じて分割して負担することとなります（民法第444条[267]第１項）。また、負担部分を有する者が無資力となった者であった場合には、残りの連帯債務者間で平等に負担することとなります（民法第444条第２項）。なお、求償者に過失がある場合には、他の連帯債務者に対して分担の請求はできません（民法第444条第３項）。

C　連帯免除

連帯免除とは、債権者と個々の連帯債務者との関係において、対外的な債務の額を当該債務者の負担分に該当する額に限定して、それ以上は請求しないようにすることをいいます。

a　絶対的連帯免除

絶対的連帯免除とは、すべての連帯債務者について全部給付義務を解体した上で、対外的な債務の額を各自の負担分に限定する場合のことをいいます。

絶対的連帯免除がなされると、連帯債務は分割債務となります。その結果、各債務者は、各自の負担部分に対応する額についてだけ債権者に責任を負うこととなります。そのため、債務者間に存在した求償関係も消滅することとなります。

267　【民法第444条】

1　連帯債務者の中に償還をする資力のない者があるときは、その償還をすることができない部分は、求償者及び他の資力のある者の間で、各自の負担部分に応じて分割して負担する。

2　前項に規定する場合において、求償者及び他の資力のある者がいずれも負担部分を有しない者であるときは、その償還をすることができない部分は、求償者及び他の資力のある者の間で、等しい割合で分割して負担する。

3　前二項の規定にかかわらず、償還を受けることができないことについて求償者に過失があるときは、他の連帯債務者に対して分担を請求することができない。

b 相対的連帯免除

相対的連帯免除とは、一部の連帯債務者についての対外的な債務の額を当該債務者の負担部分に限定する場合のことをいいます。

相対的連帯免除がなされると、連帯免除を受けた債務者の債務だけが負担部分の額に縮減されることとなります。その結果、残りの連帯債務者の債務の額には影響を与えずに、その債務者たちはそのまま連帯して全額給付の責任を負うこととなります。そのため、残りの連帯債務者間には求償関係が存続することとなります。

③ 連帯債権

連帯債権関係とは、数人の債権者が、同一内容の債権について各々が独立にすべての履行を請求する権利を有し、債務者はすべての債権者のために各債権者に対して履行をすることができる関係のことをいいます。

連帯債権は、債務の目的がその性質上可分である場合において、法律の規定や法律行為によって成立します（民法第432条[268]）。

A 対外的関係

連帯債権においては、債務者は、すべての債権者のために、連帯債権者の1人に対して履行をすることができます（民法第432条）。

B 対内的関係

a 相対的効力

連帯債権については、原則として、絶対的効力が認められる以外は相対的効力しか有しません（民法第435条の2[269]）。

b 絶対的効力

連帯債権については、例外として、更改または免除・相殺・混同の場合に限り、絶対的効力が認められています。

---

268 【民法第432条】
債権の目的がその性質上可分である場合において、法令の規定又は当事者の意思表示によって数人が連帯して債権を有するときは、各債権者は、全ての債権者のために全部又は一部の履行を請求することができ、債務者は、全ての債権者のために各債権者に対して履行をすることができる。

269 【民法第435条の2】
第四百三十二条から前条までに規定する場合を除き、連帯債権者の一人の行為又は一人について生じた事由は、他の連帯債権者に対してその効力を生じない。ただし、他の連帯債権者の一人及び債務者が別段の意思を表示したときは、当該他の連帯債権者に対する効力は、その意思に従う。

い　更改または免除

更改または免除については、絶対的効力があるとされています。つまり、連帯債権者の１人と債務者との間に更改や免除があった場合には、その連帯債権者がその権利を失わなければ分与されるべき利益がある部分については、他の連帯債権者は債務者に対して履行を請求できなくなります（民法第433条[270]）。

なお、免除とは、債権者が債務者に対して債務を無償で消滅させる旨の一方的な意思表示のことをいいます。債権者が、免除の意思表示をするとその債務は消滅することとなります（民法第519条[271]）。

ろ　相殺

債務者が連帯債権者の１人に対して債権を有する場合に、その債務者が相殺を援用すれば、その相殺は他の連帯債権者に対してもその効力が生じることとなります（民法第434条[272]）。

は　混同

連帯債権者の１人と債務者との間に混同があった場合には、その混同には絶対的効力があるとされており、その債務者は、弁済をしたものとみなされます（民法第435条[273]）。

④　不可分債務

不可分債務とは、債務の目的がその性質上不可分である場合に、この不可分の債務について複数の債務者が存在する場合のことをいいます。

270　【民法第433条】
連帯債権者の一人と債務者との間に更改又は免除があったときは、その連帯債権者がその権利を失わなければ分与されるべき利益に係る部分については、他の連帯債権者は、履行を請求することができない。

271　【民法第519条】
債権者が債務者に対して債務を免除する意思を表示したときは、その債権は、消滅する。

272　【民法第434条】
債務者が連帯債権者の一人に対して債権を有する場合において、その債務者が相殺を援用したときは、その相殺は、他の連帯債権者に対しても、その効力を生ずる。

273　【民法第435条】
連帯債権者の一人と債務者との間に混同があったときは、債務者は、弁済をしたものとみなす。

不可分債務には、連帯債務の規定が原則として準用されますが、例外として混同の場合には絶対的効力が生じないとされています（民法第430条[274]）。

⑤ 不可分債権

不可分債権とは、債権の目的がその性質上不可分である場合に、この不可分の債権について複数の債権者が存在する場合のことをいいます。

不可分債権には、連帯債権の規定が原則として準用されますが、例外として、更改・免除・混同の場合には絶対的効力が生じないとされています（民法第428条[275]）。

⑥ 保証債務

A 保証債務関係の意義

保証債務関係とは、主たる債務の履行がない場合に、債務者本人以外である保証人が、主たる債務と同一内容の給付を目的とする債務を負担する関係のことをいいます。保証債務関係は人的担保関係の１つです。

なお、主たる債務とは、保証人によって保証される他人の債務のことをいいます。

また、保証債務関係を結ぶための保証契約は、書面でする必要がある要式行為となります（民法第446条[276]第２項）。

B 保証債務関係の法的性質

a 独立性

保証債務は、主たる債務とは別個独立した債務となります。

274 【民法第430条】
第四款（連帯債務）の規定（第四百四十条の規定を除く。）は、債務の目的がその性質上不可分である場合において、数人の債務者があるときについて準用する。

275 【民法第428条】
次款（連帯債権）の規定（第四百三十三条及び第四百三十五条の規定を除く。）は、債権の目的がその性質上不可分である場合において、数人の債権者があるときについて準用する。

276 【民法第446条】
1 保証人は、主たる債務者がその債務を履行しないときに、その履行をする責任を負う。
2 保証契約は、書面でしなければ、その効力を生じない。
3 保証契約がその内容を記録した電磁的記録によってされたときは、その保証契約は、書面によってされたものとみなして、前項の規定を適用する。

主たる債務は、債権者と主たる債務者との間の契約等によって発生するものですが、保証債務は、債権者と保証人との間の保証契約によって発生するものです。従って、主たる債務と保証債務とでは、当事者の異なる別個独立した債務であるといえます。

b　同一性

保証債務は、主たる債務を保証する債務であることから、主たる債務とその内容が同一の給付を目的とした債務となります。

保証債務の範囲は、主たる債務に関する利息・違約金・損害賠償その他その債務に従たるすべてのものを包含することとなります（民法第447条[277]第1項）。

c　付従性

保証債務は、主たる債務の存在を前提としており、主たる債務とその運命をともにすることとなります。

主たる債務が無効や取消し等で不成立の場合には、保証債務も不成立となります。原則として、主たる債務から独立して、保証債務のみが成立することはありません。しかし、例外として、行為能力の制限によって取消しができる債務を保証した者は、保証契約の時において、その取消しの原因について悪意であった場合には、主たる債務が不履行となったり、主たる債務の取消しがされたりしたら、これと同一の目的を有する独立の債務を負担したものと推定されます（民法第449条[278]）。この場合は、保証債務が別個独立した新たな債務として成立します。

また、主たる債務が消滅した場合は、保証債務もそれに伴って消滅することとなります。

内容面においては、保証債務は、その目的や態様等の内容が主たる債務より重いものであってはならないとされています。

277　【民法第447条】

1　保証債務は、主たる債務に関する利息、違約金、損害賠償その他その債務に従たるすべてのものを包含する。

2　保証人は、その保証債務についてのみ、違約金又は損害賠償の額を約定することができる。

278　【民法第449条】

行為能力の制限によって取り消すことができる債務を保証した者は、保証契約の時においてその取消しの原因を知っていたときは、主たる債務の不履行の場合又はその債務の取消しの場合においてこれと同一の目的を有する独立の債務を負担したものと推定する。

もし、保証債務の内容が主たる債務より重い場合には、主たる債務の限度に縮減されることとなります（民法第448条[279]第1項）。また、主たる債務の内容が保証契約の締結後に重く変更された場合であっても、保証人の負担は影響を受けないこととなります（民法第448条第2項）。対して、主たる債務の内容が保証契約の締結後に軽く変更された場合には、保証人の負担はそれに伴い軽く変更されます。

以上のように、保証債務には付従性が認められ、また、主たる債務とその内容が同一の給付を目的とした債務であることから（同一性）、保証人は、債権者からの権利行使に対して、主たる債務者が債権者に対して有している抗弁権の援用をすることができます（民法第457条[280]第2項）。この場合、主たる債務者が債権者に対して同時履行の抗弁権を有している場合には、保証人はその同時履行の抗弁権を援用して、債権者からの請求を拒むことが可能となります。

なお、同時履行の抗弁権とは、公平の原理に基づき対立する債務の間に履行上の牽連関係を認めようとする制度のことをいいます。同時履行の抗弁権が認められると、相手方がその債務の履行を提供するまでは自己の債務の履行を拒絶することができ、履行しないことが正当化されることから、自己の債務を履行しなくても履行遅滞とはならないこととなります（民法第533条[281]）。

279 【民法第448条】

1 保証人の負担が債務の目的又は態様において主たる債務より重いときは、これを主たる債務の限度に減縮する。

2 主たる債務の目的又は態様が保証契約の締結後に加重されたときであっても、保証人の負担は加重されない。

280 【民法第457条】

1 主たる債務者に対する履行の請求その他の事由による時効の完成猶予及び更新は、保証人に対しても、その効力を生ずる。

2 保証人は、主たる債務者が主張することができる抗弁をもって債権者に対抗することができる。

3 主たる債務者が債権者に対して相殺権、取消権又は解除権を有するときは、これらの権利の行使によって主たる債務者がその債務を免れるべき限度において、保証人は、債権者に対して債務の履行を拒むことができる。

281 【民法第533条】

双務契約の当事者の一方は、相手方がその債務の履行（債務の履行に代わる損害賠償の債務の履行を含む。）を提供するまでは、自己の債務の履行を拒むことができる。ただし、相手方の債務が弁済期にないときは、この限りでない。

また、保証人は、主たる債務者が債権者に対して、相殺権・取消権・解除権を有する場合には、これらの権利の行使によって主たる債務者がその債務を免れるべき限度において、債権者に対して、債務の履行を拒むことが可能となります（民法第457条第３項）。

主たる債務者に対する履行の請求その他の事由による時効の完成猶予及び更新は、保証人に対しても、その効力を生じることとなります（民法第457条第１項）。対して、主たる債務者が時効の利益を放棄したとしても、その効果は保証人には及ばず、保証人は、主たる債務の消滅時効を援用することによって、保証債務の消滅の主張をすることができます。一方、保証人について生じた事由については、弁済・相殺・更改等の主たる債務を消滅させる行為を除いては、主たる債務者にその効力は及ばないこととなります。

d　随伴性

保証債務は、主たる債務が移転される場合には、これに伴って移転することとなります。

e　補充性

保証人は、主たる債務者がその債務を履行しない場合になって初めて、保証債務を履行する責任を負うこととなります（民法446条第１項）。

い　催告の抗弁

催告の抗弁とは、債権者が、主たる債務者に履行の請求をすることなく、保証人に対して保証債務の履行を請求してきた場合においては、保証債務の補充性から、保証人は、まず主たる債務者に催告するようにとの請求をすることができるという権利のことをいいます（民法第452条[282]本文）。但し、主たる債務者が破産手続開始の決定を受けた場合、主たる債務の行方が知れない場合は催告の抗弁の行使ができません（民法第452条但書）。また、保証契約が連帯保証である場合についても、催告の抗弁の行使はできません（民法第454条[283]）。

282　【民法第452条】
債権者が保証人に債務の履行を請求したときは、保証人は、まず主たる債務者に催告をすべき旨を請求することができる。ただし、主たる債務者が破産手続開始の決定を受けたとき、又はその行方が知れないときは、この限りでない。

283　【民法第454条】
保証人は、主たる債務者と連帯して債務を負担したときは、前二条の権利を有しない。

ろ　検索の抗弁

検索の抗弁とは、債権者が、主たる債務者に先に催告をした後であっても、主たる債務者に弁済するに充分な資力があるにも拘らず、保証人に対して執行をかけてきた場合には、保証債務の補充性から、保証人が主たる債務者に弁済するに充分な資力があり、かつ、執行も容易であることを証明すれば、まず、主たる債務者の財産に対して執行をかけるべきことを主張することができる権利のことをいいます（民法第453条[284]）。また、保証契約が連帯保証である場合については、検索の抗弁の行使はできません（民法第454条）

C　保証人の求償権

保証人の求償権とは、保証人が主たる債務者に代わって、債権者に対して弁済をした場合に、主たる債務者に対して弁済をした額等を支払うようにと請求をすることができる権利のことをいいます。

保証人には、主たる債務者から委託を受けた保証人と、主たる債務者から委託を受けていない保証人とがおり、それぞれ求償権を行使することができる範囲が異なります。

a　主たる債務者から委託を受けた保証人

い　事前求償権

事前求償権とは、保証人が債権者に対して弁済をする前に、主たる債務者に対して行使する求償権のことをいいます。

主たる債務者から委託を受けた保証人は、民法第460条[285]第１号から第３号に該当する場合には、弁済等をする前に、主たる債務者に対して求償権を行使することができます。

284　【民法第453条】

債権者が前条の規定に従い主たる債務者に催告をした後であっても、保証人が主たる債務者に弁済をする資力があり、かつ、執行が容易であることを証明したときは、債権者は、まず主たる債務者の財産について執行をしなければならない。

285　【民法第460条】

保証人は、主たる債務者の委託を受けて保証をした場合において、次に掲げるときは、主たる債務者に対して、あらかじめ、求償権を行使することができる。

一　主たる債務者が破産手続開始の決定を受け、かつ、債権者がその破産財団の配当に加入しないとき。

二　債務が弁済期にあるとき。ただし、保証契約の後に債権者が主たる債務者に許与した期限は、保証人に対抗することができない。

三　保証人が過失なく債権者に弁済をすべき旨の裁判の言渡しを受けたとき。

なお、事前求償権を行使した保証人が、間違いなく債権者に弁済するという保証はないことから、債権者が全部の弁済を受けない間においては、主たる債務者は、保証人に対して、担保を供させたり、自己に免責を得させることを請求したりすることができます（民法第 461 条[286]第１項）。また、主たる債務者は、供託をしたり、担保を供したり、保証人に免責を得させたりして、その償還の義務を免れることができます（民法第461 条第２項）。

ろ　事後求償権

事後求償権とは、保証人が債権者に対して弁済をした後に、主たる債務者に対して行使する求償権のことをいいます。

イ　主たる債務の弁済期前に保証人が弁済をした場合

保証人は主たる債務者がその当時利益を受けた限度において求償することができます（民法第 459 条の２[287]第１項前段）。求償権の範囲は、主たる債務の弁済期以後に債務の消滅行為をしたとしても避けることができなかった費用その他の損害の賠償となります（民法第 459 条の２第２項）。この求償権の行使は、主たる債務の弁済期が到来した以後でなければできないものとされています（民法第 459 条の２第３項）。

286　【民法第 461 条】

１　前条の規定により主たる債務者が保証人に対して償還をする場合において、債権者が全部の弁済を受けない間は、主たる債務者は、保証人に担保を供させ、又は保証人に対して自己に免責を得させることを請求することができる。

２　前項に規定する場合において、主たる債務者は、供託をし、担保を供し、又は保証人に免責を得させて、その償還の義務を免れることができる。

287　【民法第 459 条の２】

１　保証人が主たる債務者の委託を受けて保証をした場合において、主たる債務の弁済期前に債務の消滅行為をしたときは、その保証人は、主たる債務者に対し、主たる債務者がその当時利益を受けた限度において求償権を有する。この場合において、主たる債務者が債務の消滅行為の日以前に相殺の原因を有していたことを主張するときは、保証人は、債権者に対し、その相殺によって消滅すべきであった債務の履行を請求することができる。

２　前項の規定による求償は、主たる債務の弁済期以後の法定利息及びその弁済期以後に債務の消滅行為をしたとしても避けることができなかった費用その他の損害の賠償を包含する。

３　第一項の求償権は、主たる債務の弁済期以後でなければ、これを行使することができない。

ロ　主たる債務の弁済期後に保証人が弁済をした場合

保証人は主たる債務者に対して、支出した財産の額を求償することができます（民法第459条[288]第1項）。求償権の範囲は、免責があった日以後の法定利息・避けることができなかった費用・その他の損害の賠償となります（民法第459条第2項及び第442条第2項）。

は　保証人から主たる債務者への通知

保証人は、弁済をするに際に、主たる債務者に対して、事前通知及び事後通知をしなければならないこととなっています。

イ　保証人が事前通知を怠った場合

保証人が債権者に対して弁済をする際に、主たる債務者に対して事前通知を怠った場合には、主たる債務者は、債権者に対抗することができた事由をもって対抗することができます（民法第463条[289]第1項）。

288　【民法第459条】

1　保証人が主たる債務者の委託を受けて保証をした場合において、主たる債務者に代わって弁済その他自己の財産をもって債務を消滅させる行為（以下「債務の消滅行為」という。）をしたときは、その保証人は、主たる債務者に対し、そのために支出した財産の額（その財産の額がその債務の消滅行為によって消滅した主たる債務の額を超える場合にあっては、その消滅した額）の求償権を有する。

2　第四百四十二条第二項の規定は、前項の場合について準用する。

289　【民法第463条】

1　保証人が主たる債務者の委託を受けて保証をした場合において、主たる債務者にあらかじめ通知しないで債務の消滅行為をしたときは、主たる債務者は、債権者に対抗することができた事由をもってその保証人に対抗することができる。この場合において、相殺をもってその保証人に対抗したときは、その保証人は、債権者に対し、相殺によって消滅すべきであった債務の履行を請求することができる。

2　保証人が主たる債務者の委託を受けて保証をした場合において、主たる債務者が債務の消滅行為をしたことを保証人に通知することを怠ったため、その保証人が善意で債務の消滅行為をしたときは、その保証人は、その債務の消滅行為を有効であったものとみなすことができる。

3　保証人が債務の消滅行為をした後に主たる債務者が債務の消滅行為をした場合においては、保証人が主たる債務者の意思に反して保証をしたときのほか、保証人が債務の消滅行為をしたことを主たる債務者に通知することを怠ったため、主たる債務者が善意で債務の消滅行為をしたときも、主たる債務者は、その債務の消滅行為を有効であったものとみなすことができる。

ロ　保証人が事後通知を怠った場合

保証人が債権者に対して弁済をする際に、主たる債務者に対して事後通知を怠った場合には、主たる債務者が善意で債務の消滅行為をしていれば、主たる債務者はその債務の消滅行為を有効であったものとみなすことができます（民法第463条第3項）。

に　主たる債務者から保証人への通知

主たる債務者は、弁済をするに際に、保証人に対して、事後通知をしなければならないこととなっています。なお、事前通知についてはする必要はありません。

主たる債務者が債権者に対して弁済をする際に、保証人に対して事後通知を怠った場合には、保証人が善意で債務の消滅行為をしていれば、保証人はその債務の消滅行為を有効であったものとみなすことができます（民法第463条第2項）。

b　主たる債務者から委託を受けていない保証人

い　事前求償権

主たる債務者から委託を受けていない保証人については、事前求償権を行使することが認められていません。事後求償権のみがその行使を認められています。

ろ　事後求償権

イ　主たる債務者の意思に反しないで保証人となった場合の保証人

主たる債務者から委託を受けない保証人であって、主たる債務者の意思に反しないで保証人となった場合の保証人については、主たる債務者がその当時利益を受けた限度において求償することができることとされています（民法第462条[290]第1項及び第459条の2第1項）。

290　【民法第462条】

1　第四百五十九条の二第一項の規定は、主たる債務者の委託を受けないで保証をした者が債務の消滅行為をした場合について準用する。

2　主たる債務者の意思に反して保証をした者は、主たる債務者が現に利益を受けている限度においてのみ求償権を有する。この場合において、主たる債務者が求償の日以前に相殺の原因を有していたことを主張するときは、保証人は、債権者に対し、その相殺によって消滅すべきであった債務の履行を請求することができる。

3　第四百五十九条の二第三項の規定は、前二項に規定する保証人が主たる債務の弁済期前に債務の消滅行為をした場合における求償権の行使について準用する。

ロ　主たる債務者の意思に反して保証人となった場合の保証人

主たる債務者から委託を受けない保証人であって、主たる債務者の意思に反して保証人となった場合の保証人については、主たる債務者が現に利益を受けている限度において求償することができることとされています（民法第462条第２項）。

⑦　連帯保証債務

連帯保証債務とは、保証人が主たる債務者と連帯して保証債務を負担する関係のことをいいます。

連帯保証債務においては、独立性・同一性・付従性・随伴性がある点で、保証債務と同様ですが、補充性がない点で保証債務とは異なります。つまり、連帯保証債務においては、催告の抗弁と検索の抗弁が認められていません（民法第454条）。

また、連帯保証債務関係においては、連帯債務関係における絶対的効力に関する規定が準用されます（民法第458条[291]）。つまり、弁済に関する事項・更改（民法第438条）・相殺（民法第439条第１項）・混同（民法第440条）については絶対的効力が発生し、それ以外については相対的効力が発生するにとどまります。

⑧　保証連帯債務

保証連帯債務とは、同一の債務について、数人が保証債務を負う共同保証の一種であり、保証人間に連帯がある場合のことをいいます。

あくまでも保証人間での連帯にとどまることから、連帯保証の場合とは異なり、各保証人は催告の抗弁及び検索の抗弁を行使することができます。

（6）債権譲渡

①　債権譲渡の意義

債権譲渡契約とは、債権の同一性を保ちつつ、契約によって債権を移転させることを目的とする契約のことをいいます。

291　【民法第458条】
第四百三十八条、第四百三十九条第一項、第四百四十条及び第四百四十一条の規定は、主たる債務者と連帯して債務を負担する保証人について生じた事由について準用する。

債権は、譲渡人の財産の1つであることから、これを譲渡人と譲受人との間での合意のみによって移転することができることとされました（民法第466条[292]第1項本文）。譲渡人と譲受人との間の合意については、債務者の承諾は原則として不要です。

債権の性質上譲渡できないもの（債権者を異にすることによって給付内容が異なるような債権や特定の債権者に給付することに重要な意義を有する債権）については、譲渡できません（民法第466条第1項但書）。

また、当事者が債権譲渡について反対の意思を表示した場合については、それをもって債権譲渡の効力は妨げられません（民法第466条第2項）。

② 譲渡制限特約

先述したように、当事者が債権譲渡について反対の意思を表示した場合、つまり、譲渡制限についての特約を結んでいたとしても、その譲渡制限特約は債権譲渡の効力を妨げません（民法第466条第2項）。

しかし、債務者は、譲受人その他の第三者が当該譲渡制限特約について悪意または善意重過失であった場合には、その第三者に対して、その債務の履行を拒むことができ、譲渡人に対する弁済その他の債務を消滅させる事由をもってその第三者に対抗することもできます（民法第466条第3項）。しかし、債務者が債務を履行しない場合において、この第三者が相当の期間を設定して譲渡人への履行の催告をして、その期間内に履行がないと、債務者はその債務の履行を拒むことも、譲渡人に対する債務を消滅させる事由をもってその第三者に対抗することもできなくなります（民法第466条第4項）。

---

292 【民法第466条】

1 債権は、譲り渡すことができる。ただし、その性質がこれを許さないときは、この限りでない。

2 当事者が債権の譲渡を禁止し、又は制限する旨の意思表示（以下「譲渡制限の意思表示」という。）をしたときであっても、債権の譲渡は、その効力を妨げられない。

3 前項に規定する場合には、譲渡制限の意思表示がされたことを知り、又は重大な過失によって知らなかった譲受人その他の第三者に対しては、債務者は、その債務の履行を拒むことができ、かつ、譲渡人に対する弁済その他の債務を消滅させる事由をもってその第三者に対抗することができる。

4 前項の規定は、債務者が債務を履行しない場合において、同項に規定する第三者が相当の期間を定めて譲渡人への履行の催告をし、その期間内に履行がないときは、その債務者については、適用しない。

③　債権譲渡の対抗要件

A　債権譲渡の債務者に対する対抗要件

債権譲渡自体は、債権の譲渡人と譲受人との間でなされ、債務者の関与がないことから、誤って譲渡人に債務を履行する虞があります。そこで、債務者を保護するために、債務者に対する通知（債権譲渡の事実について伝えること）または債務者による承諾（債権譲渡の事実について認識したことを表明すること）が債務者に対する対抗要件として必要とされています（民法第467条第１項[293]）。なお、債務者に対する債権譲渡の通知は譲渡人からされるべきであり、譲受人からされた場合は無効となります。一方、債務者による承諾は譲渡人及び譲受人のいずれに対しても有効となります。

B　債権譲渡の第三者に対する対抗要件

旧債権者が債権を二重譲渡したような場合には、旧債権者と債務者の通謀等の不正を防止するために、債権の譲渡人による債務者に対する債権譲渡の通知または債務者による債権譲渡の当事者に対する債権譲渡の承諾については、確定日付のある証書によってしなければ債務者以外の第三者に債権譲渡の事実を対抗できないとされています（民法第467条第２項）。

④　債務者の抗弁

債務者は、対抗要件具備時までに譲渡人に対して生じた事由をもって譲受人に対抗することができます（民法第468条第１項[294]）。

293　【民法第467条】

１　債権の譲渡（現に発生していない債権の譲渡を含む。）は、譲渡人が債務者に通知をし、又は債務者が承諾をしなければ、債務者その他の第三者に対抗することができない。

２　前項の通知又は承諾は、確定日付のある証書によってしなければ、債務者以外の第三者に対抗することができない。

294　【民法第468条】

１　債務者は、対抗要件具備時までに譲渡人に対して生じた事由をもって譲受人に対抗することができる。

２　第四百六十六条第四項の場合における前項の規定の適用については、同項中「対抗要件具備時」とあるのは、「第四百六十六条第四項の相当の期間を経過した時」とし、第四百六十六条の三の場合における同項の規定の適用については、同項中「対抗要件具備時」とあるのは、「第四百六十六条の三の規定により同条の譲受人から供託の請求を受けた時」とする。

（7）債務引受

債務引受契約とは、債務の同一性を保ちつつ、契約によって債務を移転させることを目的とする契約のことをいいます。

① 免責的債務引受

免責的債務引受とは、債務の同一性を保ちつつ、契約によって債務を移転させることによって、旧債務者が債権債務関係から離脱する債務引受のことをいいます（民法第472条[295]）。

② 併存的債務引受

併存的債務引受とは、債務の同一性を保ちつつ、契約によって債務を移転させることによって、旧債務者と新債務者が併存して債務を負う債務引受のことをいいます（民法第470条[296]）。

③ 履行引受

履行引受とは、債務者の変更をすることなく、履行引受をした者が、債務者に代わって履行をすることをいいます。

295 【民法第472条】

1 免責的債務引受の引受人は債務者が債権者に対して負担する債務と同一の内容の債務を負担し、債務者は自己の債務を免れる。

2 免責的債務引受は、債権者と引受人となる者との契約によってすることができる。この場合において、免責的債務引受は、債権者が債務者に対してその契約をした旨を通知した時に、その効力を生ずる。

3 免責的債務引受は、債務者と引受人となる者が契約をし、債権者が引受人となる者に対して承諾をすることによってもすることができる。

296 【民法第470条】

1 併存的債務引受の引受人は、債務者と連帯して、債務者が債権者に対して負担する債務と同一の内容の債務を負担する。

2 併存的債務引受は、債権者と引受人となる者との契約によってすることができる。

3 併存的債務引受は、債務者と引受人となる者との契約によってもすることができる。この場合において、併存的債務引受は、債権者が引受人となる者に対して承諾をした時に、その効力を生ずる。

4 前項の規定によってする併存的債務引受は、第三者のためにする契約に関する規定に従う。

(8) 債権の消滅

① 弁済

A 弁済の意義

弁済とは、債務の本旨に従って、債務の内容である一定の給付を実現する債務者や債務者以外の第三者の行為のことをいいます。

弁済は債務の履行ともいい、本書においても双方の用語を併用しています。

B 弁済の当事者

a 弁済をする者(弁済者)

い 債務者本人

債務者本人は、当然にかつ有効に債務の弁済をすることができることとなります。

ろ 第三者

原則として、債務者以外の第三者による弁済も可能であり、有効です(民法第474条[297]第1項)。しかし、弁済をするのに正当な利益を有していない第三者は、債務者の意思に反して弁済をすることができません(民法第474条第2項本文)。また、債権者の意思に反して弁済をすることもできません(民法第474条第3項本文)。

b 弁済をされる者(弁済受領権者)

い 債権者本人または弁済受領権限を有する者

弁済者は、債権者または代理人や受任者等の弁済受領権限を有する者に対して有効に弁済をすることができます。

297 【民法第474条】
1 債務の弁済は、第三者もすることができる。
2 弁済をするについて正当な利益を有する者でない第三者は、債務者の意思に反して弁済をすることができない。ただし、債務者の意思に反することを債権者が知らなかったときは、この限りでない。
3 前項に規定する第三者は、債権者の意思に反して弁済をすることができない。ただし、その第三者が債務者の委託を受けて弁済をする場合において、そのことを債権者が知っていたときは、この限りでない。
4 前三項の規定は、その債務の性質が第三者の弁済を許さないとき、又は当事者が第三者の弁済を禁止し、若しくは制限する旨の意思表示をしたときは、適用しない。

ろ 弁済受領権限を有しない者（無権利者）

弁済者が、無権利者に対して弁済をした場合には、それにより債権者が利益を受けた限度においてのみ有効となります（民法第479条[298]）。

C 弁済の提供

弁済の提供とは、契約において、債務者側が債務の給付を実現するための必要な準備をし、債権者の協力を求めることをいいます。

弁済の提供をすると、債務者は債務不履行によって生じる一切の責任から免れることとなります（民法第492条[299]）。この趣旨は、債務者がなすべきことをなした以上、債務不履行責任（履行遅滞による責任）を負わせるべきではないというところにあります。弁済の提供は、原則として、債務者が債務の本旨に従った現実の提供をしなくてはなりません（民法第493条[300]本文）。但し、例外として、債権者があらかじめ受領を拒んでいる場合や、履行について債権者の行為が必要とされる場合には、口頭の提供で足りるとされています（民法第493条但書）。なお、債権者が、終局的・確定的に受領拒絶の意思を明確にしている場合には、口頭の提供すら不要となります（最高裁判所大法廷昭和32年6月5日判決）。

D 代物弁済

代物弁済とは、本来の給付に代えて、他の物を給付することにより、弁済と同一の効果を生じさせることをいいます。代物弁済をするには、債務者が債権者の承諾を得る必要があります（民法第482条[301]本文）。

---

298 【民法第479条】
前条の場合を除き、受領権者以外の者に対してした弁済は、債権者がこれによって利益を受けた限度においてのみ、その効力を有する。

299 【民法第492条】
債務者は、弁済の提供の時から、債務を履行しないことによって生ずべき責任を免れる。

300 【民法第493条】
弁済の提供は、債務の本旨に従って現実にしなければならない。ただし、債権者があらかじめその受領を拒み、又は債務の履行について債権者の行為を要するときは、弁済の準備をしたことを通知してその受領の催告をすれば足りる。

301 【民法第482条】
弁済をすることができる者（以下「弁済者」という。）が、債権者との間で、債務者の負担した給付に代えて他の給付をすることにより債務を消滅させる旨の契約をした場合において、その弁済者が当該他の給付をしたときは、その給付は、弁済と同一の効力を有する。

②　相殺

A　相殺の意義

先述したように、相殺とは、債務者及び債権者が相互に同種類の債権及び債務を有する場合に、その債権及び債務を対等額において消滅させる一方的な意思表示のことをいいます。相殺が認められる趣旨は、決済手続の簡易化と当事者間の公平を図るところにあり、今日においては、その担保的機能が特に重要視されています。

相殺をする者を相殺者、相殺をされる者を被相殺者といい、相殺する側が有している債権を自働債権、相殺される側が有している債権を受働債権といいます。また、相殺可能な要件を充たしている状態を相殺適状といいます。

B　相殺の要件

相殺をするためには、①「2人が互いに」債務を負担していること（民法第505条[302]第1項本文)、②双方の債務が「同種の目的を有している」こと（民法第505条第1項本文)、③「双方の債務が弁済期にある」こと（民法第505条第1項本文)、④「債務の性質」が相殺を許すものであること（民法第505条第1項但書)、⑤当事者が「相殺を禁止」していないこと（民法第505条第2項）という5つの要件を充たしている必要があり、相殺適状に達していることから、相殺することが可能となります。

なお、「2人が互いに」債務を負担していることとは、原則として、当事者間に債権の対立があることを意味しますが、例外として、相殺適状に達した後に時効消滅した債権を自働債権とする相殺も認められます（民法第508条[303])。

302　【民法第505条】

1　二人が互いに同種の目的を有する債務を負担する場合において、双方の債務が弁済期にあるときは、各債務者は、その対当額について相殺によってその債務を免れることができる。ただし、債務の性質がこれを許さないときは、この限りでない。

2　前項の規定にかかわらず、当事者が相殺を禁止し、又は制限する旨の意思表示をした場合には、その意思表示は、第三者がこれを知り、又は重大な過失によって知らなかったときに限り、その第三者に対抗することができる。

303　【民法第508条】

時効によって消滅した債権がその消滅以前に相殺に適するようになっていた場合には、その債権者は、相殺をすることができる。

また、双方の債務が「同種の目的を有している」ことについては、同種であればよいのであって、発生原因・債権額・履行期・履行地が異なっていても相殺をすることができます（民法第507条[304]本文）。

C　相殺が禁止される場合

当事者が「相殺を禁止」していないことという要件に反する場合は以下の通りです。

a　当事者間に相殺禁止特約がある場合

当事者間に相殺をすることに対する反対の意思表示が存在している場合には、相殺適状に達していたとしても相殺することはできません（民法第505条第２項）。但し、この相殺禁止特約について善意無重過失の第三者には対抗できません（民法第505条第２項）。

b　自働債権とすることが禁止される場合

履行の強制ができない債権は、自働債権とすることができません。

c　受働債権とすることが禁止される場合

い　不法行為の加害者による事故に対する損害賠償債権の場合

被害者側に現実の給付による救済を図るべきこと、債権者による不法行為の誘発を防止する趣旨から、不法行為の加害者による事故に対する損害賠償債権を受働債権として相殺することは許されません（民法第509条[305]第１号）。逆に、不法行為の加害者による事故に対する損害賠償債権を自働債権として相殺することは許されます。また、自働債権も受働債権も損害賠償債権となる場合には、互いに現実の給付による救済を図るべきことから、双方からの相殺が禁止されます。

譲り受けた不法行為の加害者による事故に対する損害賠償債権を受働債権として相殺することは例外的に認められています（民法第509条柱書但書）。

304　【民法第507条】

相殺は、双方の債務の履行地が異なるときであっても、することができる。この場合において、相殺をする当事者は、相手方に対し、これによって生じた損害を賠償しなければならない。

305　【民法第509条】

次に掲げる債務の債務者は、相殺をもって債権者に対抗することができない。ただし、その債権者がその債務に係る債権を他人から譲り受けたときは、この限りでない。

一　悪意による不法行為に基づく損害賠償の債務

二　人の生命又は身体の侵害による損害賠償の債務(前号に掲げるものを除く。)

ろ　差押禁止債権の場合

現実の給付を保障するべきであることから、差押禁止債権を受働債権として相殺することは許されません（民法第510条[306]）。なお、この差押禁止債権とは、支払いの差押えをしてはならない債権のことをいいます。

は　支払差止債権の場合

受働債権が消滅することは、債務者へ処分禁止を命じた差押えの趣旨に触れることから、差押え後に取得した債権を自働債権として、差押えを受けた債権を受働債権とする相殺をすることは許されません（民法第511条[307]第1項）。対して、差押え前に取得した債権を自働債権として、差押えを受けた債権を受働債権とする相殺をすることは許されます（民法第511条第1項）。

D　相殺の方法

相殺は、当事者の一方から相手方に対する意思表示によってします（民法第506条[308]第1項前段）。従って、相殺適状に達したとしても、相殺の意思表示がなされない限り債権が直ちに消滅するということにはなりません。

また、相殺の意思表示に条件を付すことは相手方の地位を不安定にし、また、相殺の意思表示に期限を付すことは相殺の効力が遡及効を有することとなり無意味となるため、相殺の意思表示には、条件や期限を付すことができません（民法第506条第1項後段）。

306　【民法第510条】
　債権が差押えを禁じたものであるときは、その債務者は、相殺をもって債権者に対抗することができない。

307　【民法第511条】
1　差押えを受けた債権の第三債務者は、差押え後に取得した債権による相殺をもって差押債権者に対抗することはできないが、差押え前に取得した債権による相殺をもって対抗することができる。
2　前項の規定にかかわらず、差押え後に取得した債権が差押え前の原因に基づいて生じたものであるときは、その第三債務者は、その債権による相殺をもって差押債権者に対抗することができる。ただし、第三債務者が差押え後に他人の債権を取得したときは、この限りでない。

308　【民法第506条】
1　相殺は、当事者の一方から相手方に対する意思表示によってする。この場合において、その意思表示には、条件又は期限を付することができない。
2　前項の意思表示は、双方の債務が互いに相殺に適するようになった時にさかのぼってその効力を生ずる。

E 相殺の効力

相殺の意思表示は、相殺適状に達した時点に遡ってその効力を生じることとされています（民法第 506 条第２項）。

2 契約

（1）契約総論

① 契約の意義

契約とは、対立する２つ以上の意思表示が合致することによって成立する法律行為のことをいいます。契約の本来的な効力は法的拘束力にあり、契約をすると当事者はその契約に縛られることとなります。

また、物権法定主義に縛られる物権とは異なり、債権は契約当事者の自由な意思によって決定されるという契約自由の原則から法律上規定されていない契約の締結も可能です。従って、ある契約について、誰を相手方とするかということも、締結することも（民法第 521 条[309]第１項）、解除することも、その内容についても（民法第 521 条第２項）、その方式についても（民法第 522 条[310]第２項）すべて原則自由となります。

② 契約の種類

A 典型契約と非典型契約

a 典型契約

典型契約とは、民法上規定されている 13 種類の契約（贈与・売買・交換・消費貸借・使用貸借・賃貸借・雇用・請負・委任・寄託・組合・終身定期金・和解）のことをいいます。

309 【民法第 521 条】
1 何人も、法令に特別の定めがある場合を除き、契約をするかどうかを自由に決定することができる。
2 契約の当事者は、法令の制限内において、契約の内容を自由に決定することができる。

310 【民法第 522 条】
1 契約は、契約の内容を示してその締結を申し入れる意思表示（以下「申込み」という。）に対して相手方が承諾をしたときに成立する。
2 契約の成立には、法令に特別の定めがある場合を除き、書面の作成その他の方式を具備することを要しない。

b 非典型契約

非典型契約とは、民法上規定されている 13 種類の典型契約のいずれにも該当しない契約のことをいいます。

B 双務契約と片務契約

a 双務契約

双務契約とは、契約における各当事者が互いに対価的な意義を有する債務を負担する契約のことをいいます。

典型契約においては、売買・賃貸借・雇用・請負・有償委任・有償寄託・組合・有償終身定期金・和解が双務契約に該当します。

b 片務契約

片務契約とは、一方の当事者のみが債務を負うか、双方の当事者の債務が互いに対価たる意義を有しない契約のことをいいます。

典型契約においては、贈与・消費貸借・使用貸借・無償委任・無償寄託・無償終身定期金が片務契約に該当します。

C 要物契約と諾成契約

a 要物契約

要物契約とは、契約の各当事者の意思表示の合致のみならず、物の引渡し等の給付をすることによって成立する契約のことをいいます。

典型契約においては、書面によらない消費貸借のみが要物契約に該当します。

b 諾成契約

諾成契約とは、契約の各当事者の意思表示の合致のみで成立する契約のことをいいます。

典型契約においては、贈与・売買・交換・書面による消費貸借・使用貸借・賃貸借・雇用・請負・委任・寄託・組合・終身定期金・和解が諾成契約に該当します。

D 有償契約と無償契約

a 有償契約

有償契約とは、契約の各当事者が互いに対価的な意義を有する経済的負担をする契約のことをいいます。

典型契約においては、売買・交換・賃貸借・雇用・請負・有償委任・有償寄託・組合・有償終身定期金・和解が有償契約に該当します。

b 無償契約

無償契約とは、契約の各当事者が互いに対価的な意義を有する経済的負担をしない契約のことをいいます。

典型契約においては、贈与・消費貸借・使用貸借・無償委任・無償寄託・無償終身定期金が無償契約に該当します。

E 要式契約と不要式契約

a 要式契約

要式契約とは、法律が要求する方式を実践しないと成立しない契約のことをいいます。

先述した保証契約が書面でする必要があるため（民法第 446 条[311]第２項)、要式契約に該当します。

b 不要式契約

不要式契約とは、その成立に何らの方式を必要としない契約のことをいいます。

法律が一定の様式を要求していない一般的な契約は不要式契約となるため、ほとんどの契約は、原則として、不要式契約に該当することとなります。

③ 契約の成立

契約は、原則として、申込みに対して承諾がなされることによって成立します。契約の成立時期については、民法は、先述したように到達主義を採用しています（民法第 97 条[312]第１項)。つまり、申込みに対して相手方が承諾の通知を発して、その承諾の通知が申込者に到達した時点で契約は成立します。なお、申込者が申込みの通知を発した後に死亡したり、意思能力を喪失したり、行為能力の制限を受けたりしたとしても、そのために申込みの効果が妨げられることはありません（民法第 97 条第３項)。

311 【民法第 446 条】

1 保証人は、主たる債務者がその債務を履行しないときに、その履行をする責任を負う。

2 保証契約は、書面でしなければ、その効力を生じない。

3 保証契約がその内容を記録した電磁的記録によってされたときは、その保証契約は、書面によってされたものとみなして、前項の規定を適用する。

312 【民法第 97 条】

1 意思表示は、その通知が相手方に到達した時からその効力を生ずる。

2 相手方が正当な理由なく意思表示の通知が到達することを妨げたときは、その通知は、通常到達すべきであった時に到達したものとみなす。

3 意思表示は、表意者が通知を発した後に死亡し、意思能力を喪失し、又は行為能力の制限を受けたときであっても、そのためにその効力を妨げられない。

しかし、申込者が申込みの通知を発した後に死亡したり、意思能力を喪失したり、行為能力の制限を受けたりした場合であって、申込者がそれらの事実が生じたとしたらその申込みは効力を有しない旨の意思表示をしていたり、相手方が承諾の通知を発するまでにそれらの事実が生じたことを知ったりしたときには、その申込みは効力を有しません（民法第526条[313]）。

また、承諾期間を設定して申込みをした場合には、相手方に対して不測の損害を与えない趣旨から、契約の申込みは撤回することは許されません（民法第523条[314]第1項本文）。この場合、申込者に対して不測の損害を与えない趣旨から、期間内に承諾の通知を受けなかった場合には、その申込みは効力を失うこととなります（民法第523条第2項）。

対して、承諾期間を設定しないで申込みをした場合には、これも相手方に対して不測の損害を与えない趣旨から、契約の申込みは相当期間については撤回することは許されません（民法第525条[315]第1項本文）。しかし、この場合であっても、対話者に対してした申込みの場合については、その対話が継続している限り、いつでも撤回することができます（民法第525条第2項）。

313　【民法第526条】

申込者が申込みの通知を発した後に死亡し、意思能力を有しない常況にある者となり、又は行為能力の制限を受けた場合において、申込者がその事実が生じたとすればその申込みは効力を有しない旨の意思を表示していたとき、又はその相手方が承諾の通知を発するまでにその事実が生じたことを知ったときは、その申込みは、その効力を有しない。

314　【民法第523条】

1　承諾の期間を定めてした申込みは、撤回することができない。ただし、申込者が撤回をする権利を留保したときは、この限りでない。

2　申込者が前項の申込みに対して同項の期間内に承諾の通知を受けなかったときは、その申込みは、その効力を失う。

315　【民法第525条】

1　承諾の期間を定めないでした申込みは、申込者が承諾の通知を受けるのに相当な期間を経過するまでは、撤回することができない。ただし、申込者が撤回をする権利を留保したときは、この限りでない。

2　対話者に対してした前項の申込みは、同項の規定にかかわらず、その対話が継続している間は、いつでも撤回することができる。

3　対話者に対してした第一項の申込みに対して対話が継続している間に申込者が承諾の通知を受けなかったときは、その申込みは、その効力を失う。ただし、申込者が対話の終了後もその申込みが効力を失わない旨を表示したときは、この限りでない。

④　契約の効力

A　同時履行の抗弁権

先述したように、同時履行の抗弁権が認められると、相手方がその債務の履行を提供するまでは自己の債務の履行を拒絶することができ、履行しないことが正当化されることから、自己の債務を履行しなくても履行遅滞とはならないこととなります（民法第533条[316]）。

同時履行の抗弁権は、①同種の双務契約から生じた両債務であること、②両債務が弁済期にあること、③相手方が自己の債務の履行またはその提供をしないで履行の請求をすることという３つの要件を充たすと主張することができます。

B　危険負担

危険負担とは、双務契約において、双方の各債務が完全に履行される前に、一方の債務者の責めに帰すことができない事由によってその債務の履行が不可能となった場合に、他方の債務をそのまま存続させるか、ともに消滅させるかという存続上の牽連関係の問題のことをいいます。

当事者双方の責めに帰することができない事由によって債務を履行することができなくなった場合には、債権者は反対給付の履行を拒むことができます（民法第536条[317]第１項）。つまり、危険を債務者が負うこととなります。債権者の責めに帰すべき事由によって債務を履行することができなくなった場合には、債権者は反対給付の履行を拒むことができなくなります（民法第536条第２項前段）。また、債務者が自己の債務を免れたことによって利益を得た場合には、その利得を債権者に償還しなければなりません（民法第536条第２項後段）。

316　【民法第533条】
双務契約の当事者の一方は、相手方がその債務の履行（債務の履行に代わる損害賠償の債務の履行を含む。）を提供するまでは、自己の債務の履行を拒むことができる。ただし、相手方の債務が弁済期にないときは、この限りでない。

317　【民法第536条】
1　当事者双方の責めに帰することができない事由によって債務を履行することができなくなったときは、債権者は、反対給付の履行を拒むことができる。
2　債権者の責めに帰すべき事由によって債務を履行することができなくなったときは、債権者は、反対給付の履行を拒むことができない。この場合において、債務者は、自己の債務を免れたことによって利益を得たときは、これを債権者に償還しなければならない。

⑤ 契約の解除

A 解除の意義

解除とは、先述したように、契約の締結後、その当事者の一方的な意思表示によって契約当初からその契約がなかったのと同様の状態に戻すことをいいます。契約の解除は、解除権を有する者が相手方に対する意思表示によって行います（民法第540条[318]第1項）。

契約の解除が認められる趣旨は、損害賠償のような債務不履行を行った債務者への責任追及ではなく、あくまでも債権者を契約の拘束力から離脱させるところにあります。

B 解除の種類

a 約定解除

約定解除とは、契約の両当事者間において、あらかじめ解除権について設定している場合の解除のことをいいます。

b 法定解除

法定解除とは、法律の規定によって設定されている場合の解除のことをいいます（民法第540条第1項）。

c 合意解除

合意解除とは、契約の両当事者間において、事後的に契約を解消しようとする場合の解除のことをいいます。

C 解除の要件

a 催告による法定解除

催告による法定解除が認められるためには、①債務者が債務を履行していないこと、②債権者が債務者に対して相当期間を設定した履行の催告を行うこと、③その期間内に債務者からの履行がないことの３つの要件を充たす必要があります（民法第541条[319]）。

318 【民法第540条】
1 契約又は法律の規定により当事者の一方が解除権を有するときは、その解除は、相手方に対する意思表示によってする。
2 前項の意思表示は、撤回することができない。

319 【民法第541条】
当事者の一方がその債務を履行しない場合において、相手方が相当の期間を定めてその履行の催告をし、その期間内に履行がないときは、相手方は、契約の解除をすることができる。ただし、その期間を経過した時における債務の不履行がその契約及び取引上の社会通念に照らして軽微であるときは、この限りでない。

債務者の責めに帰すべき事由は、解除が債務者の責任追及を目的としていないことから、解除権行使の要件として必要とはなりません。一方、債権者の責めに帰すべき事由により債務不履行が起こっている場合には、債権者はその債務不履行を理由として、契約の解除を行うことはできません（民法第543条[320]）。

b　無催告による法定解除

債務の全部が履行不能である場合・債務者による明確な履行拒絶がある場合・一部の履行不能または一部の履行拒絶による残存部分のみでは契約目的が達成不可能である場合・定期行為における履行がない場合・その他債務者に対して催告をしても契約目的達成に足りるだけの履行がされる見込みがないことが明らかな場合のいずれかに該当する場合には、債権者は、債務不履行を行っている債務者に対して、催告をして履行の機会を与える必要はなく、債務不履行を理由として、直ちに契約の解除をすることができます（民法第542条[321]）。債権者に帰責事由がある場合には、解除はできません（民法第543条）。

320　【民法第543条】
債務の不履行が債権者の責めに帰すべき事由によるものであるときは、債権者は、前二条の規定による契約の解除をすることができない。

321　【民法第542条】
1　次に掲げる場合には、債権者は、前条の催告をすることなく、直ちに契約の解除をすることができる。
一　債務の全部の履行が不能であるとき。
二　債務者がその債務の全部の履行を拒絶する意思を明確に表示したとき。
三　債務の一部の履行が不能である場合又は債務者がその債務の一部の履行を拒絶する意思を明確に表示した場合において、残存する部分のみでは契約をした目的を達することができないとき。
四　契約の性質又は当事者の意思表示により、特定の日時又は一定の期間内に履行をしなければ契約をした目的を達することができない場合において、債務者が履行をしないでその時期を経過したとき。
五　前各号に掲げる場合のほか、債務者がその債務の履行をせず、債権者が前条の催告をしても契約をした目的を達するのに足りる履行がされる見込みがないことが明らかであるとき。
2　次に掲げる場合には、債権者は、前条の催告をすることなく、直ちに契約の一部の解除をすることができる。
一　債務の一部の履行が不能であるとき。
二　債務者がその債務の一部の履行を拒絶する意思を明確に表示したとき。

D　解除の効果

契約の解除をした場合、それまでに既に給付がなされている場合には、原状回復をする必要があります（民法第545条[322]第1項本文）。しかし、解除によって第三者の権利を害することはできません（民法第545条第1項但書）。

E　解除権の消滅

a　相手方の催告による解除権の消滅

解除権の行使について、期間の設定のない場合には、相手方は解除権を有する者に対して、相当の期間を設定した上で解除をするかどうかの確答をするように催告することができます（民法第547条[323]前段）。その相当の期間内に解除の通知を受けなかった場合は、この解除権は消滅します（民法第547条後段）。

b　解除権者の故意または過失による解除権の消滅

解除権を有する者が故意または過失によって契約の目的物を著しく損傷した場合、返還することができなくなった場合、加工や改造によってこれを他の種類の物に変えた場合には、解除権は消滅します（民法第548条[324]本文）。但し、解除権を有する者が解除権を有することを知らなかった場合には、解除権は消滅しません（民法第548条但書）。

322　【民法第545条】

1　当事者の一方がその解除権を行使したときは、各当事者は、その相手方を原状に復させる義務を負う。ただし、第三者の権利を害することはできない。

2　前項本文の場合において、金銭を返還するときは、その受領の時から利息を付さなければならない。

3　第一項本文の場合において、金銭以外の物を返還するときは、その受領の時以後に生じた果実をも返還しなければならない。

4　解除権の行使は、損害賠償の請求を妨げない。

323　【民法第547条】

解除権の行使について期間の定めがないときは、相手方は、解除権を有する者に対し、相当の期間を定めて、その期間内に解除をするかどうかを確答すべき旨の催告をすることができる。この場合において、その期間内に解除の通知を受けないときは、解除権は、消滅する。

324　【民法第548条】

解除権を有する者が故意若しくは過失によって契約の目的物を著しく損傷し、若しくは返還することができなくなったとき、又は加工若しくは改造によってこれを他の種類の物に変えたときは、解除権は、消滅する。ただし、解除権を有する者がその解除権を有することを知らなかったときは、この限りでない。

（2）契約各論

① 贈与契約

贈与契約とは、当事者の一方である贈与者が他方である受贈者に対して、自己の財産を無償で与えることを表示して、それに相手方が同意することによって成立する契約のことをいいます（民法第549条[325]）。

贈与契約は、諾成契約であり、片務契約であり、無償契約となります。

贈与契約は諾成契約であることから、契約の各当事者の意思表示の合致のみで成立します。このような意思表示のみで書面によらない贈与契約は軽率に行われることが多く、贈与者の真意も不明確であることから、強い拘束力を認めるべきではないといえます。そこで、書面によらない贈与契約については、各当事者が解除することが認められています（民法第550条[326]本文）。従って、書面による贈与契約を結んだ場合には、各当事者は解除することができないこととなります。また、書面によらない贈与契約の場合であっても、履行の終わった部分については解除することができません（民法第550条但書）。

贈与者は、贈与の目的である物や権利を贈与の目的として特定した時の状態で引渡しをしたり、移転したりすることを約したものとの推定を受けます（民法第551条[327]第1項）。

贈与者には、贈与契約によって負担した債務を履行するという財産移転義務（民法第549条）と、贈与契約が特定物を目的とした契約となることから善管注意義務（民法第400条）の２つの義務を受贈者に対して負うこととなります。

325 【民法第549条】

贈与は、当事者の一方がある財産を無償で相手方に与える意思を表示し、相手方が受諾をすることによって、その効力を生ずる。

326 【民法第550条】

書面によらない贈与は、各当事者が解除をすることができる。ただし、履行の終わった部分については、この限りでない。

327 【民法第551条】

1 贈与者は、贈与の目的である物又は権利を、贈与の目的として特定した時の状態で引き渡し、又は移転することを約したものと推定する。

2 負担付贈与については、贈与者は、その負担の限度において、売主と同じく担保の責任を負う。

② 売買契約

A 売買契約の意義

売買契約とは、当事者の一方である売主が、他方である買主に財産権を移転する義務を負い、また、買主が売り主に対してその代金の支払い義務を負う契約のことをいいます（民法第555条[328]）。

売買契約は、諾成契約であり、双務契約であり、有償契約となります。

売買契約に関する費用については、売主、買主の当事者双方が等しい割合で負担することとなっています（民法第558条[329]）。これはあくまでも売買契約に関する費用であって、売買契約を履行するための費用については、弁済の費用として債務者が負担することとなります（民法第485条[330]）。

なお、売買契約は、他人の者を売買の目的とすることも可能です。このような他人物売買契約の場合は、売主は買主に対して、所有者から所有権を取得してこれを買主に移転する義務を負います（民法第561条[331]）。

売買契約における買主の義務は、売主に対して代金を支払うという代金支払義務です（民法第555条）。

対して、売買契約における売主の義務は、ある財産権を移転するという財産権移転義務（民法第555条）と、登記や登録その他の売買の目的である権利の移転を第三者に対抗するための要件を備えさせる義務です（民法第560条[332]）。

328 【民法第555条】
売買は、当事者の一方がある財産権を相手方に移転することを約し、相手方がこれに対してその代金を支払うことを約することによって、その効力を生ずる。

329 【民法第558条】
売買契約に関する費用は、当事者双方が等しい割合で負担する。

330 【民法第485条】
弁済の費用について別段の意思表示がないときは、その費用は、債務者の負担とする。ただし、債権者が住所の移転その他の行為によって弁済の費用を増加させたときは、その増加額は、債権者の負担とする。

331 【民法第561条】
他人の権利（権利の一部が他人に属する場合におけるその権利の一部を含む。）を売買の目的としたときは、売主は、その権利を取得して買主に移転する義務を負う。

332 【民法第560条】
売主は、買主に対し、登記、登録その他の売買の目的である権利の移転についての対抗要件を備えさせる義務を負う。

B 契約の不適合における買主の救済

a 追完請求権

買主が引渡しをされた目的物について、種類・品質・数量に関して契約の内容に不適合がある場合には、売主は不完全な履行をしたこととなるため、売主に対して、履行の追完、具体的には、買主は売主に対して、目的物の修補・代替物の引渡し・不足分の引渡しを請求することができます（民法第562条[333]第1項本文）。

b 代金減額請求権

買主が引渡しをされた目的物について、種類・品質・数量に関して契約の内容に不適合がある場合には、売主に対して、相当の期間を設定して、先述した履行の追完の催告をし、その期間内に履行の追完がなければ、買主は売主に対して、代金の減額を請求することができます（民法第563条[334]第1項）。

333 【民法第562条】

1 引き渡された目的物が種類、品質又は数量に関して契約の内容に適合しないものであるときは、買主は、売主に対し、目的物の修補、代替物の引渡し又は不足分の引渡しによる履行の追完を請求することができる。ただし、売主は、買主に不相当な負担を課するものでないときは、買主が請求した方法と異なる方法による履行の追完をすることができる。

2 前項の不適合が買主の責めに帰すべき事由によるものであるときは、買主は、同項の規定による履行の追完の請求をすることができない。

334 【民法第563条】

1 前条第一項本文に規定する場合において、買主が相当の期間を定めて履行の追完の催告をし、その期間内に履行の追完がないときは、買主は、その不適合の程度に応じて代金の減額を請求することができる。

2 前項の規定にかかわらず、次に掲げる場合には、買主は、同項の催告をすることなく、直ちに代金の減額を請求することができる。

一 履行の追完が不能であるとき。

二 売主が履行の追完を拒絶する意思を明確に表示したとき。

三 契約の性質又は当事者の意思表示により、特定の日時又は一定の期間内に履行をしなければ契約をした目的を達することができない場合において、売主が履行の追完をしないでその時期を経過したとき。

四 前三号に掲げる場合のほか、買主が前項の催告をしても履行の追完を受ける見込みがないことが明らかであるとき。

3 第一項の不適合が買主の責めに帰すべき事由によるものであるときは、買主は、前二項の規定による代金の減額の請求をすることができない。

c　損害賠償請求権

買主が引渡しをされた目的物について、種類・品質・数量に関して契約の内容に不適合がある場合には、債務不履行責任を追及できる（民法第415条[335]第1項）ことから、売主に対して、損害賠償を請求することができます（民法第564条[336]）。

d　解除権

買主が引渡しをされた目的物について、種類・品質・数量に関して契約の内容に不適合がある場合には、売主に対して債務不履行に基づく解除（民法第541条[337]本文）をすることができます（民法第564条）。

e　権利に関する契約の不適合への準用

買主が引渡しをされた目的物について、権利に関して契約の内容に不適合がある場合には、売主に対して、追完請求権・代金減額請求権・損害賠償請求権・解除権の行使をすることができます（民法第565条[338]）。

335　【民法第415条】

1　債務者がその債務の本旨に従った履行をしないとき又は債務の履行が不能であるときは、債権者は、これによって生じた損害の賠償を請求することができる。ただし、その債務の不履行が契約その他の債務の発生原因及び取引上の社会通念に照らして債務者の責めに帰することができない事由によるものであるときは、この限りでない。

2　前項の規定により損害賠償の請求をすることができる場合において、債権者は、次に掲げるときは、債務の履行に代わる損害賠償の請求をすることができる。

一　債務の履行が不能であるとき。

二　債務者がその債務の履行を拒絶する意思を明確に表示したとき。

三　債務が契約によって生じたものである場合において、その契約が解除され、又は債務の不履行による契約の解除権が発生したとき。

336　【民法第564条】

前二条の規定は、第四百十五条の規定による損害賠償の請求並びに第五百四十一条及び第五百四十二条の規定による解除権の行使を妨げない。

337　【民法第541条】

当事者の一方がその債務を履行しない場合において、相手方が相当の期間を定めてその履行の催告をし、その期間内に履行がないときは、相手方は、契約の解除をすることができる。ただし、その期間を経過した時における債務の不履行がその契約及び取引上の社会通念に照らして軽微であるときは、この限りでない。

338　【民法第565条】

前三条の規定は、売主が買主に移転した権利が契約の内容に適合しないものである場合（権利の一部が他人に属する場合においてその権利の一部を移転しないときを含む。）について準用する。

③ 交換契約

交換契約とは、当事者が互いに金銭の所有権以外の財産権を移転することを約することによって成立する契約のことをいいます（民法第586条[339]）。

交換契約は、諾成契約であり、双務契約であり、有償契約となります。

貨幣経済の発達した現在においては、あまり意義を有しない契約となっています。

④ 消費貸借契約

消費貸借契約とは、当事者の一方である借主が、相手方である貸主から、同種・同等・同量の返還することを約して、金銭その他の物を受け取ることによって成立する契約のことをいいます（民法第587条[340]）。

消費貸借契約は、書面によらない場合（民法第587条）は要物契約であり、片務契約であり、無償契約となりますが、書面による場合（民法第587条の2[341]）は要式契約としての諾成契約であり、片務契約であり、無償契約となります。

---

339 【民法第586条】

1 交換は、当事者が互いに金銭の所有権以外の財産権を移転することを約することによって、その効力を生ずる。

2 当事者の一方が他の権利とともに金銭の所有権を移転することを約した場合におけるその金銭については、売買の代金に関する規定を準用する。

340 【民法第587条】

消費貸借は、当事者の一方が種類、品質及び数量の同じ物をもって返還をすることを約して相手方から金銭その他の物を受け取ることによって、その効力を生ずる。

341 【民法第587条の2】

1 前条の規定にかかわらず、書面でする消費貸借は、当事者の一方が金銭その他の物を引き渡すことを約し、相手方がその受け取った物と種類、品質及び数量の同じ物をもって返還をすることを約することによって、その効力を生ずる。

2 書面でする消費貸借の借主は、貸主から金銭その他の物を受け取るまで、契約の解除をすることができる。この場合において、貸主は、その契約の解除によって損害を受けたときは、借主に対し、その賠償を請求することができる。

3 書面でする消費貸借は、借主が貸主から金銭その他の物を受け取る前に当事者の一方が破産手続開始の決定を受けたときは、その効力を失う。

4 消費貸借がその内容を記録した電磁的記録によってされたときは、その消費貸借は、書面によってされたものとみなして、前三項の規定を適用する。

⑤　使用貸借契約

使用貸借契約とは、当事者の一方である貸主がある物の引渡しをすることを約し、相手方である借主がその受け取った物について無償で使用や収益をした後に、その物自体を返還することを約することによって成立する契約のことをいいます（民法第593条[342]）。

使用貸借契約は、諾成契約であり、片務契約であり、無償契約となります。

使用貸借契約は、目的物そのものを返還する点において消費貸借契約とは異なります。

⑥　賃貸借契約

A　賃貸借契約の意義

賃貸借契約とは、当事者の一方である賃貸人が、他方である賃借人に対して、ある物の使用及び収益をさせることを約し、賃借人が賃料を支払い、契約の終了により賃貸目的物を返還することを約することによって成立する契約のことをいいます（民法第601条[343]）。

賃貸借契約は、諾成契約であり、双務契約であり、有償契約となります。

賃貸借契約は、その賃料を支払う点において使用貸借契約とは異なり、賃貸目的物そのものを返還する点において消費貸借契約とは異なります。

賃貸借の存続期間は、50年を超えることができません（民法第604条[344]第1項前段）。契約でこれより長い期間を設定した場合には、50年に縮減されます（民法第604条第1項後段）。

342　【民法第593条】

使用貸借は、当事者の一方がある物を引き渡すことを約し、相手方がその受け取った物について無償で使用及び収益をして契約が終了したときに返還をすることを約することによって、その効力を生ずる。

343　【民法第601条】

賃貸借は、当事者の一方がある物の使用及び収益を相手方にさせることを約し、相手方がこれに対してその賃料を支払うこと及び引渡しを受けた物を契約が終了したときに返還することを約することによって、その効力を生ずる。

344　【民法第604条】

1　賃貸借の存続期間は、五十年を超えることができない。契約でこれより長い期間を定めたときであっても、その期間は、五十年とする。

2　賃貸借の存続期間は、更新することができる。ただし、その期間は、更新の時から五十年を超えることができない。

賃貸借の存続期間は更新することができます(民法第604条第2項本文)。但し、その期間は更新の時から50年を超えることができません(民法第604条第2項但書)。更新については、賃貸借の期間が満了した後に賃借人が賃借目的物の使用や収益を継続する場合で、賃貸人がこれを知りながら異議を述べないときには、従前の賃貸借と同一の条件でされたものと推定されます(民法第619条[345]第1項前段)。

B 賃貸借契約における権利・義務

a 賃貸人の権利・義務

い 目的物を使用・収益させる義務

賃貸借契約においては、賃貸人は賃借人に対して、賃貸目的物を使用・収益させる義務を負います(民法第601条)。

ろ 目的物の修繕義務

賃貸人は、賃貸目的物の使用・収益に必要な修繕を行う義務を負います(民法第606条[346]第1項本文)。この修繕義務は、賃貸目的物が使用に堪えない程度あるいは使用に著しい支障を生じる程度に至った場合に生じることとされており、天変地異等の不可抗力によって修繕原因が生じたとしても賃貸人に修繕義務は生じるとされています。しかし、賃借人の責めに帰すべき事由によってその修繕が必要となった場合には、賃貸人は修繕義務を負いません(民法第606条第1項但書)。また、賃貸人が賃貸目的物の保全に必要な行為をしようとしている場合には、賃借人はこれを拒むことができません(民法第606条第2項)。

---

345 【民法第619条】

1 賃貸借の期間が満了した後賃借人が賃借物の使用又は収益を継続する場合において、賃貸人がこれを知りながら異議を述べないときは、従前の賃貸借と同一の条件で更に賃貸借をしたものと推定する。この場合において、各当事者は、第六百十七条の規定により解約の申入れをすることができる。

2 従前の賃貸借について当事者が担保を供していたときは、その担保は、期間の満了によって消滅する。ただし、第六百二十二条の二第一項に規定する敷金については、この限りでない。

346 【民法第606条】

1 賃貸人は、賃貸物の使用及び収益に必要な修繕をする義務を負う。ただし、賃借人の責めに帰すべき事由によってその修繕が必要となったときは、この限りでない。

2 賃貸人が賃貸物の保存に必要な行為をしようとするときは、賃借人は、これを拒むことができない。

b 賃借人の権利・義務

い 賃料支払義務

賃貸借契約においては、賃借人は賃貸人に対して、約定された賃料を支払う義務を負います（民法第601条）。この賃料については、金銭に限らず他の物でも認められます。また、賃料の支払時期については、原則として、後払いであるとされています（民法第614条[347]）。

賃貸目的物について、賃借人の責めに帰すべき事由によらず、その一部が滅失した場合には、その滅失した部分の割合に応じて賃料の減額請求が可能となります（民法第611条[348]第1項）。また、残存する部分のみでは賃貸借契約の目的を達成することができない場合には、契約の解除が可能となります（民法第611条第2項）。

ろ 用法遵守義務

賃借人は、契約または賃貸目的物の性質に定まった用法に従い、賃貸目的物を使用・収益しなければなりません（民法第616条[349]及び第594条[350]第1項）。

347 【民法第614条】
賃料は、動産、建物及び宅地については毎月末に、その他の土地については毎年末に、支払わなければならない。ただし、収穫の季節があるものについては、その季節の後に遅滞なく支払わなければならない。

348 【民法第611条】
1 賃借物の一部が滅失その他の事由により使用及び収益をすることができなくなった場合において、それが賃借人の責めに帰することができない事由によるものであるときは、賃料は、その使用及び収益をすることができなくなった部分の割合に応じて、減額される。
2 賃借物の一部が滅失その他の事由により使用及び収益をすることができなくなった場合において、残存する部分のみでは賃借人が賃借をした目的を達することができないときは、賃借人は、契約の解除をすることができる。

349 【民法第616条】
第五百九十四条第一項の規定は、賃貸借について準用する。

350 【民法第594条】
1 借主は、契約又はその目的物の性質によって定まった用法に従い、その物の使用及び収益をしなければならない。
2 借主は、貸主の承諾を得なければ、第三者に借用物の使用又は収益をさせることができない。
3 借主が前二項の規定に違反して使用又は収益をしたときは、貸主は、契約の解除をすることができる。

は　目的物保管義務

賃貸借契約は、他人（賃貸人）の物を賃借する契約であるため、賃借人は、賃貸目的物に対して、当然に善管注意義務を負うものとされています（民法第400条[351]）。

また、賃貸目的物について修繕を必要とする事情が発生した場合や、賃貸目的物についての権利を主張する第三者がいる場合には、賃借人は賃貸人に対して通知をする必要があります（民法第615条[352]）。

に　費用償還請求権

イ　必要費

賃借人が賃貸目的物につき賃貸人の負担に属する必要費を支出した場合には、賃借人は賃貸人に対して、直ちに、その必要費の償還を請求することができます（民法第608条[353]第1項）。この場合の必要費とは、賃貸目的物の現状維持回復費用のみではなく、賃借人が通常の用法により賃貸目的物を保存するために支出した費用も含むものとされています。

ロ　有益費

賃借人が賃貸目的物につき有益費を支出した場合には、賃借人は賃貸借契約の終了時に、その価格の増加が現存している場合に限り、回復者の選択に従い、占有者の費やした金額または占有物の価格の増加額の償還を請求することができます（民法第608条第2項本文）。

351　【民法第400条】

債権の目的が特定物の引渡しであるときは、債務者は、その引渡しをするまで、契約その他の債権の発生原因及び取引上の社会通念に照らして定まる善良な管理者の注意をもって、その物を保存しなければならない。

352　【民法第615条】

賃借物が修繕を要し、又は賃借物について権利を主張する者があるときは、賃借人は、遅滞なくその旨を賃貸人に通知しなければならない。ただし、賃貸人が既にこれを知っているときは、この限りでない。

353　【民法第608条】

1　賃借人は、賃借物について賃貸人の負担に属する必要費を支出したときは、賃貸人に対し、直ちにその償還を請求することができる。

2　賃借人が賃借物について有益費を支出したときは、賃貸人は、賃貸借の終了の時に、第百九十六条第二項の規定に従い、その償還をしなければならない。ただし、裁判所は、賃貸人の請求により、その償還について相当の期限を許与することができる。

C　賃貸借契約の終了

a　存続期間満了による賃貸借契約の終了

賃貸借契約は、存続期間の満了によって終了します。

b　賃貸目的物の全部滅失による賃貸借契約の終了

賃貸目的物が全部滅失したことにより、賃貸目的物を賃借人に使用・収益させることができなくなった場合には、賃貸借契約はこれによって終了することとなります（民法第616条の2[354]）。

c　一方当事者からの解約申入れによる賃貸借契約の終了

い　存続期間の設定のない賃貸借契約の場合

存続期間の設定のない賃貸借契約においては、各当事者は、いつでも、解約の申入れをすることによって、賃貸借契約を終了させることができます（民法第617条[355]第1項）。

ろ　存続期間の設定のある賃貸借契約の場合

存続期間の設定のある賃貸借契約においては、当事者の一方または双方がその期間内に解約をする権利を留保した場合には、いつでも、解約の申入れをすることによって、賃貸借契約を終了させることができます（民法第618条[356]）。

は　債務不履行を理由とする賃貸借契約の終了

賃貸人または賃借人が債務不履行を行った場合には、その相手方は賃貸借契約を解除し、賃貸借契約を終了させることができます。

354　【民法第616条の2】
賃借物の全部が滅失その他の事由により使用及び収益をすることができなくなった場合には、賃貸借は、これによって終了する。

355　【民法第617条】
1　当事者が賃貸借の期間を定めなかったときは、各当事者は、いつでも解約の申入れをすることができる。この場合においては、次の各号に掲げる賃貸借は、解約の申入れの日からそれぞれ当該各号に定める期間を経過することによって終了する。
一　土地の賃貸借　一年
二　建物の賃貸借　三箇月
三　動産及び貸席の賃貸借　一日
2　収穫の季節がある土地の賃貸借については、その季節の後次の耕作に着手する前に、解約の申入れをしなければならない。

356　【民法第618条】
当事者が賃貸借の期間を定めた場合であっても、その一方又は双方がその期間内に解約をする権利を留保したときは、前条の規定を準用する。

⑦ 雇用契約

雇用契約とは、当事者の一方である労働者が、相手方である使用者に対して労働に従事することを約し、使用者がその報酬を与えることを約することによって成立する契約のことをいいます（民法第623条[357]）。

雇用契約は、諾成契約であり、双務契約であり、有償契約となります。

民法上の雇用契約に関する規定は、労働基準法等の労働法規によって大きく修正されています。また、私たちが働く場合は、それらの労働法規に従うこととなります。そのため、民法上の雇用契約の規定を利用する場面は限定されているといえます。

⑧ 請負契約

A 請負契約の意義

請負契約とは、当事者の一方である請負人が、相手方である注文者に対してある仕事を完成することを約し、注文者がその仕事の結果に対してその報酬を与えることを約することによって成立する契約のことをいいます（民法第632条[358]）。

請負契約は、諾成契約であり、双務契約であり、有償契約となります。

B 請負契約における権利・義務

a 注文者の権利・義務

い 報酬支払義務

注文者は、完成した仕事に対して請負人に報酬を支払う義務を負います。報酬の支払時期については、注文者と請負人との間で特約等の何らかの取り決めがあればそれに従うこととなります。このような取り決めがなければ目的物の引渡しとの同時履行により報酬が支払われることとなります（民法第633条[359]本文）。

357 【民法第623条】
雇用は、当事者の一方が相手方に対して労働に従事することを約し、相手方がこれに対してその報酬を与えることを約することによって、その効力を生ずる。

358 【民法第632条】
請負は、当事者の一方がある仕事を完成することを約し、相手方がその仕事の結果に対してその報酬を支払うことを約することによって、その効力を生ずる。

359 【民法第633条】
報酬は、仕事の目的物の引渡しと同時に、支払わなければならない。ただし、物の引渡しを要しないときは、第六百二十四条第一項の規定を準用する。

ろ　工事完成前の任意解除権

注文者は、請負人が仕事を完成しない間はいつでも理由を必要とすることなしに損害を賠償して契約を解除することができます（民法第641条[360]）。

b　請負人の権利・義務（仕事完成義務）

請負人は注文者に対して請負契約の内容に従って仕事を完成させる義務を負います。仕事完成義務には、仕事に着手する義務・請負契約に従って仕事をする義務・完成物を注文者に引渡しをする義務が含まれます。

C　完成した目的物の所有権の帰属

a　引渡しを必要としない場合

そもそも、引渡しを必要としない場合には、工事の完成時に注文者に所有権が原始的に帰属することとなります。

b　引渡しを必要とする場合

い　当事者に明確な合意がある場合

注文者が注文した目的物が完成した場合において、その完成物の所有権の帰属主体を注文者にするか請負人にするかについて、契約当事者間に特約等の明確な合意がある場合には、その当事者間の意思表示に従うこととなります（最高裁判所昭和46年3月5日判決）。

ろ　当事者に明確な合意がない場合

イ　注文者が材料を提供した場合

注文者が材料の全部または主要な部分を提供した場合には、完成と同時に注文者が完成物の所有権を原始的に取得するものとされています（大審院昭和7年5月9日判決）。

ロ　請負人が材料を提供した場合

請負人が材料の全部または主要な部分を提供した場合には、完成物の所有権は請負人に一度帰属し、引渡しによって注文者に移転するとされています（大審院大正3年12月26日判決）。

ハ　注文者があらかじめ請負代金の全額を支払っていた場合

注文者があらかじめ請負代金の全額を請負人に支払っていた場合には、完成と同時に完成物の所有権が注文者に帰属するとの合意があったものとされています（大審院昭和18年7月20日判決）。

360　【民法第641条】
請負人が仕事を完成しない間は、注文者は、いつでも損害を賠償して契約の解除をすることができる。

ニ　注文者及び請負人がともに材料を提供していた場合

注文者及び請負人がともに材料を提供していた場合には、加工に関する規定（民法第246条[361]）によって処理するとされています。

⑨　委任契約

A　委任契約の意義

委任契約とは、当事者の一方である委任者が、相手方である受任者に対して、ある法律行為をすることを委託し、受任者がこれを承諾することによって成立する契約のことをいいます（民法第643条[362]）。

委任契約は、原則として、諾成契約であり、片務契約であり、無償契約となりますが、有償委任の場合は例外として、諾成契約であり、双務契約であり、有償契約となります。

また、法律行為以外の事実行為を委託することを内容とする契約を準委任契約といい、民法上、準委任契約には委任契約の規定を準用しています（民法第656条[363]）。なお、委任事務の内容が法律行為か事実行為かについては、実際上、その区別による実益はほとんどないといえます。

B　委任契約における権利・義務

a　受任者の義務

い　忠実義務

受任者は、委任者から信任を受けて事務処理をしなければならないことから忠実義務を負います。受任者は、自己の利益や第三者の利益を図るのではなく、委任者の利益を図る必要があります。

361　【民法第246条】
1　他人の動産に工作を加えた者（以下この条において「加工者」という。）があるときは、その加工物の所有権は、材料の所有者に帰属する。ただし、工作によって生じた価格が材料の価格を著しく超えるときは、加工者がその加工物の所有権を取得する。
2　前項に規定する場合において、加工者が材料の一部を供したときは、その価格に工作によって生じた価格を加えたものが他人の材料の価格を超えるときに限り、加工者がその加工物の所有権を取得する。

362　【民法第643条】
委任は、当事者の一方が法律行為をすることを相手方に委託し、相手方がこれを承諾することによって、その効力を生ずる。

363　【民法第656条】
この節の規定は、法律行為でない事務の委託について準用する。

ろ　善管注意義務

受任者は、委任契約が有償であるか無償であるかを問わず、委任の本旨に従って、善良な管理者の注意をもって委任事務を処理する義務（善管注意義務）を負います（民法第644条[364]）。

は　自ら事務を処理する義務

委任契約は、委任者と受任者との間の信頼関係を基礎としているため、受任者は委任された事務について自ら事務を処理する義務を負います。但し、委任者の許諾を得た場合や、やむを得ない事由がある場合には、受任者は復受任者を選任することができます（民法第644条の2[365]第1項）。

に　事務処理についての報告義務

受任者は、委任者から請求がある場合には、いつでも委任された事務処理についての状況を報告し、委任契約終了後には、遅滞なくその経過及び結果を報告しなければなりません（民法第645条[366]）。

ほ　事務処理についての受取物の引渡し義務

受任者は、委任事務の処理中に受け取った物を委任者に引渡しをしなければなりません（民法第646条[367]第1項前段）。また、受任者は、委任者のために自己の名で取得した権利も委任者に移転しなければなりません（民法第646条第2項）。

364　【民法第644条】
受任者は、委任の本旨に従い、善良な管理者の注意をもって、委任事務を処理する義務を負う。

365　【民法第644条の2】
1　受任者は、委任者の許諾を得たとき、又はやむを得ない事由があるときでなければ、復受任者を選任することができない。
2　代理権を付与する委任において、受任者が代理権を有する復受任者を選任したときは、復受任者は、委任者に対して、その権限の範囲内において、受任者と同一の権利を有し、義務を負う。

366　【民法第645条】
受任者は、委任者の請求があるときは、いつでも委任事務の処理の状況を報告し、委任が終了した後は、遅滞なくその経過及び結果を報告しなければならない。

367　【民法第646条】
1　受任者は、委任事務を処理するに当たって受け取った金銭その他の物を委任者に引き渡さなければならない。その収取した果実についても、同様とする。
2　受任者は、委任者のために自己の名で取得した権利を委任者に移転しなければならない。

へ　引渡しをすべき金銭を費消した場合の返還義務

受任者は、委任者に引渡しをすべき金額や、その利益のために用いるべき金額を自己のために費消した場合には、その費消した日以後の利息を支払わなければなりません（民法第647条[368]前段）。この場合において、なお損害がある場合は、その賠償の責任を負います（民法第647条後段）。

と　委任者の指示に従う義務

委任事務の処理について、委任者から指示がある場合には、受任者はこれに従う必要があります。つまり、受任者は、委任者の意思に反する事務処理をしてはならないのです。

ち　財産の分別管理義務

受任者は、委任事務の処理にいて、委任者に帰属すべき財産を自らの管理下においた場合には、自己の財産と明確に区分して保有し、委任者に引渡しをすることができる状態にしておく必要があります。

b　受任者の権利（委任者の義務）

い　受任者の報酬支払請求権（委任者の報酬支払義務）

委任契約は、原則として、無償契約であるため、受任者の報酬支払請求権は生じませんが、例外として、報酬支払についての特約がある場合に限り、受任者は委任者に対して、報酬の支払を請求することができます（民法第648条[369]第1項）。つまり、委任契約が有償契約の場合には、委任者に報酬支払義務が生じます。

368　【民法第647条】

受任者は、委任者に引き渡すべき金額又はその利益のために用いるべき金額を自己のために消費したときは、その消費した日以後の利息を支払わなければならない。この場合において、なお損害があるときは、その賠償の責任を負う。

369　【民法第648条】

1　受任者は、特約がなければ、委任者に対して報酬を請求することができない。

2　受任者は、報酬を受けるべき場合には、委任事務を履行した後でなければ、これを請求することができない。ただし、期間によって報酬を定めたときは、第六百二十四条第二項の規定を準用する。

3　受任者は、次に掲げる場合には、既にした履行の割合に応じて報酬を請求することができる。

一　委任者の責めに帰することができない事由によって委任事務の履行をすることができなくなったとき。

二　委任が履行の中途で終了したとき。

また、委任事務の履行により得られる成果に対して報酬を支払うことを約した場合において、その成果が引渡しを必要とするときには、報酬はその成果の引渡しと同時に支払われる必要があります（民法第648条の2[370]第1項）。引渡しを必要としない場合については、後払いとなります。

ろ　受任者の費用前払請求権（委任者の費用前払義務）

委任者は、受任者が委任事務を処理するための費用が必要な場合には、その請求に従ってその費用の前払いをしなければなりません（民法第649条[371]）。

は　受任者の費用償還請求権（委任者の費用償還義務）

委任者は、受任者が委任事務を処理するのに必要な費用を支出した場合には、その費用及びその利息を受任者に支払わなければなりません（民法第650条[372]第1項）。

に　受任者の代弁済請求権（委任者の代弁済義務）

委任者は、受任者が委任事務を処理するのに必要な債務を負担した場合には、受任者に代わってその債務を弁済しなければなりません（民法第650条第2項前段）。

370　【民法第648条の2】

1　委任事務の履行により得られる成果に対して報酬を支払うことを約した場合において、その成果が引渡しを要するときは、報酬は、その成果の引渡しと同時に、支払わなければならない。

2　第六百三十四条の規定は、委任事務の履行により得られる成果に対して報酬を支払うことを約した場合について準用する。

371　【民法第649条】

委任事務を処理するについて費用を要するときは、委任者は、受任者の請求により、その前払をしなければならない。

372　【民法第650条】

1　受任者は、委任事務を処理するのに必要と認められる費用を支出したときは、委任者に対し、その費用及び支出の日以後におけるその利息の償還を請求することができる。

2　受任者は、委任事務を処理するのに必要と認められる債務を負担したときは、委任者に対し、自己に代わってその弁済をすることを請求することができる。この場合において、その債務が弁済期にないときは、委任者に対し、相当の担保を供させることができる。

3　受任者は、委任事務を処理するため自己に過失なく損害を受けたときは、委任者に対し、その賠償を請求することができる。

ほ　受任者の担保供与請求権（委任者の担保供与義務）

受任者は、委任者に対して、相当の担保の提供を請求することができます（民法第650条第２項後段）。

へ　受任者の損害賠償請求権（委任者の損害賠償義務）

受任者が委任事務を処理するために自己に過失なく損害を受けた場合には、受任者は、委任者に対して、損害賠償を請求することができます（民法第650条第３項）。

C　委任契約の終了

a　委任契約の任意解除

委任契約は、委任者及び受任者の双方がいつでも解除をすることができます（民法第651条[373]第１項）。当事者の一方が相手方に不利な時期に委任を解除した場合（民法第651条第２項第１号）や、委任者が受任者の利益をも目的とする委任を解除した場合（民法第651条第２項第２号）には、その当事者の一方は、相手方に対して、その損害を賠償しなければなりません（民法第651条第２項柱書本文）。但し、やむを得ない事由がある場合には、免責されることとなります（民法第651条第２項柱書但書）。

b　債務不履行を理由とした委任契約の解除

委任契約において、当事者の一方に債務不履行があった場合には、その相手方は、債務不履行を理由に委任契約を解除することができます。この場合、その解除の効果は将来に向かってのみ発生します（民法第652条[374]及び第620条[375]）。

373　【民法第651条】
１　委任は、各当事者がいつでもその解除をすることができる。
２　前項の規定により委任の解除をした者は、次に掲げる場合には、相手方の損害を賠償しなければならない。ただし、やむを得ない事由があったときは、この限りでない。
　一　相手方に不利な時期に委任を解除したとき。
　二　委任者が受任者の利益（専ら報酬を得ることによるものを除く。）をも目的とする委任を解除したとき。

374　【民法第652条】
第六百二十条の規定は、委任について準用する。

375　【民法第620条】
賃貸借の解除をした場合には、その解除は、将来に向かってのみその効力を生ずる。この場合においては、損害賠償の請求を妨げない。

c　当事者の死亡または破産手続開始決定・受任者の後見開始の場合

委任契約は、委任者または受任者が死亡した場合（民法第653条[376]第1号）・委任者または受任者が破産手続開始の決定を受けた場合（民法第653条第2号）・受任者が後見開始の審判を受けた場合（民法第653条第3号）に終了します（民法第653条柱書）。

⑩　寄託契約

A　寄託契約の意義

寄託契約とは、当事者の一方である寄託者が、相手方である受寄者に対して、ある物を保管することを委託し、受寄者がこのことを承諾することによって成立する契約のことをいいます（民法第657条[377]）。

寄託契約は、原則として、諾成契約であり、片務契約であり、無償契約となりますが、有償寄託の場合は例外として、諾成契約であり、双務契約であり、有償契約となります。

B　寄託契約における権利・義務

a　受寄者の義務

い　寄託物の使用及び再寄託の禁止

寄託契約においては、原則として、受寄者は、寄託物を使用したり、第三者に保管させたりすることはできません。

しかし、例外として、寄託者の承諾があれば、受寄者は寄託物の使用をすることができます（民法第658条[378]第1項）。

376　【民法第653条】

委任は、次に掲げる事由によって終了する。

一　委任者又は受任者の死亡

二　委任者又は受任者が破産手続開始の決定を受けたこと。

三　受任者が後見開始の審判を受けたこと。

377　【民法第657条】

寄託は、当事者の一方がある物を保管することを相手方に委託し、相手方がこれを承諾することによって、その効力を生ずる。

378　【民法第658条】

1　受寄者は、寄託者の承諾を得なければ、寄託物を使用することができない。

2　受寄者は、寄託者の承諾を得たとき、又はやむを得ない事由があるときでなければ、寄託物を第三者に保管させることができない。

3　再受寄者は、寄託者に対して、その権限の範囲内において、受寄者と同一の権利を有し、義務を負う。

また、寄託者の承諾がある場合か、やむを得ない事由がある場合には、受寄者は寄託物を第三者に保管させることができます（民法第658条第2項）。この場合、再受寄者はその権限の範囲内において受寄者と同一の権利を有し、義務を負うこととなります（民法第658条第3項）。

ろ　保管義務

イ　無償寄託の場合

無償寄託の場合には、受寄者は、自己の財産に対するのと同一の注意をもって寄託物を保管しなければなりません（民法第659条[379]）。

ロ　有償寄託の場合

有償寄託の場合には、受寄者は、善良な管理者の注意をもって寄託物を保管しなければなりません（民法第400条[380]）。

は　通知義務

受寄者は、寄託物に権利を主張する第三者が受寄者に対して訴えを提起したり、差押え等をしたりした場合には、その事実を寄託者に遅滞なく報告しなければなりません（民法第660条[381]第1項本文）。

379　【民法第659条】
無報酬の受寄者は、自己の財産に対するのと同一の注意をもって、寄託物を保管する義務を負う。

380　【民法第400条】
債権の目的が特定物の引渡しであるときは、債務者は、その引渡しをするまで、契約その他の債権の発生原因及び取引上の社会通念に照らして定まる善良な管理者の注意をもって、その物を保存しなければならない。

381　【民法第660条】
1　寄託物について権利を主張する第三者が受寄者に対して訴えを提起し、又は差押え、仮差押え若しくは仮処分をしたときは、受寄者は、遅滞なくその事実を寄託者に通知しなければならない。ただし、寄託者が既にこれを知っているときは、この限りでない。
2　第三者が寄託物について権利を主張する場合であっても、受寄者は、寄託者の指図がない限り、寄託者に対しその寄託物を返還しなければならない。ただし、受寄者が前項の通知をした場合又は同項ただし書の規定によりその通知を要しない場合において、その寄託物をその第三者に引き渡すべき旨を命ずる確定判決（確定判決と同一の効力を有するものを含む。）があったときであって、その第三者にその寄託物を引き渡したときは、この限りでない。
3　受寄者は、前項の規定により寄託者に対して寄託物を返還しなければならない場合には、寄託者にその寄託物を引き渡したことによって第三者に損害が生じたときであっても、その賠償の責任を負わない。

に　引渡義務

受寄者は、寄託物の保管中に受け取った金銭その他の物を寄託者に引渡しをしなければなりません（民法第665条[382]及び第646条[383]第1項前段）。また、受寄者は、寄託者のために自己の名で取得した権利も寄託者に移転しなければなりません（民法第665条及び第646条第2項）。

ほ　引渡しをすべき金銭を費消した場合の返還義務

受寄者は、寄託者に引渡しをすべき金額や、その利益のために用いるべき金額を自己のために費消した場合には、その費消した日以後の利息を支払わなければなりません(民法第665条及び第647条[384]本文)。この場合において、なお損害がある場合は、その賠償の責任を負います（民法第665条及び第647条後段)。

b　受寄者の権利（寄託者の義務）

い　受寄者の損害賠償請求権（寄託者の損害賠償義務）

寄託物の性質や瑕疵によって受寄者に損害が生じた場合には、受寄者は、寄託者に対して、損害賠償を請求することができます（民法第661条[385]本文)。但し、寄託者が過失なくその性質や瑕疵を知らなかった場合や、受寄者がその性質や瑕疵を知っていた場合に、寄託者側がこのことを主張及び立証することができれば免責されます（民法第661条但書)。

382　【民法第665条】
第六百四十六条から第六百四十八条まで、第六百四十九条並びに第六百五十条第一項及び第二項の規定は、寄託について準用する。

383　【民法第646条】
1　受任者は、委任事務を処理するに当たって受け取った金銭その他の物を委任者に引き渡さなければならない。その収取した果実についても、同様とする。
2　受任者は、委任者のために自己の名で取得した権利を委任者に移転しなければならない。

384　【民法第647条】
受任者は、委任者に引き渡すべき金額又はその利益のために用いるべき金額を自己のために消費したときは、その消費した日以後の利息を支払わなければならない。この場合において、なお損害があるときは、その賠償の責任を負う。

385　【民法第661条】
寄託者は、寄託物の性質又は瑕疵によって生じた損害を受寄者に賠償しなければならない。ただし、寄託者が過失なくその性質若しくは瑕疵を知らなかったとき、又は受寄者がこれを知っていたときは、この限りでない。

ろ　受寄者の報酬支払請求権（寄託者の報酬支払義務）

寄託契約は、原則として、無償契約であるため、受寄者の報酬支払請求権は生じませんが、例外として、報酬支払についての特約がある場合に限り、受寄者は寄託者に対して、報酬の支払を請求することができます（民法第665条及び第648条[386]第1項）。

は　受寄者の費用償還請求権（寄託者の費用償還義務）

寄託者は、受寄者が必要な費用を支出した場合には、その費用及びその利息を受寄者に支払わなければなりません（民法第665条及び民第650条[387]第1項）。

に　受寄者の代弁済請求権（寄託者の代弁済義務）

寄託者は、受寄者が必要な債務を負担した場合には、受寄者に代わってその債務を弁済しなければなりません（民法第665条及び第650条第2項前段）。

ほ　受寄者の担保供与請求権（寄託者の担保供与義務）

受寄者は、寄託者に対して、相当の担保の提供を請求することができます（民法第665条及び第650条第2項後段）。

386 【民法第648条】

1　受任者は、特約がなければ、委任者に対して報酬を請求することができない。

2　受任者は、報酬を受けるべき場合には、委任事務を履行した後でなければ、これを請求することができない。ただし、期間によって報酬を定めたときは、第六百二十四条第二項の規定を準用する。

3　受任者は、次に掲げる場合には、既にした履行の割合に応じて報酬を請求することができる。

一　委任者の責めに帰することができない事由によって委任事務の履行をすることができなくなったとき。

二　委任が履行の中途で終了したとき。

387 【民法第650条】

1　受任者は、委任事務を処理するのに必要と認められる費用を支出したときは、委任者に対し、その費用及び支出の日以後におけるその利息の償還を請求することができる。

2　受任者は、委任事務を処理するのに必要と認められる債務を負担したときは、委任者に対し、自己に代わってその弁済をすることを請求することができる。この場合において、その債務が弁済期にないときは、委任者に対し、相当の担保を供させることができる。

3　受任者は、委任事務を処理するため自己に過失なく損害を受けたときは、委任者に対し、その賠償を請求することができる。

C 寄託契約の終了

a 寄託者による返還請求

当事者が寄託物の返還の時期を設定していた場合であっても、寄託者は、いつでもその返還を請求できます（民法第662条[388]第1項）。この場合、寄託者がその時期の前に返還を請求したことによって、受寄者が損害を受けた場合には、受寄者は、寄託者に対して、その賠償を請求することができます（民法第662条第2項）。

b 受寄者による引取請求

い 返還時期を設定していなかった場合

当事者が寄託物の返還の時期を設定していなかった場合には、受寄者はいつでもその返還をすることができます（民法第663条[389]第1項）。

ろ 返還時期を設定していた場合

当事者が寄託物の返還の時期を設定していた場合には、受寄者は、やむを得ない事由がなければ、期限前にその返還をすることができません（民法第663条第2項）。

c 返還場所

寄託物の返還については、原則として、その保管をすべき場所でする必要があります（民法第664条[390]本文）。しかし、受寄者が正当な事由によってその物を保管する場所を変更した場合には、その現在の場所で返還をすることができます（民法第664条但書）。

---

388 【民法第662条】

1 当事者が寄託物の返還の時期を定めたときであっても、寄託者は、いつでもその返還を請求することができる。

2 前項に規定する場合において、受寄者は、寄託者がその時期の前に返還を請求したことによって損害を受けたときは、寄託者に対し、その賠償を請求することができる。

389 【民法第663条】

1 当事者が寄託物の返還の時期を定めなかったときは、受寄者は、いつでもその返還をすることができる。

2 返還の時期の定めがあるときは、受寄者は、やむを得ない事由がなければ、その期限前に返還をすることができない。

390 【民法第664条】

寄託物の返還は、その保管をすべき場所でしなければならない。ただし、受寄者が正当な事由によってその物を保管する場所を変更したときは、その現在の場所で返還をすることができる。

⑪ 組合契約

組合契約とは、各当事者が出資をして、共同の事業を営むことを約することによって効力を生じる契約のことをいいます（民法第667条[391]）。

組合契約は、諾成契約であり、双務契約であり、有償契約となります。

組合の債権は各組合員の分割債権とはならず、組合の債務も各組合員の分割債務とはなりません。

⑫ 終身定期金契約

終身定期金契約とは、当事者の一方である終身定期金債務者が、自己・終身定期金債権者である相手方・第三者の死亡に至るまで、定期に金銭その他の物を相手や第三者に給付することを約することによって効力を生じる契約のことをいいます（民法第689条[392]）。

終身定期金契約は、諾成契約であり、対価があれば双務契約であり、有償契約ですが、対価がなければ片務契約であり、無償契約となります。

終身定期金契約は、終身定期金債権者の老後の生活の保障のために利用される契約でしたが、各種公的年金制度が充実している現代においては、ほとんど利用されていません。

⑬ 和解契約

和解契約とは、当事者が互いに譲歩をして、当事者間に存在する争いをやめることを約することによって効力を生じる契約のことをいいます（民法第695条[393]）。

和解契約は、諾成契約であり、双務契約であり、有償契約となります。

391 【民法第667条】
　1 組合契約は、各当事者が出資をして共同の事業を営むことを約することによって、その効力を生ずる。
　2 出資は、労務をその目的とすることができる。

392 【民法第689条】
　終身定期金契約は、当事者の一方が、自己、相手方又は第三者の死亡に至るまで、定期に金銭その他の物を相手方又は第三者に給付することを約することによって、その効力を生ずる。

393 【民法第695条】
　和解は、当事者が互いに譲歩をしてその間に存する争いをやめることを約することによって、その効力を生ずる。

（3）事務管理

① 事務管理の意義

事務管理とは、法律上の義務がないにも拘わらず、他人のために事務を管理することをいいます（民法第697条[394]第1項）。事務とは、人の生活に必要となる一切の仕事のことを意味し、事実行為であるか、法律行為であるかを問いません。民法第697条第1項の趣旨は、本来であれば他人の生活への干渉となる行為と、相互扶助の理念に基づく行為との調整によって、法律上の義務がないにも拘わらず、他人の事務に干渉する違法性を否定するところにあります。このような趣旨から、事務管理者は、本人の意思を知っている場合や、本人の意思を推知できる場合には、その意思に従って事務管理をしなければならないこととなります（民法第697条第2項）。

② 事務管理者の権利・義務

A 事務管理開始についての通知義務

事務管理者が事務管理を開始した場合には、このことを本人に遅滞なく通知しなければなりません（民法第699条[395]本文）。但し、本人が既に知っている場合には、通知する必要はありません（民法第699条但書）。

B 善管注意義務

事務管理者は、事務管理を行うにあたっては、善管注意義務を負うこととなります（民法第400条[396]）。

394 【民法第697条】

1 義務なく他人のために事務の管理を始めた者（以下この章において「管理者」という。）は、その事務の性質に従い、最も本人の利益に適合する方法によって、その事務の管理（以下「事務管理」という。）をしなければならない。

2 管理者は、本人の意思を知っているとき、又はこれを推知することができるときは、その意思に従って事務管理をしなければならない。

395 【民法第699条】

管理者は、事務管理を始めたことを遅滞なく本人に通知しなければならない。ただし、本人が既にこれを知っているときは、この限りでない。

396 【民法第400条】

債権の目的が特定物の引渡しであるときは、債務者は、その引渡しをするまで、契約その他の債権の発生原因及び取引上の社会通念に照らして定まる善良な管理者の注意をもって、その物を保存しなければならない。

しかし、本人の身体・名誉・財産に対する急迫の危害を免れさせるために事務管理者が事務管理（緊急事務管理）を行った場合については、悪意または重大な過失があるのでなければ、これによって生じた損害を賠償する責任を負いません（民法第698条[397]）。つまり、緊急事務管理に該当しない場合については、善管注意義務を負うこととなります。

C　管理継続義務

事務管理者は、本人等が自ら管理をすることができるまで事務管理を継続しなければなりません（民法第700条[398]本文）。しかし、事務管理の継続が、本人の意思に反していたり、明らかに本人に不利であったりした場合には、事務管理を中止しなければなりません（民法第700条但書）。

D　事務管理についての報告義務

事務管理者は、本人から請求がある場合には、いつでも事務管理についての状況を報告し、事務管理終了後には、遅滞なくその経過及び結果を報告しなければなりません（民法第701条[399]及び第645条[400]）。

E　事務管理についての受取物の引渡し義務

事務管理者は、事務管理中に受け取った物を本人に引渡しをしなければなりません（民法第701条及び第646条[401]第1項前段）。

397　【民法第698条】
管理者は、本人の身体、名誉又は財産に対する急迫の危害を免れさせるために事務管理をしたときは、悪意又は重大な過失があるのでなければ、これによって生じた損害を賠償する責任を負わない。

398　【民法第700条】
管理者は、本人又はその相続人若しくは法定代理人が管理をすることができるに至るまで、事務管理を継続しなければならない。ただし、事務管理の継続が本人の意思に反し、又は本人に不利であることが明らかであるときは、この限りでない。

399　【民法第701条】
第六百四十五条から第六百四十七条までの規定は、事務管理について準用する。

400　【民法第645条】
受任者は、委任者の請求があるときは、いつでも委任事務の処理の状況を報告し、委任が終了した後は、遅滞なくその経過及び結果を報告しなければならない。

401　【民法第646条】
1　受任者は、委任事務を処理するに当たって受け取った金銭その他の物を委任者に引き渡さなければならない。その収取した果実についても、同様とする。
2　受任者は、委任者のために自己の名で取得した権利を委任者に移転しなければならない。

F 引渡しをすべき金銭を費消した場合の返還義務

事務管理者は、本人に引渡しをすべき金額や、その利益のために用いるべき金額を自己のために費消した場合には、その費消した日以後の利息を支払わなければなりません（民法第701条及び第647条[402]前段）。この場合において、なお損害がある場合は、その賠償の責任を負います（民法第701条及び第647条後段）。

G 費用償還請求権

事務管理者は、本人のために有益な費用を支出した場合には、本人に対して、その償還を請求することができます（民法第702条[403]第1項）。但し、事務管理者が本人の意思に反して事務管理をした場合には、本人が現に利益を受けている限度でのみ請求することができます（民法第702条第3項）。

H 代弁済請求権

事務管理者は、事務管理をするのに必要な債務を負担した場合には、本人に自己に代わってその債務を弁済するように請求することができます（民法第702条第2項及び第650条[404]第2項前段）。

---

402 【民法第647条】

受任者は、委任者に引き渡すべき金額又はその利益のために用いるべき金額を自己のために消費したときは、その消費した日以後の利息を支払わなければならない。この場合において、なお損害があるときは、その賠償の責任を負う。

403 【民法第702条】

1 管理者は、本人のために有益な費用を支出したときは、本人に対し、その償還を請求することができる。

2 第六百五十条第二項の規定は、管理者が本人のために有益な債務を負担した場合について準用する。

3 管理者が本人の意思に反して事務管理をしたときは、本人が現に利益を受けている限度においてのみ、前二項の規定を適用する。

404 【民法第650条】

1 受任者は、委任事務を処理するのに必要と認められる費用を支出したときは、委任者に対し、その費用及び支出の日以後におけるその利息の償還を請求することができる。

2 受任者は、委任事務を処理するのに必要と認められる債務を負担したときは、委任者に対し、自己に代わってその弁済をすることを請求することができる。この場合において、その債務が弁済期にないときは、委任者に対し、相当の担保を供させることができる。

3 受任者は、委任事務を処理するため自己に過失なく損害を受けたときは、委任者に対し、その賠償を請求することができる。

Ⅰ　担保供与請求権

事務管理者は、本人に対して、相当の担保の提供を請求することができます（民法第702条及び第650条第２項後段）。

（4）不当利得

①　不当利得の意義

不当利得とは、法律上、何ら正当な理由もなく財産的利得を得て、これによって他人に損失を及ぼすことをいいます。不当利得を得た善意の受益者は、損失を及ぼした他人に対して、現存利益の範囲内でその利得を返還しなければなりません（民法第703条[405]）。一方、悪意の受益者は、利息を付して返還する必要があり（民法第704条[406]前段）、なお損害がある場合には、損害賠償責任を負うこととなります（民法第704条後段）。このような不当利得制度が規定された趣旨は、形式的には正当視できる財産的価値の移転が実質的には正当視できないような場合に、その矛盾を調整し、実質的公平を図るところにあります。また、不当利得制度は、他に適切な実定法上の理論によって適切な解決を図ることができる場合については適用するべきではなく、他に適切な実定法上の理論によって適切な解決ができない場合においてのみ適用すべきであるとされています（不当利得の補充性）。

②　非債弁済

A　債務の不存在を知ってした弁済

債務が存在しないことについて悪意であるにも拘わらず、任意に弁済をした場合には、相手方に不当利得であるとしてその給付したものの返還を請求することができなくなります（民法第705条[407]）。

405　【民法第703条】
法律上の原因なく他人の財産又は労務によって利益を受け、そのために他人に損失を及ぼした者（以下この章において「受益者」という。）は、その利益の存する限度において、これを返還する義務を負う。

406　【民法第704条】
悪意の受益者は、その受けた利益に利息を付して返還しなければならない。この場合において、なお損害があるときは、その賠償の責任を負う。

407　【民法第705条】
債務の弁済として給付をした者は、その時において債務の存在しないことを知っていたときは、その給付したものの返還を請求することができない。

B　期限前弁済

債務者は、履行期前であるにも拘わらず債務の履行をした場合には、債務自体は存在していることから法律上の原因がないとはいえないこととなります。その結果、債権者の不当利得の問題とはならないことから、債権者にその給付したものの返還を請求することができなくなります（民法第706条[408]本文）。但し、債務者が弁済期について錯誤をしたことによってその給付をした場合については、債権者はこれによって得た利益を債務者に返還しなければなりません（民法第706条但書）。

C　他人債務弁済

債務者ではない者が、他人の債務であるにも拘わらず、自己の債務であると誤信してその債務の弁済をした場合には、原則として、その債務者ではない者は債権者に対して、その給付したものの返還を請求することができます。しかし、有効な弁済であると信じた善意の債権者が、そのことを原因としてその債権を失ったりした場合には、善意の債権者を保護する必要から、例外として、その債務者ではない者は債権者に対して、その給付したものの返還を請求することができなくなります（民法第707条[409]第1項）。また、真の債務者に対しては、その債務を消滅させたことにより求償をすることができることとなります（民法第707条第2項）。

③　不法原因給付

不法原因給付とは、不法な原因のためにされた給付のことをいいます（民法第708条[410]本文）。

408　【民法第706条】

債務者は、弁済期にない債務の弁済として給付をしたときは、その給付したものの返還を請求することができない。ただし、債務者が錯誤によってその給付をしたときは、債権者は、これによって得た利益を返還しなければならない。

409　【民法第707条】

1　債務者でない者が錯誤によって債務の弁済をした場合において、債権者が善意で証書を滅失させ若しくは損傷し、担保を放棄し、又は時効によってその債権を失ったときは、その弁済をした者は、返還の請求をすることができない。

2　前項の規定は、弁済をした者から債務者に対する求償権の行使を妨げない。

410　【民法第708条】

不法な原因のために給付をした者は、その給付したものの返還を請求することができない。ただし、不法な原因が受益者についてのみ存したときは、この限りでない。

不法原因給付をした者は、その給付が法律上の原因がないことにより、本来であれば不当利得に基づく返還請求ができる場合であっても、給付したものの返還を請求することができなくなります（民法第708条本文）。但し、不法な原因が受益者についてのみ存する場合には、不当利得に基づき、給付したものの返還を請求することができます（民法第708条但書）。

民法第708条本文の趣旨は、自ら社会的に非難されるような行為をした者がこのことを理由として、自己の損失を回復するために法による救済を求めることはできない（クリーンハンズの原則）というところにあります。また、民法第90条[411]が、公序良俗に反する法律行為に対して無効であると宣言していることに対して、民法第708条本文は、既に行われた反社会的行為に対して、その回復を拒むことを宣言していることから、民法第90条と民法第708条本文とは表裏一体の関係であり、ともに反社会的行為に対して法の救済を否定しているものといえます。

（5）不法行為

① 不法行為の意義

不法行為とは、ある者が故意または過失によって、他人の権利または法律上保護される利益を違法に侵害することによって損害を加える行為のことをいいます。不法行為がされた場合には、損害の公平な分担を図るために、不法行為の加害者は被害者に対して損害賠償責任を負うこととなります（民法第709条[412]）。

② 不法行為の一般成立要件

A 故意または過失

a 故意

故意とは、ある一定の結果が発生することを意図し、または、ある一定の結果が発生することを予見しつつ、その行為を行う心理状態のことをいいます。

411 【民法第90条】
公の秩序又は善良の風俗に反する法律行為は、無効とする。

412 【民法第709条】
故意又は過失によって他人の権利又は法律上保護される利益を侵害した者は、これによって生じた損害を賠償する責任を負う。

b 過失

い 伝統的過失論

過失とは、自己の行為によってある一定の結果が発生することを予見すべきであるにも拘わらず、自己の不注意によって、その行為を行うという心理状態のことをいいます。ここでいう過失とは、あくまでも過失を行った者の主観的な問題であるといえます。

ろ 現代的過失論

過失とは、損害が発生するとの予見可能性があるにも拘わらず、その損害の発生という結果を回避する義務（結果回避義務）を怠ったことをいいます。ここでいう過失とは、客観的な問題であるといえます（過失の客観化）。

c 故意または過失が要求される根拠

民法の大原則に「過失責任の原則」があり、この場合の過失には故意も含まれます。この原則は、自己の行為について充分注意を払っていれば、その行為についての責任を負わされることはないということを意味しており、個人の自由な行動を保障し、そのことにより「私的自治の原則」も保障されています。

d 行為または過失を要件とする不法行為の修正

「失火ノ責任ニ関スル法律（失火責任法[413]）」においては、失火の場合には、加害者に重過失がない限り、不法行為責任は負わないと規定されています。これは、不法行為の成立を一般的な過失ではなく、重過失に限定をしたものであるといえます。

e 故意または過失の立証責任

不法行為における加害者の故意または過失の立証責任は、被害者側にあります。債務不履行の場合とは異なり、債権者である被害者と債務者である加害者は無関係である場合が多く、損害賠償を請求する側である債権者がその賠償額を立証するべきだからです。

一方、債務不履行の場合は、債権者と債務者との間では既に契約がされており、その契約に従った債務の履行がされているかどうかが問題となっている場面であるため、債務者の側が自ら債務の本旨に従った履行を行っていることを立証する責任を負うこととなります。

413 【失火責任法】

民法第七百九条ノ規定ハ失火ノ場合ニハ之ヲ適用セス但シ失火者ニ重大ナル過失アリタルトキハ此ノ限ニ在ラス

B 加害者の責任能力

責任能力とは、自己の行為の責任を弁識するに足るだけの精神的能力のことをいいます。

精神上の障害により責任能力が欠如した状態にある間に他人に損害を加えた場合は、賠償の責任を負わないこととなります(民法第 713 条[414]本文)。

未成年者が他人に損害を加えた場合についても、その未成年者が自己の行為の責任を弁識するに足るだけの知能を備えていなかった場合、つまり、責任能力が欠如していた場合には、賠償の責任を負わないこととなります(民法第 712 条[415])。なお、責任能力の有無については、個別具体的に判断されますが、一般的に 11～12 歳程度になれば未成年者であっても責任能力が認められるとされています。

未成年者で責任能力が欠如している者や、精神上の障害により責任能力が欠如した状態にある者がその責任を負わない場合においては、その責任無能力者を監督する法定の義務を負う者（監督義務者）がその責任無能力者が第三者に加えた損害を賠償する責任を負うこととなります（民法第 714 条[416]第 1 項本文)。但し、このような監督義務者がその監督義務を怠らなかった場合や、その義務を怠らなくても損害が生じるべきであった場合については、監督義務者はその賠償の責任を免責されることとなります(民法第 714 条第 1 項但書)。また、代理監督者についても、監督義務者と同様の責任を負います（民法第 714 条第２項)。

414 【民法第 713 条】
精神上の障害により自己の行為の責任を弁識する能力を欠く状態にある間に他人に損害を加えた者は、その賠償の責任を負わない。ただし、故意又は過失によって一時的にその状態を招いたときは、この限りでない。

415 【民法第 712 条】
未成年者は、他人に損害を加えた場合において、自己の行為の責任を弁識するに足りる知能を備えていなかったときは、その行為について賠償の責任を負わない。

416 【民法第 714 条】
1 前二条の規定により責任無能力者がその責任を負わない場合において、その責任無能力者を監督する法定の義務を負う者は、その責任無能力者が第三者に加えた損害を賠償する責任を負う。ただし、監督義務者がその義務を怠らなかったとき、又はその義務を怠らなくても損害が生ずべきであったときは、この限りでない。
2 監督義務者に代わって責任無能力者を監督する者も、前項の責任を負う。

C　違法性

a　違法性の意義

不法行為が成立するためには、加害者が被害者の権利または法律上保護される利益を侵害する必要があります（民法第709条）。このことは、当然ですが、権利侵害のみならず、法律上保護される利益が侵害された場合も不法行為が成立することを意味します。つまり、不法行為が成立するためには、必ずしも権利侵害がなければならないということではなく、その加害行為に違法性があれば不法行為は成立するということとなります。また、違法性の判断については、被侵害利益の種類と侵害行為の態様との相関関係によるものとされています。

b　違法性阻却事由

い　正当防衛

正当防衛とは、他人の不法行為に対して、自己や第三者の権利または法律上保護される利益を防衛するためにやむを得ずにした加害行為のことをいいます。加害行為が単なる不法行為としてではなく、正当防衛と認められる行為であると、その行為の違法性は認められなくなり、賠償の責任は免責されることとなります（民法第720条[417]第1項）。

ろ　緊急避難

緊急避難とは、他人の物から生じた急迫の危難を避けるためにその物を毀損する行為のことをいいます。毀損行為が単なる不法行為としてではなく、緊急避難と認められる行為であると、その行為の違法性は認められなくなり、賠償の責任は免責されることとなります（民法第720条第2項）。

D　損害の発生

a　財産的損害

財産的損害とは、被害者が受けた財産的・経済的な損害のことをいいます。民法第709条の規定する損害には、当然にこの財産的損害が含まれるとされています。

417　【民法第720条】

1　他人の不法行為に対し、自己又は第三者の権利又は法律上保護される利益を防衛するため、やむを得ず加害行為をした者は、損害賠償の責任を負わない。ただし、被害者から不法行為をした者に対する損害賠償の請求を妨げない。

2　前項の規定は、他人の物から生じた急迫の危難を避けるためその物を損傷した場合について準用する。

b　精神的損害

精神的損害とは、被害者が受けた精神的な損害のことをいいます。民法第709条の規定する損害は、文言上、財産的損害に限定していないため、精神的損害も含まれるとされています。なお、民法第710条[418]はこのことを確認する確認規定であるとされています。

E　因果関係

不法行為が成立するためには、加害行為と損害との間に因果関係が存在することが必要となります。

③　不法行為の効果（損害賠償責任）

A　損害賠償の方法

a　金銭賠償の原則

不法行為における損害賠償の方法は、債務不履行における損害賠償の方法（民法第417条[419]）と同様、損害を金銭で評価し、加害者にこの金額を被害者に対して支払わせる金銭賠償が原則（金銭賠償の原則）とされています（民法第722条[420]第1項）。

b　金銭賠償以外の方法

い　名誉回復処分

不法行為が他人の名誉を毀損する行為である場合は、名誉を回復するのに適当な処分を裁判所は命ずることができます（民法第723条[421]）

418　【民法第710条】
他人の身体、自由若しくは名誉を侵害した場合又は他人の財産権を侵害した場合のいずれであるかを問わず、前条の規定により損害賠償の責任を負う者は、財産以外の損害に対しても、その賠償をしなければならない。

419　【民法第417条】
損害賠償は、別段の意思表示がないときは、金銭をもってその額を定める。

420　【民法第722条】
1　第四百十七条及び第四百十七条の二の規定は、不法行為による損害賠償について準用する。
2　被害者に過失があったときは、裁判所は、これを考慮して、損害賠償の額を定めることができる。

421　【民法第723条】
他人の名誉を毀損した者に対しては、裁判所は、被害者の請求により、損害賠償に代えて、又は損害賠償とともに、名誉を回復するのに適当な処分を命ずることができる。

ろ　原状回復請求権

不法行為に対しては金銭賠償が原則となりますが、法が特に認めている場合については、発生した損害を除去し、損害が発生する以前の状態に復元することを加害者に対して請求することができます。

は　差止請求権

将来において損害を生じると予見できる場合には、その原因となる行為を停止することを請求することができます。特に、名誉侵害・プライバシー侵害・公害等の生活妨害の場合について、その権利侵害の重大性に照らし、一定の場合に認められることがあります。

B　損害賠償の範囲

不法行為における損害賠償の範囲についての明文の規定は存在しませんが、損害の公平な分担を図るという不法行為制度の趣旨から、行為と事実的因果関係の認められるすべての損害を賠償しなければならないとすることは妥当ではないといえます。従って、民法第416条[422]を類推適用し、相当因果関係の認められる範囲内で損害賠償責任を認めるべきであるとされています（相当因果関係説）。

C　損害額の調整

a　損益相殺

損益相殺とは、被害者が被害を被ったことと同時に、同一の原因において何らかの利益を得ていたという場合には、被った被害から得た利益を差し引いた上で損害賠償額を算定することをいいます。損益相殺については、明文の規定はありませんが、当事者間の公平を図る趣旨から認められています。

b　過失相殺

過失相殺とは、被害者に過失があった場合に、その被害者の過失を考慮して、被害者の過失の程度に応じて加害者の損害賠償額を減額することをいいます。過失相殺については、当事者間の公平の観点から認められるもので、裁判所は、任意的に、過失相殺をして、損害賠償の額を決定することができます（民法第722条第２項）。

422　【民法第416条】
1　債務の不履行に対する損害賠償の請求は、これによって通常生ずべき損害の賠償をさせることをその目的とする。
2　特別の事情によって生じた損害であっても、当事者がその事情を予見すべきであったときは、債権者は、その賠償を請求することができる。

この点、債務不履行における過失相殺については、裁判所は、必要的に、過失相殺をして、損害賠償の責任及びその額を決定しなければならないとされている点（民法第418条[423]）で異なります。

D　損害賠償請求権の消滅期間

不法行為における損害賠償請求権は、被害者が損害及び加害者を知った時点から３年間行使しない場合には、時効によって消滅します（民法第724条[424]第１項）。加害行為の時点から20年を経過した場合にも消滅します（民法第724条第２項）。

また、人の生命や身体を害する不法行為による損害賠償請求権の消滅時効については、被害者が損害及び加害者を知った時点から５年間行使しない場合には、時効によって消滅します（民法第724条の２[425]）。

④　不法行為の特則

A　近親者の慰謝料請求権

不法行為が行われた場合には、被害者本人が不法行為の加害者に対して、その財産的損害及び精神的損害について、損害賠償請求をできることは、民法第709条及び第710条に規定されている通りです。しかし、被害者の生命が侵害された場合には、被害者が既に死亡しているため、死亡した被害者の父母・配偶者・子については、慰謝料請求権が認められています（民法第711条[426]）。

423　【民法第418条】
債務の不履行又はこれによる損害の発生若しくは拡大に関して債権者に過失があったときは、裁判所は、これを考慮して、損害賠償の責任及びその額を定める。

424　【民法第724条】
不法行為による損害賠償の請求権は、次に掲げる場合には、時効によって消滅する。
一　被害者又はその法定代理人が損害及び加害者を知った時から三年間行使しないとき。
二　不法行為の時から二十年間行使しないとき。

425　【民法第724条の２】
人の生命又は身体を害する不法行為による損害賠償請求権の消滅時効についての前条第一号の規定の適用については、同号中「三年間」とあるのは、「五年間」とする。

426　【民法第711条】
他人の生命を侵害した者は、被害者の父母、配偶者及び子に対しては、その財産権が侵害されなかった場合においても、損害の賠償をしなければならない。

民法第711条によって近親者に損害賠償請求権を認めた趣旨は、父母・配偶者・子は、近親者の死亡によって精神的苦痛を被るのが通常であり、そのような精神的損害の発生を予定し、このような近親者の精神的損害に対する立証の負担を軽減し、慰謝料を請求することを認めるところにあります。

B　使用者責任

使用者責任とは、被用者が、その使用者の事業の執行について、不法行為により第三者に損害を加えた場合には、その使用者にも負担させる損害賠償責任のことをいいます（民法第715条[427]第1項本文）。なお、使用関係といえるには、実質的な指揮・監督関係があればよいとされています。但し、このような使用者が被用者の選任及びその事業の監督について相当の注意をした場合や相当の注意をしても損害が生じるべきであった場合については、使用者はその賠償の責任を免責されることとなります（民法第715条第1項但書）。また、使用者に代わって被用者を監督する代理監督者についても使用者と同様の責任を負います（民法第715条第2項）。

民法第715条第1項本文の趣旨は、使用者は被用者の活動によってその事業を拡大し、利益を得ていることから、その被用者の活動によって生じる損害についても負担する（報償責任の法理）のが公平であり、財産の乏しい被用者ではなく、財産の豊富な使用者への損害賠償請求を認めることにより、被害者の救済を図るところにあります。

C　注文者責任

注文者は、請負人がその仕事について第三者に加えた損害を賠償する責任を負いません（民法第716条[428]本文）。請負人は被用者ではないからです。

427　【民法第715条】

1　ある事業のために他人を使用する者は、被用者がその事業の執行について第三者に加えた損害を賠償する責任を負う。ただし、使用者が被用者の選任及びその事業の監督について相当の注意をしたとき、又は相当の注意をしても損害が生ずべきであったときは、この限りでない。

2　使用者に代わって事業を監督する者も、前項の責任を負う。

3　前二項の規定は、使用者又は監督者から被用者に対する求償権の行使を妨げない。

428　【民法第716条】

注文者は、請負人がその仕事について第三者に加えた損害を賠償する責任を負わない。ただし、注文又は指図についてその注文者に過失があったときは、この限りでない。

D 土地工作物責任

土地工作物責任とは、土地の工作物の設置または保存に瑕疵があることによって、他人に損害を加えた場合には、その工作物の占有者または所有者が被害者に対して負う賠償の責任のことをいいます（民法第717条[429]第1項本文）。なお、「土地の工作物」とは、土地に接着して人工的に作出した物及びそれと一体となって機能している物も含むとするのが通説です。また、「瑕疵」とは、土地の工作物がその種の工作物として通常備えているべき安全性を欠いていることをいいます。瑕疵が当初より存在している場合を「設置の瑕疵」、事後に瑕疵が発生した場合を「保存の瑕疵」といいます。なお、土地工作物の占有者については、自己の無過失を立証すれば免責されます（中間責任）が、占有者が免責された場合には、土地工作物の所有者については一切免責されない（無過失責任）こととなります（民法第717条第1項但書）。

民法第717条第1項本文の趣旨は、他人に損害を与える危険性を有する瑕疵ある土地工作物を支配している以上、その危険が発生した場合には、その責任を負うべきである（危険責任の法理）というところにあります。

E 動物占有者の責任

動物の占有者は、その動物が他人に損害を加えた場合には、賠償の責任を負うこととなります（民法第718条[430]第1項本文）。但し、その動物の種類及び性質に従い相当の注意をもってその管理をした場合には免責されることとなります（民法第718条第1項但書）。また、占有者に代わってその動物を管理する者も占有者と同様の責任を負います（民法第718条第2項）。

---

429 【民法第717条】

1 土地の工作物の設置又は保存に瑕疵があることによって他人に損害を生じたときは、その工作物の占有者は、被害者に対してその損害を賠償する責任を負う。ただし、占有者が損害の発生を防止するのに必要な注意をしたときは、所有者がその損害を賠償しなければならない。

2 前項の規定は、竹木の栽植又は支持に瑕疵がある場合について準用する。

3 前二項の場合において、損害の原因について他にその責任を負う者があるときは、占有者又は所有者は、その者に対して求償権を行使することができる。

430 【民法第718条】

1 動物の占有者は、その動物が他人に加えた損害を賠償する責任を負う。ただし、動物の種類及び性質に従い相当の注意をもってその管理をしたときは、この限りでない。

2 占有者に代わって動物を管理する者も、前項の責任を負う。

F 共同不法行為

共同不法行為とは、数人が共同の不法行為によって他人に損害を加えることをいいます。この場合、各自が発生した損害の全額について連帯して責任を負うこととなります（民法第719条[431]第1項前段）。共同行為者のうちいずれの者がその損害を加えたかを知ることができない場合も各自が発生した損害の全額について連帯して責任を負うこととなります（民法第719条第1項後段）。

六 親族法

1 親族総則

（1）親等

親等とは、親族間の世代数のことをいいます。親等を算出するにあたっては、縦の関係（世代）でのみ動くと考え（民法第726条[432]第1項）、横の関係で動く場合には、同一の祖先まで遡ってから数えることとなります（民法第726条第2項）。

① 1親等の親族

1親等の親族は、親子関係のみ、つまり直系（縦の関係）のみ存在します。

② 2親等の親族

2親等の親族は、直系の場合は祖父母や孫との関係、傍系（横の関係）の場合は兄弟姉妹間の関係が存在します。

431 【民法第719条】

1 数人が共同の不法行為によって他人に損害を加えたときは、各自が連帯してその損害を賠償する責任を負う。共同行為者のうちいずれの者がその損害を加えたかを知ることができないときも、同様とする。

2 行為者を教唆した者及び幇助した者は、共同行為者とみなして、前項の規定を適用する。

432 【民法第726条】

1 親等は、親族間の世代数を数えて、これを定める。

2 傍系親族の親等を定めるには、その一人又はその配偶者から同一の祖先にさかのぼり、その祖先から他の一人に下るまでの世代数による。

③ 3親等の親族

3親等の親族は、直系の場合は曾祖父母や曾孫との関係、傍系の場合は叔父や叔母及び甥や姪との関係が存在します。

④ 4親等以上の親族

1親等から3親等までの親族と同様に考え、直系の場合はそのまま世代数を数え、傍系の場合は同一の祖先に達するまでの世代数とそこから対象者へと下る世代数を加えることによって算出します。

なお、4親等の親族の代表的な者に、傍系となりますが、従兄弟(従姉妹)がいます。

(2)親族

親族とは、民法上、6親等内の血族・配偶者・3親等内の姻族のことをいいます(民法第725条[433])。

① 血族

血族とは、生理的に血が繋がっている者(自然血族)及び養子縁組によって発生する血族関係がある者(法定血族)のことをいいます。

死者の血族者は、相続人となる可能性があります。

② 配偶者

配偶者とは、婚姻をした男女が相互に呼ぶ呼称のことをいいます。

死者の配偶者は、原則として、相続人となります。

③ 姻族

姻族とは、婚姻により生じる親族(配偶者の血族及び血族の配偶者)のことをいいます。

死者の姻族者は、相続人となる可能性はありません。

---

433 【民法第725条】

次に掲げる者は、親族とする。

一 六親等内の血族

二 配偶者

三 三親等内の姻族

2　婚姻

(1) 婚姻の成立

① 婚姻の成立に必要な要件

A　婚姻意思の存在

当事者間に婚姻をする意思が存在しない場合には、戸籍の届出をしたとしてもその婚姻は無効となります（民法第742条[434]第1号）。つまり、婚姻には、婚姻意思の存在が必要となります。

B　戸籍の届出をする意思の存在

婚姻届が役所で受理されれば法律上の配偶者となりますが、婚姻届が受理されなければ法律上はまったくの他人となります。つまり、婚姻は、婚姻届が役所に受理されることよって成立することとなります（民法第739条[435]第1項)。この戸籍の届出には、戸籍の届出をする行為のみならず、その意思も必要とされています。従って、婚姻をする意思が存在し、婚姻届を作成したとしても、一方に無断で届出をした場合には、その婚姻は無効となる可能性があります。

C　戸籍の届出行為

先述したように、婚姻の成立には戸籍の届出が必要となります。

婚姻届を役所に届け出なければ、婚姻は法的に有効とはなりません（民法第739条第1項)。

婚姻意思があったとしても、婚姻届を役所に提出しない場合には、婚姻は有効とはなりませんが、内縁関係は成立します。

434　【民法第742条】

婚姻は、次に掲げる場合に限り、無効とする。

一　人違いその他の事由によって当事者間に婚姻をする意思がないとき。

二　当事者が婚姻の届出をしないとき。ただし、その届出が第七百三十九条第二項に定める方式を欠くだけであるときは、婚姻は、そのためにその効力を妨げられない。

435　【民法第739条】

1　婚姻は、戸籍法（昭和二十二年法律第二百二十四号）の定めるところにより届け出ることによって、その効力を生ずる。

2　前項の届出は、当事者双方及び成年の証人二人以上が署名した書面で、又はこれらの者から口頭で、しなければならない。

D　役所による戸籍の届出の受理

婚姻届を役所に届け出なければその婚姻は法的に有効とはならず、また、婚姻届を届け出たとしても役所に受理されなければその婚姻は有効には成立しません。役所は、その婚姻が法令に違反しないことを確認した後でなければその戸籍の届出を受理することができません（民法第740条[436]）。なお、婚姻の成立時は婚姻届が役所において受理された時点となります。また、法令違反に気付かずに受理をすると、その婚姻は取消しをすることができる婚姻となります。

（2）無効な婚姻及び取消しをすることのできる婚姻

婚姻には、有効な婚姻、及び、無効な婚姻があります。

また、有効な婚姻には、完全に有効な婚姻、及び、取消しをすることのできる婚姻があります。後者には、詐欺や強迫の場合がありますが、それ以外の場合として、民法は婚姻障害に抵触する場合を規定しています。

①　無効な婚姻

A　婚姻意思のない婚姻

先述したように、婚姻をする意思の存在しない婚姻は、たとえ戸籍の届出があっても無効な婚姻となります（民法第742条第1号）。

B　届出意思のない婚姻

先述したように、たとえ婚姻をする意思があったとしても戸籍の届出をする意思を欠いた戸籍の届出がされた場合は無効な婚姻となります。

C　戸籍の届出のない婚姻

先述したように、戸籍の届出がない婚姻は、たとえ婚姻をする意思及び戸籍の届出をする意思があったとしても無効な婚姻となります（民法第742条第2号）。

D　戸籍の届出が受理されない婚姻

先述したように、婚姻をする意思もあり、戸籍の届出をする意思もあり、実際に戸籍の届出をしていたとしても、その戸籍の届出が役所によって受理されなかった場合は無効な婚姻となります（民法第740条）。

436　【民法第740条】

婚姻の届出は、その婚姻が第七百三十一条から第七百三十七条まで及び前条第二項の規定その他の法令の規定に違反しないことを認めた後でなければ、受理することができない。

②　取消しをすることのできる婚姻

婚姻は、民法の規定に該当しなければ取消しをすることができません（民法第743条[437]）。婚姻の取消しをするためには、家庭裁判所に婚姻の取消しを請求する必要があります。

取消しの効果は、財産法上の取消しの場合とは異なり、遡及効ではなく将来効となります（民法第748条[438]第１項）。つまり、婚姻自体を初めからしなかったこととはなりません。その意味で、離婚と異ならないこととなります。このことから、婚姻自体をしなかったことにするのは婚姻の無効以外にはないこととなります。また、婚姻時に取消しの原因について善意の当事者が婚姻によって財産を得た場合には、現存利益を返還する必要があります（民法第748条第２項）。対して、婚姻時に取消しの原因について悪意の当事者は、婚姻によって得た利益の全部を返還しなければなりません（民法第748条第３項前段）。この場合、相手方が善意であれば損害賠償責任を負うこととなります（民法第748条第３項後段）。

Ａ　詐欺または強迫による婚姻取消しの場合

詐欺または強迫によって婚姻をした者は、その婚姻の取消しを家庭裁判所に請求することができます（民法第747条[439]第１項）。

取消しの請求ができる者は、詐欺または強迫によって、婚姻の意思表示をした者となります。

437　【民法第743条】
婚姻は、次条から第七百四十七条までの規定によらなければ、取り消すことができない。

438　【民法第748条】
１　婚姻の取消しは、将来に向かってのみその効力を生ずる。
２　婚姻の時においてその取消しの原因があることを知らなかった当事者が、婚姻によって財産を得たときは、現に利益を受けている限度において、その返還をしなければならない。
３　婚姻の時においてその取消しの原因があることを知っていた当事者は、婚姻によって得た利益の全部を返還しなければならない。この場合において、相手方が善意であったときは、これに対して損害を賠償する責任を負う。

439　【民法第747条】
１　詐欺又は強迫によって婚姻をした者は、その婚姻の取消しを家庭裁判所に請求することができる。
２　前項の規定による取消権は、当事者が、詐欺を発見し、若しくは強迫を免れた後三箇月を経過し、又は追認をしたときは、消滅する。

取消しの請求ができる期間は、詐欺の事実を発見し、または、強迫を免れた時点から３箇月間に限られます（民法第747条第２項）。それ以降は、完全に有効な婚姻となります。また、３箇月以内であっても追認をした場合は、完全に有効な婚姻となります。

B　婚姻障害による婚姻取消しの場合

民法は婚姻障害事由として、７つの場合を規定しています。このうち未成年者婚姻の場合を除く６つ（婚姻適齢年齢未満の婚姻の場合、重婚の場合、女子の再婚禁止期間中の婚姻の場合、近親者間の婚姻の場合、直系姻族間の婚姻の場合、養親子間での婚姻の場合）のうちのどれかに抵触した場合には、その婚姻の取消しをすることのできることとなります（民法第744条[440]第１項本文）。

α　未成年者婚姻の場合

未成年者が婚姻をするためには、父母の同意が必要となります（民法第737条[441]第１項）。父母の一方が同意しない場合は、他方の同意のみで足ります（民法第 737 条第２項前段）。また、父母の一方が知れない場合、死亡した場合、その意思を表示することができない場合についても他方の同意のみで足ります（民法第737条第２項後段）。

父母の同意が得られていない未成年者からの婚姻届が提出された場合には、役所は婚姻届を受理してはなりません（民法第740条）。しかし、役所が誤って受理してしまった場合には、婚姻意思の合致もあり、届出意思も届出行為もあるので、無効な婚姻とはなりません。また、この婚姻を取消しのできるものとする規定も存在しないため、この婚姻は婚姻障害に該当しつつも完全に有効な婚姻となります。７つある婚姻障害事由の中で唯一取消し不可の婚姻となる場合が未成年婚姻となります。

440　【民法第744条】

１　第七百三十一条から第七百三十六条までの規定に違反した婚姻は、各当事者、その親族又は検察官から、その取消しを家庭裁判所に請求することができる。ただし、検察官は、当事者の一方が死亡した後は、これを請求することができない。

２　第七百三十二条又は第七百三十三条の規定に違反した婚姻については、当事者の配偶者又は前配偶者も、その取消しを請求することができる。

441　【民法第737条】

１　未成年の子が婚姻をするには、父母の同意を得なければならない。

２　父母の一方が同意しないときは、他の一方の同意だけで足りる。父母の一方が知れないとき、死亡したとき、又はその意思を表示することができないときも、同様とする。

b 婚姻適齢年齢未満の婚姻の場合

男子 18 歳、女子 16 歳に達しなければ婚姻することはできません（民法第 731 条[442]）。

この年齢に達してない者からの婚姻届が提出された場合には、役所は婚姻届を受理してはなりません（民法第 740 条）。しかし、役所が誤って受理してしまった場合には、婚姻意思の合致もあり、届出意思も届出行為もあるので、無効な婚姻とはならず、婚姻障害に抵触した取消しをすることのできる婚姻となります（民法第 744 条第 1 項本文）。

この婚姻の取消しを請求できる者は、各当事者・その親族・検察官となります（民法第 744 条第 1 項本文）。

この婚姻の取消しを請求できる期間は、不適齢者が婚姻適齢に達するまでの期間（民法第 745 条[443]第 1 項）及び不適齢者が婚姻適齢に達してから３箇月間となります（民法第 745 条第２項本文）。但し、婚姻適齢に達した後に追認をした場合には取消しをすることはできなくなります（民法第 745 条第２項但書）。

なお、2022（令和４）年 4 月 1 日以降、改正民法の施行により、成人年齢は 18 歳となり、婚姻適齢も男女ともに 18 歳となります。そのため、未成年の間に婚姻適齢に達するということがなくなります。

c 重婚の場合

配偶者のある者は、重ねて婚姻をすることはできません（民法第 732 条[444]）。

既に配偶者のある者からの婚姻届が提出された場合には、役所は婚姻届を受理してはなりません（民法第 740 条）。しかし、役所が誤って受理してしまった場合には、婚姻意思の合致もあり、届出意思も届出行為もあるので、無効な婚姻とはならず、婚姻障害に抵触した取消しをすることのできる婚姻となります（民法第 744 条第 1 項本文）。

---

442 【民法第 731 条】
男は、十八歳に、女は、十六歳にならなければ、婚姻をすることができない。

443 【民法第 745 条】
1 第七百三十一条の規定に違反した婚姻は、不適齢者が適齢に達したときは、その取消しを請求することができない。
2 不適齢者は、適齢に達した後、なお三箇月間は、その婚姻の取消しを請求することができる。ただし、適齢に達した後に追認をしたときは、この限りでない。

444 【民法第 732 条】
配偶者のある者は、重ねて婚姻をすることができない。

この場合、取消しをすることのできる婚姻となるのは後婚の方であり、前婚については重婚をしたことが離婚の原因となります。つまり、前婚について離婚をするか、後婚について取り消すかで婚姻を一般化して重婚状態を解消することとなります。

この婚姻の取消しを請求できる者は、各当事者・その親族・検察官となります（民法第744条第1項本文）。それに加えて、前婚の配偶者（配偶者）も後婚の取消しを請求することができます（民法第744条第2項）。

この婚姻の取消しを請求できる期間については、特に民法上の規定は存在していません。

d　女子の再婚禁止期間中の婚姻の場合

子の父が前夫か後夫かの判断が難しくなるため、女子は前婚の解消または取消しの日から100日（再婚禁止期間）を経過しないと再婚することができません（民法第733条[445]第1項）。

この期間が経過しない間に婚姻届が提出された場合には、役所は婚姻届を受理してはなりません（民法第740条）。しかし、役所が誤って受理してしまった場合には、婚姻意思の合致もあり、届出意思も届出行為もあるので、無効な婚姻とはならず、婚姻障害に抵触した取消しをすることのできる婚姻となります（民法第744条第1項本文）。但し、女子が前婚の解消または取消しの時に懐胎していなかった場合（民法第733条第2項第1号）や、女子が前婚の解消または取消しの後に出産をした場合（民法第733条第2項第2号）には、子の父が前夫か後夫かの判断が難しくなるということがなくなるため、前婚の解消または取消しの日から100日（再婚禁止期間）を経過していなくても再婚をすることが可能となります（民法第733条第2項柱書）。

この婚姻の取消しを請求できる者は、各当事者・その親族・検察官となります（民法第744条第1項本文）。それに加えて、前婚の配偶者（前配偶者）も後婚の取消しを請求することができます（民法第744条第2項）。

445　【民法第733条】

1　女は、前婚の解消又は取消しの日から起算して百日を経過した後でなければ、再婚をすることができない。

2　前項の規定は、次に掲げる場合には、適用しない。

一　女が前婚の解消又は取消しの時に懐胎していなかった場合

二　女が前婚の解消又は取消しの後に出産した場合

この婚姻の取消しを請求できる期間については、前婚の解消の日または取消しの日から起算して100日を経過するまでとなります(民法第746条[446])。また、女子が再婚後に出産した場合には、取消しを請求することができなくなります(民法第746条)。

e 近親者間の婚姻の場合

直系血族や3親等内の傍系血族との婚姻はすることができません(民法第734条[447]第1項本文)。この婚姻は生物学的問題から禁止されています。

近親者間での婚姻届が提出された場合には、役所は婚姻届を受理してはなりません(民法第740条)。しかし、役所が誤って受理してしまった場合には、婚姻意思の合致もあり、届出意思も届出行為もあるので、無効な婚姻とはならず、婚姻障害に抵触した取消しをすることのできる婚姻となります(民法第744条第1項本文)。また、特別養子縁組によって実方との親族関係が終了したとしても生物学上の血縁関係は存在するため、直系血族や3親等内の傍系血族との婚姻はすることはできません(民法第734条第2項及び第817条の9[448]本文)。

養子と養方の傍系血族との間では、生物学上の血縁関係は存在しないことから、婚姻をするのに何ら問題はありません(民法第734条第1項但書)

この婚姻の取消しを請求できる者は、各当事者・その親族・検察官となります(民法第744条第1項本文)。

この婚姻の取消しを請求できる期間については、特に民法上の規定は存在していません。

---

446 【民法第746条】
第七百三十三条の規定に違反した婚姻は、前婚の解消若しくは取消しの日から起算して百日を経過し、又は女が再婚後に出産したときは、その取消しを請求することができない。

447 【民法第734条】
1 直系血族又は三親等内の傍系血族の間では、婚姻をすることができない。ただし、養子と養方の傍系血族との間では、この限りでない。
2 第八百十七条の九の規定により親族関係が終了した後も、前項と同様とする。

448 【民法第817条の9】
養子と実方の父母及びその血族との親族関係は、特別養子縁組によって終了する。ただし、第八百十七条の三第二項ただし書に規定する他の一方及びその血族との親族関係については、この限りでない。

f 直系姻族間の婚姻の場合

直系姻族間での婚姻はすることができません（民法第 735 条[449]前段）。この婚姻は道徳上の問題から禁止されています。傍系姻族間は可能です。

直系姻族間での婚姻届が提出された場合には、役所は婚姻届を受理してはなりません（民法第 740 条）。しかし、役所が誤って受理してしまった場合には、婚姻意思の合致もあり、届出意思も届出行為もあるので、無効な婚姻とはならず、婚姻障害に抵触した取消しをすることのできる婚姻となります（民法第 744 条第 1 項本文）。

この婚姻の取消しを請求できる者は、各当事者・その親族・検察官となります（民法第 744 条第 1 項本文）。

この婚姻の取消しを請求できる期間については、特に民法上の規定は存在していません。

g 養親子間での婚姻の場合

養親子間での婚姻はすることができません（民法第 736 条[450]）。この婚姻は道徳上の問題から禁止されています。そのため、離縁によって親族関係が終了（民法第 729 条[451]）した後も婚姻をすることができません。

養親子間での婚姻届が提出された場合には、役所は婚姻届を受理してはなりません（民法第 740 条）。しかし、役所が誤って受理してしまった場合には、婚姻意思の合致もあり、届出意思も届出行為もあるので、無効な婚姻とはならず、婚姻障害に抵触した取消しをすることのできる婚姻となります（民法第 744 条第 1 項本文）。

この婚姻の取消しを請求できる者は、各当事者・その親族・検察官となります（民法第 744 条第 1 項本文）。

この婚姻の取消しを請求できる期間については、特に民法上の規定は存在していません。

---

449 【民法第 735 条】

直系姻族の間では、婚姻をすることができない。第七百二十八条又は第八百十七条の九の規定により姻族関係が終了した後も、同様とする。

450 【民法第 736 条】

養子若しくはその配偶者又は養子の直系卑属若しくはその配偶者と養親又はその直系尊属との間では、第七百二十九条の規定により親族関係が終了した後でも、婚姻をすることができない。

451 【民法第 729 条】

養子及びその配偶者並びに養子の直系卑属及びその配偶者と養親及びその血族との親族関係は、離縁によって終了する。

（3）婚姻の効果

① 夫婦同姓の原則

婚姻が成立した場合、夫または妻の氏を称することとなります（民法第750条[452]）。つまり、婚姻により夫婦の姓は同一となるのです（夫婦同姓）。従って、夫婦別姓については法律上認められていないこととなります。

② 夫婦の同居義務及び扶助義務

夫婦は同居し、互いに扶助しなければならないとされています（民法第752条[453]）。この義務は緩やかなものと解釈されており、単身赴任等はこの義務に違反するとはされてはいません。

③ 夫婦間の契約の取消権

夫婦間でした契約は、婚姻中、いつでも夫婦の一方から取消しをすることができます（民法第754条[454]本文）。但し、取消しをすることによって第三者の権利を害することはできません（民法第754条但書）。

また、夫婦関係が破綻状態にある場合については、夫婦間でした契約は取消しをすることができないとされています。

④ 夫婦間の財産

夫婦の財産関係については、その夫婦が婚姻の届出前にその財産について別段の契約をしなかった場合には、民法の規定に従うとされています（民法第755条[455]）。しかし、このような婚姻の届出前に別段の契約をすることはまずないことから、多くの場合、結果的に民法の規定に従うこととなります。

---

452 【民法第750条】
夫婦は、婚姻の際に定めるところに従い、夫又は妻の氏を称する。

453 【民法第752条】
夫婦は同居し、互いに協力し扶助しなければならない。

454 【民法第754条】
夫婦間でした契約は、婚姻中、いつでも、夫婦の一方からこれを取り消すことができる。ただし、第三者の権利を害することはできない。

455 【民法第755条】
夫婦が、婚姻の届出前に、その財産について別段の契約をしなかったときは、その財産関係は、次款に定めるところによる。

A 婚姻費用の分担

婚姻から生じる費用については、夫婦間で分担しなければならないとされています（民法第760条[456]）。この婚姻費用の分担は、婚姻関係が破綻状態であっても例外ではないとされています。

B 日常家事債務についての連帯責任

夫婦の一方が日常の家事に関して第三者と法律行為をした場合には、他方はこれによって生じた債務について連帯責任を負うこととされています（民法第761条[457]本文）。この連帯責任を負わないためには、第三者に対してあらかじめ責任を負わない旨を具体的に知らせる必要があります（民法第761条但書）。

C 夫婦間の財産の帰属

夫婦の一方が婚姻前から有する財産及び婚姻中に自己の名で得た財産については、その夫婦の一方に帰属することとなります（民法第762条[458]第1項）。夫婦のどちらに帰属するか明らかではない財産については、夫婦の共有と推定されます（民法第762条第2項）。

（4）離婚

① 離婚の種類

A 協議上の離婚

夫婦は、その協議で離婚をすることができます（民法第763条[459]）。

456 【民法第760条】
夫婦は、その資産、収入その他一切の事情を考慮して、婚姻から生ずる費用を分担する。

457 【民法第761条】
夫婦の一方が日常の家事に関して第三者と法律行為をしたときは、他の一方は、これによって生じた債務について、連帯してその責任を負う。ただし、第三者に対し責任を負わない旨を予告した場合は、この限りでない。

458 【民法第762条】
1 夫婦の一方が婚姻前から有する財産及び婚姻中自己の名で得た財産は、その特有財産（夫婦の一方が単独で有する財産をいう。）とする。
2 夫婦のいずれに属するか明らかでない財産は、その共有に属するものと推定する。

459 【民法第763条】
夫婦は、その協議で、離婚をすることができる。

これを協議上の離婚といいます。協議上の離婚においては、夫婦が互いに離婚の意思を有しており、離婚の意思が合致し、戸籍の届出をする意思を有し、さらに離婚届を提出し（民法第 764 条[460]及び第 739 条)、役所がこれを受理することによって離婚が成立します（民法第 765 条[461]）。

B　裁判上の離婚

相手方が離婚の協議に応じない場合や離婚に合意しない場合には、夫婦の一方は、特定の場合に限り離婚の訴えを提起することができます（民法第 770 条[462]第１項)。

これを裁判上の離婚といいます。裁判上の離婚においては、離婚の訴えを提起しても、家庭裁判所が婚姻を継続すべきとの判断を下した場合には、その請求を棄却(裁量棄却)されることがあります(民法第 770 条第２項)。

裁判上の離婚においては、原則として、有責配偶者からの離婚請求は認められません（有責主義)。しかし、①夫婦がその年齢及び同居期間に比して長期に別居状態にあること、②その夫婦間に未成熟の子がいないこと、③離婚をすることによって相手方が極めて過酷な状況におかれる等の特段の事情が存在しないことの３つの要件を充たす場合には、例外として、有責配偶者からの離婚請求も認められる場合もあります（破綻主義)。

460　【民法第 764 条】
第七百三十八条、第七百三十九条及び第七百四十七条の規定は、協議上の離婚について準用する。

461　【民法第 765 条】
1　離婚の届出は、その離婚が前条において準用する第七百三十九条第二項の規定及び第八百十九条第一項の規定その他の法令の規定に違反しないことを認めた後でなければ、受理することができない。
2　離婚の届出が前項の規定に違反して受理されたときであっても、離婚は、そのためにその効力を妨げられない。

462　【民法第 770 条】
1　夫婦の一方は、次に掲げる場合に限り、離婚の訴えを提起することができる。
一　配偶者に不貞な行為があったとき。
二　配偶者から悪意で遺棄されたとき。
三　配偶者の生死が三年以上明らかでないとき。
四　配偶者が強度の精神病にかかり、回復の見込みがないとき。
五　その他婚姻を継続し難い重大な事由があるとき。
2　裁判所は、前項第一号から第四号までに掲げる事由がある場合であっても、一切の事情を考慮して婚姻の継続を相当と認めるときは、離婚の請求を棄却することができる。

② 離婚の効果

A 婚姻関係の終了

離婚により、婚姻関係は終了します。その結果、夫婦間は法律上無関係となり、互いを相続することもなくなります。

B 姻族関係の終了

姻族関係は、離婚によって一挙に解消されることとなります(民法第728条[463])。

また、夫婦関係を解消するという意思がないにも拘わらず、夫婦の一方が死亡することによって夫婦関係が事実上解消される死別の場合については、生存配偶者が姻族関係を終了させる意思を表示したときに姻族関係は終了します(民法第728条第2項)。

C 復氏

婚姻によって氏を改めた夫または妻は、協議上の離婚によって、原則として、婚姻前の氏に復することとなります(民法第767条[464]第1項)。なお、これは協議上の離婚に限らず、裁判上の離婚の場合についても同様です(民法第771条[465])。

しかし、離婚の日から3箇月以内に、戸籍の届出をすることにより、離婚の際に称していた氏に復することもできます(民法第767条第2項)。このことは、つまり、離婚によって自動的に婚姻前に使用していた氏に戻ったものを、離婚の日から3箇月以内に戸籍の届出をすることにより、婚姻中に使用していた氏に戻すことが可能であるということを意味しています。

463 【民法第728条】
1 姻族関係は、離婚によって終了する。
2 夫婦の一方が死亡した場合において、生存配偶者が姻族関係を終了させる意思を表示したときも、前項と同様とする。

464 【民法第767条】
1 婚姻によって氏を改めた夫又は妻は、協議上の離婚によって婚姻前の氏に復する。
2 前項の規定により婚姻前の氏に復した夫又は妻は、離婚の日から三箇月以内に戸籍法の定めるところにより届け出ることによって、離婚の際に称していた氏を称することができる。

465 【民法第771条】
第七百六十六条から第七百六十九条までの規定は、裁判上の離婚について準用する。

また、夫婦関係を解消するという意思がないにも拘わらず、夫婦の一方が死亡することによって夫婦関係が事実上解消される死別の場合については、原則として、これまで使用していた氏には何ら変化を生じることはありません。しかし、生存配偶者はいつでも婚姻前の氏に復することができます（民法第751条[466]第1項）。

D　財産分与

協議上の離婚をした者の一方は、相手方に対して財産分与を請求することができます（民法第768条[467]第1項）。財産分与の目的は、婚姻中の共同財産の分配及び離婚後の一方当事者の生計の維持にあります。このような目的から、被請求者の有責性は問題とはなりません。なお、これは協議上の離婚に限らず、裁判上の離婚の場合についても同様です（民法第771条）。離婚前に財産分与をすると夫婦間の贈与とみなされます。

財産分与は、当事者の協議によって行いますが、この協議が調わなかったり、協議自体ができなかったりした場合には、家庭裁判所に対して、協議に代わる処分を請求することができます（民法第768条第2項本文）。但し、離婚時から2年以内にしなければならないという期間制限が設けられています（民法第768条第2項但書）。

財産分与に対して、慰謝料は、不法行為における精神的損害に対する賠償のことを意味することから、被請求者には有責性が要求されることとなります。つまり、被請求者の故意または過失が要求されます。

466　【民法第751条】
1　夫婦の一方が死亡したときは、生存配偶者は、婚姻前の氏に復することができる。
2　第七百六十九条の規定は、前項及び第七百二十八条第二項の場合について準用する。

467　【民法第768条】
1　協議上の離婚をした者の一方は、相手方に対して財産の分与を請求することができる。
2　前項の規定による財産の分与について、当事者間に協議が調わないとき、又は協議をすることができないときは、当事者は、家庭裁判所に対して協議に代わる処分を請求することができる。ただし、離婚の時から二年を経過したときは、この限りでない。
3　前項の場合には、家庭裁判所は、当事者双方がその協力によって得た財産の額その他一切の事情を考慮して、分与をさせるべきかどうか並びに分与の額及び方法を定める。

3 親子

（1）嫡出子と非嫡出子

① 嫡出子

嫡出子とは、婚姻関係にある男女の間に生まれた子のことをいいます。

② 非嫡出子

非嫡出子とは、婚姻関係にない男女の間に生まれた子のことをいいます。
嫡出子が父親の子となるためには認知が不必要となりますが、非嫡出子が父親の子となるためには認知が必要となります。この場合の父親の子とは、生物学上のものではなく、法律学上のもののことを意味します。

（2）推定される嫡出子と推定されない嫡出子

① 推定される嫡出子

妻が婚姻中に懐胎した子は夫の子として推定されます（民法第 772 条[468]第 1 項）。また、妻が婚姻成立の日から 200 日後、婚姻の解消（離婚や死別）または婚姻の取消しから 300 日以内に生まれた子は婚姻中に懐胎したものと推定（民法第 772 条第２項）し、夫の子と推定されます（民法第 772 条第 1 項）。
この場合、夫は子が嫡出子であるとの推定を覆すことができます（民法第 774 条[469]）。このとき、夫は、子またはその母に対する嫡出否認の訴えによって、その子が嫡出子であることを否認します（民法第 775 条[470]前段）。

468 【民法第 772 条】
1 妻が婚姻中に懐胎した子は、夫の子と推定する。
2 婚姻の成立の日から二百日を経過した後又は婚姻の解消若しくは取消しの日から三百日以内に生まれた子は、婚姻中に懐胎したものと推定する。

469 【民法第 774 条】
第七百七十二条の場合において、夫は、子が嫡出であることを否認することができる。

470 【民法第 775 条】
前条の規定による否認権は、子又は親権を行う母に対する嫡出否認の訴えによって行う。親権を行う母がないときは、家庭裁判所は、特別代理人を選任しなければならない。

この嫡出否認の訴えは、夫が子の出生を知ってから１年以内に提起しなければなりません（民法第 777 条[471]）。しかし、たとえ夫がこの出生を知ってから１年以内であっても、その子が嫡出子であるとの承認を夫がすると、以後、嫡出否認の訴えを提起できなくなります（民法第 776 条[472]）。なお、出生届は法律上の義務として提出していることから、出生届の提出をもって嫡出の承認をしたとはみなされません。

② 推定されない嫡出子

推定されない嫡出子とは、妻が婚姻中に懐胎していない子のことをいいます（民法第 772 条第１項）。また、婚姻届の提出から 200 日経っていない間に生まれた子及び婚姻の解消（離婚や死別）、婚姻の取消しから 300 日を過ぎてから生まれた子は婚姻中に懐胎したものと推定されないことから、夫の子と推定されません（民法第 772 条第２項）。

この場合、夫は子が自分の子ではないと主張するには、嫡出否認の訴えではなく、親子関係不存在確認の訴えによって行うこととなります。この訴えには、嫡出否認の訴えの場合とは異なり、出訴期間の規定がありません。

（３）認知

① 認知の意義

認知とは、婚姻をしていない男女の間に生まれた子と、その父親または母親との親子関係を創設するもののことをいいます。

嫡出ではない子について、その子の父親または母親は認知をすることができます（民法第 779 条[473]）。生理的に血が繋がっている親子であっても、この認知がされない限りは、法律上の親子とはなりません。なお、母親の場合は、分娩の事実が証明されていれば、認知をすることなく法律上の親子となることができます。

471 【民法第 777 条】
嫡出否認の訴えは、夫が子の出生を知った時から一年以内に提起しなければならない。

472 【民法第 776 条】
夫は、子の出生後において、その嫡出であることを承認したときは、その否認権を失う。

473 【民法第 779 条】
嫡出でない子は、その父又は母がこれを認知することができる。

②　認知の方法

認知は、原則として、役所に認知届を提出し、それを受理されることによって行うことができます（民法第781条[474]第1項）。このことによって、法律上の親子関係が有効に成立することとなります。また、認知は、例外として、遺言によってもすることができます（民法第781条第2項）。この規定は、生前に認知をし難い事情がある場合等について配慮したものとなっています。遺言に不備がなければ、このことによって、法律上の親子関係が有効に成立することとなります。但し、認知をしようとする子が、既に成年となっている場合は、その子の承諾なしに、一方的に認知をすることができません（民法第782条[475]）。成年者の子に対しては既に養育義務はなく、逆に、親の扶養義務が発生する可能性があることがその理由です。父親は、胎児を認知することもできますが、母親の承諾なしに、一方的に認知をすることができません（民法第783条[476]第1項）。また、父親または母親は、既に亡くなっている子についても、その子に子、つまり、父親または母親からすれば孫がいる場合に限って、認知をすることが可能です（民法第783条第2項前段）。この場合、その孫が成年者である場合には、その孫の承諾が必要となります（民法第783条第2項後段）。

③　認知の効力

認知は、出生時に遡ってその効力を生じます（民法第784条[477]本文）。

474　【民法第781条】
1　認知は、戸籍法の定めるところにより届け出ることによってする。
2　認知は、遺言によっても、することができる。

475　【民法第782条】
成年の子は、その承諾がなければ、これを認知することができない。

476　【民法第783条】
1　父は、胎内に在る子でも、認知することができる。この場合においては、母の承諾を得なければならない。
2　父又は母は、死亡した子でも、その直系卑属があるときに限り、認知することができる。この場合において、その直系卑属が成年者であるときは、その承諾を得なければならない。

477　【民法第784条】
認知は、出生の時にさかのぼってその効力を生ずる。ただし、第三者が既に取得した権利を害することはできない。

このように、認知には、遡及効があるため、認知によって第三者が既に取得した権利を害することは禁じられています（民法第784条但書）。また、この遡及効があることから、一度行った認知については、その認知をした父親または母親は取消しをすることができなくなります（民法第785条[478]）。認知をする側はその認知の取消しをすることができなくなりますが、認知をされる側については、その認知に対して反対の事実の主張をすることができます（民法第786条[479]）。

④ 認知の訴え

子・その直系卑属またはこれらの者の法定代理人は、父親が生存中であれば、いつでも認知を求める訴えが可能です（民法第787条[480]本文）。この訴えが認められれば、強制的に認知（強制認知）させることができます。この非嫡出子の認知請求権は、放棄することができないとされています。また、父親または母親が亡くなっている場合には、死亡の日から３年を経過するまでは認知を求める訴えが可能です（民法第 787 条但書）。なお、この際の被告は、検察官となります。

（４）準正

準正とは、非嫡出子が嫡出子の身分を取得するための方法のことをいいます。非嫡出子は、準正が起こると嫡出子の身分を取得することとなります。この準正には遡及効はありません。

準正は、①父母が婚姻をすること、②父が子を認知することの２つの要件を充たすとその効果を発生します（民法第789条[481]）。

478 【民法第785条】
認知をした父又は母は、その認知を取り消すことができない。

479 【民法第786条】
子その他の利害関係人は、認知に対して反対の事実を主張することができる。

480 【民法第787条】
子、その直系卑属又はこれらの者の法定代理人は、認知の訴えを提起することができる。ただし、父又は母の死亡の日から三年を経過したときは、この限りでない。

481 【民法第789条】
1 父が認知した子は、その父母の婚姻によって嫡出子の身分を取得する。
2 婚姻中父母が認知した子は、その認知の時から、嫡出子の身分を取得する。
3 前二項の規定は、子が既に死亡していた場合について準用する。

この準正に要求される２つの要件のうち、認知が先行して行われている場合に婚姻をすることによって生じる準正のことを婚姻準正といいます（民法第789条第１項）。婚姻準正の効果発生時は婚姻時となります。対して、婚姻が先行して行われている場合に、認知をすることによって生じる準正のことを認知準正といいます（民法第789条第２項）。認知準正の効果発生時は認知時となります。

七　相続法

１　相続総論

（１）相続の開始

相続は、被相続人の死によって開始します（民法第882条[482]）。この場合の死は、社会通念上、心拍動の停止・呼吸停止・瞳孔散大及び対光反射停止の３兆候をもって判断されます。従って、脳死の段階では死亡とはみなされず、相続は開始しないこととされています。

また、相続は、被相続人の住所において開始します（民法第883条[483]）。つまり、被相続人が亡くなった当時の住所が相続開始の場所となります。

（２）相続人

①　相続人の範囲

相続は死亡によって開始（民法第882条）されることから、被相続人の死亡前に死亡した者は相続人とはなりません（相続人同時存在の原則）。また、胎児を除き（民法第886条[484]第１項）、相続時に生まれていない者も相続人とはなりません。

482　【民法第882条】
　相続は、死亡によって開始する。

483　【民法第883条】
　相続は、被相続人の住所において開始する。

484　【民法第886条】
　１　胎児は、相続については、既に生まれたものとみなす。
　２　前項の規定は、胎児が死体で生まれたときは、適用しない。。

A 被相続人の配偶者

被相続人の配偶者は、被相続人の死亡時に生存していれば、必ず相続人となります（民法第 890 条[485]）。

B 被相続人の直系卑属

被相続人の子は、被相続人の死亡時に生存していれば、相続人となります（民法第 887 条[486]第 1 項）。

被相続人の子が、被相続人が死亡する以前に亡くなっている場合や、廃除や相続欠格がある場合には、被相続人の子の子（被相続人の孫）が代襲して相続人（代襲相続）となります（民法第 887 条第 2 項本文）。この場合、代襲相続ができるのは、被相続人の直系卑属に限られます（民法第 887 条第 2 項但書）。

また、代襲者が、被相続人が死亡する以前に亡くなっている場合や、廃除や相続欠格がある場合には、代襲者の子が代襲して相続人（再代襲相続）となります（民法第 887 条第 3 項）。

C 被相続人の直系尊属

被相続人に直系卑属がいない場合には、被相続人の直系尊属が相続人となります（民法第 889 条[487]第 1 項第 1 号本文）。

---

485 【民法第 890 条】
被相続人の配偶者は、常に相続人となる。この場合において、第八百八十七条又は前条の規定により相続人となるべき者があるときは、その者と同順位とする。

486 【民法第 887 条】
1 被相続人の子は、相続人となる。
2 被相続人の子が、相続の開始以前に死亡したとき、又は第八百九十一条の規定に該当し、若しくは廃除によって、その相続権を失ったときは、その者の子がこれを代襲して相続人となる。ただし、被相続人の直系卑属でない者は、この限りでない。
3 前項の規定は、代襲者が、相続の開始以前に死亡し、又は第八百九十一条の規定に該当し、若しくは廃除によって、その代襲相続権を失った場合について準用する。

487 【民法第 889 条】
1 次に掲げる者は、第八百八十七条の規定により相続人となるべき者がない場合には、次に掲げる順序の順位に従って相続人となる。
一 被相続人の直系尊属。ただし、親等の異なる者の間では、その近い者を先にする。
二 被相続人の兄弟姉妹
2 第八百八十七条第二項の規定は、前項第二号の場合について準用する。

D 被相続人の兄弟姉妹

被相続人に直系卑属も直系尊属もいない場合には、被相続人の兄弟姉妹が相続人となります（民法第889条第1項第2号）。

被相続人の死亡時に、既に被相続人の兄弟姉妹が亡くなっている場合には、被相続人の兄弟姉妹の子（甥や姪）が代襲して相続人（代襲相続）となります（民法第889条第2項）。なお、民法第889条第2項の規定は民法第887条の第2項のみ準用し第3項を準用していないことから、被相続人の兄弟姉妹の子の子（甥や姪の子）に再代襲はしないこととなります。

② 相続欠格と相続の廃除

A 相続欠格

相続欠格とは、法定された一定の行為をした者の相続権を被相続人の意思によらずに剥奪する制度のことをいいます。この相続欠格に該当すると、その者は相続人となることができなくなります（民法第891条[488]）。

a 故意に被相続人や同順位以上の者を殺害または殺害しようとして刑に処せられた者

故意に被相続人や同順位以上の者を殺害または殺害しようとして刑に処せられた者は、相続欠格に該当し相続人となることができません（民法第891条第1号）。あくまでも故意に殺害または殺害しようとすることが要件となるので、傷害致死は相続欠格には該当しません。また、刑に処せられることも要件となることから、殺人・殺人未遂・殺人予備に該当する行為を行っただけでは相続欠格には該当しません。

488 【民法第891条】

次に掲げる者は、相続人となることができない。

一 故意に被相続人又は相続について先順位若しくは同順位にある者を死亡するに至らせ、又は至らせようとしたために、刑に処せられた者

二 被相続人の殺害されたことを知って、これを告発せず、又は告訴しなかった者。ただし、その者に是非の弁別がないとき、又は殺害者が自己の配偶者若しくは直系血族であったときは、この限りでない。

三 詐欺又は強迫によって、被相続人が相続に関する遺言をし、撤回し、取り消し、又は変更することを妨げた者

四 詐欺又は強迫によって、被相続人に相続に関する遺言をさせ、撤回させ、取り消させ、又は変更させた者

五 相続に関する被相続人の遺言書を偽造し、変造し、破棄し、又は隠匿した者

b　被相続人の殺害されたことを知っても告発または告訴しなかった者

被相続人の殺害されたことを知っても告発または告訴しなかった者は、相続欠格に該当し相続人となることができません（民法第891条第2号本文）。しかし、その者が是非の弁別ができなければ相続欠格に該当しないこととなるし、殺害者が配偶者や直系血族である場合にも相続欠格に該当しないこととなります（民法第891条第2号但書）。

c　詐欺または強迫によって被相続人の遺言をするのを妨げた者

詐欺または強迫によって被相続人の遺言をするのを妨げた者（遺言の動機に対して詐欺や強迫によって影響を与えた者）は、相続欠格に該当し相続人となることができません（民法第891条第3号）。

d　詐欺または強迫によって被相続人に相続に関する遺言をさせた者

詐欺または強迫によって被相続人に相続に関する遺言をさせた者（遺言の動機に対して詐欺や強迫によって影響を与えた者）は、相続欠格に該当し相続人となることができません（民法第891条第4号）。

e　相続に関する被相続人の遺言書を偽造または隠匿した者

相続に関する被相続人の遺言書を偽造したり、変造したり、破棄や隠すことによって無きものにしたりした者は、相続欠格に該当し相続人となることができません（民法第891条第5号）。

B　廃除

廃除とは、家庭裁判所の審判や調停を得て、遺留分を有する推定相続人（被相続人が現時点で死亡したと仮定した場合に相続人となるはずの人）の相続権を、被相続人に対する虐待・重大な侮辱・その他著しい非行を理由に、被相続人の意思によって剥奪する制度のことをいいます。この廃除をされると、その者は相続人となることができなくなります（民法第892条[489]）。また、廃除は遺言によってすることもできます（民法第893条[490]）。

489　【民法第892条】

遺留分を有する推定相続人（相続が開始した場合に相続人となるべき者をいう。以下同じ。）が、被相続人に対して虐待をし、若しくはこれに重大な侮辱を加えたとき、又は推定相続人にその他の著しい非行があったときは、被相続人は、その推定相続人の廃除を家庭裁判所に請求することができる。

490　【民法第893条】

被相続人が遺言で推定相続人を廃除する意思を表示したときは、遺言執行者は、その遺言が効力を生じた後、遅滞なく、その推定相続人の廃除を家庭裁判所に請求しなければならない。この場合において、その推定相続人の廃除は、被相続人の死亡の時にさかのぼってその効力を生ずる。

（３）相続の効力

相続人は、相続開始時から、被相続人の財産に属した一切の権利・義務を承継します（民法第 896 条[491]本文）。

また、被相続人の一身専属財産については、相続人は承継しません（民法第 896 条但書）。

被相続人の財産に属した一切の権利・義務には、被相続人の死後に支払われる生命保険金は含まれないため、相続財産とはなりません。従って、生命保険金は相続人の固有財産となります。

被相続人の死亡退職金についても被相続人の財産に属した一切の権利・義務には該当せず、相続人の固有財産とされます。

慰謝料請求権については、相続人に承継されます。この場合、被相続人が生前に慰謝料の請求を表明する必要はなく、慰謝料請求権は発生し、相続人に相続されるとされます。

被相続人の有していた占有権については、被相続人の一身専属権には該当せず、相続人に相続されます。この場合、被相続人と相続人との場所的関係が離れていたとしても例外なく相続することとなります。

また、相続人が複数いる場合には、相続財産はその共有に属することとなります（民法第 898 条[492]）。このことを共同相続といいます。各共同相続人は、その相続分に応じて被相続人の権利・義務を承継することとなります（民法第 899 条[493]）。

（４）相続分

①　法定相続分

被相続人の財産について、相続人がどのようにして分けるかは被相続人や相続人の意思によりますが、特に決めていない場合は法律の規定によります。

491　【民法第 896 条】
相続人は、相続開始の時から、被相続人の財産に属した一切の権利義務を承継する。ただし、被相続人の一身に専属したものは、この限りでない。

492　【民法第 898 条】
相続人が数人あるときは、相続財産は、その共有に属する。

493　【民法第 899 条】
各共同相続人は、その相続分に応じて被相続人の権利義務を承継する

各相続人の相続分の計算については、以下のように法定されています（民法第900条[494]）。

A　被相続人の配偶者と子が相続人となる場合

相続財産のうち、配偶者が２分の１、残り２分の１を子の数で割ることにより各相続分の額を算出します（民法第900条第１号及び第４号本文）。なお、配偶者がいない場合には、子の数で単純に割ることによって算出します。

B　被相続人の配偶者と親が相続人となる場合

子がいない場合には、相続財産のうち、配偶者が３分の２、残り３分の１を親の数で割ることにより各相続分の額を算出します（民法第900条第２号及び第４号本文）。配偶者も子もいない場合には、親の数で単純に割ることによって算出します。

C　被相続人の配偶者と兄弟姉妹が相続人となる場合

子も親もいない場合には、相続財産のうち、配偶者が４分の３、残り４分の１を兄弟姉妹の数で割ることにより各相続分の額を算出します（民法第900条第３号及び第４号本文）。この場合、同じ兄弟姉妹であっても、父母の一方のみを同じくする兄弟姉妹の相続分の額については、父母の双方を同じくする兄弟姉妹の相続分の２分の１として算出することとなります（民法第900条第４号但書）。配偶者も子も親もいない場合には、その兄弟姉妹の全員が父母の双方を同じくする場合や父母の一方を同じくするときは兄弟姉妹の数で単純に割ることによって算出します。混在している場合は、父母の双方を同じくする兄弟姉妹の相続分の２分の１として各相続分を算出することとなります（民法第900条第４号但書）。

494　【民法第900条】

同順位の相続人が数人あるときは、その相続分は、次の各号の定めるところによる。

一　子及び配偶者が相続人であるときは、子の相続分及び配偶者の相続分は、各二分の一とする。

二　配偶者及び直系尊属が相続人であるときは、配偶者の相続分は、三分の二とし、直系尊属の相続分は、三分の一とする。

三　配偶者及び兄弟姉妹が相続人であるときは、配偶者の相続分は、四分の三とし、兄弟姉妹の相続分は、四分の一とする。

四　子、直系尊属又は兄弟姉妹が数人あるときは、各自の相続分は、相等しいものとする。ただし、父母の一方のみを同じくする兄弟姉妹の相続分は、父母の双方を同じくする兄弟姉妹の相続分の二分の一とする。

D 代襲相続が起こる場合

相続をすべき子が既に亡く、直系卑属である代襲相続人や再代襲相続人が相続をする場合の相続分の額については、生きていれば相続人となったであろうその子が受ける相続分の額と同額となります（民法第901条[495]第1項本文)。但し、代襲相続や再代襲相続することにより、その直系卑属が複数人になった場合については、本来の相続分の額をその人数で割ることにより相続分の額を算出することとなります（民法第901条第1項但書)。

兄弟姉妹を代襲する相続人についても、その兄弟姉妹が生きていれば本来相続人となったであろうその兄弟姉妹が受ける相続分の額と同額となり、代襲することにより兄弟姉妹の子が複数人になった場合については、本来の相続分の額をその人数で割ることにより相続分の額を算出します（民法第901条第2項)。なお、先述したように、兄弟姉妹への相続については、代襲はあり得ますが、再代襲はあり得ません（民法第889条第2項)。

E 配偶者のみが相続人となる場合

被相続人に、子（その直系卑属を含む)、親（その直系尊属を含む)、兄弟姉妹（その子を含む）がおらず、配偶者のみが相続人となる場合には、その配偶者が単独で被相続人のすべての財産を相続することとなります（民法第890条)。

② 法定相続分の修正

A 特別受益者

共同相続人の中に、被相続人から遺贈を受けたり、婚姻や養子縁組のために贈与を受けたり、生計の資本として贈与を受けたりした者がいる場合があります。このような被相続人から特別の利益を受けた相続人のことを特別受益者といい、特別受益者については、既に、被相続人から財産上の利益を受けているため、相続分の算出に際して、特別の計算をする必要が生じます。

495 【民法第901条】

1 第八百八十七条第二項又は第三項の規定により相続人となる直系卑属の相続分は、その直系尊属が受けるべきであったものと同じとする。ただし、直系卑属が数人あるときは、その各自の直系尊属が受けるべきであった部分について、前条の規定に従ってその相続分を定める。

2 前項の規定は、第八百八十九条第二項の規定により兄弟姉妹の子が相続人となる場合について準用する。

特別受益者の相続分は、被相続人が相続開始時に有していた財産の価額に贈与を受けた価額を加えたものを相続財産とみなし、法定相続分の中からその贈与を受けた価額を控除した残額となります（民法第 903 条[496]第 1 項）。

B　寄与分

共同相続人の中に、被相続人の財産の維持や増加について特別の寄与をした者がいる場合には、被相続人が相続開始時において有していた財産の価額から共同相続人の協議で決定したその者の寄与分を控除したものを相続財産とみなし、法定相続分に寄与分を加えた額をもってその者の相続分とします（民法第 904 条の 2[497]第 1 項）。

496　【民法第 903 条】

1　共同相続人中に、被相続人から、遺贈を受け、又は婚姻若しくは養子縁組のため若しくは生計の資本として贈与を受けた者があるときは、被相続人が相続開始の時において有した財産の価額にその贈与の価額を加えたものを相続財産とみなし、第九百条から第九百二条までの規定により算定した相続分の中からその遺贈又は贈与の価額を控除した残額をもってその者の相続分とする。

2　遺贈又は贈与の価額が、相続分の価額に等しく、又はこれを超えるときは、受遺者又は受贈者は、その相続分を受けることができない。

3　被相続人が前二項の規定と異なった意思を表示したときは、その意思に従う。

4　婚姻期間が二十年以上の夫婦の一方である被相続人が、他の一方に対し、その居住の用に供する建物又はその敷地について遺贈又は贈与をしたときは、当該被相続人は、その遺贈又は贈与について第一項の規定を適用しない旨の意思を表示したものと推定する。

497　【民法第 904 条の２】

1　共同相続人中に、被相続人の事業に関する労務の提供又は財産上の給付、被相続人の療養看護その他の方法により被相続人の財産の維持又は増加について特別の寄与をした者があるときは、被相続人が相続開始の時において有した財産の価額から共同相続人の協議で定めたその者の寄与分を控除したものを相続財産とみなし、第九百条から第九百二条までの規定により算定した相続分に寄与分を加えた額をもってその者の相続分とする。

2　前項の協議が調わないとき、又は協議をすることができないときは、家庭裁判所は、同項に規定する寄与をした者の請求により、寄与の時期、方法及び程度、相続財産の額その他一切の事情を考慮して、寄与分を定める。

3　寄与分は、被相続人が相続開始の時において有した財産の価額から遺贈の価額を控除した残額を超えることができない。

4　第二項の請求は、第九百七条第二項の規定による請求があった場合又は第九百十条に規定する場合にすることができる。

（5）遺産分割

遺産分割とは、各共同相続人に帰属する相続分という観念的な割合が具体化し、各相続人に固有財産として帰属することをいいます。

遺産分割は、共同相続人間により、いつでも遺産分割協議によって行うことができます（民法第907条[498]第1項）。

通常、遺産分割は共同相続人間での協議によって行われますが、協議が調わない場合や協議をすることができない場合には、各共同相続人は家庭裁判所に対して、遺産分割の審判を請求することができます（民法第907条第2項本文）。但し、遺産の一部を分割することにより他の共同相続人の利益を害する虞がある場合には、その一部の分割について遺産分割の請求をすることはできません（民法第907条第2項但書）。

また、家庭裁判所は、特別の事由がある場合には、期間を設定して遺産の全部または一部についてその分割を禁じることができます（民法第907条第3項）。遺産分割の方法については、遺言によって、相続開始時から5年を超えない期間を設定して遺産分割を禁じることができます（民法第908条[499]）。

遺産分割の効果については、相続開始時に遡って生じることとなります（民法第909条[500]本文）。但し、遺産分割によって、第三者の権利を害することはできません（民法第909条但書）。

498 【民法第907条】

1 共同相続人は、次条の規定により被相続人が遺言で禁じた場合を除き、いつでも、その協議で、遺産の全部又は一部の分割をすることができる。

2 遺産の分割について、共同相続人間に協議が調わないとき、又は協議をすることができないときは、各共同相続人は、その全部又は一部の分割を家庭裁判所に請求することができる。ただし、遺産の一部を分割することにより他の共同相続人の利益を害するおそれがある場合におけるその一部の分割については、この限りでない。

3 前項本文の場合において特別の事由があるときは、家庭裁判所は、期間を定めて、遺産の全部又は一部について、その分割を禁ずることができる。

499 【民法第908条】

被相続人は、遺言で、遺産の分割の方法を定め、若しくはこれを定めることを第三者に委託し、又は相続開始の時から五年を超えない期間を定めて、遺産の分割を禁ずることができる。

500 【民法第909条】

遺産の分割は、相続開始の時にさかのぼってその効力を生ずる。ただし、第三者の権利を害することはできない。

（6）相続の承認及び放棄

相続人は、自己のために相続の開始があったことを知った時点から３箇月以内に相続について単純承認・限定承認・放棄のいずれかをしなければならないとされています（民法第 915 条[501]第 1 項本文）。実際には、３箇月以内にしなければならないのは、限定承認の場合及び放棄の場合であって、そのいずれもしない場合に単純承認したものとみなされます。この３箇月の期間制限のことを熟慮期間といいます。この３箇月の熟慮期間は、利害関係人や検察官の請求によって家庭裁判所において伸長することができます(民法第 915 条第 1 項但書)。

また、相続人は、相続の承認（単純承認及び限定承認）または放棄をする前に、相続財産の調査をすることができます（民法第 915 条第２項)。これは、相続財産の総額がわからないと、承認すべきか放棄すべきかわからないからです。

相続の承認（単純承認及び限定承認）または放棄は 1 度してしまったら、熟慮期間内であっても撤回することはできません（民法第 919 条[502]第 1 項)。相続の承認及び放棄を繰り返すことは財産関係を不安定にすることとなることから、被相続人の債権者等の第三者に対して多大な影響を与えることとなるために撤回が禁じられています。しかし、民法の第 1 編（総則）及び第４編（親族）の規定に基づいて、相続の承認（単純承認及び限定承認）または放棄の取消しをすることまでは禁じられていません。

501　【民法第 915 条】

1　相続人は、自己のために相続の開始があったことを知った時から三箇月以内に、相続について、単純若しくは限定の承認又は放棄をしなければならない。ただし、この期間は、利害関係人又は検察官の請求によって、家庭裁判所において伸長することができる。

2　相続人は、相続の承認又は放棄をする前に、相続財産の調査をすることができる。

502　【民法第 919 条】

1　相続の承認及び放棄は、第九百十五条第一項の期間内でも、撤回することができない。

2　前項の規定は、第一編（総則）及び前編（親族）の規定により相続の承認又は放棄の取消しをすることを妨げない。

3　前項の取消権は、追認をすることができる時から六箇月間行使しないときは、時効によって消滅する。相続の承認又は放棄の時から十年を経過したときも、同様とする。

4　第二項の規定により限定承認又は相続の放棄の取消しをしようとする者は、その旨を家庭裁判所に申述しなければならない。

① 相続の承認

A 単純承認

単純承認とは、３箇月の熟慮期間中に限定承認も相続放棄もしない場合（民法第921条[503]第２号）や、相続人が相続財産の全部または一部を処理した場合（民法第921条第１号）にそれをしたとみなされることをいい、単純承認がなされると、相続人は、被相続人のプラスの財産もマイナスの財産もすべて承継することとなります（民法第920条[504]）。

単純承認は任意にする場合と法定されている条件が揃うとしたものとみなされる場合とがありますが、多くの場合は後者の法定単純承認となります。法定単純承認には、相続財産の全部または一部を処分した場合（民法第921条第１号）・熟慮期間内に限定承認も放棄をしなかった場合（民法第921条第２号）・限定承認または放棄後に財産の費消等をした場合（民法第921条第３号）があります。

B 限定承認

限定承認とは、被相続人が遺した相続財産がプラスなのかマイナスなのか判断がつかない場合になされる相続の承認のことをいいます。

限定承認は、共同相続人がいる場合には全員でしないとできません（民法第923条[505]）。１人でも単純承認をする者がいると限定承認はできないこととります。他方、放棄者は相続人とはならないため問題にはなりません。

---

503 【民法第921条】

次に掲げる場合には、相続人は、単純承認をしたものとみなす。

一 相続人が相続財産の全部又は一部を処分したとき。ただし、保存行為及び第六百二条に定める期間を超えない賃貸をすることは、この限りでない。

二 相続人が第九百十五条第一項の期間内に限定承認又は相続の放棄をしなかったとき。

三 相続人が、限定承認又は相続の放棄をした後であっても、相続財産の全部若しくは一部を隠匿し、私にこれを消費し、又は悪意でこれを相続財産の目録中に記載しなかったとき。ただし、その相続人が相続の放棄をしたことによって相続人となった者が相続の承認をした後は、この限りでない。

504 【民法第920条】

相続人は、単純承認をしたときは、無限に被相続人の権利義務を承継する。

505 【民法第923条】

相続人が数人あるときは、限定承認は、共同相続人の全員が共同してのみこれをすることができる。

相続人としては、多くの場合、遺された財産がプラスであれば相続したいと考えるであろうし、マイナスが多ければ相続したくないと考えるはずです。しかし、相続開始の時点において判断がつかない場合には、安易に単純承認するのも危険であるし、安易に放棄をするのも惜しいということとなります。そこで、この限定承認を選択することとなります。限定承認をすると、相続人は、プラスの財産の限度でマイナスの財産を相続することとなります（民法第922条[506]）。従って、限定承認は相続人にとって非常に都合のよい制度であるといえます。

限定承認をする場合には、熟慮期間の間に、共同相続人がいる場合には共同相続人全員で、いない場合には単独で、家庭裁判所に対して相続財産目録を作成し、提出をして、限定承認をする旨を申述しなければなりません（民法第924条[507]）。この点、単純承認の場合には、家庭裁判所に対しての申述は必要とはなりません。

② 相続の放棄

相続の放棄とは、自ら相続人であることを放棄することをいいます。先述したように、相続の放棄がなされると、その者は相続開始時から相続人ではなかったとみなされることとなります（民法第939条[508]）。つまり、そもそも相続人ではない者であるということとなります。

相続の放棄をする場合には、熟慮期間の間に、家庭裁判所に対して、すべての財産の相続を放棄する旨を申述しなければなりません（民法第938条[509]）。相続の放棄は、共同相続人がいたとしても単独でなすことができます。

506 【民法第922条】
相続人は、相続によって得た財産の限度においてのみ被相続人の債務及び遺贈を弁済すべきことを留保して、相続の承認をすることができる。

507 【民法第924条】
相続人は、限定承認をしようとするときは、第九百十五条第一項の期間内に、相続財産の目録を作成して家庭裁判所に提出し、限定承認をする旨を申述しなければならない。

508 【民法第939条】
相続の放棄をした者は、その相続に関しては、初めから相続人とならなかったものとみなす。

509 【民法第938条】
相続の放棄をしようとする者は、その旨を家庭裁判所に申述しなければならない。

（7）相続人の不存在

相続人の不存在とは、ある人について死亡したという事実は存在するが、その相続人の有無が不明の場合のことをいいます。

相続人の不存在の確定までは以下の手続を経ることとなります。

① 相続財産法人の成立

相続人の有無が明らかではない場合には、相続財産は法人となります（民法第951条[510]）。

② 相続財産管理人の選任

相続財産法人が成立する場合には、家庭裁判所は、利害関係人や検察官の請求によって相続財産管理人を選任し（民法第952条[511]第1項）、公告しなければなりません（民法第952条第2項）。

③ 相続債権者及び受遺者に対する弁済

公告後2箇月以内に相続人の有無が明らかにならなかった場合には、相続財産管理人は、すべての相続債権者及び受遺者に対して、遅滞なく、一定期間内にその請求の申出をすべき旨を公告します（民法第957条[512]第1項前段）。この期間は2箇月以上に設定しなければなりません（民法第957条第1項後段）。

---

510 【民法第951条】

相続人のあることが明らかでないときは、相続財産は、法人とする。

511 【民法第952条】

1 前条の場合には、家庭裁判所は、利害関係人又は検察官の請求によって、相続財産の管理人を選任しなければならない。

2 前項の規定により相続財産の管理人を選任したときは、家庭裁判所は、遅滞なくこれを公告しなければならない。

512 【民法第957条】

1 第九百五十二条第二項の公告があった後二箇月以内に相続人のあることが明らかにならなかったときは、相続財産の管理人は、遅滞なく、すべての相続債権者及び受遺者に対し、一定の期間内にその請求の申出をすべき旨を公告しなければならない。この場合において、その期間は、二箇月を下ることができない。

2 第九百二十七条第二項から第四項まで及び第九百二十八条から第九百三十五条まで（第九百三十二条ただし書を除く。）の規定は、前項の場合について準用する。

④ 相続人の捜索

期間満了後、なお相続人の有無が明らかにならなかった場合には、家庭裁判所は、相続財産管理人や検察官の請求によって、相続人があるならば一定の期間内にその権利を主張すべき旨を公告しなければなりません（民法第958条[513]前段）。期間内に権利主張者が現れなかった場合には、後に現れたとしても、その権利を行使することができなくなります（民法第958条の2[514]）。

⑤ 特別縁故者に対する相続財産の分与

期間内に権利主張者が現れなかった場合には、家庭裁判所は、相当と認める場合に、被相続人と特別の縁故があった者の請求によって、清算後に残存すべき相続財産の全部または一部を与えることができます（民法第958条の3[515]第1項）。

⑥ 国庫への帰属

特別縁故者に対する相続財産の分与もされなかった場合には、その相続財産は国庫に帰属することとなります（民法第959条[516]前段）。

513 【民法第958条】
前条第一項の期間の満了後、なお相続人のあることが明らかでないときは、家庭裁判所は、相続財産の管理人又は検察官の請求によって、相続人があるならば一定の期間内にその権利を主張すべき旨を公告しなければならない。この場合において、その期間は、六箇月を下ることができない。

514 【民法第958条の2】
前条の期間内に相続人としての権利を主張する者がないときは、相続人並びに相続財産の管理人に知れなかった相続債権者及び受遺者は、その権利を行使することができない。

515 【民法第958条の3】
1 前条の場合において、相当と認めるときは、家庭裁判所は、被相続人と生計を同じくしていた者、被相続人の療養看護に努めた者その他被相続人と特別の縁故があった者の請求によって、これらの者に、清算後残存すべき相続財産の全部又は一部を与えることができる。
2 前項の請求は、第九百五十八条の期間の満了後三箇月以内にしなければならない。

516 【民法第959条】
前条の規定により処分されなかった相続財産は、国庫に帰属する。この場合においては、第九百五十六条第二項の規定を準用する。

2 遺言

(1) 遺言能力

遺言をする能力は、意思能力があり、15歳以上の年齢であればあるとされています(民法第961条[517])。従って、制限行為能力者であっても有効に遺言を遺すことができます(民法第962条[518])。しかし、成年被後見人については、精神上の障害により事理を弁識する能力を欠く常況にある者であることから、意思能力が回復しているかどうかを見極めるために医師2人以上の立会いが必要となります(民法第973条[519]第1項)。遺言能力は、あくまでも遺言を遺すために必要な能力であるので、遺言をする時点で、15歳以上であることと意思能力が必要となるからです(民法第963条[520])。

(2) 遺言の原則

2人以上の者が同一の証書によって遺言を遺した場合には、その遺言は無効となります(民法第975条[521])。つまり、共同遺言は禁止されます。

また、遺言書が被相続人の死後複数発見された場合、死亡日に最も近い日付の遺言書が最も効力の強い遺言となるため、日付については「○月吉日」という記載は認められません。被相続人本人が記載したことの証明が難しくなるため、氏名については、原則として、戸籍上の氏名を記載する必要があります。

517 【民法第961条】
十五歳に達した者は、遺言をすることができる。

518 【民法第962条】
第五条、第九条、第十三条及び第十七条の規定は、遺言については、適用しない。

519 【民法第973条】
1 成年被後見人が事理を弁識する能力を一時回復した時において遺言をするには、医師二人以上の立会いがなければならない。
2 遺言に立ち会った医師は、遺言者が遺言をする時において精神上の障害により事理を弁識する能力を欠く状態になかった旨を遺言書に付記して、これに署名し、印を押さなければならない。ただし、秘密証書による遺言にあっては、その封紙にその旨の記載をし、署名し、印を押さなければならない。

520 【民法第963条】
遺言者は、遺言をする時においてその能力を有しなければならない。

521 【民法第975条】
遺言は、二人以上の者が同一の証書ですることができない。

（3）遺言の方式

遺言は、民法上の方式でのみすることができます（民法第960条[522]）。

遺言は、被相続人の最後の意思表示となることから、特に厳格な方式が定められています。

① 普通方式の遺言

遺言は、自筆証書遺言・公正証書遺言・秘密証書遺言の3つの方式によって遺さなければならないとされています（民法第967条[523]）。

A 自筆証書遺言

自筆証書遺言とは、手書きの遺言書であり、遺言者が1人で作成可能な遺言の方式のことをいいます（民法第968条[524]第1項）。

遺言者が、その全文・日付及び氏名を自書し、これに印を押さなければならず、これらの要件の1つでも揃わない場合には、その遺言は無効となります。

この点、訂正箇所の明示・変更した旨を付記して署名し、変更場所に押印という加除変更の要件（民法第968条第2項）を充たさない場合には、遺言自体は無効とはならず、加除変更の部分のみ無効となります。つまり、遺言書は訂正のないものとして扱われることとなります。

押印については、拇印でも認められています。

---

522 【民法第960条】

遺言は、この法律に定める方式に従わなければ、することができない。

523 【民法第967条】

遺言は、自筆証書、公正証書又は秘密証書によってしなければならない。ただし、特別の方式によることを許す場合は、この限りでない。

524 【民法第968条】

1 自筆証書によって遺言をするには、遺言者が、その全文、日付及び氏名を自書し、これに印を押さなければならない。

2 前項の規定にかかわらず、自筆証書にこれと一体のものとして相続財産（第九百九十七条第一項に規定する場合における同項に規定する権利を含む。）の全部又は一部の目録を添付する場合には、その目録については、自書することを要しない。この場合において、遺言者は、その目録の毎葉（自書によらない記載がその両面にある場合にあっては、その両面）に署名し、印を押さなければならない。

3 自筆証書（前項の目録を含む。）中の加除その他の変更は、遺言者が、その場所を指示し、これを変更した旨を付記して特にこれに署名し、かつ、その変更の場所に印を押さなければ、その効力を生じない。

B　公正証書遺言

公正証書遺言とは、公証人役場で作成される遺言書であり、公証人や証人が関係する遺言の方式のこといいます（民法第969条[525]）。

公証人（法律家）が遺言書の作成に加わることから、自筆証書遺言の場合とは異なり、書面上の不備への心配はありませんが、自筆証書遺言とは異なり、遺言者のみならず、証人といった他人が関係するため遺言の内容が外部に漏れる心配が生じることとなります。

遺言書自体は、遺言者が遺言の趣旨を公証に口授することによって、公証人が作成することとなります。そのため、公証人の自筆には何ら意味がないことから、遺言書は自筆である必要はなく、ＰＣ等を利用して作成することができます。

また、遺言者が、遺言の内容を口授できない場合については、通訳人による通訳による申述か自書によって行うこととなります（民法第969条の2[526]）。

525　【民法第969条】

公正証書によって遺言をするには、次に掲げる方式に従わなければならない。

一　証人二人以上の立会いがあること。

二　遺言者が遺言の趣旨を公証人に口授すること。

三　公証人が、遺言者の口述を筆記し、これを遺言者及び証人に読み聞かせ、又は閲覧させること。

四　遺言者及び証人が、筆記の正確なことを承認した後、各自これに署名し、印を押すこと。ただし、遺言者が署名することができない場合は、公証人がその事由を付記して、署名に代えることができる。

五　公証人が、その証書は前各号に掲げる方式に従って作ったものである旨を付記して、これに署名し、印を押すこと。

526　【民法第969条の２】

1　口がきけない者が公正証書によって遺言をする場合には、遺言者は、公証人及び証人の前で、遺言の趣旨を通訳人の通訳により申述し、又は自書して、前条第二号の口授に代えなければならない。この場合における同条第三号の規定の適用については、同号中「口述」とあるのは、「通訳人の通訳による申述又は自書」とする。

2　前条の遺言者又は証人が耳が聞こえない者である場合には、公証人は、同条第三号に規定する筆記した内容を通訳人の通訳により遺言者又は証人に伝えて、同号の読み聞かせに代えることができる。

3　公証人は、前二項に定める方式に従って公正証書を作ったときは、その旨をその証書に付記しなければならない。

証人２名については、誰でもなれるわけではなく、民法上厳格な規定がおかれています（民法第974条[527]）。具体的には、未成年者（民法第974条第１号）・推定相続人や受遺者、その配偶者及び直系血族（民法第974条第２号）・公証人の配偶者や４親等内の親族、書記及び使用人（民法第974条第３号）は証人になることはできません。秘密証書遺言の場合も同様です。

C　秘密証書遺言

秘密証書遺言とは、遺言書自体は１人で作成できますが、封筒に公証人や証人の署名が必要な遺言の方式のことをいいます（民法第970条[528]）。

遺言書自体は遺言者自身が作成し、そのことに対して証人と公証人が関係するのが秘密証書遺言の特徴です。遺言を遺した事実自体は証人がいるため秘密とはなりませんが、遺言内容については公正証書遺言と比較をすると秘匿性が高いため秘密証書遺言という名称になっています。遺言書自体は本人が作成しますが、自筆証書遺言とは異なり、自筆である必要はなく、ＰＣ等を利用して作成することが可能です。遺言書本体の印影と遺言書を封入した封筒の印影とが異なる場合は秘密証書遺言としては無効となりますが、遺言書本体が自筆証書遺言としての要件を充たしていれば自筆証書遺言として有効とります（民法第971条[529]）。

527　【民法第974条】
次に掲げる者は、遺言の証人又は立会人となることができない。
一　未成年者
二　推定相続人及び受遺者並びにこれらの配偶者及び直系血族
三　公証人の配偶者、四親等内の親族、書記及び使用人

528　【民法第970条】
１　秘密証書によって遺言をするには、次に掲げる方式に従わなければならない。
一　遺言者が、その証書に署名し、印を押すこと。
二　遺言者が、その証書を封じ、証書に用いた印章をもってこれに封印すること。
三　遺言者が、公証人一人及び証人二人以上の前に封書を提出して、自己の遺言書である旨並びにその筆者の氏名及び住所を申述すること。
四　公証人が、その証書を提出した日付及び遺言者の申述を封紙に記載した後、遺言者及び証人とともにこれに署名し、印を押すこと。
２　第九百六十八条第三項の規定は、秘密証書による遺言について準用する。

529　【民法第971条】
秘密証書による遺言は、前条に定める方式に欠けるものがあっても、第九百六十八条に定める方式を具備しているときは、自筆証書による遺言としてその効力を有する。

また、遺言者が自己の遺言書である旨並びにその筆者の氏名及び住所や遺言の内容を口授できない場合については、通訳人による通訳による申述か自書によって行うこととなります（民法第972条[530]）。

②　特別方式の遺言

A　死亡危急者遺言

死亡危急者遺言とは、死に瀕している者が行う特別方式の遺言のことをいいます（民法第976条[531]）。遺言者の署名押印が不要ですが、家庭裁判所の確認が必要となります。

530　【民法第972条】

1　口がきけない者が秘密証書によって遺言をする場合には、遺言者は、公証人及び証人の前で、その証書は自己の遺言書である旨並びにその筆者の氏名及び住所を通訳人の通訳により申述し、又は封紙に自書して、第九百七十条第一項第三号の申述に代えなければならない。

2　前項の場合において、遺言者が通訳人の通訳により申述したときは、公証人は、その旨を封紙に記載しなければならない。

3　第一項の場合において、遺言者が封紙に自書したときは、公証人は、その旨を封紙に記載して、第九百七十条第一項第四号に規定する申述の記載に代えなければならない。

531　【民法第976条】

1　疾病その他の事由によって死亡の危急に迫った者が遺言をしようとするときは、証人三人以上の立会いをもって、その一人に遺言の趣旨を口授して、これをすることができる。この場合においては、その口授を受けた者が、これを筆記して、遺言者及び他の証人に読み聞かせ、又は閲覧させ、各証人がその筆記の正確なことを承認した後、これに署名し、印を押さなければならない。

2　口がきけない者が前項の規定により遺言をする場合には、遺言者は、証人の前で、遺言の趣旨を通訳人の通訳により申述して、同項の口授に代えなければならない。

3　第一項後段の遺言者又は他の証人が耳が聞こえない者である場合には、遺言の趣旨の口授又は申述を受けた者は、同項後段に規定する筆記した内容を通訳人の通訳によりその遺言者又は他の証人に伝えて、同項後段の読み聞かせに代えることができる。

4　前三項の規定によりした遺言は、遺言の日から二十日以内に、証人の一人又は利害関係人から家庭裁判所に請求してその確認を得なければ、その効力を生じない。

5　家庭裁判所は、前項の遺言が遺言者の真意に出たものであるとの心証を得なければ、これを確認することができない。

B　伝染病隔離者の遺言

伝染病隔離者の遺言とは、伝染病のために行政処分により隔離されている者が行う特別方式の遺言のことをいいます（民法第977条[532]）。

伝染病患者である遺言者は、死に瀕しているわけではないので署名押印を本人もする必要があります。遺言書の筆記については特に規定がないことから誰でもできることとなりますが、筆記した場合はその者も本人及び証人とともに署名押印する必要が生じます（民法第980条[533]）。

C　在船者の遺言

在船者の遺言とは、船舶中にある者が行う特別方式の遺言のことをいいます（民法第978条[534]）。

船舶中にある遺言者は、死に瀕しているわけではないので署名押印を本人もする必要があります。遺言書の筆記については特に規定がないことから誰でもできることとなりますが、筆記した場合はその者も本人及び証人とともに署名押印する必要が生じます（民法第980条）。

D　船舶遭難者の遺言

船舶遭難者の遺言とは、船舶が遭難し、船中において死に瀕している者が行う特別方式の遺言のことをいいます（民法第978条[535]）。

遺言者の署名押印は不要ですが、家庭裁判所の確認が必要となります。

532　【民法第977条】
伝染病のため行政処分によって交通を断たれた場所に在る者は、警察官一人及び証人一人以上の立会いをもって遺言書を作ることができる。

533　【民法第980条】
第九百七十七条及び第九百七十八条の場合には、遺言者、筆者、立会人及び証人は、各自遺言書に署名し、印を押さなければならない。

534　【民法第978条】
船舶中に在る者は、船長又は事務員一人及び証人二人以上の立会いをもって遺言書を作ることができる。

535　【民法第979条】
1　船舶が遭難した場合において、当該船舶中に在って死亡の危急に迫った者は、証人二人以上の立会いをもって口頭で遺言をすることができる。
2　口がきけない者が前項の規定により遺言をする場合には、遺言者は、通訳人の通訳によりこれをしなければならない。
3　前二項の規定に従ってした遺言は、証人が、その趣旨を筆記して、これに署名し、印を押し、かつ、証人の一人又は利害関係人から遅滞なく家庭裁判所に請求してその確認を得なければ、その効力を生じない。
4　第九百七十六条第五項の規定は、前項の場合について準用する。

（４）遺言の効力

遺言は、遺言者の死亡時から効力を生じることとなります（民法第 985 条[536]第１項）。遺言に停止条件を付した場合においては、遺言者の死亡後にその条件が成就した時点から遺言の効力を生じることとなります(民法第 985 条第２項)。

（５）遺言の執行

①　遺言書の検認

遺言書は、その保管者が相続の開始を知った後遅滞なく、家庭裁判所に提出して検認を受けなければなりません（民法第 1004 条[537]第１項前段）。遺言書の保管者がいない場合には、相続人が相続の開始を知り、遺言書を発見した後遅滞なく、家庭裁判所に提出して検認を受けなければなりません（民法第 1004 条第１項後段）。

公正証書遺言については、検認の必要はありません（民法第 1004 条第２項）。公正証書遺言の場合以外において、家庭裁判所の検認を受けずに遺言を執行した場合には、５万円以下の過料に処せられることとなります（民法第 1005 条[538]）。

封印のある遺言書は、家庭裁判所において相続人やその代理人の立会いがない場合には、開封することができません（民法第 1004 条第３項）。

536　【民法第 985 条】

１　遺言は、遺言者の死亡の時からその効力を生ずる。

２　遺言に停止条件を付した場合において、その条件が遺言者の死亡後に成就したときは、遺言は、条件が成就した時からその効力を生ずる。

537　【民法第 1004 条】

１　遺言書の保管者は、相続の開始を知った後、遅滞なく、これを家庭裁判所に提出して、その検認を請求しなければならない。遺言書の保管者がない場合において、相続人が遺言書を発見した後も、同様とする。

２　前項の規定は、公正証書による遺言については、適用しない。

３　封印のある遺言書は、家庭裁判所において相続人又はその代理人の立会いがなければ、開封することができない。

538　【民法第 1005 条】

前条の規定により遺言書を提出することを怠り、その検認を経ないで遺言を執行し、又は家庭裁判所外においてその開封をした者は、五万円以下の過料に処する。

② 遺言執行者

遺言執行者とは、遺言書の内容及び趣旨に従って、遺言者の意思を具体的に実現する者のことをいいます。この遺言執行者は、遺言の執行に必要な一切の権利及び義務を有します（民法第 1012 条[539]第 1 項）。

A 遺言執行者の地位

遺言執行者は、その権限内において遺言執行者であることを示してした行為は、相続人に対して直接にその効力を生じます（民法第 1015 条[540]）。

B 遺言執行者の指定

遺言者は、遺言において、1人または数人の遺言執行者を指定することができ、遺言執行者の指定を第三者に委託することができます（民法第 1006 条[541]）。

C 遺言執行者の選任

遺言執行者がいない場合やいなくなった場合には、家庭裁判所は、利害関係人の請求により、遺言執行者を選任することができます（民法第 1010 条[542]）。

---

539 【民法第 1012 条】
1 遺言執行者は、遺言の内容を実現するため、相続財産の管理その他遺言の執行に必要な一切の行為をする権利義務を有する。
2 遺言執行者がある場合には、遺贈の履行は、遺言執行者のみが行うことができる。
3 第六百四十四条、第六百四十五条から第六百四十七条まで及び第六百五十条の規定は、遺言執行者について準用する。

540 【民法第 1015 条】
遺言執行者がその権限内において遺言執行者であることを示してした行為は、相続人に対して直接にその効力を生ずる。

541 【民法第 1006 条】
1 遺言者は、遺言で、一人又は数人の遺言執行者を指定し、又はその指定を第三者に委託することができる。
2 遺言執行者の指定の委託を受けた者は、遅滞なく、その指定をして、これを相続人に通知しなければならない。
3 遺言執行者の指定の委託を受けた者がその委託を辞そうとするときは、遅滞なくその旨を相続人に通知しなければならない。

542 【民法第 1010 条】
遺言執行者がないとき、又はなくなったときは、家庭裁判所は、利害関係人の請求によって、これを選任することができる。

D　遺言執行者の任務の開始時期

遺言執行者が就職を承諾した場合には、直ちにその任務を行わなければなりません（民法第 1007 条[543]第 1 項）。

E　遺言執行者の欠格事由

未成年者と破産者は、遺言執行人となることができません（民法第 1009 条[544]）。

F　遺言の執行の妨害行為の禁止

遺言執行者がいる場合には、相続人は相続財産の処分その他遺言の執行を妨げるべき行為をすることができず（民法第 1013 条[545]第 1 項）、その違反行為は無効となります（民法第 1013 条第２項本文）。

（6）遺言の撤回及び取消し

①　遺言の撤回

遺言者は、遺言の撤回を遺言の方式に従って、いつでもすることができます（民法第 1022 条[546]）。

遺言者の遺言を撤回する権利については、これを放棄することができません（民法第 1026 条[547]）。

543　【民法第 1007 条】
1　遺言執行者が就職を承諾したときは、直ちにその任務を行わなければならない。
2　遺言執行者は、その任務を開始したときは、遅滞なく、遺言の内容を相続人に通知しなければならない。

544　【民法第 1009 条】
未成年者及び破産者は、遺言執行者となることができない。

545　【民法第 1013 条】
1　遺言執行者がある場合には、相続人は、相続財産の処分その他遺言の執行を妨げるべき行為をすることができない。
2　前項の規定に違反してした行為は、無効とする。ただし、これをもって善意の第三者に対抗することができない。
3　前二項の規定は、相続人の債権者（相続債権者を含む。）が相続財産についてその権利を行使することを妨げない。

546　【民法第 1022 条】
遺言者は、いつでも、遺言の方式に従って、その遺言の全部又は一部を撤回することができる。

547　【民法第 1026 条】
遺言者は、その遺言を撤回する権利を放棄することができない。

また、遺言者が故意に遺言書や遺贈の目的物を破棄した場合には、その破棄した部分については、遺言を撤回したものとみなされることとなります（民法第1024条[548]前段）。

②　遺言内容の抵触

前に作成した遺言書が後に作成した遺言書とその内容において抵触する場合には、その抵触する部分について、後に作成した遺言書で前に作成した遺言書の内容を撤回したものとみなされます（民法第1023条[549]第1項）。

また、遺言者が生前、自身が遺した遺言書の内容に抵触するような法律行為を行った場合についても、その法律行為によって遺言内容を撤回したものとみなされます（民法第1023条第2項）。

いずれの場合でも、あくまでも抵触する部分が無効になるのであって、遺言書すべてが無効になるのではありません。

3　遺留分

（1）遺留分の意義と算定方法

遺留分とは、一定の相続人（配偶者・直系卑属・直系尊属）に対して、必ず留保される遺産の一定割合部分のことをいいます（民法第1042条[550]第1項）。

548　【民法第1024条】

遺言者が故意に遺言書を破棄したときは、その破棄した部分については、遺言を撤回したものとみなす。遺言者が故意に遺贈の目的物を破棄したときも、同様とする。

549　【民法第1023条】

1　前の遺言が後の遺言と抵触するときは、その抵触する部分については、後の遺言で前の遺言を撤回したものとみなす。

2　前項の規定は、遺言が遺言後の生前処分その他の法律行為と抵触する場合について準用する。

550　【民法第1042条】

1　兄弟姉妹以外の相続人は、遺留分として、次条第一項に規定する遺留分を算定するための財産の価額に、次の各号に掲げる区分に応じてそれぞれ当該各号に定める割合を乗じた額を受ける。

一　直系尊属のみが相続人である場合　三分の一

二　前号に掲げる場合以外の場合　二分の一

2　相続人が数人ある場合には、前項各号に定める割合は、これらに第九百条及び第九百一条の規定により算定したその各自の相続分を乗じた割合とする。

遺留分算定の基礎となる価額は、被相続人が相続開始時に有していた財産の総額にその贈与した財産の総額を加え、その総額から債務の全額を控除した額となります（民法第1043条[551]第1項）。遺留分の算定をするにあたり考慮に入れる贈与した財産については、相続開始前の1年間にしたものに限り算入します（民法第1044条[552]第1項前段）。

（2）遺留分侵害額の請求

遺留分侵害額の請求とは、遺留分を有する相続人やその承継人が、遺留分を侵害されている場合に、受遺者や受贈者に対して、その侵害されている遺留分を取り戻すために、遺留分侵害額に相当する金銭の支払いを請求することをいいます（民法第1046条[553]）。

551 【民法第1043条】
1 遺留分を算定するための財産の価額は、被相続人が相続開始の時において有した財産の価額にその贈与した財産の価額を加えた額から債務の全額を控除した額とする。
2 条件付きの権利又は存続期間の不確定な権利は、家庭裁判所が選任した鑑定人の評価に従って、その価格を定める。

552 【民法第1044条】
1 贈与は、相続開始前の一年間にしたものに限り、前条の規定によりその価額を算入する。当事者双方が遺留分権利者に損害を加えることを知って贈与をしたときは、一年前の日より前にしたものについても、同様とする。
2 第九百四条の規定は、前項に規定する贈与の価額について準用する。
3 相続人に対する贈与についての第一項の規定の適用については、同項中「一年」とあるのは「十年」と、「価額」とあるのは「価額（婚姻若しくは養子縁組のため又は生計の資本として受けた贈与の価額に限る。）」とする。

553 【民法第1046条】
1 遺留分権利者及びその承継人は、受遺者（特定財産承継遺言により財産を承継し又は相続分の指定を受けた相続人を含む。以下この章において同じ。）又は受贈者に対し、遺留分侵害額に相当する金銭の支払を請求することができる。
2 遺留分侵害額は、第千四十二条の規定による遺留分から第一号及び第二号に掲げる額を控除し、これに第三号に掲げる額を加算して算定する。
 一 遺留分権利者が受けた遺贈又は第九百三条第一項に規定する贈与の価額
 二 第九百条から第九百二条まで、第九百三条及び第九百四条の規定により算定した相続分に応じて遺留分権利者が取得すべき遺産の価額
 三 被相続人が相続開始の時において有した債務のうち、第八百九十九条の規定により遺留分権利者が承継する債務（次条第三項において「遺留分権利者承継債務」という。）の額

（３）遺留分の放棄

相続開始前における遺留分の放棄は、家庭裁判所の許可を受けた場合に限りすることができます（民法第 1049 条[554]第１項）。共同相続人の１人のした遺留分の放棄は、他の各共同相続人の遺留分に影響を及ぼしません（民法第 1049 条第２項）。

おわりに

よく「民法を征する者は法学を征す」といわれます。非常に範囲も広く、条文数も多い法律ですので、すべてをしっかり学ぶのには非常に骨の折れる法律でもあります。しかし、そこには法とは何なのかという重要な考え方の要素がちりばめられています。民法的な考え方はありとあらゆる法に応用が利きます。本書では紙面の関係から、法人や養子等、省略した部分が多くありますが、全体像がわかるように重要な部分については極力詳しく紹介させていただきました。

今後は、民法学についてのより詳細な専門の基本書や判例集等にあたっていただき、より深い理解に努めていただければと思います。

554　【民法第 1049 条】
１　相続の開始前における遺留分の放棄は、家庭裁判所の許可を受けたときに限り、その効力を生ずる。
２　共同相続人の一人のした遺留分の放棄は、他の各共同相続人の遺留分に影響を及ぼさない。

第三講　商法学入門

はじめに

本講では、商法について学びます。商法は、民法の特別法となります。民法については国民一般に適用されること、民法以上の一般法が存在しないことから「私法の一般法」といわれますが、商法はその民法についての商事分野における特別法となります。商事分野においては、一般的な民法の分野と比較して、営利性と迅速性が求められます。そのため、民法の規定が修正されることとなります。例えば、代理行為が本人に有効に効果帰属するためには、民法においては、原則として、顕名が必要でした（民法第99条[1]第1項）。しかし、商法においては、顕名がなくても代理行為は本人に帰属します（商法第504条[2]本文）。このように、民法とは異なる規定をおいているため、どのような場合に民法が適用され、どのような場合に商法が適用されるのかを理解しておく必要があります。また、一般的な国民には馴染みのない分野ですが、世の中の商取引は、商法に基づいて行われていることから非常に重要な法となります。

商法は、民法と比較して、取引を円滑・確実に行うことを想定して工夫されています。そのため、取引の安全を民法よりも重視することとなります。第一講の最後に、法はバランスの学問であると述べました。第二講で、民法学においては、静的安全の保護と動的安全の保護とのバランスをどう図るべきかということを考える必要があると述べました。特別法である商法学においては、民法における静的安全の保護と動的安全の保護とのバランスを修正し、より動的安全の保護、つまり、取引の安全に重点をおきながら、静的安全をどのように保護していくかという修正されたバランスをどう図るべきかということを考える必要があります。

1　【民法第99条】
　1　代理人がその権限内において本人のためにすることを示してした意思表示は、本人に対して直接にその効力を生ずる。
　2　前項の規定は、第三者が代理人に対してした意思表示について準用する。

2　【商法第504条】
　商行為の代理人が本人のためにすることを示さないでこれをした場合であっても、その行為は、本人に対してその効力を生ずる。ただし、相手方が、代理人が本人のためにすることを知らなかったときは、代理人に対して履行の請求をすることを妨げない。

一　商法総則

商法は、民法とは異なり、特定の範囲の人に適用されます。そこで、どのような人のどのような行為に適用されるかが重要となります。

1　商人

商人とは、自己の名をもって商行為をすることを業とする者のことをいいます（商法第４条[3]第１項）。

商人は自然人のみならず法人も該当するため、会社も商人となります。

また、商行為をすることを営業の目的とはしないけれども、法律によって商人とされる擬制商人（店舗販売業者・鉱業営業者）も認められています（商法第４条第２項）。

2　商業登記

商業登記とは、商法や会社法によって商号登記簿に記載される登記のことをいいます。

このような商業登記が必要となる趣旨は、商人の取引上の重要な事項について、一般に公示することによって、一般国民に不測の損害を与えることを防止し、取引の安全を図るところにあります。そのため、登記事項に変更等があった場合には、商人は遅滞なく変更又は消滅の登記をしなければなりません（商法第10条[4]）。

3　商号

商号とは、商人が営業上、自己表示するために用いる名称のことをいいます。

商号は、１つの営業について、１つのみ用いることができるとされています（同一営業同一商号の原則）。

3　【商法第４条】

1　この法律において「商人」とは、自己の名をもって商行為をすることを業とする者をいう。

2　店舗その他これに類似する設備によって物品を販売することを業とする者又は鉱業を営む者は、商行為を行うことを業としない者であっても、これを商人とみなす。

4　【商法第10条】

この編の規定により登記した事項に変更が生じ、又はその事項が消滅したときは、当事者は、遅滞なく、変更の登記又は消滅の登記をしなければならない。

商人は、その営業実体に拘わらず、自由に商号を選定することができます（商法第11条[5]第1項）。商人は、商号を自由に選定することができます（商号選定自由の原則）が、不正の目的で、他の商人であると誤認される虞のある名称や商号を使用してはなりません（商法第12条[6]第1項）。

二　商行為

1　基本的商行為

基本的商行為とは、行為自体の性質に注目し、誰が行っても商行為として扱われる行為のことをいいます。

基本的商行為には、絶対的商行為と営業的商行為とがあります。

（1）絶対的商行為

絶対的商行為とは、行為の客観的性質から当然に商行為とされる行為のことをいいます（商法第501条[7]）。

営利性が強い行為であることから、誰がどのような状況で行っても、1回限り行ったとしても商行為とされ、商法の規定が適用されることとなります

5　【商法第11条】

1　商人（会社及び外国会社を除く。以下この編において同じ。）は、その氏、氏名その他の名称をもってその商号とすることができる。

2　商人は、その商号の登記をすることができる。

6　【商法第12条】

1　何人も、不正の目的をもって、他の商人であると誤認されるおそれのある名称又は商号を使用してはならない。

2　前項の規定に違反する名称又は商号の使用によって営業上の利益を侵害され、又は侵害されるおそれがある商人は、その営業上の利益を侵害する者又は侵害するおそれがある者に対し、その侵害の停止又は予防を請求することができる。

7　【商法第501条】

次に掲げる行為は、商行為とする。

一　利益を得て譲渡する意思をもってする動産、不動産若しくは有価証券の有償取得又はその取得したものの譲渡を目的とする行為

二　他人から取得する動産又は有価証券の供給契約及びその履行のためにする有償取得を目的とする行為

三　取引所においてする取引

四　手形その他の商業証券に関する行為

（2）営業的商行為

営業的商行為とは、営業として反復継続的に行われることにより商行為とされる行為のことをいいます（商法第502条[8]）。

2　附属的商行為

附属的商行為とは、商人が営業のためにすることにより商行為とされる行為のことをいいます（商法第503条[9]）。

おわりに

商法においては、どのような者が商人で、どのような行為が商行為なのかを理解していないと、適用すべきかどうかの判断すらできなくなります。

本書では、あくまでも商法の全体像について俯瞰するにとどめました。

今後は、商法学についてのより詳細な専門の基本書や判例集等にあたっていただき、より深い理解に努めていただければと思います。

8　【商法第502条】

次に掲げる行為は、営業としてするときは、商行為とする。ただし、専ら賃金を得る目的で物を製造し、又は労務に従事する者の行為は、この限りでない。

一　賃貸する意思をもってする動産若しくは不動産の有償取得若しくは賃借又はその取得し若しくは賃借したものの賃貸を目的とする行為
二　他人のためにする製造又は加工に関する行為
三　電気又はガスの供給に関する行為
四　運送に関する行為
五　作業又は労務の請負
六　出版、印刷又は撮影に関する行為
七　客の来集を目的とする場屋における取引
八　両替その他の銀行取引
九　保険
十　寄託の引受け
十一　仲立ち又は取次ぎに関する行為
十二　商行為の代理の引受け
十三　信託の引受け

9　【商法第503条】

1　商人がその営業のためにする行為は、商行為とする。
2　商人の行為は、その営業のためにするものと推定する。

第四講 民事訴訟法学入門

はじめに

本講では、民事訴訟法について学びます。民事訴訟法は、民事法分野における手続法です。民事実体法である民法を実現するための手続について規定しています。本書では、この民事訴訟法の全体像を学んでいきたいと思います。

民事訴訟法は民事手続法に位置する法律です。民事実体法である民法が一定の法律要件を充たすことによって、一定の法律効果が発生するということを規定した法律であるのに対して、そのことを現実に実現させる手続について規定した法律が民事手続法である民事訴訟法となります。

民法第 587 条[1]は、「消費貸借は、当事者の一方が種類、品質及び数量の同じ物をもって返還をすることを約して相手方から金銭その他の物を受け取ることによって、その効力を生ずる。」と消費貸借契約について規定しています。つまり、「当事者の一方が種類、品質及び数量の同じ物をもって返還をすることを約して相手方から金銭その他の物を受け取る」というのが法律要件で、その法律要件を充たすと、その法律効果として「消費貸借」の効力が生じます。具体的には、相手方に対して「種類、品質及び数量の同じ物をもって返還」をしなければならなくなります。しかし、なかなか「種類、品質及び数量の同じ物をもって返還」をしてくれない場合もあります。返還を請求したら、そもそも、借りた覚えはない、もう返したはずだ、あれはもらったものだといって返還を拒まれるかもしれません。民事実体法である民法に規定されている法律要件を充たせば法律効果が発生するというのは、あくまでも当事者が任意に実現に向けて行動する場合に限り契約の目的は達成されるのであって、任意に履行されない場合は、たとえ民事実体法である民法に規定されているからといっても実現されないということとなります。あくまでも民法の大原則は私的自治であるので、当事者が任意に実現することが求められるからです。また、民法においては自力救済が禁止されています。そのため当事者間で相手方に対して強制的に履行を迫るということは禁じられています。

---

1 【民法第 587 条】
　消費貸借は、当事者の一方が種類、品質及び数量の同じ物をもって返還をすることを約して相手方から金銭その他の物を受け取ることによって、その効力を生ずる。

そうなると、民法上の権利や義務は単なる絵に描いた餅に過ぎないということとなりかねません。そこで、民法上の権利や義務を裁判という手続を通じて実現する方法が必要となります。それが民事訴訟法となります。つまり、観念的な規定である民法の内容を実際に実現していく役割を担っているのがこの民事訴訟法であるということです。

一　民事訴訟法の意義

先述したように、民事実体法である民法においては、様々な権利・義務について規定されています。権利・義務をめぐる私人間の争いである私的紛争については、民法の大原則である私的自治の原則より、当事者間における自主的解決が原則となります。しかし、自主的解決にすべてを委ねることが、必ずしも適切な紛争解決とはならない場合もあります。民法は自力救済を禁止していますが、自主的な紛争解決には、この自力救済を用いる場合も多く、暴力等に訴える場合もあり得るのです。

そこで、正当な権利・義務を適切に救済することによって、社会秩序の維持を図るとの要請から、公権力による公正・中立な、強制的・終局的な紛争の解決手段が必要となります。私的紛争の公権的解決手段が民事訴訟であり、この手続方法について規定しているのが民事訴訟法なのです。

しかし、先述したように、民法の大原則は私的自治の原則にあります。当事者間のことについては、当事者間で決めるというのが私的自治の原則です。ここに、公権力による紛争の解決という手段を用いるのは、私的自治の原則に反することとなります。つまり、私的紛争の公権的解決手段が民事訴訟であるというのは先述した通りなのですが、この民事訴訟には、「私的」と「公権的」という相矛盾するものが含まれているのです。従って、民法の大原則である私的自治の原則と、民事訴訟の目的である、私的紛争の公権的解決という一見相矛盾する要請に応える必要があります。

第一講の最後に、法はバランスの学問であると述べました。民事訴訟法学においては、この私的自治の原則と私的紛争の公権的解決とのバランスをどう図るべきかということを考える必要があります。

私的自治に委ねることは、当事者の意思を尊重すること、つまり、双方の言い分をとにかく聴くことによる手続保障が重要となります。対して、公権的解決を図るためには、裁判所が紛争解決についての主導権を握り、無駄な手続に時間をかけないという訴訟経済に配慮した解決方法を探ることとなります。そこで、両者の調和を図りつつ紛争を解決していくことが必要となります。

二　民事訴訟手続の概要

民事訴訟法は、民事手続について規定しています。民事訴訟法はどのような手続を経ることによって私的紛争の公権的解決を図ろうとしているのでしょうか。

1　紛争の発生

民事訴訟手続は、私的紛争が発生しないことには開始されません。私的紛争が発生しているからこそ、その後の手続を経るのであって、私的紛争が発生していないのにこの後の手続を開始することは、そもそも私的紛争が発生していないことから、公権的解決を図る必要はなく、不必要な公権力の発動は私的自治の原則を破壊する行為となり、むしろ、財産権侵害の可能性すらあります。

2　裁判外の請求

民法の大原則は、私的自治の原則です。そのため、すぐに公権力による紛争の解決を求めるのではなく、あくまでも私的に紛争の解決を図るのが通常です。そこで、裁判上の請求よりも先に、裁判外の請求をすることとなります。具体的には、内容証明郵便等を用いて催告をするのが一般的となります。この催告をすることによって、相手方に債務の履行を促すことができますし、催告をすることによって、債権の消滅時効を暫定的に６箇月の間中断させることもできます（民法第150条[2]）。

3　裁判上の請求

相手方が催告に応じないことがわかると、次に、裁判上の請求をすることとなります。実際には、裁判が結審するまでに時間がかかるため、この間に債務者が財産を処分する可能性もあります。そこで、財産の処分をさせないために、債務者の財産を保全する必要が生じます。そのために、実際に訴えを提起する前に民事保全手続をすることが多いのです。

2　【民法第150条】

1　催告があったときは、その時から六箇月を経過するまでの間は、時効は、完成しない。

2　催告によって時効の完成が猶予されている間にされた再度の催告は、前項の規定による時効の完成猶予の効力を有しない。

（1）民事保全手続

民事保全手続は民事保全法に基づいて行われます。民事保全手続には、金銭債権の保全を目的とする仮差押え（民事保全法第20条[3]第1項）と、非金銭債権の保全を目的とする仮処分とがあります。また、非金銭債権の保全を目的とする仮処分には、係争物に関する仮処分（民事保全法第23条[4]第1項）と仮の地位を定める仮処分（民事保全法第23条第2項）があります。

（2）訴えの提起

原告の訴えの提起によって、民事訴訟は開始されることとなります。このことは「訴えなければ裁判なし。」と表現されます。

訴えの提起は、原告が訴状を裁判所に提出することによって行います（民事訴訟法第133条[5]第1項）。

3 【民事保全法第20条】

1 仮差押命令は、金銭の支払を目的とする債権について、強制執行をすることができなくなるおそれがあるとき、又は強制執行をするのに著しい困難を生ずるおそれがあるときに発することができる。

2 仮差押命令は、前項の債権が条件付又は期限付である場合においても、これを発することができる。

4 【民事保全法第23条】

1 係争物に関する仮処分命令は、その現状の変更により、債権者が権利を実行することができなくなるおそれがあるとき、又は権利を実行するのに著しい困難を生ずるおそれがあるときに発することができる。

2 仮の地位を定める仮処分命令は、争いがある権利関係について債権者に生ずる著しい損害又は急迫の危険を避けるためこれを必要とするときに発することができる。

3 第二十条第二項の規定は、仮処分命令について準用する。

4 第二項の仮処分命令は、口頭弁論又は債務者が立ち会うことができる審尋の期日を経なければ、これを発することができない。ただし、その期日を経ることにより仮処分命令の申立ての目的を達することができない事情があるときは、この限りでない。

5 【民事訴訟法第133条】

1 訴えの提起は、訴状を裁判所に提出してしなければならない。

2 訴状には、次に掲げる事項を記載しなければならない。

一 当事者及び法定代理人

二 請求の趣旨及び原因

また、簡易裁判所においては、訴状の提出に代えて、口頭による訴えの提起（民事訴訟法第271条[6]）や、当事者の双方が合意した上で任意出頭による訴えの提起（民事訴訟法第273条[7]）も認められています。なお、簡易裁判所による訴訟手続は、訴額140万円以下の少額軽微な事件を扱い、簡易、迅速に処理することを目的としています（裁判所法第33条[8]第1項第1号）。

訴状には、必要的記載事項、つまり、①当事者及び法定代理人（民事訴訟法第133条第2項第1号）、②請求の趣旨及び原因（民事訴訟法第133条第2項第2号）を記載しなければなりません（民事訴訟法第133条第2項柱書）。なお、簡易裁判所への訴えの提起については、請求の原因に代えて、紛争の要点を明らかにすれば足りることとされています（民事訴訟法第272条[9]）。

訴状が提出された後には、裁判長がその訴状について、必要的記載事項が不備なく記載されているか、手数料額に相当する収入印紙が貼られているか等の形式的事項についての訴状審査をします。

6 【民事訴訟法第271条】

訴えは、口頭で提起することができる。

7 【民事訴訟法第273条】

当事者双方は、任意に裁判所に出頭し、訴訟について口頭弁論をすることができる。この場合においては、訴えの提起は、口頭の陳述によってする。

8 【裁判所法第33条】

1 簡易裁判所は、次の事項について第一審の裁判権を有する。

一 訴訟の目的の価額が百四十万円を超えない請求（行政事件訴訟に係る請求を除く。）

二 罰金以下の刑に当たる罪、選択刑として罰金が定められている罪又は刑法第百八十六条、第二百五十二条若しくは第二百五十六条の罪に係る訴訟

2 簡易裁判所は、禁錮以上の刑を科することができない。ただし、刑法第百三十条の罪若しくはその未遂罪、同法第百八十六条の罪、同法第二百三十五条の罪若しくはその未遂罪、同法第二百五十二条、第二百五十四条若しくは第二百五十六条の罪、古物営業法（昭和二十四年法律第百八号）第三十一条から第三十三条までの罪若しくは質屋営業法（昭和二十五年法律第百五十八号）第三十条から第三十二条までの罪に係る事件又はこれらの罪と他の罪とにつき刑法第五十四条第一項の規定によりこれらの罪の刑をもつて処断すべき事件においては、三年以下の懲役を科することができる。

3 簡易裁判所は、前項の制限を超える刑を科するのを相当と認めるときは、訴訟法の定めるところにより事件を地方裁判所に移さなければならない。

9 【民事訴訟法第272条】

訴えの提起においては、請求の原因に代えて、紛争の要点を明らかにすれば足りる。

この訴状審査において、訴状に不備があることが判明した場合には、裁判長は、原告に対して、相当の期間を定めて補正を命じることとなります（民事訴訟法第137条[10]第1項）。この補正命令に原告が応じない場合には、裁判長は命令で訴状の却下をします（民事訴訟法第137条第2項）。

また、訴えが訴訟要件を欠いていて不適法であり、その不備の補正ができない場合には、裁判長は、口頭弁論を経ることなく、判決で訴えの却下をします（民事訴訟法第140条[11]）。

訴状に不備がない場合、その訴状は被告に送達されます（民事訴訟法第138条[12]第1項）。また、裁判長は、口頭弁論の期日を指定し、当事者を呼び出さなければなりません（民事訴訟法第139条[13]）。この期日は、申立てまたは職権により裁判長が指定します（民事訴訟法第93条[14]第1項）。

10　【民事訴訟法第137条】

1　訴状が第百三十三条第二項の規定に違反する場合には、裁判長は、相当の期間を定め、その期間内に不備を補正すべきことを命じなければならない。民事訴訟費用等に関する法律（昭和四十六年法律第四十号）の規定に従い訴えの提起の手数料を納付しない場合も、同様とする。

2　前項の場合において、原告が不備を補正しないときは、裁判長は、命令で、訴状を却下しなければならない。

3　前項の命令に対しては、即時抗告をすることができる。

11　【民事訴訟法第140条】

訴えが不適法でその不備を補正することができないときは、裁判所は、口頭弁論を経ないで、判決で、訴えを却下することができる。

12　【民事訴訟法第138条】

1　訴状は、被告に送達しなければならない。

2　前条の規定は、訴状の送達をすることができない場合（訴状の送達に必要な費用を予納しない場合を含む。）について準用する。

13　【民事訴訟法第139条】

訴えの提起があったときは、裁判長は、口頭弁論の期日を指定し、当事者を呼び出さなければならない。

14　【民事訴訟法第93条】

1　期日は、申立てにより又は職権で、裁判長が指定する。

2　期日は、やむを得ない場合に限り、日曜日その他の一般の休日に指定することができる。

3　口頭弁論及び弁論準備手続の期日の変更は、顕著な事由がある場合に限り許す。ただし、最初の期日の変更は、当事者の合意がある場合にも許す。

4　前項の規定にかかわらず、弁論準備手続を経た口頭弁論の期日の変更は、やむを得ない事由がある場合でなければ、許すことができない。

期日の呼出しは、呼出状の送達、その事件について出頭した者に対する期日の告知その他相当と認める方法により行います(民事訴訟法第94条[15]第1項)。

訴えの提起が認められると、つまり、原告が訴状を裁判所に提出し、裁判所からその訴状が被告に送達されると、その効果として訴訟係属が生じます。この訴訟係属とは、原告の被告に対する裁判上の請求が審判の対象となっている状態のことをいいます。また、訴状の提出時に時効の中断も生じます(民法第147条[16]第1項第1号)。

また、裁判所に係属する事件については、当事者はさらに重ねて訴えの提起をすることはできない(二重起訴の禁止)とされています(民事訴訟法第142条[17])。同一の事件かどうかについては、職権で、当事者の同一性と訴訟物の同一性から判断され、二重起訴であると判断されると、訴訟要件を欠くとして判決で却下されます。

15 【民事訴訟法第94条】

1 期日の呼出しは、呼出状の送達、当該事件について出頭した者に対する期日の告知その他相当と認める方法によってする。

2 呼出状の送達及び当該事件について出頭した者に対する期日の告知以外の方法による期日の呼出しをしたときは、期日に出頭しない当事者、証人又は鑑定人に対し、法律上の制裁その他期日の不遵守による不利益を帰することができない。ただし、これらの者が期日の呼出しを受けた旨を記載した書面を提出したときは、この限りでない。

16 【民法第147条】

1 次に掲げる事由がある場合には、その事由が終了する(確定判決又は確定判決と同一の効力を有するものによって権利が確定することなくその事由が終了した場合にあっては、その終了の時から六箇月を経過する)までの間は、時効は、完成しない。

一 裁判上の請求

二 支払督促

三 民事訴訟法第二百七十五条第一項の和解又は民事調停法(昭和二十六年法律第二百二十二号)若しくは家事事件手続法(平成二十三年法律第五十二号)による調停

四 破産手続参加、再生手続参加又は更生手続参加

2 前項の場合において、確定判決又は確定判決と同一の効力を有するものによって権利が確定したときは、時効は、同項各号に掲げる事由が終了した時から新たにその進行を始める。

17 【民事訴訟法第142条】

裁判所に係属する事件については、当事者は、更に訴えを提起することができない。

（3）訴訟の審理

私的紛争は、訴訟の場で公権的解決を図られることとなります。民事訴訟においては、原告の主張する権利や法律関係の存否を判断することによって紛争の解決を図ることとなります。民事訴訟の対象となる判断すべき原告の主張する権利や法律関係の存否のことを訴訟物といいます。つまり、訴訟物とは、民事訴訟における審判の対象となるもののことをいいます。

しかし、原告の主張する権利や法律関係の存否を訴訟物として審理するとしても、権利や法律関係というものは、あくまでも観念的なものに過ぎず、目に見えるものではないため、裁判官が直接その有無について目で見て判断することはできません。そこで、権利や法律関係については、民法等の実体法規の適用によって発生・変更・消滅することから、裁判所は訴訟物を判断するために、適用する民法等の実体法規を確定することによって、その法律要件に事実をあてはめてその権利や法律関係の存否を判断することとなります。法律要件に該当する事実があれば、法律要件に対応する法律効果が発生する、つまり、権利や法律関係の存否を判断することが可能ということとなります。

そのためには、裁判所が法律要件に該当する事実の存否を認定する必要があります。しかし、この事実は、実際に裁判官の目の前で起こっている事実ではなく、既に過去の事実であるため、裁判官が直接その有無について目で見て判断するということはできません。そこで、裁判所は、その事実を根拠付けるような証拠を調べ、その証拠を経験則にあてはめることによってその事実の存否を判断することとなります。

裁判所は、証拠を経験則にあてはめて事実を認定するという事実認定と、その事実を実体法規にあてはめて訴訟物を判断するという法適用と二段階で考えていくこととなります。つまり、第一講で述べた法的三段論法を二段階で用いることによって、裁判所は、私的紛争を公権的に解決していくこととなるのです。

この訴訟の審理は、口頭弁論という審理方法で行われることとなります。

① 口頭弁論

口頭弁論とは、公開の法廷において当事者の双方が対席して、直接、口頭による弁論と証拠調べを行う審理方法のことをいいます。

口頭弁論は、当事者が審理に必要な事実を主張し証拠を提出する弁論部分と、裁判所が当事者から提出された証拠について調べる証拠調べの部分から構成されています。

訴えの提起がされ、訴訟係属が生じると、第1回口頭弁論期日が実施されます。口頭弁論については、準備書面と呼ばれる書面によって準備しなければならないとされています（民事訴訟法第161条[18]第1項）。この準備書面には、当事者が口頭弁論において陳述する内容である攻撃や防御の方法を記載しなければなりません（民事訴訟法第161条第2項）。準備書面に記載した事実でなければ相手方が在廷していない口頭弁論において主張することができません（民事訴訟法第161条第3項）。つまり、準備書面に記載した事実については、相手方が在廷していない場合でも主張することができます。また、準備書面を作成し、裁判所に提出したとしても、弁論において口頭で陳述しない限り、裁判資料として扱われないこととなります。つまり、準備書面は作成・提出しただけでは裁判資料とはならず、必ず、口頭での陳述が必要となります。

なお、簡易裁判所においては、口頭弁論について、書面で準備をする必要はなく、口頭で主張することができます（民事訴訟法第276条[19]第1項）。但し、相手方が準備をしなければ陳述をすることができないと認めるべき事項については、書面で準備するか、口頭弁論前直接に相手方に通知するかをしなければなりません（民事訴訟法第276条第2項）。これらをしないと、相手方が在廷していない口頭弁論において主張することができません（民事訴訟法第276条第3項）。

18　【民事訴訟法第161条】

1　口頭弁論は、書面で準備しなければならない。

2　準備書面には、次に掲げる事項を記載する。

一　攻撃又は防御の方法

二　相手方の請求及び攻撃又は防御の方法に対する陳述

3　相手方が在廷していない口頭弁論においては、準備書面（相手方に送達されたもの又は相手方からその準備書面を受領した旨を記載した書面が提出されたものに限る。）に記載した事実でなければ、主張することができない。

19　【民事訴訟法第276条】

1　口頭弁論は、書面で準備することを要しない。

2　相手方が準備をしなければ陳述をすることができないと認めるべき事項は、前項の規定にかかわらず、書面で準備し、又は口頭弁論前直接に相手方に通知しなければならない。

3　前項に規定する事項は、相手方が在廷していない口頭弁論においては、準備書面（相手方に送達されたもの又は相手方からその準備書面を受領した旨を記載した書面が提出されたものに限る。）に記載し、又は同項の規定による通知をしたものでなければ、主張することができない。

準備書面を提出した当事者が、最初にすべき口頭弁論期日を欠席した場合や、出頭したけれども本案の弁論をしない場合には、裁判所は、その準備書面の内容を陳述したものとみなす（陳述擬制）ことができます（民事訴訟法第158条[20]）。

なお、簡易裁判所においては、最初にすべき口頭弁論期日のみならず、その後の続行の期日においても、欠席した場合や、出頭したけれども本案の弁論をしない場合には、裁判所は、その準備書面の内容を陳述したものとみなすことができます（民事訴訟法第277条[21]）。

被告が準備書面を提出した後には、原告が訴えを取り下げるのに被告の同意が必要となります（民事訴訟法第261条[22]第２項）。

20　【民事訴訟法第158条】

原告又は被告が最初にすべき口頭弁論の期日に出頭せず、又は出頭したが本案の弁論をしないときは、裁判所は、その者が提出した訴状又は答弁書その他の準備書面に記載した事項を陳述したものとみなし、出頭した相手方に弁論をさせることができる。

21　【民事訴訟法第277条】

第百五十八条の規定は、原告又は被告が口頭弁論の続行の期日に出頭せず、又は出頭したが本案の弁論をしない場合について準用する。

22　【民事訴訟法第261条】

1　訴えは、判決が確定するまで、その全部又は一部を取り下げることができる。

2　訴えの取下げは、相手方が本案について準備書面を提出し、弁論準備手続において申述をし、又は口頭弁論をした後にあっては、相手方の同意を得なければ、その効力を生じない。ただし、本訴の取下げがあった場合における反訴の取下げについては、この限りでない。

3　訴えの取下げは、書面でしなければならない。ただし、口頭弁論、弁論準備手続又は和解の期日（以下この章において「口頭弁論等の期日」という。）においては、口頭ですることを妨げない。

4　第二項本文の場合において、訴えの取下げが書面でされたときはその書面を、訴えの取下げが口頭弁論等の期日において口頭でされたとき（相手方がその期日に出頭したときを除く。）はその期日の調書の謄本を相手方に送達しなければならない。

5　訴えの取下げの書面の送達を受けた日から二週間以内に相手方が異議を述べないときは、訴えの取下げに同意したものとみなす。訴えの取下げが口頭弁論等の期日において口頭でされた場合において、相手方がその期日に出頭したときは訴えの取下げがあった日から、相手方がその期日に出頭しなかったときは前項の謄本の送達があった日から二週間以内に相手方が異議を述べないときも、同様とする。

口頭弁論の指揮権は裁判所に帰属します（民事訴訟法第148条[23]第1項）。そのため、訴訟審理の手続面においては、裁判所が主導することとなります（職権進行主義）。

対して、訴訟審理の内容面においては、各当事者が中心的な役割を果たすこととなります（弁論主義）。なお、攻撃方法とは、原告が本案の申立てを基礎付けるために提出する一切の裁判資料のことをいいます。対して、防御方法とは、被告が自己の本案の申立てを基礎付けるために提出する一切の裁判資料のことをいいます。これら攻撃・防御方法に基づいて裁判長の指揮権の下、口頭弁論は進行していくこととなります。

判決は、その基本となる口頭弁論に関与した裁判官が行わなければなりません（民事訴訟法第249条[24]第1項）。このことを直接主義といいます。審理の途中で裁判官が代わった場合には、新しい裁判官に対して、当事者はこれまでの口頭弁論の結果を陳述する必要があります（民事訴訟法第249条第2項）。このことを弁論の更新といいます。

判決をもって結審すべき場合には、裁判所は必ず口頭弁論を開かねばならないとされており（必要的口頭弁論の原則）、当事者によって口頭弁論で陳述され、そこで示された事実主張や証拠だけが裁判資料となります（民事訴訟法第87条[25]第1項本文）。このことを口頭主義といいます。

23　【民事訴訟法第148条】
　1　口頭弁論は、裁判長が指揮する。
　2　裁判長は、発言を許し、又はその命令に従わない者の発言を禁ずることができる。

24　【民事訴訟法第249条】
　1　判決は、その基本となる口頭弁論に関与した裁判官がする。
　2　裁判官が代わった場合には、当事者は、従前の口頭弁論の結果を陳述しなければならない。
　3　単独の裁判官が代わった場合又は合議体の裁判官の過半数が代わった場合において、その前に尋問をした証人について、当事者が更に尋問の申出をしたときは、裁判所は、その尋問をしなければならない。

25　【民事訴訟法第87条】
　1　当事者は、訴訟について、裁判所において口頭弁論をしなければならない。ただし、決定で完結すべき事件については、裁判所が、口頭弁論をすべきか否かを定める。
　2　前項ただし書の規定により口頭弁論をしない場合には、裁判所は、当事者を審尋することができる。
　3　前二項の規定は、特別の定めがある場合には、適用しない。

対して、決定をもって結審すべき場合には、必ずしも口頭弁論を開く必要はなく、口頭弁論を開くかどうかは裁判所が決定するとされています（民事訴訟法第87条第1項但書）。口頭弁論を開かない場合には、当事者に対して意見を求める審尋をすることができます（民事訴訟法第87条第2項）。

口頭弁論手続においては、当事者双方にそれぞれの言い分を主張する機会を平等に保障しなければなりません。このことを双方審尋主義といいます。

訴訟の審理及び判決は、一般国民が傍聴をすることができる状態で行われなければなりません（日本国憲法第82条[26]第1項）。このことを公開主義といいます。

以上、直接主義・口頭主義・双方審尋主義・公開主義の4つの原則に基づき、口頭弁論は進行することとなります。

② 弁論

口頭弁論は、当事者が審理に必要な事実を主張し証拠を提出する弁論の部分と、裁判所が当事者から提出された証拠について調べる証拠調べの部分から構成されており、弁論部分においては、各当事者が中心的な役割を果たすこととなります（弁論主義）。そもそも、訴訟を利用するかどうか、どのようなことを訴えるのか、どの範囲で訴えるのかという点については、原告が決めます（処分権主義）。対して、どのように訴訟を進行していくかということは、職権進行主義から裁判所にその指揮権が帰属します（民事訴訟法第148条第1項）。対して、審理に必要な資料の収集や提出については、弁論主義から原告・被告の当事者双方がその役割を負っています。

処分権主義の場面と弁論主義の場面では、当事者の意思を尊重することから私的自治の側面が強く、職権進行主義の場面では、公権力である裁判所の指揮権から公権的側面が強く、双方のバランスがここでも重要となっています。

弁論部分で最も重要なのが弁論主義ですが、弁論主義には以下の3つの内容があるといわれています。

26 【日本国憲法第82条】
1 裁判の対審及び判決は、公開法廷でこれを行ふ。
2 裁判所が、裁判官の全員一致で、公の秩序又は善良の風俗を害する虞があると決した場合には、対審は、公開しないでこれを行ふことができる。但し、政治犯罪、出版に関する犯罪又はこの憲法第三章で保障する国民の権利が問題となつてゐる事件の対審は、常にこれを公開しなければならない。

A 弁論主義の第１テーゼ

裁判所は、当事者が主張していない事実（主要事実・間接事実・補助事実）を判決の基礎とすることは禁じられています。

a 主要事実（要件事実・直接事実）

主要事実（要件事実・直接事実）とは、権利の発生・変更・消滅といった法律効果を判断するのに直接に必要となる事実のことをいいます。

b 間接事実

間接事実とは、主要事実の存否について、それを立証するために、間接的に推認するのに役立つ事実のことをいいます。

c 補助事実

補助事実とは、証拠の信用性を判断するのに役立つ事実のことをいいます。

B 弁論主義の第２テーゼ

裁判所は、当事者間に争いのない事実（自白された事実）については、そのまま裁判の基礎としなければならない（自白の裁判所拘束力）とされています（民事訴訟法第179条[27]）。また、自白をした当事者は、原則として自白に反する主張をすることができなくなります（自白の当事者拘束力）。

C 弁論主義の第３テーゼ

裁判所は、当事者間に争いのある事実を証拠によって認定する際には、必ず当事者が申し出た証拠によってしなければなりません（職権証拠調べの禁止）。そもそも、弁論主義とは、訴訟資料の収集や提出についての当事者と裁判所との役割分担において、あくまでも証拠の収集や提出をするのは当事者の役割であって、当事者が提出した証拠であれば裁判所はその提出をした当事者にとって有利であろうが不利であろうが裁判の基礎とすることができます（証拠共通の原則）。証拠共通の原則は、裁判における事実の認定について、裁判官の自由な評価に委ねるという自由心証主義（民事訴訟法第247条[28]）の一内容であるとされています。

---

27 【民事訴訟法第179条】
裁判所において当事者が自白した事実及び顕著な事実は、証明することを要しない。

28 【民事訴訟法第247条】
裁判所は、判決をするに当たり、口頭弁論の全趣旨及び証拠調べの結果をしん酌して、自由な心証により、事実についての主張を真実と認めるべきか否かを判断する。

③　証拠調べ

口頭弁論は、当事者が審理に必要な事実を主張し証拠を提出する弁論の部分と、裁判所が当事者から提出された証拠について調べる証拠調べの部分から構成されており、弁論主義の第３テーゼ（職権証拠調べの禁止）から、証拠調べは当事者双方の申出によって行うこととなります。この申出は、証明すべき事実を特定する必要があります（民事訴訟法第180条[29]第1項）。

A　人的証拠（人証）

人的証拠（人証）とは、人を対象とする証拠のことをいいます。

a　当事者

裁判所は、申立てや職権で、当事者本人やその法定代理人を尋問（当事者尋問）することができます（民事訴訟法第207条[30]第1項前段）。

正当な理由もなく出頭しなかったり、宣誓や陳述を拒んだりした場合には、裁判所は尋問事項に関する相手方の主張を真実と認めることができます（民事訴訟法第208条[31]）。宣誓した当事者が虚偽の陳述をした場合には過料に処せられます（民事訴訟法第209条[32]第1項）。

29　【民事訴訟法第180条】
1　証拠の申出は、証明すべき事実を特定してしなければならない。
2　証拠の申出は、期日前においてもすることができる。

30　【民事訴訟法第207条】
1　裁判所は、申立てにより又は職権で、当事者本人を尋問することができる。この場合においては、その当事者に宣誓をさせることができる。
2　証人及び当事者本人の尋問を行うときは、まず証人の尋問をする。ただし、適当と認めるときは、当事者の意見を聴いて、まず当事者本人の尋問をすることができる。

31　【民事訴訟法第208条】
当事者本人を尋問する場合において、その当事者が、正当な理由なく、出頭せず、又は宣誓若しくは陳述を拒んだときは、裁判所は、尋問事項に関する相手方の主張を真実と認めることができる。

32　【民事訴訟法第209条】
1　宣誓した当事者が虚偽の陳述をしたときは、裁判所は、決定で、十万円以下の過料に処する。
2　前項の決定に対しては、即時抗告をすることができる。
3　第一項の場合において、虚偽の陳述をした当事者が訴訟の係属中その陳述が虚偽であることを認めたときは、裁判所は、事情により、同項の決定を取り消すことができる。

b　証人

裁判所は、特別の規定がある場合を除き、何人でも証人として尋問（証人尋問）することができます（民事訴訟法第190条[33]）。

証人尋問においては、証人に宣誓をさせる必要があります（民事訴訟法第201条[34]第1項）。16歳未満の者や宣誓の趣旨を理解することができない者を証人として尋問する場合には、宣誓をさせることができません（民事訴訟法第201条第2項）。

証人が正当な理由もなく出頭しない場合には、過料（民事訴訟法第192条[35]第1項）・罰金または拘留に処せられたり（民事訴訟法第193条[36]第1項）、勾引を命ぜられたりします（民事訴訟法第194条[37]第1項）。

c　鑑定人

鑑定人は鑑定に必要な特別の学識経験を有する者であることから、その学識経験に基づく判断や意見を裁判所に対して報告します。

33　【民事訴訟法第190条】
　裁判所は、特別の定めがある場合を除き、何人でも証人として尋問することができる。

34　【民事訴訟法第201条】
1　証人には、特別の定めがある場合を除き、宣誓をさせなければならない。
2　十六歳未満の者又は宣誓の趣旨を理解することができない者を証人として尋問する場合には、宣誓をさせることができない。
3　第百九十六条の規定に該当する証人で証言拒絶の権利を行使しないものを尋問する場合には、宣誓をさせないことができる。
4　証人は、自己又は自己と第百九十六条各号に掲げる関係を有する者に著しい利害関係のある事項について尋問を受けるときは、宣誓を拒むことができる。
5　第百九十八条及び第百九十九条の規定は証人が宣誓を拒む場合について、第百九十二条及び第百九十三条の規定は宣誓拒絶を理由がないとする裁判が確定した後に証人が正当な理由なく宣誓を拒む場合について準用する。

35　【民事訴訟法第192条】
1　証人が正当な理由なく出頭しないときは、裁判所は、決定で、これによって生じた訴訟費用の負担を命じ、かつ、十万円以下の過料に処する。
2　前項の決定に対しては、即時抗告をすることができる。

36　【民事訴訟法第193条】
1　証人が正当な理由なく出頭しないときは、十万円以下の罰金又は拘留に処する。
2　前項の罪を犯した者には、情状により、罰金及び拘留を併科することができる。

37　【民事訴訟法第194条】
1　裁判所は、正当な理由なく出頭しない証人の勾引を命ずることができる。
2　刑事訴訟法中勾引に関する規定は、前項の勾引について準用する。

裁判長は、鑑定人に書面または口頭で意見を述べさせる（鑑定）ことができ（民事訴訟法第 215 条[38]第 1 項)、鑑定人は、鑑定をする義務を負うこととなります（民事訴訟法第 212 条[39]第 1 項)。

B　物的証拠（物証）

物的証拠（物証）とは、物を対象とする証拠のことをいいます。

a　文書

文書に記載されている意味内容を裁判所が閲覧をし、その意味内容を証拠資料とする書証の手続には、文書を裁判所に提出する方式（民事訴訟法第 219 条[40]）・文書提出命令を申立てる方式（民事訴訟法第 219 条）・文書の送付の嘱託を申立てる方式（民事訴訟法第 226 条[41]）があります。

b　検証物

物の性状を検査して行う検証の手続は、書証に準じて行われます（民事訴訟法第 232 条[42]第 1 項)。

38　【民事訴訟法第 215 条】

1　裁判長は、鑑定人に、書面又は口頭で、意見を述べさせることができる。

2　裁判所は、鑑定人に意見を述べさせた場合において、当該意見の内容を明瞭にし、又はその根拠を確認するため必要があると認めるときは、申立てにより又は職権で、鑑定人に更に意見を述べさせることができる。

39　【民事訴訟法第 212 条】

1　鑑定に必要な学識経験を有する者は、鑑定をする義務を負う。

2　第百九十六条又は第二百一条第四項の規定により証言又は宣誓を拒むことができる者と同一の地位にある者及び同条第二項に規定する者は、鑑定人となることができない。

40　【民事訴訟法第 219 条】

書証の申出は、文書を提出し、又は文書の所持者にその提出を命ずることを申し立ててしなければならない。

41　【民事訴訟法第 226 条】

書証の申出は、第二百十九条の規定にかかわらず、文書の所持者にその文書の送付を嘱託することを申し立ててすることができる。ただし、当事者が法令により文書の正本又は謄本の交付を求めることができる場合は、この限りでない。

42　【民事訴訟法第 232 条】

1　第二百十九条、第二百二十三条、第二百二十四条、第二百二十六条及び第二百二十七条の規定は、検証の目的の提示又は送付について準用する。

2　第三者が正当な理由なく前項において準用する第二百二十三条第一項の規定による提示の命令に従わないときは、裁判所は、決定で、二十万円以下の過料に処する。

3　前項の決定に対しては、即時抗告をすることができる。

（4）訴訟の終了

①　当事者の意思による訴訟の終了

A　訴えの取下げ

訴えの取下げとは、原告の審判の申立ての撤回を内容とする裁判所に対する訴訟行為のことをいいます。

訴えの取下げは、終局判決が確定するまでですることが可能です（民事訴訟法第261条[43]第1項）

B　請求の放棄

請求の放棄とは、原告が自らの請求には理由がないことを認める意思表示のことをいい、口頭弁論等の期日において行うこととされています（民事訴訟法第266条[44]第1項）。

43　【民事訴訟法第261条】

1　訴えは、判決が確定するまで、その全部又は一部を取り下げることができる。

2　訴えの取下げは、相手方が本案について準備書面を提出し、弁論準備手続において申述をし、又は口頭弁論をした後にあっては、相手方の同意を得なければ、その効力を生じない。ただし、本訴の取下げがあった場合における反訴の取下げについては、この限りでない。

3　訴えの取下げは、書面でしなければならない。ただし、口頭弁論、弁論準備手続又は和解の期日（以下この章において「口頭弁論等の期日」という。）においては、口頭ですることを妨げない。

4　第二項本文の場合において、訴えの取下げが書面でされたときはその書面を、訴えの取下げが口頭弁論等の期日において口頭でされたとき（相手方がその期日に出頭したときを除く。）はその期日の調書の謄本を相手方に送達しなければならない。

5　訴えの取下げの書面の送達を受けた日から二週間以内に相手方が異議を述べないときは、訴えの取下げに同意したものとみなす。訴えの取下げが口頭弁論等の期日において口頭でされた場合において、相手方がその期日に出頭したときは訴えの取下げがあった日から、相手方がその期日に出頭しなかったときは前項の謄本の送達があった日から二週間以内に相手方が異議を述べないときも、同様とする。

44　【民事訴訟法第266条】

1　請求の放棄又は認諾は、口頭弁論等の期日においてする。

2　請求の放棄又は認諾をする旨の書面を提出した当事者が口頭弁論等の期日に出頭しないときは、裁判所又は受命裁判官若しくは受託裁判官は、その旨の陳述をしたものとみなすことができる。

請求の放棄は、調書に記載されると確定判決と同一の効力を有することとなります（民事訴訟法第 267 条[45]）。

C　請求の認諾

請求の認諾とは、被告が原告の請求には理由があることを認める意思表示のことをいい、口頭弁論等の期日において行うこととされています（民事訴訟法第 266 条第１項）。

請求の認諾は、調書に記載されると確定判決と同一の効力を有することとなります（民事訴訟法第 267 条）。

D　訴訟上の和解

訴訟上の和解とは、訴訟継続中に両当事者が訴訟物に関する主張について、相互に譲歩し合い、そのことによって訴訟を終了させる旨の合意のことをいい、口頭弁論等の期日において行うこととされています（民事訴訟法第 265 条[46]第３項）。

訴訟上の和解は、調書に記載されると確定判決と同一の効力を有することとなります（民事訴訟法第 267 条）。

②　終局判決による訴訟の終了

判決には、終局判決（本案判決）と中間判決とがあります。終局判決（本案判決）とは、その審級の審理を完結させる判決のことをいいます。対して、中間判決とは、審理の過程において、当事者間で争いとなっていた事項等について、終局判決に先立って判断を示す判決のことをいいます。

45　【民事訴訟法第 267 条】
　和解又は請求の放棄若しくは認諾を調書に記載したときは、その記載は、確定判決と同一の効力を有する。

46　【民事訴訟法第 265 条】
１　裁判所又は受命裁判官若しくは受託裁判官は、当事者の共同の申立てがあるときは、事件の解決のために適当な和解条項を定めることができる。
２　前項の申立ては、書面でしなければならない。この場合においては、その書面に同項の和解条項に服する旨を記載しなければならない。
３　第一項の規定による和解条項の定めは、口頭弁論等の期日における告知その他相当と認める方法による告知によってする。
４　当事者は、前項の告知前に限り、第一項の申立てを取り下げることができる。この場合においては、相手方の同意を得ることを要しない。
５　第三項の告知が当事者双方にされたときは、当事者間に和解が調ったものとみなす。

終局判決には、請求認容判決と請求棄却判決とがあります。

A 請求認容判決

請求認容判決とは、原告の請求を認めるとする判決のことをいいます。原告勝訴というのはこの場合となります。

B 請求棄却判決

請求棄却判決とは、原告の請求を認めないとする判決のことをいいます。原告敗訴というのはこの場合となります。

請求棄却判決と混同しがちなものに却下判決があります。本案判決に対して訴訟判決といわれるものであって、訴訟要件がないと判断された場合に、具体的な審理には入らず訴えが却下されることをいいます。

(5)強制執行

判決が確定すると、当事者はそれと矛盾するような主張はできなくなります(判決の既判力)。

しかし、判決には強制力がないことから、確定した判決に執行力という強制力を認め、強制的に判決の内容の実現を図ることとなります(強制執行)。

強制執行の手続については、民事執行法に規定があります(民事執行法第1条[47])。

おわりに

民事訴訟法においては、どのような手続によって、私的紛争の公権的解決を図っていくかが重要になります。手続法は実体法と異なり、手続についての規定であることから、実際にその手続に携わっていないとまったくイメージができないということが多々あります。また、刑事手続の場合とは異なり、民事手続は小説やドラマでも扱われる場面は少なく、よりイメージがしにくいと思います。よく民事訴訟法はその略称である民訴から眠素ともいわれます。あまりにイメージがしにくいことから、話を聴いていても眠くなる科目というところからいわれているそうです。

47 【民事執行法第1条】
強制執行、担保権の実行としての競売及び民法(明治二十九年法律第八十九号)、商法(明治三十二年法律第四十八号)その他の法律の規定による換価のための競売並びに債務者の財産状況の調査(以下「民事執行」と総称する。)については、他の法令に定めるもののほか、この法律の定めるところによる。

しかし、民事訴訟法や民事保全法、民事執行法といった民事手続の考え方は、行政事件訴訟等の場面に応用されているため、非常に重要な考え方となります。そのため、行政法を学ぶ時に再度民事訴訟法について見直してもらえるとよいかと思います。

本書では、あくまでも民事訴訟法の全体像について俯瞰するにとどめました。

今後は、民事訴訟法学についてのより詳細な専門の基本書や判例集等にあたっていただき、より深い理解に努めていただければと思います。

第Ⅲ部

刑事法学入門

第五講 刑法学入門

はじめに

本講では、刑法について学びます。刑法は、憲法、民法と併せて基本３法といわれる重要な法律です。また、刑事法分野の中核を占めると同時に、刑事実体法の基本的な法でもあります。本書では、この刑法の全体像を学んでいきたいと思います。

刑法は、犯罪と刑罰に関する法であると定義されます。つまり、どのような行為が犯罪に該当し、その犯罪行為に対してどのような刑罰を科すのかについて規定している法が刑法です。

刑法は、総論部分と各論部分に分けられます。刑法総論においては、犯罪と刑罰についての一般的・抽象的な原理・原則について扱い（刑法第１編「総則」に対応）、刑法各論においては、個々の犯罪についての個別的・具体的な考え方について扱います（刑法第２編「罪」に対応）。

また、刑法は刑事実体法でもあります。刑法は、犯罪と刑罰について規定した法ですが、実際にその犯罪を行った者を特定し、刑罰を科すには刑事訴訟法等の刑事手続法に規定された手続に従って実現されていくこととなります。

刑事手続法である刑事訴訟法については、本書第六講にて入門的な内容を扱います。

一　刑法総論

１　刑法の機能

刑法は、先述したように、犯罪と刑罰に関する法であると定義されます。つまり、犯罪行為に刑罰を科すことによって、その刑罰の威嚇力から犯罪行為を抑止し、法益を保護することとなります。つまり、刑法の機能は法益保護機能です。なお、法益とは、刑法で保護される社会生活上の利益のことをいいます。

刑法の目的は、この法益の保護であるといえます。刑罰権を行使することによって、犯罪行為を抑止し、もって社会生活を平穏に送ることが可能となるわけです。しかし、犯罪行為を抑止するためといっても、刑罰を科せばよいというわけにはいきません。なぜなら、刑罰には死刑を初めとして、懲役や罰金等苦痛を伴う重大な人権制約に該当するものであるからです。

そこで、刑法は、個人が刑法に規定されていない行為によって処罰されることはなく、また、犯罪行為を行った者であっても刑法によって規定されている刑罰範囲を超えて処罰されることはないという自由保障機能を有することとなります。そのことから、刑法は、罪刑法定主義と責任主義という基本原則を採用しているといわれます。

罪刑法定主義とは、どのような行為が犯罪に該当し、その犯罪行為に対してどのような刑罰を科せられるのかを、あらかじめ、法律で規定しておかなければならないという原則のことをいいます。このことは、「法律なければ刑罰なし。法律なければ犯罪なし。」と表現されます。罪刑法定主義については、明文上の規定は存在しませんが、刑法がこの基本原則を採用しているということには争いはありません。

責任主義とは、刑罰を科すには責任がなければならないとする原則のことをいいます。このことは、「責任なければ刑罰なし。」と表現されます。犯罪行為を行った者は、自己の行為についてのみ責任を負う（個人責任の原則）のであって、他人の責任を負うことはありませんし、責任能力があって、故意または過失を具備している場合にのみ責任を負うこととなります。

また、先述したように、刑罰というものは、個人の生命や自由を奪うことから、苦痛を伴う重大な人権制約に該当するため、他の手段がある場合には、刑罰権を行使すべきではありません。そのため、刑法は、あらゆる違法行為やあらゆる有責行為を当然の対象とするべきではなく、必要やむを得ない範囲に限り適用されるべきとされます。そのような考え方を刑法の謙抑主義といいます。

以上のように、平穏な社会生活を送るためには、犯罪を抑止し、犯罪行為から法益を保護する必要があることから、刑法の法益保護機能を前面に出す必要があると同時に、過剰な刑罰権の行使は、逆に重大な人権制約を引き起こしかねないことから、自由保障機能も重要であるということとなります。

第一講の最後に、法はバランスの学問であると述べました。刑法学においては、この法益保護機能と自由保障機能とのバランスをどう図るべきかということを考える必要があります。

イメージとしては、犯罪を抑止するために法益保護機能というアクセルを踏みつつ、過剰な刑罰権の行使から個人の自由を保障していくという自由保障機能というブレーキを踏むことによって、バランスのよい速度で安定した走行をする自動車といったところでしょうか。刑法の問題を考えていく際には、刑罰権の行使といった法益保護機能と人権保障という自由保障機能といった相矛盾した要請に対して、いかにして調和を図っていくかといった視点が重要となります。

2 刑罰

先述したように、刑罰とは、苦痛を伴う重大な人権制約に該当するものであり、不利益のことをいいます。では、なぜ、不利益を科されなければならないのでしょうか。

刑罰は犯罪行為を行ったことに対する応報であると考えられています。つまり、犯罪行為というのは、他人の権利を侵害する行為であるともいえるので、他人の権利を侵害したにも拘わらず、何の報いを受けないことはかえって不公平であって、そのために他人の権利を侵害した者については、何らかの不利益を科すことが公平であると考えられているのです。

それでは、なぜ報いを受けるのでしょうか。他人の権利を侵害してしまったら必ず報いを受けなければならないのでしょうか。人には自由意志というものがあります。人は何かを決断する時に、自分で自由に意思決定をしているのです。そのため、犯罪行為をすることについても、自分で意思決定をしたということとなります。つまり、自由に意思決定ができるにも拘わらず、あえて犯罪行為をしたことに対しての道義的非難を受けることとなります。その結果、そのような道義的非難に対して報いを受けることとなるのです。

そのため、この報いを受けるためには、つまり、刑罰を科されるためには、その者が非難できる者であるかどうかが重要となります。非難できるかどうかは、その者が犯罪事実を認識し、その事実の是非についての判断ができ、それに基づいて犯罪行為をしないとの意思決定ができ、行動の制御ができる能力があってこそ非難を受けるべきであり、報いを受けるべきであり、刑罰を受けるべきであるということができます。なお、そのような能力を責任能力といいます。

3 犯罪

先述したように、犯罪行為を行うと、その応報として刑罰を科されることとなります。自由に意思決定ができるにも拘わらず、あえて犯罪行為をしたことに対しての道義的非難を受けることにより処罰されることとなるのですが、その行為はなぜ犯罪行為となるのでしょうか。つまり、処罰根拠はどこにあるのでしょうか。ある面からすれば、①刑法という法律によって処罰される行為とされているから処罰されるべきであるという考え方もあるかもしれません。また、②そもそも悪いとされる行為をしているから処罰されるべきであるという考え方もあるかもしれません。③非難されるべき行為をしているから処罰されるべきであるという考え方もあるかもしれません。

実は、刑法においては、これらの考え方のすべてを充たして初めて処罰ができるとされています。①刑法という法律によって処罰される行為とされているから処罰されるべきであるという考え方からは、その行為が犯罪の構成要件に該当していることということが導けます。②そもそも悪いとされる行為をしているから処罰されるべきであるという考え方からは、その行為に違法性があるのかどうかということが導けます。③非難されるべき行為をしているから処罰されるべきであるという考え方からは、その行為者に有責性があるのかどうかということが導かれます。以上のことから、犯罪が成立するためには、行った行為が構成要件に該当し、その行為が違法性を有し、その行為者が有責性を有していることが必要となります。つまり、犯罪とは、構成要件に該当する・違法・有責な行為のことをいいます。

（1）構成要件該当性

犯罪が成立するためには、構成要件に該当している必要があります。この構成要件とは、犯罪の枠組みのことをいいます。刑法第199条[1]は殺人罪について規定していますが、構成要件の部分は、「人を殺した」の部分となります。つまり、構成要件とは、刑法に規定されている各犯罪のことであると考えておけば充分です。この構成要件に該当しないということは、そもそも条文に該当する行為をしていないということとなるため、犯罪不成立ということとなります。

構成要件該当性を検討するに際しては、客観的構成要件要素と主観的構成要件要素とを検討する必要があります。

客観的構成要件要素は、実行行為と構成要件的結果、その因果関係からなります。ある犯罪の実行行為がなければその犯罪は不成立となります。その犯罪の実行行為があったとしても、その犯罪の結果が生じていなければ犯罪は不成立となります。また、その犯罪の実行行為があり、結果も発生しているけれど、その行為と結果との間に因果関係がない場合にも犯罪は不成立となります。但し、この場合、未遂犯の規定がある場合には未遂犯は成立します。因果関係があると認められるためには、実行行為からその結果が発生することが社会通念上相当であるといえることが必要となります。そのような因果関係を相当因果関係といいます。

主観的構成要件要素は、その行為者が故意でその行為をしたのか、過失でその行為をしたのかを判断します。

1　【刑法第199条】
人を殺した者は、死刑又は無期若しくは五年以上の懲役に処する。

また、基本的には構成要件は、既遂犯を想定しており、単独犯を想定していますが、時間的修正としての予備犯や未遂犯、人的修正としての共犯（共同正犯・教唆犯・幇助犯）を修正された構成要件として規定しています。

（2）違法性

違法性とは、その行為が法に違反すること・法的には許されないことをいいます。

そもそも、構成要件に該当する場合には違法性があると推定されます。そのため、ここでは違法性を否定するような違法性阻却事由の有無を検討することとなります。違法性阻却事由があれば、その行為は違法ではないこととなるため、犯罪は不成立となります。つまり、その行為は構成要件に該当したとしても、違法ではない、正当な行為ということとなります。

① 正当行為

正当行為には、法令行為と正当業務行為とがあります。正当行為であると認められると違法性が阻却され、犯罪が成立しないこととなり、刑罰を科されないこととなります（刑法第35条[2]）。

法令行為とは、成文の法律や命令に直接基づいて、権利・義務として行われるべき行為のことをいいます。

正当業務行為とは、法令に直接の規定がない場合であっても、社会通念上、正当なものであると認められる業務上の行為のことをいいます。

② 正当防衛

正当防衛とは、急迫不正の侵害に対して、自己または他人の権利を防衛するために、やむを得ずにした行為のことをいいます（刑法36条[3]第1項）。

正当防衛であると認められると違法性が阻却され、犯罪が成立しないこととなり、刑罰を科されないこととなります（刑法第35条第1項）。

---

2 【刑法第35条】
法令又は正当な業務による行為は、罰しない。

3 【刑法第36条】
1 急迫不正の侵害に対して、自己又は他人の権利を防衛するため、やむを得ずにした行為は、罰しない。
2 防衛の程度を超えた行為は、情状により、その刑を減軽し、又は免除することができる。

正当防衛が認められるためには、①急迫不正の侵害に対し、②自己または他人の権利を、③防衛するために、④やむを得ずにした行為であることが必要となります。

A 急迫不正の侵害

急迫不正の侵害とは、①急迫性があり、②不正な、③侵害であることをいいます。

a 急迫性

急迫性とは、法益侵害の危険が切迫している状態のことをいいます。つまり、法益侵害が行われる直前である場合か、または、法益侵害が現に進行中である場合のことをいいます。そのため、過去の法益侵害や未来の法益侵害に対する正当防衛は認められないこととなります。

b 不正

不正とは、違法であることをいいます。そのため、適法な法益侵害に対する正当防衛は認められないこととなります。不正な法益侵害については、客観的に違法であればよく、主観的に違法、つまり、法益侵害を行っている者の主観については問いません。そのため、責任無能力者による法益侵害行為に対しても正当防衛は認められないこととなります。

c 侵害

侵害とは、他人の権利に対して、実害や危険を与える行為のことをいいます。

B 自己または他人の権利

正当防衛は、自己または他人の権利を防衛するために認められることとなります。ここでいうところの権利とは、広く正当な利益のことをいい、ここでいうところの他人とは、自然人に限らず法人も含むとされています。

C 防衛するため

防衛するための行為は、その性質から、侵害者に向けられた反撃である必要があります。そのため、その反撃が、侵害者ではない第三者に対して向けられていた場合には、正当防衛は認められないこととなります。

通説的見解においては、防衛するための行為である防衛行為について、防衛の意思に基づくものである必要があるとされています（必要説）。そもそも、刑法第36条第1項の文言に「防衛するため」とあることから、防衛の意思を必要とする趣旨であると解するのが自然であるからです。

D やむを得ずにした行為

やむを得ずにした行為かどうかの判断には、防衛行為の①必要性と②相当性が必要となります。

a　必要性

ここでいうところの必要性とは、不正な法益侵害について、それを排除する必要があるかどうかということを意味します。ここでは、必ずしも他に採用する方法がなかったことまでは必要とはされていません。

b　相当性

ここでいうところの相当性とは、社会通念上、その防衛行為についての妥当性が認められるかどうかということを意味します。ここでは、必ずしも厳格な法益権衡までは必要とはされていません。

③　緊急避難

緊急避難とは、自己または他人の生命・身体・自由または財産に対する現在の危難を避けるために、やむを得ずにした行為のことをいいます（刑法第37条[4]第1項本文）。

緊急避難によって生じた害が避けようとした害の程度を超えなかった場合に限り、違法性が阻却され、犯罪が成立しないこととなり、刑罰を科されないこととなります（刑法第37条第1項本文）。

緊急避難が認められるためには、①自己または他人の生命・身体・自由または財産に対する、②現在の危難を避けるために、③やむを得ずにした行為であって、④緊急避難によって生じた害が避けようとした害の程度を超えなかった場合であることが必要となります。

A　自己または他人の生命・身体・自由または財産

緊急避難は、自己または他人の生命・身体・自由または財産を防衛するために認められることとなります。ここでいうところの生命・身体・自由または財産は、法益の例示であり、正当防衛（刑法第36条第1項）における「権利」と同じ意味であると解釈されています。

B　現在の危難を避けるため

現在の危難を避けるためとは、①現在性のある、②危難について、③それに対する避難行為があることをいいます。

4　【刑法第37条】

1　自己又は他人の生命、身体、自由又は財産に対する現在の危難を避けるため、やむを得ずにした行為は、これによって生じた害が避けようとした害の程度を超えなかった場合に限り、罰しない。ただし、その程度を超えた行為は、情状により、その刑を減軽し、又は免除することができる。

2　前項の規定は、業務上特別の義務がある者には、適用しない。

a　現在性

現在性とは、法益侵害が現実に存在することや、法益侵害の危険が切迫している状態のことをいいます。この現在性は、正当防衛（刑法第36条第１項）における「急迫」と同じ意味に解釈されています。

b　危難

危難とは、法益に対する現実の侵害やその危険を生じ得る状態のことをいいます。危難については、客観的に存在している必要があり、主観的にそう感じたというだけでは緊急避難は認められないこととなります。

c　避難行為

避難行為は、侵害者に向けられた反撃である必要はありません。そのため、その反撃が、侵害者ではない第三者に対して向けられていたり、物に向けられていたりしても構いません。

C　やむを得ずにした行為

やむを得ずにした行為とは、その危難を避ける唯一の方法のことを意味し、他に採用する方法がなかった場合のことをいいます。そのような性質のことを補充性といいます。正当防衛の場合では、必ずしも他に採用する方法がなかったことまでは必要とはされていません。

D　緊急避難によって生じた害が避けようとした害の程度を超えなかった

緊急避難の場合、緊急避難によって生じた害が避けようとした害の程度を超えなかったことが重要となります。そのような性質のことを法益権衡性といいます。行われた避難行為について相当性が認められない場合には、そのような緊急避難を認めるべきではないことから、正当防衛の場合と同様、相当性も要求されます。しかし、正当防衛の場合とは異なり、ここでは、厳格な法益権衡まで要求されることとなります。

（３）有責性

構成要件に該当し、違法な行為であったとしても、その行為を行った者の責任を問えなければ、その犯罪は成立しないこととなります。そこで責任の意義が重要となります。

責任とは、構成要件に該当し、違法な行為をしたことについて、その行為者を道義的に非難することができるという非難可能性のことをいいます。

責任の本質は、規範に直面していたことにより、正しい行為をすることを選択できたにも拘わらず、あえて違法な行為についての意思決定をしたことに対する道義的非難にあります（道義的責任論）。つまり、自由に意思決定ができたのにも拘わらず、あえて犯罪行為を行ったことが非難に値するということです。

そこで、刑法は、以下の３つの場合を責任の問えない責任阻却事由として規定しています。

① 心神喪失者

心神喪失者とは、精神上の障害により、行為の是非を弁識し、または、その弁識に従って行動する能力のない者のことをいいます。この心神喪失者については、構成要件に該当し、違法な行為をしたとしても、その責任が阻却されるため、処罰されないこととなります（刑法第39条[5]第1項）。

② 心神耗弱者

心神耗弱者とは、精神上の障害により、行為の是非を弁識し、または、その弁識に従って行動する能力が著しく低い者のことをいいます。心神耗弱者は、限定責任能力者ともいわれます。この心神耗弱者については、構成要件に該当し、違法な行為をしたとしても、完全な責任を追及することができないため、刑を減軽されることとなります（刑法第39条第２項）。

③ 刑事未成年者

刑事未成年者とは、14歳未満の者のことをいいます（刑法第41条[6]）。この刑事未成年者については、構成要件に該当し、違法な行為をしたとしても、その責任が阻却されるため、処罰されないこととなります（刑法第41条）。

4 共犯

（1）共同正犯

共同正犯とは、２人以上の者が共同して犯罪を実行することをいいます。この共犯が成立すると行為者はすべて正犯者とされることとなります（刑法第60条[7]）。

5 【刑法第39条】
1 心神喪失者の行為は、罰しない。
2 心神耗弱者の行為は、その刑を減軽する。

6 【刑法第41条】
十四歳に満たない者の行為は、罰しない。

7 【刑法第60条】
二人以上共同して犯罪を実行した者は、すべて正犯とする。

そもそも、個人責任の原則から、個人は自らが犯した行為についてのみ責任を問われるのであって、他人の犯した行為については責任を問われないはずです。しかし、この共同正犯が成立すると、他人（共犯者）の犯した行為についても責任を問われることとなります。そのため、たとえ犯罪の実行行為の一部についてのみ関与している場合でも、その責任はその一部に限られず、犯罪の実行行為全体に対する責任を負うこととなります。このことを、一部実行全部責任といいます。

一部実行全部責任が認められる理由は、共犯者同士が共同して一定の犯罪の実行をする意思の下に、その実行行為を分担し、相互に行為を利用し、補完し合うことによって、全体としての犯罪行為を実現させたと判断できるからです。従って、共同正犯が成立するためには、その共犯者間に、①共同実行の意思と、②共同実行の事実が認められる必要があります。

① 共同実行の意思

共同実行の意思とは、意思の連絡ともいい、２人以上の行為者が、それを共同して行おうとする意思のことをいいます。つまり、ある犯罪行為の実現について、２人以上の者が、相互に各々の行為を利用し合い、補完し合おうとする意思を意味します。この共同実行の意思は、必ずしも明示的方法を用いる必要はなく、行為者間に黙示的認識があれば充分であるとされています。また、直接的に連絡される場合に限らず、間接的に連絡される場合も共同実行の意思が認められるとされています。

② 共同実行の事実

共同実行の事実とは、共同加功の事実ともいい、２人以上の行為者が、それを共同して実行することをいいます。各行為者の行う実行行為については、各々について、または、全体として犯罪を実現するだけの現実的危険性を有していなければなりません。

（２）教唆犯

教唆犯とは、他人を唆して犯罪を実行させる犯罪のことをいいます。この教唆犯が成立すると、行為者は正犯の罪を科されます（刑法第61条[8]第１項）。

8 【刑法第61条】
1 人を教唆して犯罪を実行させた者には、正犯の刑を科する。
2 教唆者を教唆した者についても、前項と同様とする。

（3）幇助犯

幇助犯とは、従犯ともいい、正犯の犯罪の実行行為を容易にさせる犯罪のことをいいます。この幇助犯が成立すると、行為者は従犯の罪を科されます（刑法第 62 条[9]第 1 項）。この従犯の罪とは、正犯の罪を減軽したものとなります（刑法第 63 条[10]）。

二　刑法各論

1　個人的法益に対する罪

（1）生命及び身体に対する罪

生命及び身体に対する罪には、殺人の罪、傷害の罪、過失致死傷の罪、遺棄の罪等があります。

①　殺人の罪

殺人の罪には、殺人罪（刑法第 199 条[11]）、殺人予備罪（刑法第 199 条及び第 201 条[12]本文）、自殺関与罪（刑法第 202 条[13]）、同意殺人罪（刑法第 202 条）、殺人未遂罪（刑法第 199 条及び第 203 条[14]）があります。

9　【刑法第 62 条】
1　正犯を幇助した者は、従犯とする。
2　従犯を教唆した者には、従犯の刑を科する。

10　【刑法第 63 条】
従犯の刑は、正犯の刑を減軽する。

11　【刑法第 199 条】
人を殺した者は、死刑又は無期若しくは五年以上の懲役に処する。

12　【刑法第 201 条】
第百九十九条の罪を犯す目的で、その予備をした者は、二年以下の懲役に処する。ただし、情状により、その刑を免除することができる。

13　【刑法第 202 条】
人を教唆し若しくは幇助して自殺させ、又は人をその嘱託を受け若しくはその承諾を得て殺した者は、六月以上七年以下の懲役又は禁錮に処する。

14　【刑法第 203 条】
第百九十九条及び前条の罪の未遂は、罰する。

②　傷害の罪

傷害の罪には、傷害罪（刑法第 204 条[15]）、傷害致死罪（刑法第 205 条[16]）、傷害現場助勢罪（刑法第 206 条[17]）、暴行罪（刑法第 208 条[18]）、凶器準備集合罪（刑法第 208 条の２[19]第１項）、凶器準備結集罪（刑法第 208 条の２第２項）があります。

③　過失致死傷の罪

過失致死傷の罪には、過失傷害罪（刑法第 209 条[20]第１項）、過失致死罪（刑法第 210 条[21]）、業務上過失致死傷罪（刑法第 211 条[22]前段）、重過失致死傷罪（刑法第 211 条後段）があります。

15　【刑法第 204 条】
　人の身体を傷害した者は、十五年以下の懲役又は五十万円以下の罰金に処する。

16　【刑法第 205 条】
　身体を傷害し、よって人を死亡させた者は、三年以上の有期懲役に処する。

17　【刑法第 206 条】
　前二条の犯罪が行われるに当たり、現場において勢いを助けた者は、自ら人を傷害しなくても、一年以下の懲役又は十万円以下の罰金若しくは科料に処する。

18　【刑法第 208 条】
　暴行を加えた者が人を傷害するに至らなかったときは、二年以下の懲役若しくは三十万円以下の罰金又は拘留若しくは科料に処する。

19　【刑法第 208 条の２】
１　二人以上の者が他人の生命、身体又は財産に対し共同して害を加える目的で集合した場合において、凶器を準備して又はその準備があることを知って集合した者は、二年以下の懲役又は三十万円以下の罰金に処する。
２　前項の場合において、凶器を準備して又はその準備があることを知って人を集合させた者は、三年以下の懲役に処する。

20　【刑法第 209 条】
１　過失により人を傷害した者は、三十万円以下の罰金又は科料に処する。
２　前項の罪は、告訴がなければ公訴を提起することができない。

21　【刑法第 210 条】
　過失により人を死亡させた者は、五十万円以下の罰金に処する。

22　【刑法第 211 条】
　業務上必要な注意を怠り、よって人を死傷させた者は、五年以下の懲役若しくは禁錮又は百万円以下の罰金に処する。重大な過失により人を死傷させた者も、同様とする。

④ 遺棄の罪

遺棄の罪には、単純遺棄罪（刑法第 217 条[23]）、保護責任者遺棄罪（刑法第 218 条[24]）、遺棄等致傷罪（刑法第 219 条[25]）があります。

（2）自由及び平穏に対する罪

自由及び平穏に対する罪には、逮捕及び監禁の罪、脅迫の罪、略取・誘拐及び人身売買の罪、強制猥褻及び強制性交等の罪、住居を侵す罪、秘密を侵す罪があります。

① 逮捕及び監禁の罪

逮捕及び監禁の罪には、逮捕罪（刑法第 220 条[26]）、監禁罪（刑法第 220 条）、逮捕致死傷罪（刑法第 221 条[27]）、監禁致死傷罪（刑法第 221 条）があります。

② 脅迫の罪

脅迫の罪には、脅迫罪（刑法第 222 条[28]）等があります。

23 【刑法第 217 条】
老年、幼年、身体障害又は疾病のために扶助を必要とする者を遺棄した者は、一年以下の懲役に処する。

24 【刑法第 218 条】
老年者、幼年者、身体障害者又は病者を保護する責任のある者がこれらの者を遺棄し、又はその生存に必要な保護をしなかったときは、三月以上五年以下の懲役に処する。

25 【刑法第 219 条】
前二条の罪を犯し、よって人を死傷させた者は、傷害の罪と比較して、重い刑により処断する。

26 【刑法第 220 条】
不法に人を逮捕し、又は監禁した者は、三月以上七年以下の懲役に処する。

27 【刑法第 221 条】
前条の罪を犯し、よって人を死傷させた者は、傷害の罪と比較して、重い刑により処断する。

28 【刑法第 222 条】
1 生命、身体、自由、名誉又は財産に対し害を加える旨を告知して人を脅迫した者は、二年以下の懲役又は三十万円以下の罰金に処する。
2 親族の生命、身体、自由、名誉又は財産に対し害を加える旨を告知して人を脅迫した者も、前項と同様とする。

③ 略取・誘拐及び人身売買の罪

略取・誘拐及び人身売買の罪には、未成年者拐取罪（刑法第224条[29]）、営利目的等拐取罪（刑法第225条[30]）、身代金目的拐取罪（刑法第225条の2[31]第1項）、拐取者身代金要求罪（刑法第225条の2第2項）、所在国外移送目的拐取罪（刑法第226条[32]）、人身売買罪（刑法第226条の2[33]）、人身売買未遂罪、拐取者引渡等罪（刑法第226条の3[34]）、身代金目的拐取予備罪（刑法第225条の2第1項及び第228条の3[35]）等があります。

29　【刑法第224条】
　未成年者を略取し、又は誘拐した者は、三月以上七年以下の懲役に処する。

30　【刑法第225条】
　営利、わいせつ、結婚又は生命若しくは身体に対する加害の目的で、人を略取し、又は誘拐した者は、一年以上十年以下の懲役に処する。

31　【刑法第225条の2】
1　近親者その他略取され又は誘拐された者の安否を憂慮する者の憂慮に乗じてその財物を交付させる目的で、人を略取し、又は誘拐した者は、無期又は三年以上の懲役に処する。
2　人を略取し又は誘拐した者が近親者その他略取され又は誘拐された者の安否を憂慮する者の憂慮に乗じて、その財物を交付させ、又はこれを要求する行為をしたときも、前項と同様とする。

32　【刑法第226条】
　所在国外に移送する目的で、人を略取し、又は誘拐した者は、二年以上の有期懲役に処する。

33　【刑法第226条の2】
1　人を買い受けた者は、三月以上五年以下の懲役に処する。
2　未成年者を買い受けた者は、三月以上七年以下の懲役に処する。
3　営利、わいせつ、結婚又は生命若しくは身体に対する加害の目的で、人を買い受けた者は、一年以上十年以下の懲役に処する。
4　人を売り渡した者も、前項と同様とする。
5　所在国外に移送する目的で、人を売買した者は、二年以上の有期懲役に処する。

34　【刑法第226条の3】
　略取され、誘拐され、又は売買された者を所在国外に移送した者は、二年以上の有期懲役に処する。

35　【刑法第228条の3】
　第二百二十五条の二第一項の罪を犯す目的で、その予備をした者は、二年以下の懲役に処する。ただし、実行に着手する前に自首した者は、その刑を減軽し、又は免除する。

④ 強制猥褻及び強制性交等の罪

強制猥褻及び強制性交等の罪には、強制猥褻罪（刑法第176条[36]）、強制性交等罪（刑法第177条[37]）等があります。

⑤ 住居を侵す罪

住居を侵す罪には、住居侵入罪（刑法第130条[38]）、住居侵入未遂罪（刑法第130条及び第132条[39]）、不退去罪（刑法第130条）があります。

⑥ 秘密を侵す罪

秘密を侵す罪には、信書開封罪（刑法第133条[40]）、秘密漏示罪（刑法第134条[41]）があります。

36 【刑法第176条】
　十三歳以上の者に対し、暴行又は脅迫を用いてわいせつな行為をした者は、六月以上十年以下の懲役に処する。十三歳未満の者に対し、わいせつな行為をした者も、同様とする。

37 【刑法第177条】
　十三歳以上の者に対し、暴行又は脅迫を用いて性交、肛門性交又は口腔性交（以下「性交等」という。）をした者は、強制性交等の罪とし、五年以上の有期懲役に処する。十三歳未満の者に対し、性交等をした者も、同様とする。

38 【刑法第130条】
　正当な理由がないのに、人の住居若しくは人の看守する邸宅、建造物若しくは艦船に侵入し、又は要求を受けたにもかかわらずこれらの場所から退去しなかった者は、三年以下の懲役又は十万円以下の罰金に処する。

39 【刑法第132条】
　第百三十条の罪の未遂は、罰する。

40 【刑法第133条】
　正正当な理由がないのに、封をしてある信書を開けた者は、一年以下の懲役又は二十万円以下の罰金に処する。

41 【刑法第134条】
1 医師、薬剤師、医薬品販売業者、助産師、弁護士、弁護人、公証人又はこれらの職にあった者が、正当な理由がないのに、その業務上取り扱ったことについて知り得た人の秘密を漏らしたときは、六月以下の懲役又は十万円以下の罰金に処する。
2 宗教、祈祷若しくは祭祀の職にある者又はこれらの職にあった者が、正当な理由がないのに、その業務上取り扱ったことについて知り得た人の秘密を漏らしたときも、前項と同様とする。

（３）名誉及び信用に対する罪

名誉及び信用に対する罪には、名誉に対する罪、信用及び業務に対する罪があります。

① 名誉に対する罪

名誉に対する罪には、名誉毀損罪（刑法第 230 条[42]第１項）、死者の名誉毀損罪（刑法第 230 条第２項）、侮辱罪（刑法第 231 条[43]）があります。

② 信用及び業務に対する罪

信用及び業務に対する罪には、信用毀損罪（刑法第 233 条[44]）、業務妨害罪（刑法第 233 条）、威力業務妨害罪（刑法第 234 条[45]）、電子計算機損壊等業務妨害罪（刑法第 234 条の２[46]）があります。

（４）財産に対する罪

財産に対する罪には、窃盗及び強盗の罪、詐欺及び恐喝の罪、横領の罪、盗品等に関する罪、毀棄及び隠匿の罪があります。

42 【刑法第 230 条】
１ 公然と事実を摘示し、人の名誉を毀損した者は、その事実の有無にかかわらず、三年以下の懲役若しくは禁錮又は五十万円以下の罰金に処する。
２ 死者の名誉を毀損した者は、虚偽の事実を摘示することによってした場合でなければ、罰しない。

43 【刑法第 231 条】
事実を摘示しなくても、公然と人を侮辱した者は、拘留又は科料に処する。

44 【刑法第 233 条】
虚偽の風説を流布し、又は偽計を用いて、人の信用を毀損し、又はその業務を妨害した者は、三年以下の懲役又は五十万円以下の罰金に処する。

45 【刑法第 234 条】
威力を用いて人の業務を妨害した者も、前条の例による。

46 【刑法第 234 条の２】
１ 人の業務に使用する電子計算機若しくはその用に供する電磁的記録を損壊し、若しくは人の業務に使用する電子計算機に虚偽の情報若しくは不正な指令を与え、又はその他の方法により、電子計算機に使用目的に沿うべき動作をさせず、又は使用目的に反する動作をさせて、人の業務を妨害した者は、五年以下の懲役又は百万円以下の罰金に処する。
２ 前項の罪の未遂は、罰する。

第五講 刑法学入門

① 窃盗及び強盗の罪

窃盗及び強盗の罪には、窃盗罪（刑法第235条[47]）、不動産侵奪罪（刑法第235条の2[48]）、強盗罪（刑法第236条[49]第1項）、強盗利得罪（刑法第236条第2項）、事後強盗罪（刑法第238条[50]）、昏睡強盗罪（刑法第239条[51]）、強盗致死傷罪（刑法第240条[52]）、強盗強制性交等罪（刑法第241条[53]）、強盗予備罪（刑法第237条[54]）等があります。

47　【刑法第235条】
他人の財物を窃取した者は、窃盗の罪とし、十年以下の懲役又は五十万円以下の罰金に処する。

48　【刑法第235条の2】
他人の不動産を侵奪した者は、十年以下の懲役に処する。

49　【刑法第236条】
1　暴行又は脅迫を用いて他人の財物を強取した者は、強盗の罪とし、五年以上の有期懲役に処する。
2　前項の方法により、財産上不法の利益を得、又は他人にこれを得させた者も、同項と同様とする。

50　【刑法第238条】
窃盗が、財物を得てこれを取り返されることを防ぎ、逮捕を免れ、又は罪跡を隠滅するために、暴行又は脅迫をしたときは、強盗として論ずる。

51　【刑法第239条】
人を昏酔させてその財物を盗取した者は、強盗として論ずる。

52　【刑法第240条】
強盗が、人を負傷させたときは無期又は六年以上の懲役に処し、死亡させたときは死刑又は無期懲役に処する。

53　【刑法第241条】
1　強盗の罪若しくはその未遂罪を犯した者が強制性交等の罪（第百七十九条第二項の罪を除く。以下この項において同じ。）若しくはその未遂罪をも犯したとき、又は強制性交等の罪若しくはその未遂罪を犯した者が強盗の罪若しくはその未遂罪をも犯したときは、無期又は七年以上の懲役に処する。
2　前項の場合のうち、その犯した罪がいずれも未遂罪であるときは、人を死傷させたときを除き、その刑を減軽することができる。ただし、自己の意思によりいずれかの犯罪を中止したときは、その刑を減軽し、又は免除する。
3　第一項の罪に当たる行為により人を死亡させた者は、死刑又は無期懲役に処する。

54　【刑法第237条】
強盗の罪を犯す目的で、その予備をした者は、二年以下の懲役に処する。

② 詐欺及び恐喝の罪

詐欺及び恐喝の罪には、詐欺罪（刑法第 246 条[55]第１項）、詐欺利得罪（刑法第 246 条第２項）、電子計算機使用詐欺罪（刑法第 246 条の２[56]）、背任罪（刑法第 247 条[57]）、恐喝罪（刑法第 249 条[58]第１項）、恐喝利得罪（刑法第 249 条第２項）等があります。

③ 横領の罪

横領の罪には、単純横領罪（刑法第 252 条[59]）、業務上横領罪（刑法第 253 条[60]）、占有離脱物横領罪（刑法第 254 条[61]）があります。

55 【刑法第 246 条】
１ 人を欺いて財物を交付させた者は、十年以下の懲役に処する。
２ 前項の方法により、財産上不法の利益を得、又は他人にこれを得させた者も、同項と同様とする。

56 【刑法第 246 条の２】
前条に規定するもののほか、人の事務処理に使用する電子計算機に虚偽の情報若しくは不正な指令を与えて財産権の得喪若しくは変更に係る不実の電磁的記録を作り、又は財産権の得喪若しくは変更に係る虚偽の電磁的記録を人の事務処理の用に供して、財産上不法の利益を得、又は他人にこれを得させた者は、十年以下の懲役に処する。

57 【刑法第 247 条】
他人のためにその事務を処理する者が、自己若しくは第三者の利益を図り又は本人に損害を加える目的で、その任務に背く行為をし、本人に財産上の損害を加えたときは、五年以下の懲役又は五十万円以下の罰金に処する。

58 【刑法第 249 条】
１ 人を恐喝して財物を交付させた者は、十年以下の懲役に処する。
２ 前項の方法により、財産上不法の利益を得、又は他人にこれを得させた者も、同項と同様とする。

59 【刑法第 252 条】
１ 自己の占有する他人の物を横領した者は、五年以下の懲役に処する。
２ 自己の物であっても、公務所から保管を命ぜられた場合において、これを横領した者も、前項と同様とする。

60 【刑法第 253 条】
業務上自己の占有する他人の物を横領した者は、十年以下の懲役に処する。

61 【刑法第 254 条】
遺失物、漂流物その他占有を離れた他人の物を横領した者は、一年以下の懲役又は十万円以下の罰金若しくは科料に処する。

④ 盗品等に関する罪

盗品等に関する罪には、盗品無償譲受罪（刑法第256条[62]第1項)、盗品有償譲受罪（刑法第256条第2項）等があります。

⑤ 毀棄及び隠匿の罪

毀棄及び隠匿の罪には、公用文書等毀棄罪（刑法第258条[63])、私用文書等毀棄罪（刑法第259条[64])、建造物等損壊罪（刑法第260条[65]前段)、建造物等損壊致死傷罪（刑法第260条後段)、器物損壊罪（刑法第261条[66])、信書隠匿罪（刑法第263条[67]）等があります。

2 社会的法益に対する罪

(1) 公共の平穏に対する罪

公共の平穏に対する罪には、騒乱の罪、放火及び失火の罪、往来を妨害する罪等があります。

62 【刑法第256条】
1 盗品その他財産に対する罪に当たる行為によって領得された物を無償で譲り受けた者は、三年以下の懲役に処する。
2 前項に規定する物を運搬し、保管し、若しくは有償で譲り受け、又はその有償の処分のあっせんをした者は、十年以下の懲役及び五十万円以下の罰金に処する。

63 【刑法第258条】
公務所の用に供する文書又は電磁的記録を毀棄した者は、三月以上七年以下の懲役に処する。

64 【刑法第259条】
権利又は義務に関する他人の文書又は電磁的記録を毀棄した者は、五年以下の懲役に処する。

65 【刑法第260条】
他人の建造物又は艦船を損壊した者は、五年以下の懲役に処する。よって人を死傷させた者は、傷害の罪と比較して、重い刑により処断する。

66 【刑法第261条】
前三条に規定するもののほか、他人の物を損壊し、又は傷害した者は、三年以下の懲役又は三十万円以下の罰金若しくは科料に処する。

67 【刑法第263条】
他人の信書を隠匿した者は、六月以下の懲役若しくは禁錮又は十万円以下の罰金若しくは科料に処する。

① 騒乱の罪

騒乱の罪には、騒乱罪（刑法第 106 条[68]）、多衆不解散罪（刑法第 107 条[69]）があります。

② 放火及び失火の罪

放火及び失火の罪には、現住建造物等放火罪（刑法第 108 条[70]）、非現住建造物等放火罪（刑法第 109 条[71]）、失火罪（刑法第 116 条[72]）、消火妨害罪（刑法第 114 条[73]）等があります。

68 【刑法第 106 条】

多衆で集合して暴行又は脅迫をした者は、騒乱の罪とし、次の区別に従って処断する。

一 首謀者は、一年以上十年以下の懲役又は禁錮に処する。

二 他人を指揮し、又は他人に率先して勢いを助けた者は、六月以上七年以下の懲役又は禁錮に処する。

三 付和随行した者は、十万円以下の罰金に処する。

69 【刑法第 107 条】

暴行又は脅迫をするため多衆が集合した場合において、権限のある公務員から解散の命令を三回以上受けたにもかかわらず、なお解散しなかったときは、首謀者は三年以下の懲役又は禁錮に処し、その他の者は十万円以下の罰金に処する。

70 【刑法第 108 条】

放火して、現に人が住居に使用し又は現に人がいる建造物、汽車、電車、艦船又は鉱坑を焼損した者は、死刑又は無期若しくは五年以上の懲役に処する。

71 【刑法第 109 条】

1 放火して、現に人が住居に使用せず、かつ、現に人がいない建造物、艦船又は鉱坑を焼損した者は、二年以上の有期懲役に処する。

2 前項の物が自己の所有に係るときは、六月以上七年以下の懲役に処する。ただし、公共の危険を生じなかったときは、罰しない。

72 【刑法第 116 条】

1 失火により、第百八条に規定する物又は他人の所有に係る第百九条に規定する物を焼損した者は、五十万円以下の罰金に処する。

2 失火により、第百九条に規定する物であって自己の所有に係るもの又は第百十条に規定する物を焼損し、よって公共の危険を生じさせた者も、前項と同様とする。

73 【刑法第 114 条】

火災の際に、消火用の物を隠匿し、若しくは損壊し、又はその他の方法により、消火を妨害した者は、一年以上十年以下の懲役に処する。

③ 往来を妨害する罪

往来を妨害する罪には、往来妨害罪（刑法第 124 条[74]第 1 項）、往来妨害致死傷罪（刑法第 124 条第２項）、往来危険罪（刑法第 125 条[75]）等があります。

（2）公衆の健康に対する罪

公衆の健康に対する罪には、あへん煙に関する罪、飲料水に関する罪があります。

① あへん煙に関する罪

あへん煙に関する罪には、あへん煙輸入罪（刑法第 136 条[76]）等があります。

② 飲料水に関する罪

飲料水に関する罪には、浄水汚染罪（刑法第 142 条[77]）、水道汚染罪（刑法第 143 条[78]）等があります。

74 【刑法第 124 条】
1 陸路、水路又は橋を損壊し、又は閉塞して往来の妨害を生じさせた者は、二年以下の懲役又は二十万円以下の罰金に処する。
2 前項の罪を犯し、よって人を死傷させた者は、傷害の罪と比較して、重い刑により処断する。

75 【刑法第 125 条】
1 鉄道若しくはその標識を損壊し、又はその他の方法により、汽車又は電車の往来の危険を生じさせた者は、二年以上の有期懲役に処する。
2 灯台若しくは浮標を損壊し、又はその他の方法により、艦船の往来の危険を生じさせた者も、前項と同様とする。

76 【刑法第 136 条】
あへん煙を輸入し、製造し、販売し、又は販売の目的で所持した者は、六月以上七年以下の懲役に処する。

77 【刑法第 142 条】
人の飲料に供する浄水を汚染し、よって使用することができないようにした者は、六月以下の懲役又は十万円以下の罰金に処する。

78 【刑法第 143 条】
水道により公衆に供給する飲料の浄水又はその水源を汚染し、よって使用することができないようにした者は、六月以上七年以下の懲役に処する。

（３）公共の信用に対する罪

公共の信用に対する罪には、通貨偽造の罪、文書偽造の罪、有価証券偽造の罪等があります。

①　通貨偽造の罪

通貨偽造の罪には、通貨偽造罪（刑法第148条[79]第１項）、偽造通貨行使罪（刑法第148条第２項）等があります。

②　文書偽造の罪

文書偽造の罪には、公文書偽造罪（刑法第155条[80]）、私文書偽造罪（刑法第159条[81]）等があります。

79　【刑法第148条】

１　行使の目的で、通用する貨幣、紙幣又は銀行券を偽造し、又は変造した者は、無期又は三年以上の懲役に処する。

２　偽造又は変造の貨幣、紙幣又は銀行券を行使し、又は行使の目的で人に交付し、若しくは輸入した者も、前項と同様とする。

80　【刑法第155条】

１　行使の目的で、公務所若しくは公務員の印章若しくは署名を使用して公務所若しくは公務員の作成すべき文書若しくは図画を偽造し、又は偽造した公務所若しくは公務員の印章若しくは署名を使用して公務所若しくは公務員の作成すべき文書若しくは図画を偽造した者は、一年以上十年以下の懲役に処する。

２　公務所又は公務員が押印し又は署名した文書又は図画を変造した者も、前項と同様とする。

３　前二項に規定するもののほか、公務所若しくは公務員の作成すべき文書若しくは図画を偽造し、又は公務所若しくは公務員が作成した文書若しくは図画を変造した者は、三年以下の懲役又は二十万円以下の罰金に処する。

81　【刑法第159条】

１　行使の目的で、他人の印章若しくは署名を使用して権利、義務若しくは事実証明に関する文書若しくは図画を偽造し、又は偽造した他人の印章若しくは署名を使用して権利、義務若しくは事実証明に関する文書若しくは図画を偽造した者は、三月以上五年以下の懲役に処する。

２　他人が押印し又は署名した権利、義務又は事実証明に関する文書又は図画を変造した者も、前項と同様とする。

３　前二項に規定するもののほか、権利、義務又は事実証明に関する文書又は図画を偽造し、又は変造した者は、一年以下の懲役又は十万円以下の罰金に処する。

③ 有価証券偽造の罪

有価証券偽造の罪には、有価証券偽造罪（刑法第 162 条[82]）等があります。

（4）風俗に対する罪

風俗に対する罪には、猥褻及び重婚の罪、賭博及び富くじに関する罪等があります。

① 猥褻及び重婚の罪

猥褻及び重婚の罪には、公然猥褻罪（刑法第 174 条[83]）、猥褻物頒布罪（刑法第 175 条[84]）、重婚罪（刑法第 184 条[85]）があります。

② 賭博及び富くじに関する罪

賭博及び富くじに関する罪には、単純賭博罪（刑法第 185 条[86]）等があります。

82 【刑法第 162 条】

1 行使の目的で、公債証書、官庁の証券、会社の株券その他の有価証券を偽造し、又は変造した者は、三月以上十年以下の懲役に処する。

2 行使の目的で、有価証券に虚偽の記入をした者も、前項と同様とする。

83 【刑法第 174 条】

公然とわいせつな行為をした者は、六月以下の懲役若しくは三十万円以下の罰金又は拘留若しくは科料に処する。

84 【刑法第 175 条】

1 わいせつな文書、図画、電磁的記録に係る記録媒体その他の物を頒布し、又は公然と陳列した者は、二年以下の懲役若しくは二百五十万円以下の罰金若しくは科料に処し、又は懲役及び罰金を併科する。電気通信の送信によりわいせつな電磁的記録その他の記録を頒布した者も、同様とする。

2 有償で頒布する目的で、前項の物を所持し、又は同項の電磁的記録を保管した者も、同項と同様とする。

85 【刑法第 184 条】

配偶者のある者が重ねて婚姻をしたときは、二年以下の懲役に処する。その相手方となって婚姻をした者も、同様とする。

86 【刑法第 185 条】

賭博をした者は、五十万円以下の罰金又は科料に処する。ただし、一時の娯楽に供する物を賭けたにとどまるときは、この限りでない。

3　国家的法益に対する罪

（1）国家の存立に対する罪

国家の存立に対する罪には、内乱に関する罪、外患に関する罪、国交に関する罪があります。

①　内乱に関する罪

内乱に関する罪には、内乱罪（刑法第77条[87]）等があります。

②　外患に関する罪

外患に関する罪には、外患誘致罪（刑法第81条[88]）等があります。

③　国交に関する罪

国交に関する罪には、外国国章損壊罪（刑法第92条[89]）等があります。

（2）国家の作用に対する罪

国家の作用に対する罪には、公務の執行を妨害する罪、逃走の罪、犯人蔵匿及び証拠隠滅の罪、偽証の罪、虚偽告訴の罪、汚職の罪があります。

87　【刑法第77条】
1　国の統治機構を破壊し、又はその領土において国権を排除して権力を行使し、その他憲法の定める統治の基本秩序を壊乱することを目的として暴動をした者は、内乱の罪とし、次の区別に従って処断する。
一　首謀者は、死刑又は無期禁錮に処する。
二　謀議に参与し、又は群衆を指揮した者は無期又は三年以上の禁錮に処し、その他諸般の職務に従事した者は一年以上十年以下の禁錮に処する。
三　付和随行し、その他単に暴動に参加した者は、三年以下の禁錮に処する。
2　前項の罪の未遂は、罰する。ただし、同項第三号に規定する者については、この限りでない。

88　【刑法第81条】
外国と通謀して日本国に対し武力を行使させた者は、死刑に処する。

89　【刑法第92条】
1　外国に対して侮辱を加える目的で、その国の国旗その他の国章を損壊し、除去し、又は汚損した者は、二年以下の懲役又は二十万円以下の罰金に処する。
2　前項の罪は、外国政府の請求がなければ公訴を提起することができない。

第五講 刑法学入門

① 公務の執行を妨害する罪

公務の執行を妨害する罪には、公務執行妨害罪（刑法第 95 条[90]第 1 項）、職務強要罪（刑法第 95 条第２項）、封印等破棄罪（刑法第 96 条[91]）、強制執行妨害目的財産損壊罪（刑法第 96 条[92]の２）、強制執行行為妨害罪（刑法第 96 条の３[93]）、公契約関係競売等妨害罪（刑法第 96 条の６[94]）等があります。

---

90 【刑法第 95 条】

1　公務員が職務を執行するに当たり、これに対して暴行又は脅迫を加えた者は、三年以下の懲役若しくは禁錮又は五十万円以下の罰金に処する。

2　公務員に、ある処分をさせ、若しくはさせないため、又はその職を辞させるために、暴行又は脅迫を加えた者も、前項と同様とする。

91 【刑法第 96 条】

公務員が施した封印若しくは差押えの表示を損壊し、又はその他の方法によりその封印若しくは差押えの表示に係る命令若しくは処分を無効にした者は、三年以下の懲役若しくは二百五十万円以下の罰金に処し、又はこれを併科する。

92 【刑法第 96 条の２】

強制執行を妨害する目的で、次の各号のいずれかに該当する行為をした者は、三年以下の懲役若しくは二百五十万円以下の罰金に処し、又はこれを併科する。情を知って、第三号に規定する譲渡又は権利の設定の相手方となった者も、同様とする。

一　強制執行を受け、若しくは受けるべき財産を隠匿し、損壊し、若しくはその譲渡を仮装し、又は債務の負担を仮装する行為

二　強制執行を受け、又は受けるべき財産について、その現状を改変して、価格を減損し、又は強制執行の費用を増大させる行為

三　金銭執行を受けるべき財産について、無償その他の不利益な条件で、譲渡をし、又は権利の設定をする行為

93 【刑法第 96 条の３】

1　偽計又は威力を用いて、立入り、占有者の確認その他の強制執行の行為を妨害した者は、三年以下の懲役若しくは二百五十万円以下の罰金に処し、又はこれを併科する。

2　強制執行の申立てをさせず又はその申立てを取り下げさせる目的で、申立権者又はその代理人に対して暴行又は脅迫を加えた者も、前項と同様とする。

94 【刑法第 96 条の６】

1　偽計又は威力を用いて、公の競売又は入札で契約を締結するためのものの公正を害すべき行為をした者は、三年以下の懲役若しくは二百五十万円以下の罰金に処し、又はこれを併科する。

2　公正な価格を害し又は不正な利益を得る目的で、談合した者も、前項と同様とする。

②　逃走の罪

逃走の罪には、単純逃走罪（刑法第97条[95]）、加重逃走罪（刑法第98条[96]）、逃走援助罪（刑法第100条[97]）等があります。

③　犯人蔵匿及び証拠隠滅の罪

犯人蔵匿及び証拠隠滅の罪には、犯人蔵匿罪（刑法第103条[98]）、証拠隠滅罪（刑法第104条[99]）等があります。

④　偽証の罪

偽証の罪には、偽証罪（刑法第169条[100]）、虚偽鑑定罪（刑法第171条[101]）、虚偽通訳罪（刑法第171条）があります。

95　【刑法第97条】
　裁判の執行により拘禁された既決又は未決の者が逃走したときは、一年以下の懲役に処する。

96　【刑法第98条】
　前条に規定する者又は勾引状の執行を受けた者が拘禁場若しくは拘束のための器具を損壊し、暴行若しくは脅迫をし、又は二人以上通謀して、逃走したときは、三月以上五年以下の懲役に処する。

97　【刑法第100条】
1　法令により拘禁された者を逃走させる目的で、器具を提供し、その他逃走を容易にすべき行為をした者は、三年以下の懲役に処する。
2　前項の目的で、暴行又は脅迫をした者は、三月以上五年以下の懲役に処する。

98　【刑法第103条】
　罰金以上の刑に当たる罪を犯した者又は拘禁中に逃走した者を蔵匿し、又は隠避させた者は、三年以下の懲役又は三十万円以下の罰金に処する。

99　【刑法第104条】
　他人の刑事事件に関する証拠を隠滅し、偽造し、若しくは変造し、又は偽造若しくは変造の証拠を使用した者は、三年以下の懲役又は三十万円以下の罰金に処する。

100　【刑法第169条】
　法律により宣誓した証人が虚偽の陳述をしたときは、三月以上十年以下の懲役に処する。

101　【刑法第171条】
　法律により宣誓した鑑定人、通訳人又は翻訳人が虚偽の鑑定、通訳又は翻訳をしたときは、前二条の例による。

⑤ 虚偽告訴の罪

虚偽告訴の罪には、虚偽告訴罪（刑法第 172 条[102]）があります。

⑥ 汚職の罪

汚職の罪には、公務員職権濫用罪（刑法第 193 条[103]）、特別公務員職権濫用罪（刑法第 194 条[104]）、特別公務員暴行陵虐罪（刑法第 195 条[105]）、単純収賄罪（刑法第 197 条[106]第 1 項前段）、受託収賄罪（刑法第 197 条第 1 項後段）、贈賄罪（刑法第 198 条[107]）等があります。

---

102 【刑法第 172 条】
人に刑事又は懲戒の処分を受けさせる目的で、虚偽の告訴、告発その他の申告をした者は、三月以上十年以下の懲役に処する。

103 【刑法第 193 条】
公務員がその職権を濫用して、人に義務のないことを行わせ、又は権利の行使を妨害したときは、二年以下の懲役又は禁錮に処する。

104 【刑法第 194 条】
裁判、検察若しくは警察の職務を行う者又はこれらの職務を補助する者がその職権を濫用して、人を逮捕し、又は監禁したときは、六月以上十年以下の懲役又は禁錮に処する。

105 【刑法第 195 条】
1 裁判、検察若しくは警察の職務を行う者又はこれらの職務を補助する者が、その職務を行うに当たり、被告人、被疑者その他の者に対して暴行又は陵辱若しくは加虐の行為をしたときは、七年以下の懲役又は禁錮に処する。
2 法令により拘禁された者を看守し又は護送する者がその拘禁された者に対して暴行又は陵辱若しくは加虐の行為をしたときも、前項と同様とする。

106 【刑法第 197 条】
1 公務員が、その職務に関し、賄賂を収受し、又はその要求若しくは約束をしたときは、五年以下の懲役に処する。この場合において、請託を受けたときは、七年以下の懲役に処する。
2 公務員になろうとする者が、その担当すべき職務に関し、請託を受けて、賄賂を収受し、又はその要求若しくは約束をしたときは、公務員となった場合において、五年以下の懲役に処する。

107 【刑法第 198 条】
第百九十七条から第百九十七条の四までに規定する賄賂を供与し、又はその申込み若しくは約束をした者は、三年以下の懲役又は二百五十万円以下の罰金に処する。

おわりに

紙面の関係上、学説についてはほとんど扱いませんでしたが、刑法は学説の対立が激しいため、学ぶのにとても興味深い分野です。また、犯罪を認定していく分野でもあるため、厳格な判断が必要となり、非常に理論的であると思います。そのため、今後は、是非より詳細な専門書や判例集にあたって、より深い理解に努めていただければと思います。
特に、実際にどのように判断したらよいのかわからないような事件が多々起こりますので、そのような事件にどのような判断を裁判所はしてきたのかを知るには判例の学習が不可欠です。

今後は、刑法学についてのより詳細な専門の基本書や判例集等にあたっていただき、より深い理解に努めていただければと思います。

第六講　刑事訴訟法学入門

はじめに

本講では、刑事訴訟法について学びます。刑事訴訟法は、刑事法分野における手続法です。刑事実体法である刑法を実現するための手続について規定しています。本書では、この刑事訴訟法の全体像を学んでいきたいと思います。

刑事訴訟法は刑事手続法に位置する法律です。つまり、刑事実体法である刑法が規定している犯罪が実際に行われていることを認定し、それが実際に行われているのであれば、刑法が規定している国家の刑罰権を発動させるという手続を規定した法律が刑事訴訟法となります。

刑法第199条[1]は、「人を殺した者は、死刑又は無期若しくは五年以上の懲役に処する。」と殺人罪について規定しています。つまり、「人を殺した者」というのが犯罪の成立要件で、その成立要件を充たすと、その効果として、国家はその行為を行った者に対して、「死刑又は無期若しくは五年以上の懲役」という刑罰権を発生させるということが刑法によって規定されているのです。確かに、刑法においては、「人を殺した者」には、「死刑又は無期若しくは五年以上の懲役」という刑罰が科されるということは規定されていますが、これはあくまでも観念的なものに過ぎません。というのも、その者が実際に間違いなく「人を殺した者」といえるのかどうか、国家は現実にこの者に対して「死刑又は無期若しくは五年以上の懲役」という刑罰を科すことができるのか、ということについては、法定された手続を経なければならないからです。つまり、観念的な規定である刑法の内容を実際に実現していく役割を担っているのがこの刑事訴訟法であるということです。

一　刑事訴訟法の根拠と位置付け

刑事訴訟法の根拠は、日本国憲法第31条[2]にあります。

1　【刑法第199条】
　人を殺した者は、死刑又は無期若しくは五年以上の懲役に処する。

2　【日本国憲法第31条】
　何人も、法律の定める手続によらなければ、その生命若しくは自由を奪はれ、又はその他の刑罰を科せられない。

この日本国憲法第31条は、「適正手続の保障」についての規定です。この「適正手続の保障」とは、日本国憲法が保障する人権の1つです。このことは、たとえ実体法上の犯罪の成立要件を充たしていたとしても、つまり、犯罪の構成要件に該当し、違法性阻却事由に該当せず、責任阻却事由にも該当していなかったとしても、「法律の定める手続」、つまり、適正手続によらなければ、刑罰に科せられないという権利があるということを意味しています。日本国憲法第31条は、適正手続によらなければ、刑罰に科せられないという権利が国民には保障されているということを規定しているのです。

この日本国憲法第31条にある「法律の定める手続」というのが、刑事訴訟法の規定する手続のことを意味していることから、刑事訴訟法の根拠は日本国憲法第31条にあるということとなるわけです。結果として、刑法上の要件を充たしていたとしても、刑事訴訟法上の手続によらなければ、刑法上の効果は発生しないということを日本国憲法第31条は権利として保障しているのです。

また、刑事訴訟法は、刑事手続について基本的な規定（根本的な規定については日本国憲法第31条から第40条に規定）がおかれており、より具体的かつ詳細な事項については、最高裁判所が規定する刑事訴訟規則におかれています（日本国憲法第77条[3]第1項)。

以上のように、刑事訴訟法は、日本国憲法第31条を根拠として、日本国憲法第32条から第40条までを具体化した規定をおいており、さらに詳細な規定については、最高裁判所が規定してる刑事訴訟規則においているのです。

二　刑事訴訟法の目的

刑事訴訟法の目的については、刑事訴訟法第1条[4]にその規定がおかれています。

3　【日本国憲法第77条】

1　最高裁判所は、訴訟に関する手続、弁護士、裁判所の内部規律及び司法事務処理に関する事項について、規則を定める権限を有する。

2　検察官は、最高裁判所の定める規則に従はなければならない。

3　最高裁判所は、下級裁判所に関する規則を定める権限を、下級裁判所に委任することができる。

4　【刑事訴訟法第1条】

この法律は、刑事事件につき、公共の福祉の維持と個人の基本的人権の保障とを全うしつつ、事案の真相を明らかにし、刑罰法令を適正且つ迅速に適用実現することを目的とする。

第六講 刑事訴訟法学入門

刑事訴訟法第1条には、「刑事事件につき、公共の福祉の維持と個人の基本的人権の保障とを全うしつつ、事案の真相を明らかにし、刑罰法令を適正且つ迅速に適用実現すること」を目的とするとしています。ここで、「刑罰法令を適正且つ迅速に適用実現すること」という部分については、刑事手続法である刑事訴訟法においては、当然の目的であるといえます。

重要なのは、「公共の福祉の維持と個人の基本的人権の保障とを全うしつつ、事案の真相を明らかにし」の部分です。ある人に刑罰を科すためには、その人が真に罪を犯したということを明らかにする必要があります。犯罪の真相を明らかにするためには、捜査によって証拠固めをしたり、実際の法廷の場で証言を得たりする必要が生じます。しかし、行き過ぎた捜査は拷問や自白の強要等によって人権侵害を生じます。そのため、日本国憲法においては、第33条[5]で「不当逮捕からの自由」を、第34条[6]で「理由なき抑留及び拘禁の禁止」を、第35条[7]で「不当な捜索、押収からの自由」を、第36条[8]で「拷問及び残虐な刑罰の禁止」を、第38条[9]で「不利益供述の強要からの自由」を規定しています。

5 【日本国憲法第33条】

何人も、現行犯として逮捕される場合を除いては、権限を有する司法官憲が発し、且つ理由となつてゐる犯罪を明示する令状によらなければ、逮捕されない。

6 【日本国憲法第34条】

何人も、理由を直ちに告げられ、且つ、直ちに弁護人に依頼する権利を与へられなければ、抑留又は拘禁されない。又、何人も、正当な理由がなければ、拘禁されず、要求があれば、その理由は、直ちに本人及びその弁護人の出席する公開の法廷で示されなければならない。

7 【日本国憲法第35条】

1 何人も、その住居、書類及び所持品について、侵入、捜索及び押収を受けることのない権利は、第三十三条の場合を除いては、正当な理由に基いて発せられ、且つ捜索する場所及び押収する物を明示する令状がなければ、侵されない。

2 捜索又は押収は、権限を有する司法官憲が発する各別の令状により、これを行ふ。

8 【日本国憲法第36条】

公務員による拷問及び残虐な刑罰は、絶対にこれを禁ずる。

9 【日本国憲法第38条】

1 何人も、自己に不利益な供述を強要されない。

2 強制、拷問若しくは脅迫による自白又は不当に長く抑留若しくは拘禁された後の自白は、これを証拠とすることができない。

3 何人も、自己に不利益な唯一の証拠が本人の自白である場合には、有罪とされ、又は刑罰を科せられない。

また、日本国憲法は、刑事被告人の権利として、第32条[10]及び第37条[11]で「裁判を受ける権利」を、第39条[12]で「刑罰不遡及及び一事不再理の原則」を、第40条[13]で「刑事補償制度」を規定しています。以上のように、日本国憲法においては、手厚い人権保障規定をおき、行き過ぎた捜査というものから個人の人権を保護しているのです。

しかし、ある人が実際に罪を犯していて、その人に適正な刑罰を科していくということも日本国憲法第31条からの要請です。また、先述したように、適正手続を保障することによって、個人の人権を保障していくということも憲法第31条からの要請です。つまり、犯罪の事案の真相を明らかにするという役割と、基本的人権の保障という一見相矛盾する要請に応える必要があります。

第一講の最後に、法はバランスの学問であると述べました。刑事訴訟法学においては、この犯罪の事案の真相を明らかにすることと基本的人権の保障とのバランスをどう図るべきかということを考える必要があります。

犯罪の事案の真相を明らかにすることよって、罪を犯した者を確実に処罰していく、しかし、不当な捜査や過度の刑罰、冤罪等が生じないように個人の人権保障を図っていく、この２つの要請に応えられるようにバランスを図りながら運用していく必要があるのです。刑事訴訟法は、そもそも、刑法の実現のための手続規定であるため、まずは犯罪の事案の真相を明らかにすることが目的となりますが、行き過ぎと疑われる場面においては、憲法の精神に立ち返って人権保障に適うように考えていかなければなりません。

10 【日本国憲法第32条】

何人も、裁判所において裁判を受ける権利を奪はれない。

11 【日本国憲法第37条】

1 すべて刑事事件においては、被告人は、公平な裁判所の迅速な公開裁判を受ける権利を有する。

2 刑事被告人は、すべての証人に対して審問する機会を充分に与へられ、又、公費で自己のために強制的手続により証人を求める権利を有する。

3 刑事被告人は、いかなる場合にも、資格を有する弁護人を依頼することができる。被告人が自らこれを依頼することができないときは、国でこれを附する。

12 【日本国憲法第39条】

何人も、実行の時に適法であつた行為又は既に無罪とされた行為については、刑事上の責任を問はれない。又、同一の犯罪について、重ねて刑事上の責任を問はれない。

13 【日本国憲法第40条】

何人も、抑留又は拘禁された後、無罪の裁判を受けたときは、法律の定めるところにより、国にその補償を求めることができる。

三　刑事訴訟手続の概要

刑事訴訟法は、刑事手続について規定しています。この刑事手続は、先述したように、「刑罰法令を適正且つ迅速に適用実現すること」をその目的としていますが、あくまでもこの目的は形式的なものであって、その目的の実質は、「事案の真相を明らか」にすることと、「公共の福祉の維持と個人の基本的人権の保障」です。それでは、「事案の真相を明らか」にすることと、「公共の福祉の維持と個人の基本的人権の保障」という実質的目的を達成するため、刑事訴訟法はどのような手続を経ることを予定しているのでしょうか。

1　犯罪の発生

刑事訴訟手続は、犯罪が発生しないことには開始されません。犯罪が発生しているからこそ、その後の手続を経るのであって、犯罪が発生していないのにこの後の手続を開始することは、犯罪が発生していないことから、「事案の真相を明らか」にすることともならないですし、「公共の福祉の維持と個人の基本的人権の保障」をすることもできず、むしろ、人権侵害の可能性すらあるといえます。

2　捜査の端緒

捜査の端緒とは、捜査機関が捜査活動を開始するきっかけとなるもののことをいいます。

捜査は、捜査機関が、犯罪があると思料するときに開始されるとされています（刑事訴訟法第189条[14]第2項）。そのため、捜査の端緒とは、捜査機関が犯罪があると思料し、捜査を開始するきっかけとなるものを意味します。

刑事訴訟法上規定のある捜査の端緒とされるものに、現行犯逮捕・検視・告訴・告発・請求・自首等が、刑事訴訟法上規定のない捜査の端緒とされるものに、職務質問・職務質問に伴う所持品検査・自動車検問等があります。これらはいずれも捜査機関において犯罪があると思料し、捜査を開始するきっかけとなるものとなります。

14　【刑事訴訟法第189条】

1　警察官は、それぞれ、他の法律又は国家公安委員会若しくは都道府県公安委員会の定めるところにより、司法警察職員として職務を行う。

2　司法警察職員は、犯罪があると思料するときは、犯人及び証拠を捜査するものとする。

3　捜査

（1）捜査の意義

捜査とは、犯罪の嫌疑があると認められる場合に、公訴の提起や追行のために、その犯罪を行ったものの身柄を発見及び確保したり、証拠を収集及び保全する行為のことをいいます。

捜査は、犯罪の事案の真相を明らかにする準備のために行われますが、その過程で、違法な証拠収集や自白の強要等個人の基本的人権を侵害する可能性が高いことから、「事案の真相を明らか」にすることと、「公共の福祉の維持と個人の基本的人権の保障」のバランスを図る必要が特に要請される場面であると考えられます。「事案の真相を明らか」にすることは当然重要なことではありますが、いかに「公共の福祉の維持と個人の基本的人権の保障」に配慮しつつ捜査活動を行うかが重要となります。そのため、捜査活動については、いかに人権侵害とならないようにするかということに配慮した制限規定が設けられています。

（2）捜査の目的

捜査の目的は、犯罪の事案の真相を明らかにするために行う公判手続を維持するための準備をすることです。

そもそも、犯罪の事案の真相を明らかにする目的は、この後実施される公訴提起から始まる公判手続を維持することにあります。捜査自体に目的があるということではありません。

公判手続を維持するためには、犯罪を行った者と疑われる被告人が法廷に在廷し、その被告人が犯罪を行ったと証明できる証拠の存在が必要となります。そこで、その公判の準備段階である捜査段階での目的は、①被疑者・被告人の身柄の確保と、②証拠の収集及び保全となります。

あくまでも、事案の真相を明らかにする公判手続の維持が目的であって、そのために、犯罪を行った者であると疑われる被疑者・被告人が法廷に在廷し、その被疑者・被告人が犯罪を行ったと証明できる証拠の存在が必要となることから、公判手続において、被告人が間違いなく在廷できるということであれば、あえて被疑者の身柄を確保すること、つまり、逮捕をする必要はありません。

刑事手続上、捜査自体に目的があるのではなく、あくまでも事案の真相を明らかにする公判手続の維持が目的であって、そのための捜査活動であるという視点が重要となります。

（3）捜査の基本原則

捜査の基本原則は、任意捜査であることです（刑事訴訟法第 197 条[15]第 1 項本文）。

先述したように、犯罪の事案の真相を明らかにするためには、その犯罪を行ったと疑われる被疑者・被告人の存在と、その犯罪を裏付ける証拠の存在が不可欠となります。そのためには、被疑者・被告人の身柄の確保と、証拠の収集及び保全を目的とした捜査活動が必要となります。しかし、身体の拘束・住居の捜索・物品の押収といった捜査活動は、人権侵害の危険性が非常に高いことも事実です。また、適正手続の保障（日本国憲法第 31 条）の要請から、不当な人権侵害が起こらないような捜査活動が求められます。そこで、相手方の同意を得る必要がある任意捜査が捜査活動における基本原則となります。

しかし、例外的に強制捜査を行うことができる場合があります。

強制捜査を行う場合には、刑事訴訟法は、刑事訴訟法上の規定に従う必要があるという強制処分法定主義を採用しています（刑事訴訟法第 197 条第 1 項但書）。

---

15 【刑事訴訟法第 197 条】

1 捜査については、その目的を達するため必要な取調をすることができる。但し、強制の処分は、この法律に特別の定のある場合でなければ、これをすることができない。

2 捜査については、公務所又は公私の団体に照会して必要な事項の報告を求めることができる。

3 検察官、検察事務官又は司法警察員は、差押え又は記録命令付差押えをするため必要があるときは、電気通信を行うための設備を他人の通信の用に供する事業を営む者又は自己の業務のために不特定若しくは多数の者の通信を媒介することのできる電気通信を行うための設備を設置している者に対し、その業務上記録している電気通信の送信元、送信先、通信日時その他の通信履歴の電磁的記録のうち必要なものを特定し、三十日を超えない期間を定めて、これを消去しないよう、書面で求めることができる。この場合において、当該電磁的記録について差押え又は記録命令付差押えをする必要がないと認めるに至つたときは、当該求めを取り消さなければならない。

4 前項の規定により消去しないよう求める期間については、特に必要があるときは、三十日を超えない範囲内で延長することができる。ただし、消去しないよう求める期間は、通じて六十日を超えることができない。

5 第二項又は第三項の規定による求めを行う場合において、必要があるときは、みだりにこれらに関する事項を漏らさないよう求めることができる。

また、強制捜査を行うに際しては、裁判所が発行する令状が必要となる令状主義も採用しています（日本国憲法第33条[16]及び第35条[17]、刑事訴訟法第219条[18]第1項）。

なお、刑事訴訟法上の規定によってのみ行政機関である捜査機関が強制捜査をすることができるという強制処分法定主義については、国民の代表である国会によって制定された刑事訴訟法によって強制捜査を制限していくことから、民主主義的な統制が及ぼされているということができます。

また、裁判所の発行する令状によって行政機関である捜査機関が強制捜査を許されるという令状主義については、裁判所によって強制捜査を制限していくことから、自由主義的な統制が及ぼされているということができます。

4 公訴提起

公訴提起とは、刑事訴訟における訴追の意思表示である公訴を提起することをいいます。起訴ともいいます。

なお、民事訴訟においては、訴えの提起といいます。

16 【日本国憲法第33条】

何人も、現行犯として逮捕される場合を除いては、権限を有する司法官憲が発し、且つ理由となつてゐる犯罪を明示する令状によらなければ、逮捕されない。

17 【日本国憲法第35条】

1 何人も、その住居、書類及び所持品について、侵入、捜索及び押収を受けることのない権利は、第三十三条の場合を除いては、正当な理由に基いて発せられ、且つ捜索する場所及び押収する物を明示する令状がなければ、侵されない。

2 捜索又は押収は、権限を有する司法官憲が発する各別の令状により、これを行ふ。

18 【刑事訴訟法第219条】

1 前条の令状には、被疑者若しくは被告人の氏名、罪名、差し押さえるべき物、記録させ若しくは印刷させるべき電磁的記録及びこれを記録させ若しくは印刷させるべき者、捜索すべき場所、身体若しくは物、検証すべき場所若しくは物又は検査すべき身体及び身体の検査に関する条件、有効期間及びその期間経過後は差押え、記録命令付差押え、捜索又は検証に着手することができず令状はこれを返還しなければならない旨並びに発付の年月日その他裁判所の規則で定める事項を記載し、裁判官が、これに記名押印しなければならない。

2 前条第二項の場合には、同条の令状に、前項に規定する事項のほか、差し押さえるべき電子計算機に電気通信回線で接続している記録媒体であつて、その電磁的記録を複写すべきものの範囲を記載しなければならない。

3 第六十四条第二項の規定は、前条の令状についてこれを準用する。

公訴提起は、原則として、国家機関である検察官のみが行うことができます（刑事訴訟法第 247 条[19]）。他の国家機関には公訴を提起する権限がありません。このことを起訴独占主義といいます。

また、公訴提起は、検察官による起訴状を裁判所に提出することによって行われます（刑事訴訟法第 256 条[20]第 1 項）。

公訴提起においては、被告人を特定するために、被告人の氏名その他被告人を特定するのに足りる事項（刑事訴訟法第 256 条第２項第 1 号）・どのような事実に基づいて公訴をするのかを示す公訴事実（刑事訴訟法第 256 条第２項第２号）・どのような罪を犯したのかを示す罪名（刑事訴訟法第 256 条第２項第３号）を記載しなければならないこととされています（刑事訴訟法第 256 条第２項）。

なお、公訴事実には、訴因（犯罪事実の要点）を明示しなければならず（刑事訴訟法第 256 条第３項前段）、できる限り日時・場所及び方法をもって罪となるべき事実を特定しなければならないとされています（刑事訴訟法第 256 条第３項後段）。また、罪名は、適用すべき罰条を示さなければならないとされています（刑事訴訟法第 256 条第４項本文）。

起訴状には、裁判官に事件についての予断を抱かせるような書類やその他の物を添附したり、その内容を引用したりしてはならないとされています（刑事訴訟法第 256 条第６項）。

19 【刑事訴訟法第 247 条】

公訴は、検察官がこれを行う。

20 【刑事訴訟法第 256 条】

1 公訴の提起は、起訴状を提出してこれをしなければならない。

2 起訴状には、左の事項を記載しなければならない。

一 被告人の氏名その他被告人を特定するに足りる事項

二 公訴事実

三 罪名

3 公訴事実は、訴因を明示してこれを記載しなければならない。訴因を明示するには、できる限り日時、場所及び方法を以て罪となるべき事実を特定してこれをしなければならない。

4 罪名は、適用すべき罰条を示してこれを記載しなければならない。但し、罰条の記載の誤は、被告人の防禦に実質的な不利益を生ずる虞がない限り、公訴提起の効力に影響を及ぼさない。

5 数個の訴因及び罰条は、予備的に又は択一的にこれを記載することができる。

6 起訴状には、裁判官に事件につき予断を生ぜしめる虞のある書類その他の物を添附し、又はその内容を引用してはならない。

5　公判手続

（1）公判手続の意義

公判手続とは、公訴提起から判決が確定するまでのすべての手続のことをいいます（広義の公判手続）。また、公判期日の手続のみを意味する場合もあります（狭義の公判手続）。

公判期日とは、裁判所・当事者・利害関係人が公判廷に集まり、訴訟行為を行うことをいいます。

公判廷とは、公判を開く法廷のことをいいます。公判廷は、裁判所や裁判所の支部で開かれます（裁判所法第69条[21]第1項）。

（2）公判手続の基本原則

刑事訴訟における公判手続は、公正な裁判を行うために公判期日においてなされることが原則です。この原則を公判中心主義といいます。

また、この公判中心主義の原則は、以下の３つの原則によって維持されています。

①　公開主義

公開主義とは、一般国民が自由に公判の審判を傍聴することができるということをいいます。

日本国憲法上、刑事事件においては、被告人は、公平な裁判所の迅速な公開裁判を受ける権利が保障されています（日本国憲法第37条[22]第1項）。

21　【裁判所法第69条】

1　法廷は、裁判所又は支部でこれを開く。

2　最高裁判所は、必要と認めるときは、前項の規定にかかわらず、他の場所で法廷を開き、又はその指定する他の場所で下級裁判所に法廷を開かせることができる。

22　【日本国憲法第37条】

1　すべて刑事事件においては、被告人は、公平な裁判所の迅速な公開裁判を受ける権利を有する。

2　刑事被告人は、すべての証人に対して審問する機会を充分に与へられ、又、公費で自己のために強制的手続により証人を求める権利を有する。

3　刑事被告人は、いかなる場合にも、資格を有する弁護人を依頼することができる。被告人が自らこれを依頼することができないときは、国でこれを附する。

また、審理及び判決は、原則として、公開の法廷で行うこととされています（日本国憲法第82条[23]第1項）。

公開主義の原則は、公正な裁判を維持するための重要な原則であるとされています。

しかし、審理については、一定の例外が日本国憲法上規定されており（日本国憲法第82条第2項）、公開の方法についても、傍聴規則等によって一定の制限をされることもあります。

判決については、必ず公開しなければなりません（日本国憲法第82条）。

② 弁論主義

弁論主義とは、当事者の主張及び立証に基づいて審判を行うことをいいます。

刑事訴訟法上は、この弁論主義を原則としつつ、例外的に、裁判所の職権証拠調べ（刑事訴訟法第298条[24]第2項）や、訴因変更命令（刑事訴訟法第312条[25]第2項）等の職権主義を採用しています。

23 【日本国憲法第82条】

1 裁判の対審及び判決は、公開法廷でこれを行ふ。

2 裁判所が、裁判官の全員一致で、公の秩序又は善良の風俗を害する虞があると決した場合には、対審は、公開しないでこれを行ふことができる。但し、政治犯罪、出版に関する犯罪又はこの憲法第三章で保障する国民の権利が問題となつてゐる事件の対審は、常にこれを公開しなければならない。

24 【刑事訴訟法第298条】

1 検察官、被告人又は弁護人は、証拠調を請求することができる。

2 裁判所は、必要と認めるときは、職権で証拠調をすることができる。

25 【刑事訴訟法第312条】

1 裁判所は、検察官の請求があるときは、公訴事実の同一性を害しない限度において、起訴状に記載された訴因又は罰条の追加、撤回又は変更を許さなければならない。

2 裁判所は、審理の経過に鑑み適当と認めるときは、訴因又は罰条を追加又は変更すべきことを命ずることができる。

3 裁判所は、訴因又は罰条の追加、撤回又は変更があつたときは、速やかに追加、撤回又は変更された部分を被告人に通知しなければならない。

4 裁判所は、訴因又は罰条の追加又は変更により被告人の防禦に実質的な不利益を生ずる虞があると認めるときは、被告人又は弁護人の請求により、決定で、被告人に充分な防禦の準備をさせるため必要な期間公判手続を停止しなければならない。

③　口頭主義

口頭主義とは、口頭によって提供された訴訟資料に基づいて審判を行うことをいいます。

刑事訴訟法上、公判期日における審判は、原則として、口頭によって行われることとされています（刑事訴訟法第43条[26]第1項及び第305条[27]）。

26　【刑事訴訟法第43条】

1　判決は、この法律に特別の定のある場合を除いては、口頭弁論に基いてこれをしなければならない。

2　決定又は命令は、口頭弁論に基いてこれをすることを要しない。

3　決定又は命令をするについて必要がある場合には、事実の取調をすることができる。

4　前項の取調は、合議体の構成員にこれをさせ、又は地方裁判所、家庭裁判所若しくは簡易裁判所の裁判官にこれを嘱託することができる。

27　【刑事訴訟法第305条】

1　検察官、被告人又は弁護人の請求により、証拠書類の取調べをするについては、裁判長は、その取調べを請求した者にこれを朗読させなければならない。ただし、裁判長は、自らこれを朗読し、又は陪席の裁判官若しくは裁判所書記官にこれを朗読させることができる。

2　裁判所が職権で証拠書類の取調べをするについては、裁判長は、自らその書類を朗読し、又は陪席の裁判官若しくは裁判所書記官にこれを朗読させなければならない。

3　第二百九十条の二第一項又は第三項の決定があつたときは、前二項の規定による証拠書類の朗読は、被害者特定事項を明らかにしない方法でこれを行うものとする。

4　第二百九十条の三第一項の決定があつた場合における第一項又は第二項の規定による証拠書類の朗読についても、前項と同様とする。この場合において、同項中「被害者特定事項」とあるのは、「証人等特定事項」とする。

5　第百五十七条の六第四項の規定により記録媒体がその一部とされた調書の取調べについては、第一項又は第二項の規定による朗読に代えて、当該記録媒体を再生するものとする。ただし、裁判長は、検察官及び被告人又は弁護人の意見を聴き、相当と認めるときは、当該記録媒体の再生に代えて、当該調書の取調べを請求した者、陪席の裁判官若しくは裁判所書記官に当該調書に記録された供述の内容を告げさせ、又は自らこれを告げることができる。

6　裁判所は、前項の規定により第百五十七条の六第四項に規定する記録媒体を再生する場合において、必要と認めるときは、検察官及び被告人又は弁護人の意見を聴き、第百五十七条の五に規定する措置を採ることができる。

しかし、公訴提起をはじめとした重要な訴訟行為については、例外的に、書面主義を採用しています（刑事訴訟法第256条[28]第1項）。

（3）証拠

① 証拠の意義

証拠とは、裁判所が裁判の起訴となる犯罪事実を認定するための材料のことをいいます。

証拠は、裁判官が犯罪事実を認定する資料として、五官によって調べることができる人または有形物である証拠方法を意味する場合もありますし、裁判所が証拠方法を調べて得た内容である証拠資料を意味する場合もあります。

② 証拠裁判主義

証拠裁判主義とは、刑事裁判における犯罪事実の認定は証拠によらなければならないという原則のことをいいます（刑事訴訟法第317条[29]）。

証拠裁判主義を採用する趣旨は、犯罪事実の認定の過程を客観的な証拠によってなされなければならないこととし、裁判官の恣意的な犯罪事実の認定の判断を排除し、裁判の公平性を確保するところにあります。

---

28 【刑事訴訟法第256条】

1 公訴の提起は、起訴状を提出してこれをしなければならない。

2 起訴状には、左の事項を記載しなければならない。

一 被告人の氏名その他被告人を特定するに足りる事項

二 公訴事実

三 罪名

3 公訴事実は、訴因を明示してこれを記載しなければならない。訴因を明示するには、できる限り日時、場所及び方法を以て罪となるべき事実を特定してこれをしなければならない。

4 罪名は、適用すべき罰条を示してこれを記載しなければならない。但し、罰条の記載の誤は、被告人の防禦に実質的な不利益を生ずる虞がない限り、公訴提起の効力に影響を及ぼさない。

5 数個の訴因及び罰条は、予備的に又は択一的にこれを記載することができる。

6 起訴状には、裁判官に事件につき予断を生ぜしめる虞のある書類その他の物を添附し、又はその内容を引用してはならない。

29 【刑事訴訟法第317条】

事実の認定は、証拠による。

証拠には、証拠として公判廷で取り調べることができる適格性である証拠能力が認められる必要があります。証拠能力については、法律によって規定され、この証拠能力があると認められるためには、①その証拠が要証事実との間に必要最小限の証明力（証拠としての価値があること）があるという自然的関連性を有すること、②証拠の証明力の価値を誤らせる危険性がないという法律的関連性を有すること、③手続の適性を確保するために証拠から排除すべきであるという証拠禁止に該当しないことの３つの要件が必要となります。証拠能力を認定するためには以下のような原則があります。

A　伝聞法則

伝聞法則とは、公判廷外の供述を内容とする伝聞証拠については、原則として、証拠能力を認めないという法則のことをいいます（刑事訴訟法第320条[30]第１項）。

B　自白法則

自白法則とは、強制による自白等任意性のない自白について、証拠から排除する法則のことをいいます（日本国憲法第38条[31]第２項及び刑事訴訟法第319条[32]第１項）。

30　【刑事訴訟法第320条】

１　第三百二十一条乃至第三百二十八条に規定する場合を除いては、公判期日における供述に代えて書面を証拠とし、又は公判期日外における他の者の供述を内容とする供述を証拠とすることはできない。

２　第二百九十一条の二の決定があつた事件の証拠については、前項の規定は、これを適用しない。但し、検察官、被告人又は弁護人が証拠とすることに異議を述べたものについては、この限りでない。

31　【日本国憲法第38条】

１　何人も、自己に不利益な供述を強要されない。

２　強制、拷問若しくは脅迫による自白又は不当に長く抑留若しくは拘禁された後の自白は、これを証拠とすることができない。

３　何人も、自己に不利益な唯一の証拠が本人の自白である場合には、有罪とされ、又は刑罰を科せられない。

32　【刑事訴訟法第319条】

１　強制、拷問又は脅迫による自白、不当に長く抑留又は拘禁された後の自白その他任意にされたものでない疑のある自白は、これを証拠とすることができない。

２　被告人は、公判廷における自白であると否とを問わず、その自白が自己に不利益な唯一の証拠である場合には、有罪とされない。

３　前二項の自白には、起訴された犯罪について有罪であることを自認する場合を含む。

C　補強法則

補強法則とは、自白のみで有罪の心証を得られる場合であっても、それを補強する証拠がなければ有罪とすることはできないという法則のことをいいます（憲法第38条第３項及び刑事訴訟法第319条第２項）。

6　判決

公判手続において明らかになった犯罪事実を基に判決の言渡しをして、手続は終了します。

7　上訴

判決に不服がある場合の救済手段として上訴の手続が用意されています。

上訴とは、未確定の裁判に対して、上級の裁判所の審判による救済を求める不服申立ての手続のことをいいます。

この上訴の手続が認められる趣旨は、被告人に対する具体的救済を図ることと、法令の解釈や適用について統一性を図ることの２点にあるとされています。

上訴には、控訴・上告・抗告の３種類があります。

（1）控訴

控訴とは、第１審裁判所における終局判決に不服がある場合に、第２審裁判所に対する不服申立ての手続のことをいいます（刑事訴訟法第372条[33]）。具体的には、高等裁判所に対して控訴することとなります（裁判所法第16条[34]第１号）。

33　【刑事訴訟法第372条】

控訴は、地方裁判所又は簡易裁判所がした第一審の判決に対してこれをすることができる。

34　【裁判所法第16条】

高等裁判所は、左の事項について裁判権を有する。

一　地方裁判所の第一審判決、家庭裁判所の判決及び簡易裁判所の刑事に関する判決に対する控訴

二　第七条第二号の抗告を除いて、地方裁判所及び家庭裁判所の決定及び命令並びに簡易裁判所の刑事に関する決定及び命令に対する抗告

三　刑事に関するものを除いて、地方裁判所の第二審判決及び簡易裁判所の判決に対する上告

四　刑法第七十七条乃至第七十九条の罪に係る訴訟の第一審

（2）上告

上告とは、第２審裁判所における終局判決に不服がある場合に、第３審裁判所である最高裁判所に対する不服申立ての手続のことをいいます（刑事訴訟法第405条[35]）。

（3）抗告

抗告とは、裁判所による決定または命令に対する不服申立ての手続のことをいいます（刑事訴訟法第419条[36]）。

おわりに

刑事訴訟法においては、犯罪の真相を明らかにし、公益の安全を図るという目的と、個人の人権の保障という２つの目的を調和的に達成しなければなりません。その点に注意して考えていく必要があります。

本書では、あくまでも刑事訴訟法の全体像について俯瞰するにとどめました。

今後は、刑事訴訟法学についてのより詳細な専門の基本書や判例集等にあたっていただき、より深い理解に努めていただければと思います。

---

35 【刑事訴訟法第405条】

高等裁判所がした第一審又は第二審の判決に対しては、左の事由があることを理由として上告の申立をすることができる。

一 憲法の違反があること又は憲法の解釈に誤があること。

二 最高裁判所の判例と相反する判断をしたこと。

三 最高裁判所の判例がない場合に、大審院若しくは上告裁判所たる高等裁判所の判例又はこの法律施行後の控訴裁判所たる高等裁判所の判例と相反する判断をしたこと。

36 【刑事訴訟法第419条】

抗告は、特に即時抗告をすることができる旨の規定がある場合の外、裁判所のした決定に対してこれをすることができる。但し、この法律に特別の定のある場合は、この限りでない。

第Ⅳ部

公法学入門

第七講 憲法学入門

はじめに

本講では、憲法について学びます。憲法については、姉妹書の方でかなり詳細に扱っていることから、本書ではその中でも他の法と関係する重要な部分についてのみ扱いたいと思います。

そもそも、憲法とは、国家における統治組織や統治作用に関する基本を規定した法のことをいうとされています（固有の意味の憲法）。つまり、国家の存在を基礎付ける法が憲法なのです（憲法の授権規範性）。従って、およそ国家であれば、いかなる時代のいかなる国家であっても憲法という法は存在することとなります。また、憲法は、その国家の歴史・伝統・文化に立脚したものでなければならないとされています。そのため、その国家の憲法について知るということは、その国家そのもののことを知るための大きな一助となるともいえるのです。なお、ここにいう国家とは、国境によって明確に仕切られた国土を有し、国土の上に定住している国民が存在し、その国民が強制力を有する統治権（主権）によって法的に組織されている政治的実体のことであるとされています（国家の三要素）。

また、ここでいう憲法とは、『日本国憲法』といった憲法という名の法、いわゆる憲法典（形式的意味の憲法）には限られません。国会法・内閣法・裁判所法・公職選挙法等といった、その国家における統治組織や統治作用に関する法律等（法律・命令・規則）を含む法全般を意味することとなります（実質的意味の憲法）。従って、その国家の「カタチ」をより詳しく知るためには、その国家の憲法典のみならず、その国の法令等にも広く注目する必要があるのです。

憲法の本来的意味は先述したように、その国家における統治組織や統治作用に関する基本を規定した法のことをいうとされていますが、近代革命（アメリカ独立戦争やフランス革命等）以降、もう１つの重要な意味が加わることが通説的見解になっています。国家というものは、その国家を構成する国民一人ひとりと比較すると、非常に大きな権力を有しています。そのように強大な権力には、常に濫用の危険性が伴っているといわれています。国家が権力を濫用することは、結果的に、国民一人ひとりの権利や自由を侵害することを招来します。そこで、憲法の本来的な意味に、国家の権力を抑制することによって、国民一人ひとりの権利や自由を守る法（憲法の制限規範性）という意味を加えるのが今日的な憲法となっているのです。

以上のことから、憲法とは、国家の権力を抑制することによって、国民一人ひとりの権利・自由を守るための国家の基本法のことをいいます（立憲主義的意味の憲法）。この意味での憲法は、単に国家の「カタチ」のみを示すのではなく、その国家の「カタチ」が、その国家の構成員である国民一人ひとりの権利・自由を守ることができているかどうかを示すものです。このことは、単に「カタチ」を「カタチ」として学ぶのではなく、その「カタチ」が国民一人ひとりの権利・自由に資するかどうかといった視点が必要となることを意味します。

また、以上のような視点は、国家に対するものだけにはとどまりません。確かに、憲法は国家の「カタチ」を示すものです。しかし、先述したように、憲法は、その国家の法体系の頂点に位置し、下位の法は憲法に矛盾することは許されません（憲法の最高法規性）。つまり、国家だけではなく、その国家を構成する各地域においても、その憲法の原理や原則が浸透しているといえるのです。そのため、国家のみにとどまらず、その国家の中にある各地方や各地域においても、その地方や地域における住民一人ひとりの権利・自由が守られているかどうかといった視点でその地方や地域の「カタチ」を知ることに通ずるのです。

近代以降、人類は自らが生活する場所を選ぶことができるようになりました。このことによって、私たちが生活する地方や地域には、非常に多様な人々が生活するようになっています。当然、その中には社会的・経済的弱者といわれる人々も生活しています。多様な住民一人ひとりの権利・自由が守られているかどうかといった視点は、地域を単に制度面からのみ見るのではなく、生活面・実態面から考察するための重要な一助となるのではないでしょうか。

一　憲法総論

1　憲法の意義

憲法と法律とは、同じ法であってもその意義はまったく異なります。法律が、「国家が国民に対して守らせる法」を意味している（対国民規範）のに対して、憲法は、「国民が国家に対して守らせる法」を意味しています（対国家規範）。

先述したように、国家は強大な権力を有しており、その権力には、常に濫用の危険性が伴います。国家権力の濫用は、国民の権利や自由を侵害することを将来することから、「国家の権力を抑制することによって、国民一人ひとりの権利・自由を守るための国家の基本法」である憲法（立憲的意味の憲法）が必要となるのです。また、先述したように、憲法とは、「国家の存在を基礎づける法」としての意味も有しています（固有の意味の憲法）。

2　立憲主義

（1）立憲的意味の憲法

先述したように、立憲的意味の憲法とは、国家権力を抑制することにより、国民の権利・自由を確保することを目的とした憲法のことをいい、「国家権力を抑制し、国民の権利を守る基本法」を意味します。『フランス人権宣言』（1789年）第16条には、「権利の保障が確保されず、権力の分立が定められていないすべての社会は、憲法を有するものではない」と規定されていることから、立憲的意味の憲法が国家に対して、国民の人権保障を図ることと、権力分立制を採用する統治機構を備えることの２点を要求していることがわかります。そのため、近代憲法においては、人権保障について規定した権利章典の部分と、国家の権力分立制について規定した統治機構の部分を有していることが標準とされています。

（2）近代立憲主義と現代立憲主義

①　近代立憲主義

近代立憲主義とは、後述する近代的意味の憲法（近代立憲主義憲法）に基づいて国家運営を行うことをいいます。近代立憲主義は、18世紀末の近代市民革命(アメリカ独立戦争やフランス革命等)によって形成されてきました。ここで行われたことは前時代の否定、つまり、近世絶対王政に対する否定であり、そこを起点として近代立憲主義は成立します。

近代立憲主義憲法とは、近代立憲主義の諸原理（自由主義の原理・平等主義の原理・民主主義の原理）に基づいた憲法のことをいいます。近代立憲主義憲法においては、自由権の保障、いわゆる「国家からの自由」（自由主義の原理）を大原則の１つとしています。また、この「国家からの自由」は、国家の不平等な干渉を排除するという意味での平等を要求することとなり、この意味での平等を形式的平等（平等主義の原理）といいます。この平等主義の原理も近代立憲主義憲法の大原則の１つとなります。また、近世絶対王政の否定から、治める者と治められる者とについては同一性が求められるという、いわゆる「治者と被治者の自同性（同一性）」（民主主義の原理）も近代立憲主義憲法の大原則の１つとされ、ここでの民主主義の原理は、単なる多数決原理に基づくのではなく、少数者の権利・自由に配慮することから、特に、立憲民主主義といわれます。

近代立憲主義における国家観は、消極国家（夜警国家）といわれます。先述したように、近代立憲主義憲法の大原則の１つは、自由主義の原理であることから、国家は、可能な限り、個人や私人間の問題には干渉せず、その活動は、警察や外交、国防等の必要最低限の範囲に限った方が、国民の権利・自由の確保を図るためとなるとされていました。このことから、経済面においても自由主義の原理が採用されることとなり、資本主義経済体制が発展していくこととなりました。資本主義経済体制は、産業革命を契機に大いに発展するに至りましたが、無制限な自由競争を認めたために、富める者（資本家）はさらに富み、貧しき者（労働者）はさらに貧しくなり、貧富の差が増大していくこととなりました。資本主義経済体制は、まさに、社会的・経済的弱者の犠牲の上に成り立っているという様相を呈しており、以上のような矛盾を解消しない限り、犠牲となっている社会的・経済的弱者の権利・自由を確保することはできず、近代立憲主義は経済面においてその危機を迎えることとなったのです。

②　現代立憲主義

現代立憲主義とは、後述する現代的意味の憲法（現代立憲主義憲法）に基づいて国家運営を行うことをいいます。

現代立憲主義憲法とは、近代立憲主義の諸原理に修正を加えた原理に基づいた憲法のことをいいます。近代立憲主義に基づく資本主義経済が行き詰まり、貧富の差が増大したために、自由主義の原理、いわゆる「国家からの自由」を大原則にするだけでは近代立憲主義が本来有する目的、つまり、自由主義の原理・平等主義の原理・民主主義の原理の達成が困難となりました。そこで、それらに加え、生存権等の社会権の保障、いわゆる「国家による自由」（福祉主義の原理）を採用することによる修正を施し、貧富の差の是正を図ることとしました。以上のように近代立憲主義憲法を修正した憲法を現代立憲主義憲法といいます。現代立憲主義憲法は、1919年に制定された『ワイマール憲法』をその最初とします。『ワイマール憲法』は、初めて社会権規定をおいた画期的な憲法であり、その後に制定される憲法の模範とされました。

先述したように、近代立憲主義は、経済面から大いなる矛盾を抱えることとなりました。そのような矛盾を解消しない限り、犠牲となっている社会的・経済的弱者の権利や自由を確保することはできません。そこで、ロシア革命をはじめとする社会主義革命によってこの矛盾の解消を試みる国家と、近代立憲主義に修正を加えることによって資本主義経済体制の矛盾の解消を試みる国家の２つの潮流が出現しました。現代立憲主義は後者に該当します。

現代立憲主義における国家観は、積極国家（福祉国家）といわれます。現代立憲主義における国家観は近代立憲主義における消極国家（夜警国家）の修正として形成されました。この修正の目的は、資本主義経済体制の矛盾を解消することでした。したがって、その主眼となるのは、社会的・経済的弱者の救済（実質的平等）ということとなります。そこで、現代立憲主義憲法には社会権の保障規定がおかれています。また、社会権の保障実現のために、国家は、より積極的な活動が期待されるようになりました。つまり、行政権の役割が増大することとなったのです（行政権の肥大化）。このことが行政国家現象を招来することとなりました。しかし、いかに社会権が保障されるようになろうとも、「国家からの自由」がその基本であり、「国家による自由」はあくまでもその補完原理であることを忘れてはなりません。

3　個人の尊重の原理と憲法原理

（1）個人の尊重の原理

先述したように、国家は、その根本原理として、憲法という法によって統治をしています。我が国のように『日本国憲法』という成文の憲法典を有する国家もあれば、イギリスのように憲法典を有しない国家もあります。しかし、成文であれ、不文であれ、その統治の根本原理は憲法です。現在、世界の多くの国々において採用されているのは、先述した立憲主義という考え方です。立憲主義に基づく憲法を立憲的意味の憲法といいますが、そこで究極の価値を有するのが個人の尊重の原理です。価値相対主義を採用する憲法体系において、唯一、個人の尊重の原理は絶対的な価値を有しています。この個人の尊重の原理とは、文字通り個人を大切にするという「個人主義」のことを意味しますが、具体的には、①一人ひとりの個人が国政において最大限尊重されることと、②一人ひとりの個人が人たるに値する生活を営めることを意味します。個人の尊重の原理は憲法体系における根本原理であり、憲法とは、個人の尊重の原理を達成するための人権保障の体系であるともいえます。日本国憲法第 13 条[1]前段に、「すべて国民は、個人として尊重される。」とあることから、日本国においても究極の価値を有するということは明白であるといえるでしょう。

1　【日本国憲法第 13 条】
すべて国民は、個人として尊重される。生命、自由及び幸福追求に対する国民の権利については、公共の福祉に反しない限り、立法その他の国政の上で、最大の尊重を必要とする。

（2）憲法原理

憲法体系においては、個人の尊重の原理こそが究極の価値を有するのであり、個人の尊重の原理こそが究極の目的でもあります。一人ひとりの個人は、かけがえのない個性を有している存在として尊重されるべきです。憲法体系においては、個人の人権保障を通じて、個人の尊重の原理という究極の目的を達成しようとしています。しかし、どのように個人を尊重していくべきであるかは明確ではありません。そこで、憲法体系においては、以下の５つの指針となる基本原理を設けています。

① 自由主義の原理

第１の指針は、自由主義の原理となります。人は本来的には自由な存在です。従って、自由な存在である人は、国家による不当な干渉を受けるものではないとする自由主義の原理が重要となるのです。「国家からの自由」をその目的とする原理となります。個人の尊重の原理を達成するためには、各人の生き方を自分で決定できる人格的自立権の保障が不可欠となります。

② 民主主義の原理

第２の指針は、民主主義の原理となります。いかに自由主義の原理が重要であるとしても、完全なる自由は認められず、他者との関係においては、一定の制約に服することとなります。とはいうものの、恣意的に自由の制限を認めることは自由主義の原理に反することにもなります。また、人は１人では生きられず、社会において生活している社会的実在でもあります。従って、社会のルールによって個人の自由は保障されるという反面、社会のルールによって個人の自由は制約されることにもなります。社会のルールを作るのには、その社会のルールを守るべき者が作ることが最善の策となります。つまり、「治者と被治者の自同性（同一性）」を基本とした民主主義の原理が重要となるのです。

自由主義の原理を保障するためには、その統治手段として民主主義の原理が必要となるのです。つまり、自由主義の原理と民主主義の原理は、目的と手段の関係にあるといえます。それと同時に、自由主義の原理、特に、言論の自由が保障されていないと、民主主義の原理は、本来的な意味で機能することは困難となります。以上のことから、自由主義の原理と民主主義の原理とは、密接不可分の関係であるともいえます。

③ 平等主義の原理

第３の指針は、平等主義の原理となります。いかに話し合いの原理である民主主義の原理を確保しようとしても、その構成員に対して不平等な取り扱いが行われるのであれば、民主主義の原理は機能しません。そのため、各構成員は平等に扱われるべきであるという平等主義の原理が確保される必要があるのです。ここでいう平等とは、あくまでも国家の不平等な干渉を排除するという意味の形式的平等（＝機会の平等）を意味するのであって、各個人が平等（実質的平等）であるということまで要求されているわけではないことに注意が必要です。

平等主義の原理を保障するためには、その統治手段として民主主義の原理が必要となります。つまり、平等主義の原理と民主主義の原理は、目的と手段の関係にあるといえます。それと同時に、民主主義の原理を保障するためには、その構成員が平等である必要があることから、平等主義の原理が保障されている必要があります。以上のことから、平等主義の原理と民主主義の原理とは、密接不可分の関係であるともいえます。

④ 福祉主義の原理

第４の指針は、福祉主義の原理となります。資本主義経済の発展により、不平等状態が拡大したことから、実質的平等（＝条件の平等）を達成するために、社会的・経済的弱者を救済する必要が生じました。以上のように、個人の尊重の原理を保障するために、国家に対して、積極的作為（救済）を要請する原理を福祉主義の原理といいます。「国家による自由」をその目的とする原理となります。

個人の尊重の原理を確保するために、あえて国家の積極的な介入を要請することが福祉主義の原理の意味するところではありますが、強調し過ぎると、過大な国家権力の介入を招く危険性を有しており、自由主義の原理や平等主義の原理を毀損する可能性があります。従って、あくまでも個人の尊重の原理を達成するためには、「国家からの自由」を目的とする自由主義の原理がその本質的原理であって、「国家による自由」を目的とする福祉主義の原理は補完的原理であることを忘れてはなりません。

また、福祉主義の原理を自由主義の原理の補完的原理と解する以上、自由主義の原理と同様に、民主主義の原理という手段によってその目的を達成すべきです。従って、福祉主義の原理と民主主義の原理とは、目的と手段の関係にあるといえます。

⑤　平和主義の原理

第５の指針は、平和主義の原理となります。現代における戦争は、総力戦であり、個人の人権に対して、多大な制限や侵害することとなり、個人の尊重の原理の達成に対する大きな脅威となります。従って、個人の尊重の原理が保障されるためには、平和が保たれていなければならないとする平和主義の原理が必要不可欠となるのです。平和主義の原理は、すべての原理の大前提となる基底的原理となります。

二　人権保障

個人の尊重の原理という究極の目的を達成するための基準として５つの指針となる憲法原理（自由主義の原理・民主主義の原理・平等主義の原理・福祉主義の原理・平和主義の原理）が存在しているのではありますが、実際に、どのようにして個人の尊重の原理を達成していくべきなのでしょうか。「過去幾多の試練に堪え」（日本国憲法第97条[2]）ることによって、私たち人類は多くの人権を獲得してきました。また、それらの多くの人権は憲法典の中にカタログとして規定されています（日本国憲法第３章「国民の権利及び義務」）。従って、それらの人権を保障することによって、究極の目的である個人の尊重の原理を達成できることとなります。つまり、憲法体系における当面の目的は人権保障にあるといえるのです。

人権とは、人間がただ人間であるという理由だけで、生まれながらにして、当然に有することができる権利（生来的権利）のことをいいます。この人権は、固有性・普遍性・不可侵性という３つの性質を有するとされています。

1　人権の固有性

人権の固有性とは、人権が、個人に対して、憲法や国家から恩恵として与えられたものではなく、人間がただ人間であるという理由だけで、生まれながらにして当然に有することができる権利であるという人権の性質のことをいいます。

2　【日本国憲法第97条】
この憲法が日本国民に保障する基本的人権は、人類の多年にわたる自由獲得の努力の成果であつて、これらの権利は、過去幾多の試錬に堪へ、現在及び将来の国民に対し、侵すことのできない永久の権利として信託されたものである。

この人権の固有性は、日本国憲法第 11 条[3]後段の「現在及び将来の国民に与へられる」及び日本国憲法第 97 条の「信託されたものである」という文言に顕われています。

2 人権の普遍性

人権の普遍性とは、人権が、人種や性別等に関係なく、人間がただ人間であるという理由だけで当然に有することができる権利であるという人権の性質のことをいいます。

この人権の普遍性は、日本国憲法第 11 条前段の「国民は、すべての基本的人権の享有を妨げられない」という文言に顕われています。

3 人権の不可侵性

人権の不可侵性とは、人権が、原則として、公権力によって侵害されてはならない権利であるという人権の性質のことをいいます。

この人権の不可侵性は、日本国憲法第 11 条後段及び第 97 条の「侵すことのできない永久の権利」という文言に顕われています。

また、この人権の不可侵性は、あらゆる人権が絶対無制約であるということを意味しているわけではありません。人権には一定の限界があり、その限界がどのようなもので、どのような基準によって、その制約を必要最小限度としていくかということが憲法学においては重要な視点とります。

三 統治機構

先述したように、立憲主義憲法においては、国民の人権保障を図ることの他に、権力分立制を採用する統治機構を備えることが要求されます。

この権力分立制とは、国家権力を、立法権・行政権・司法権の各権力に分割し、互いに独立した別個の機関に担当させ、各権力間において、相互に抑制と均衡（Check & Balance）を図ることによって、個人の権利・自由を保障する制度のことをいいます。この権力分立制の趣旨は、国家権力の集中によって生じる権力の濫用を防止し、個人の権利・自由を確保することにあります。

3 【日本国憲法第 11 条】

国民は、すべての基本的人権の享有を妨げられない。この憲法が国民に保障する基本的人権は、侵すことのできない永久の権利として、現在及び将来の国民に与へられる。

1　立法権（国会）

国会とは、立法権を行使することを主な任務とする国家機関のことをいい、国権の最高機関（日本国憲法第41条[4]）・国の唯一の立法機関（日本国憲法第41条）・国民代表機関（日本国憲法第43条[5]第1項）としての３つの地位を有しています。

立憲主義的な憲法においては、国民の意思（民意）が国政に反映されていることを要求しますが、代表民主制においては、国民は代表機関である国会を通じて行動し、国会の行動は民意を反映するものとみなされます。つまり、内閣や裁判所とは異なり、民意は国会に対して直接的に反映されることから、国権の最高機関とされるのです。

2　行政権（内閣）

行政権は内閣に属します（日本国憲法第65条[6]）。しかし、行政権が内閣に属するという意味は、行政権すべてが合議体である内閣によって行使されるということではありません。このことは、日本国憲法上、内閣以外の機関が行政を担当することが認められていることや、内閣に認められた権限についても内閣が単独でこれを行使するわけではないことから明らかです。

資本主義が高度に発達した現代社会においては、資本主義の矛盾を解消すべく国家が積極的に国民生活に関与することが要求されます（福祉主義の原理）。この要求に応じるためには、専門技術的判断能力及び迅速かつ円滑な対応能力が必要となります。そのため、以上のような能力を有する行政権の機能が拡大（行政権の肥大化）し、本来的に法の執行機関であるに過ぎない行政権が国家の基本的政策決定の中心的役割を担うこととなっています（行政国家化現象）。ここで行政の意味が重要となります。通説的見解は、行政とは、国家のなすべき役割の中から、法律等の規範を定立する役割である立法権・裁判を行う役割である司法権を除くものすべてを意味するとされています（消極説＝控除説）。

4　【日本国憲法第41条】
　国会は、国権の最高機関であつて、国の唯一の立法機関である。

5　【日本国憲法第43条】
　1　両議院は、全国民を代表する選挙された議員でこれを組織する。
　2　両議院の議員の定数は、法律でこれを定める。

6　【日本国憲法第65条】
　行政権は、内閣に属する。

このことから、国家のなすべき役割が拡大すれば行政の役割も増えることとなるため、いかに国家の役割を減らし、行政権の役割を減らせるかが今日的な課題となっています。

また、内閣は、国会における多数派によって構成されることから、国会を通じて間接的に民意が反映されているということができます。

3 司法権（裁判所）

裁判所とは、様々な訴訟に対して司法権を行使し、その解決を図る国家機関のことをいいます（日本国憲法第76条[7]第1項）。裁判所と国会や内閣との違いは、他の両者が能動的な機関であることに対して、裁判所は受動的な機関であることです。また、違憲審査権を付与されていることにより、国家行為の合憲性の統制機関としての役割を与えられている点でも他の国家機関とは異なっています。

この裁判所が担う司法権とは、当事者間の具体的な法律上の争訟（裁判所法第３条[8]第１項）について、当事者の訴えの提起により、法を解釈・適用し、宣言することによって、これを裁定する国家の役割のことをいいます。

国会や内閣に対しては、国民の多数派の民意が反映されることとなりますが、裁判所には、直接的にも間接的にも積極的に民意が反映されることはありません。このことから裁判所は「少数派人権の最後の砦」といわれます。

しかし、裁判所も国家機関（公権力）の１つであることを忘れてはなりません。そのため、積極的に民意を及ぼすことはできませんが、消極的に民意を及ぼし司法権を制御する手段として、国民審査制度があります。

7 【日本国憲法第76条】
1 すべて司法権は、最高裁判所及び法律の定めるところにより設置する下級裁判所に属する。
2 特別裁判所は、これを設置することができない。行政機関は、終審として裁判を行ふことができない。
3 すべて裁判官は、その良心に従ひ独立してその職権を行ひ、この憲法及び法律にのみ拘束される。

8 【裁判所法第３条】
1 裁判所は、日本国憲法に特別の定のある場合を除いて一切の法律上の争訟を裁判し、その他法律において特に定める権限を有する。
2 前項の規定は、行政機関が前審として審判することを妨げない。
3 この法律の規定は、刑事について、別に法律で陪審の制度を設けることを妨げない。

4　地方自治

地方自治とは、地方における政治及び行政を、地域住民の意思に基づいて、中央政府から独立した地方公共団体が、その権限と責任において自主的に処理することをいいます。

日本国憲法第 92 条[9]は、「地方公共団体の組織及び運営に関する事項は、地方自治の本旨に基いて、法律でこれを定める。」と規定しています。日本国憲法が、地方自治を保障した趣旨は、国家の権力を地方に分散することで、中央政府の権力を抑制し、その濫用から国民の権利や自由を守るという自由主義的意義の実現や、住民の自律的な意思による政治の実現により住民の様々な要求をきめ細かく実現し、国政レベルの代表民主制を補完することである民主主義的意義の実現を図ることにあります。前者から、地方公共団体が、国家の権能から独立した自治権を有することを意味する「団体自治」が、後者から、地方公共団体の運営が、住民の意思に基づいて行われることを意味する「住民自治」が導かれます。日本国憲法第 92 条にある「地方自治の本旨」とは、この団体自治及び住民自治のことをいいます。

おわりに

以上、非常に簡単ではありますが、憲法の全体像について確認してきました。憲法学においては、誰のどのような人権が問題となっているのか、その人権がどのように制約されているのか、その制約はどこまでなら認められるのかといった視点が重要となります。また、国家の各権限がどのように抑制と均衡が図られているのかといった視点も重要となります。

姉妹書では、これらの点について非常に詳細に記していますので、是非本書と併せて姉妹書も利用していただきたいと思います。

今後は、姉妹書を初め、憲法学についてのより詳細な専門の基本書や判例集等にあたっていただき、より深い理解に努めていただければと思います。

9　【日本国憲法第 92 条】
　地方公共団体の組織及び運営に関する事項は、地方自治の本旨に基いて、法律でこれを定める。

第八講 行政法学入門

はじめに

本講では、行政法について学びます。行政法には、これまで学んできた憲法・民法・刑法・商法・民事訴訟法・刑事訴訟法とは異なり、行政法という名称の法律が存在しません。憲法には日本国憲法という名の憲法典が、民法には民法典が、刑法には刑法典が、というように、これまで学んできた法には、その名のついた法典が存在していました。しかし、行政法には行政法という名の法典が存在しません。行政法というのは、単一の法律や法典の名称ではなく、行政機関の行う活動について規律する法分野のことをいいます。

そもそも、行政機関の行う活動というものは非常に多岐に渡っており、行政法という単一の法律によって規定できるものではなく、それぞれの行政活動の根拠となる根拠法令に基づいて活動することとなります。行政法という名の法典は存在しませんが、個々の行政活動の根拠となる個々の法令は存在しているのです。つまり、このような個々の根拠法令の集合体が行政法という法分野だということができます。また、このような個々の行政活動の根拠となる法律を実際の具体的な事例にあてはめることが行政法という法分野の重要な役割となります（各論的な部分の話）。

確かに、このような個々の行政活動の根拠となる法律を実際の事例にあてはめることとなりますが、これらの行政機関が行う様々な行政活動によっては、その行為が国民や住民の自由や権利を制限する可能性がある場合や、その行為が不公平に行われる可能性がある場合があります。そこで、行政機関によって、個人の自由や権利が制限されたり、不平等な行政活動が行われたりしないように、これらの様々な行政活動がどのような性質のものなのか、どのように分類ができるのか、という観点から分析や分類をし、それらを類型化し、それぞれの類型において、行政機関はどのように活動していけばよいのかという抽象的なルールを決めておくということも行政法という法分野の重要な役割となります（総論的な部分の話）。

以上のことから、行政活動は広範で多種多様なものであり、それらを規定している個々の根拠法令の数も膨大なものではありますが、総論的な行政法全体に通用する原則についてしっかりと理解した上で、個々の各論的な法律を個々の事例にあてはめていくという過程が、この行政法という法分野の理解にとって非常に重要となります。

行政法学を学ぶ上での重要な視点は、行政活動は広範で多種多様なものであっても、そこには必ず行政目的というものが存在し、それを達成するために行政機関は活動しているということを理解することです。しかも、ただ行政目的を達成すればよいというわけではなく、迅速かつ効率的な行政需要への対応が求められることとなります。しかし、行政需要に対する迅速かつ効率的な対応を過度に追求すると、国民や住民個人の権利・自由が制限されたり、不平等な行政活動が行われたりすることによる不都合が生じることとなります。そのため、そのようなことが起こらないように、後述する「法律による行政の原理」という原則に基づいて、行政機関は法律に従って行政活動を行わなければいけないこととして、行政権の濫用による国民や住民個人の自由や権利が侵害されることを防いだり、行政権の行使に対して民主的統制を及ぼすことを達成したりするようにしています。しかし、行政機関の活動を法律によって厳格に縛ると、かえって、多様な行政需要に対して、迅速かつ効率的な対応ができないこととなり、別の意味で、国民や住民個人の自由や権利が侵害されることを引き起こすこととなり得ません。つまり、行政目的を達成するということと、国民や住民の基本的人権を保障していくということは、ある意味、矛盾・衝突をすることとなるのです。第一講の最後に、法はバランスの学問であると述べました。行政法学を学ぶ上で、この行政目的の達成と基本的人権の保障とのバランスをどう図るべきかということは、最も重要な視点であるといえます。

一　行政法総論

1　行政法と行政

(1) 行政法の意義

資本主義が高度に発達した現代社会においては、資本主義の矛盾を解消すべく、国家が積極的に国民生活に関与することが要求されています（現代立憲主義)。この要求に応じるために、高度な専門技術的判断能力と迅速かつ円滑な対応能力が必要となり、このような能力を有する行政権の機能が拡大（行政権の肥大化）し、本来的には法の執行機関であるに過ぎない行政権が国家の基本的政策決定の中心的役割を担うこととなっています（行政国家化現象）。しかし、過度の行政国家化は、行政権に権力が集中することとなり、憲法が規定する権力分立制の制度趣旨を没却させる危険を生じ、結果的に自由主義への脅威となる可能性を秘めているのです。

また、行政権は、その権力基盤を主権者である国民に直接的にはおいていないことから、国民の意思と乖離した意思形成が行われる危険も生じ、結果的に民主主義への脅威となる可能性も秘めているのです。
そこで、いかに行政権を規律するかが問題となってきます。具体的には、国民の民主的基盤を基礎とする立法権の規定した法律により行政権を規律していくこととなります。この行政権について規律する法が行政法です。

（2）行政の意義

行政法の目的は行政を規律することです。それでは、行政法の規律する行政とはどのようなものなのでしょうか。行政の意義については、積極説と消極説との2つの考え方があります。

① 積極説

行政とは、法の下に法の規制を受けながら、現実的・具体的に国家目的の積極的実現を目指して行われる、全体として統一性を有している形成的国家活動のことを意味します。

② 消極説

行政とは、国家作用の中から、立法作用と司法作用を除いたものを意味します。このような考え方から、消極説は控除説ともいわれます。現代社会においては、行政は複雑かつ多様化しており、行政の積極的定義は非常に困難です。また、絶対王政下において、国王に集中していた権力のうち、司法と立法とが分離・独立し、残ったものが行政とされたという歴史的沿革からもこの考え方が妥当だといえます。

（3）行政法の法源

① 行政法における成文法源

成文法源とは、成文化された法源のことをいいます。
行政法における成文法源は、成文化されている憲法・条約・法律・命令・条例等が該当します。

A 憲法

憲法（日本国憲法）は、国家の基本法であり、行政権についての基本原則をその中で規定していることから（日本国憲法第5章「内閣」）、行政法における成文法源となります。

B　条約

条約は、その条約が国内行政に関するものであれば、行政法における成文法源となります。

C　法律

行政権について規律する法律は、すべて、行政法の主要な成文法源となります。

D　命令

命令とは、立法権が制定される法である法律に対して、行政権が制定する法のことを意味します。命令には、政令・内閣府令・省令・規則があります。

この命令は、委任命令と執行命令のみが制定されることを許されており（日本国憲法第73条[1]第６号）、行政権が制定することから、行政法における成文法源となります。

E　条例

条例とは、地方行政の担い手である地方公共団体が、その自治権に基づいて制定する法のことを意味します。

この条例は、地方行政の担い手である地方公共団体の議会が制定する法であることから、行政法における成文法源となります。

②　行政法における不文法源

不文法源とは、成文化されていない法源のことをいいます。

行政法における不文法源は、成文化されていない慣習法・判例法・条理法等が該当します。

1　【日本国憲法第73条】

内閣は、他の一般行政事務の外、左の事務を行ふ。

一　法律を誠実に執行し、国務を総理すること。

二　外交関係を処理すること。

三　条約を締結すること。但し、事前に、時宜によつては事後に、国会の承認を経ることを必要とする。

四　法律の定める基準に従ひ、官吏に関する事務を掌理すること。

五　予算を作成して国会に提出すること。

六　この憲法及び法律の規定を実施するために、政令を制定すること。但し、政令には、特にその法律の委任がある場合を除いては、罰則を設けることができない。

七　大赦、特赦、減刑、刑の執行の免除及び復権を決定すること。

A 慣習法

行政の分野において、長年の慣習が法規範として認められることがあり、そのようなものを行政法上の慣習法といいます。行政法上の慣習法は、行政法における不文法源となります。

行政法における先例がこれに該当します。

B 判例法

判例法とは、これまでに問題となった行政訴訟についての裁判所の解決基準となり得るため、行政法における不文法源となります。

なお、判例は、主に最高裁判所の判決のことであるとされています。

C 条理法

条理法とは、法の一般原則のことを意味します。このような条理法は、法を解釈する上での基本原理となり、また、法の結果については補充原理として、行政法における不文法源となります。

（4）行政法の分類

① 行政組織法

行政組織法とは、行政主体がどのような組織であるかに関して規定した法のことをいいます。

この行政組織法で扱うのは、行政組織内部の問題となります。

② 行政作用法

行政作用法とは、行政主体が国民に対してどのような作用や活動を及ぼすのかに関して規定した法のことをいいます。

この行政作用法で扱うのは、国民と行政との間の問題となります。

③ 行政救済法

行政救済法とは、国民に対してした違法・不当な行政作用の是正や、そのような行政作用によって生じた損害の補填に関して規定した法のことをいいます。

この行政救済法で扱うのは、国民と行政との間の事後的問題となります。

（5）行政法における行政の分類

行政法における行政は、一般的に次の５つに分類されています。

① 規制行政（侵害行政）

規制行政（侵害行政）とは、権力を用いて国民の権利・利益を制限したり、剥奪したりすることによって、社会の秩序を保つための行政活動のことをいいます。

② 給付行政（受益行政）

給付行政（受益行政）とは、国民に一定の権利・利益を与え、公共の利益を増進させるための行政活動のことをいいます。

③ 調整行政

調整行政とは、私人間の紛争に対して、司法的解決方式に先立ち、行政機関が私人間の利害調整を担当する行政活動のことをいいます。

④ 調達行政

調達行政とは、行政活動を行うための必要な資金や土地を調達するための行政活動のことをいいます。

⑤ 私経済的行政

私経済的行政とは、私企業と同等の立場に立って行う行政活動のことをいいます。

2 行政法における諸原則

(1) 法律による行政の原理

① 法律による行政の原理の意義

法律による行政の原理とは、行政活動が立法権の制定する法律の規定に従って行われなければならないという根本原理のことをいいます。

行政権が、国会（立法権）の制定した法律に基づいて行政活動を行わなければならないという立法権と行政権との関係という事前的な関係を基本とした上で、行政権の実際に行った行政活動が、国会の制定した法律に違反していたような場合には、裁判所（司法権）に対して、これを違法とし、適法性の回復を要請するという司法権と行政権との関係という事後的な関係を要請することとなります。

法律による行政の原理は、行政活動を国民の代表者によって構成される立法権（日本国憲法第43条[2]第1項）が制定した法律（日本国憲法第41条[3]）に従わせることによって、公権力の恣意的な介入を防ぎ、国民の権利・自由の保護を図るという自由主義的意義と、行政活動を法律によって統制することによって国民の意思に従うという民主的統制の下におくことを図るという民主主義的要請からなります。

法律による行政の原理は、法治主義または法治行政ともいわれます。

②　法律による行政の原理における法律の概念

法律による行政の原理における法律は、国会の制定する規範である実質的意味の立法（日本国憲法第41条）を意味しています。実質的意味の立法は、国民の自由を制約したり、義務を課したりすることを内容とする法規事項に加え、行政組織に関する事項についても国民生活に大きな影響を及ぼすことから、民主的基盤を有する国会によって制定されるべきとされています。

A　組織規範

組織規範とは、特定の行政機関の組織に関して規定した規範のことをいいます。この組織規範は、国民の自由を制約したり、義務を課したりすることを内容とする法規事項ではありませんが、先述したように、行政機関の組織に関する事項についても国民生活に大きな影響を及ぼすことから、民主的基盤を有する国会によって制定されるべきとされています。そのため、組織規範である法律も、法律による行政の原理における法律に該当するとされています。

B　根拠規範

根拠規範とは、組織規範の存在を前提に、ある行政機関が一定の行政活動をするに際して必要とされる根拠について規定した規範のことをいいます。この根拠規範は、行政活動をするに際しての根拠規定であることから、国民の自由を制約したり、義務を課したりすることを内容とする法規事項に該当します。そのため、根拠規範である法律は、法律による行政の原理における法律に該当するとされています。

2　【日本国憲法第43条】
　1　両議院は、全国民を代表する選挙された議員でこれを組織する。
　2　両議院の議員の定数は、法律でこれを定める。

3　【日本国憲法第41条】
　国会は、国権の最高機関であつて、国の唯一の立法機関である。

C　規制規範

規制規範とは、根拠規範によって一定の行政活動をするに際して必要とされる根拠を与えられた行政機関が、どのようにどの行政活動を行っていくのかを規定した規範のことをいいます。

この規制規範は、ある行政活動をどのように行っていくかについて規定した規範であることから、国民の自由を制約したり、義務を課したりすることを内容とする法規事項に該当します。そのため、規制規範である法律は、法律による行政の原理における法律に該当するとされています。

③　法律による行政の原理の内容

先述したように、法律による行政の原理とは、行政活動は法律に従って行われなければならいという原則のことをいいます。この法律による行政の原理は、行政法を解釈する上で最も重要な原則となります。

行政法に関する事件を考えるに際しては、まず、この法律による行政の原理に違反しているかどうかを判断し、さらに、後述する、行政法上の一般原則として、平等原則・比例原則・信義誠実の原則・権利濫用禁止の原則・適正手続の原則・説明責任の原則・補完性の原則・効率性の原則等について検討することとなります。

この法律による行政の原理は、①法律の優位の原則、②法律の留保の原則、③法律の法規創造力の原則の３つの内容があるとされています。

A　法律の優位の原則

法律の優位の原則とは、行政活動が、存在する法律の規定に違反して行われてはならないとする原則のことをいいます。

この法律優位の原則により、法律に違反した行政活動が相当期間継続して行われた場合には、その行政活動は、法的拘束力を有することが認められないこととなります。

B　法律の留保の原則

法律留保の原則とは、行政活動を行うには、その根拠となる法律の存在が必要となるという原則のことをいいます。

なお、法律の留保には２つの意味があり、１つは、法律の規定に基づかなければ、国民の権利・自由を制限することはできないという上記の意味であり、もう１つは、法律の規定によりさえすれば、国民の権利・自由を制限することができるという意味です。後者は、法律の範囲内でのみ国民の権利・自由は認められないこととなることから批判されています。行政法の分野での法律の留保は、前者の意味で用いられています。

法律の留保の原則は、行政活動を行うには、その根拠となる法律の存在が必要となるという原則のことをいいますが、すべての行政活動に法律の根拠が必要となるのでしょうか。この点について、以下の３つの見解があります。

a　侵害留保説（行政実務の立場）

侵害留保説では、行政活動が、国民の権利・自由を権力的に（国民の意思によらないで一方的に）制限したり、侵害したりするようなものである場合（規制行政の場合）に限り、法律の規定の根拠が必要であるとされます。

侵害留保説においては、自由主義の原理を根拠に、国民の権利・自由が侵害される行政活動についてのみ法律の規定の根拠を要求すれば足りるといえることから、法律の規定の根拠は、規制行政についてのみ限定的に必要であるとされます。

侵害留保説においては、行政とは単なる法律の執行機関であることを意味するだけではなく、固有の行政領域というものを認めます。

b　全部留保説

全部留保説では、行政活動が、国民の権利・自由を権力的に制限したり、侵害したりするようなものである場合（規制行政の場合）であるか、国民に権利・自由を与えるようなものである場合（給付行政の場合）であるかを問わず、行政活動であれば、すべて法律の規定の根拠が必要であるとされます。

全部留保説においては、自由主義の原理のみならず、民主主義の原理をも徹底すべきであることから、法律の規定の根拠は、あらゆる行政活動について必要であるとされます。

c　権力留保説

権力留保説では、行政活動が、国民の権利・自由を権力的に制限したり、侵害したりするようなものである場合（規制行政の場合）であるか、国民に権利・自由を与えるようなものである場合（給付行政の場合）であるかを問わず、行政活動が権力的な行為形式（国民の意思によらないで一方的な行為形式）によって行われるような場合には、法律の規定の根拠が必要であるとされます。

権力留保説では、国民の権利・自由が侵害される行政活動についてのみ法律の規定の根拠を要求すれば足りるとする自由主義の原理のみを強調することなく、一切の権力の淵源は立法権が制定する法律に求めなければならないとして民主主義の原理も強調します（侵害留保説を否定）。

また、権力留保説では、あらゆる行政活動について法律の規定の根拠を要求することは、現代の複雑かつ多様化した行政需要に臨機応変に対応することができなくなることから、一定の行政活動の自由領域を承認します（全部留保説の否定）。

C　法律の法規創造力の原則

法律の法規創造力の原則とは、国民の権利・義務に関する一般的・抽象的な規律（法規）を創造する能力は、国会の制定する法律に独占されているとする原則のことをいいます。

この法律の法規創造力の原則により、法規の創造は国民の代表機関である立法権に独占されることとなり、行政権は、原則として、このような法規を創造することはできなくなります。

（２）行政法におけるその他の諸原則

①　平等原則

平等原則とは、法内容の平等及び法適用の平等を要求する原則のことをいいます（日本国憲法第 14 条[4]）。

②　比例原則

比例原則とは、行政作用の目的と、そのために採用される手段とが比例均衡していることを要求する原則のことをいいます。

③　信義誠実の原則

信義誠実の原則とは、契約も条文もない場合に常識的な結論を出すための最後の拠り所となる原則のことをいいます（民法第１条[5]第２項）。

4　【日本国憲法第 14 条】
　1　すべて国民は、法の下に平等であつて、人種、信条、性別、社会的身分又は門地により、政治的、経済的又は社会的関係において、差別されない。
　2　華族その他の貴族の制度は、これを認めない。
　3　栄誉、勲章その他の栄典の授与は、いかなる特権も伴はない。栄典の授与は、現にこれを有し、又は将来これを受ける者の一代に限り、その効力を有する。

5　【民法第１条】
　1　私権は、公共の福祉に適合しなければならない。
　2　権利の行使及び義務の履行は、信義に従い誠実に行わなければならない。
　3　権利の濫用は、これを許さない。

④ 権利濫用禁止の原則

権利濫用禁止の原則とは、たとえ正当な権利を有していたとしても、その権利の行使の仕方が不当であった場合には、その権利行使が認められないという原則のことをいいます（民法第１条第３項）。

⑤ 適正手続の原則

適正手続の原則とは、行政活動が内容的に正しいだけではなく、手続的にも適性であることが必要であるとする原則のことをいいます（日本国憲法第31条[6]）。具体的には、行政運営における公正の確保と行政上の意思決定については、その内容や過程が国民にとって明らかであることを意味する透明性の向上を図り、国民の権利・利益を保護することが行政手続の目的となります（行政手続法第１条[7]第１項）。

⑥ 説明責任の原則

説明責任の原則とは、行政権を行使する政府が、主権者である国民に対して、国政にとっての重要な情報を適時適切に提供し、国政に対する国民の理解を可能とするようにしなければならないという原則のことをいいます。

⑦ 補完性の原則

補完性の原則とは、行政の役割はあくまでも必要最小限度であるべきであって、市場原理に基づく民間活動に対しては、あくまでも補完的役割に徹するべきであるという原則のことをいいます。

---

6 【日本国憲法第31条】
何人も、法律の定める手続によらなければ、その生命若しくは自由を奪はれ、又はその他の刑罰を科せられない。

7 【行政手続法第１条】
1 この法律は、処分、行政指導及び届出に関する手続並びに命令等を定める手続に関し、共通する事項を定めることによって、行政運営における公正の確保と透明性（行政上の意思決定について、その内容及び過程が国民にとって明らかであることをいう。第四十六条において同じ。）の向上を図り、もって国民の権利利益の保護に資することを目的とする。
2 処分、行政指導及び届出に関する手続並びに命令等を定める手続に関しこの法律に規定する事項について、他の法律に特別の定めがある場合は、その定めるところによる。

⑧ 効率性の原則

効率性の原則とは、ある特定の目的を達成するに際して、その費用は最小限度で用意しなければならないという原則のことをいいます。

《重要判例行政法 01》最高裁判所昭和 62 年 10 月 30 日第三小法廷判決

【事件の概要】

義父Aの酒類販売業の経営を引き継いだXは、昭和 47 年３月、青色申告の承認を受けることなく自己名義で青色申告を行った（Aは青色申告の承認を受けており、前年分まではA名義で青色申告がなされていた）。税務署長Yは、Xの青色申告書を受理し、さらに昭和 47 年分から昭和 50 年分についての所得税についてもXに青色申告用紙を送付し、Xの青色申告を受理した。ところが、昭和 51 年３月、Yは、Xに対して青色申告の承認申請がなかったことを指摘し、Xの昭和 48 年及び 49 年分の所得を白色申告とみなし更正処分を行った。Xは、この更正処分は信義則に違反し違法であるとして取消訴訟を提起した。

第１審及び第２審では、信義則上許されないとしてこれらの決定の取消しをした。Yが上告。

【判旨】

破棄差戻し。

「租税法規に適合する課税処分について、法の一般原理である信義則の法理の適用により、右課税処分を違法なものとして取り消すことができる場合があるとしても、**法律による行政の原理なかんずく租税法律主義の原則が貫かれるべき租税法律関係においては、右法理の適用については慎重でなければならず、租税法規の適用における納税者間の平等、公平という要請を犠牲にしてもなお当該課税処分に係る課税を免れしめて納税者の信頼を保護しなければ正義に反するといえるような特別の事情が存する場合に、初めて右法理の適用の是非を考えるべきものである。**そして、右特別の事情が存するかどうかの判断に当たっては、少なくとも、**税務官庁が納税者に対し信頼の対象となる公的見解を表示した**ことにより、**納税者がその表示を信頼しその信頼に基づいて行動したところ、のちに右表示に反する課税処分が行われ、そのために納税者が経済的不利益を受けることになったものであるかどうか**、また、納税者が税務官庁の右表示を信頼しその信頼に基づいて行動したことについて**納税者の責めに帰すべき事由がないかどうか**という点の考慮は不可欠のものであるといわなければならない。」

《重要判例行政法 02》最高裁判所昭和 56 年 1 月 27 日第三小法廷判決

【事件の概要】

Ｘ会社は沖縄県Ｙ村の区域内に製紙工場の建設を企画し、Ｙ村長Ａは本件工場を誘致し、工場建設に全面的に協力することを言明した。Ｘが機械設備の発注と工場敷地の整地を完了したところで、Ｙ村長選挙があり、本件工場設置に反対するＢが新村長に当選した。このことから、Ｘは今後Ｙ村の協力が得られなくなったとして、本件工場の建設を断念し、このことで生じる損害の賠償を求め、Ｙ村を被告として提訴した。

第１審及び第２審では、一転した協力拒否については信義則等に違反してはいないとして、請求を棄却した。Ｘが上告。

【判旨】

一部破棄差戻し、一部却下。

「たとえ右勧告ないし勧誘に基づいてその者と当該地方公共団体との間に右施策の維持を内容とする契約が締結されたものとは認められない場合であっても、右のように**密接な交渉を持つに至った当事者間の関係を規律すべき信義衡平の原則に照らし、その施策の変更にあたってはかかる信頼に対して法的保護が与えられなければならないものというべきである。**」

3　行政法における公法及び私法

（１）公法及び私法

①　公法

第一講で先述したように、公法とは、公権力の内部の事項及び私人 vs 公権力という特殊な法律関係を規定する法のことをいいます。公権力という私人に比べると圧倒的に強い者の存在があるので、公権力の抑制を図ることがその目的となります。つまり、私人の権利保護を最優先に考えていきます。

②　私法

第一講で先述したように、私法とは、私人 vs 私人という通常の法律関係について規定する法のことをいいます。私人同士は対等な関係ですから、原則として、私的自治の原則が支配する領域となります。つまり、当事者間での取決めが最優先されることとなるので、法はあくまでも取決めがない場合に用いることとなります。

(2)行政法における公法及び私法の考え方

① 公法・私法二元論(従来の通説)

公法・私法二元論とは、行政法を行政の組織及び作用並びにその統制に関する国内公法であると定義し、行政に関する法を適用する場面を公法関係と私法関係とに二分し、適用される法原理の違いや裁判手続上の違いから、公法関係のみを行政法の考察対象とするとの考え方のことをいいます。

A 公法関係

a 公法上の支配関係

公法上の支配関係とは、公権力の主体としての国や地方公共団体が、法律上優越的な立場から国民と関係する本来的な公法関係のことをいいます。公法上の支配関係は、私法に親しまない領域であり、明文の規定があるか否かに拘わらず、公法が適用され、信義則等の法の一般原理を除き、私法の適用はないとされます。

b 公法上の管理関係

公法上の管理関係とは、公物の管理等、国や地方公共団体が公の事業や財産の管理主体として国民と関係する伝来的な公法関係のことをいいます。公法上の管理関係においては、本来は対等な私人間相互の関係と異ならないことから、原則として、私法が適用されます。しかし、例外的に、明文の規定や公共性が認められる場合に限り、その目的に必要な限度で公法が適用されます。

B 私法関係

私法関係とは、国や地方公共団体が、私人間の法律関係と同様に国民と関係することをいいます。私法関係においては、私法のみが適用されます。

② 公法・私法一元論(現在の通説)

公法・私法一元論とは、行政契約等の非権力的な行政活動の役割が増大した今日においてその統制を疎かにする虞があることや、行政事件訴訟と民事訴訟との区別は相対的なものとなってきている今日において民事訴訟法の規定の多くが行政事件訴訟法でも準用されていることから、先験的に公法と私法とを分類することによって、行政法の対象領域を公法関係に限定するのではなく、問題となっている法律や制度を個別・具体的に検討し、行政と私人との間に生じる問題にいかなる法律が適用されるかを決するべきであるとする考え方のことをいいます。

二　行政組織法

1　行政主体及び行政機関

（1）行政主体

行政主体とは、国や地方公共団体のように、行政上の法律関係から生じる権利・義務の帰属主体となるもののことをいいます。そのため、行政主体は法人格を有することとなります。

（2）行政機関

行政機関とは、行政主体のために、意思決定や意思表示、執行等を行う機関のことをいいます。そのため、実際に行政主体が行政活動を行うためには、行政機関が必要となります。

①　行政庁

行政庁とは、国や地方公共団体等の行政主体のために、その意思を決定し、その意思を外部に表示する権限を有する行政機関のことをいいます。

行政庁には、1人の自然人からなる独任制の行政庁（大臣・知事・市町村長等）と、複数の自然人からなる合議制の行政庁（内閣・公正取引委員会等）とが存在します。

なお、国の行政庁のことを行政官庁といい、地方公共団体の行政庁のことを行政公庁といいます。

②　補助機関

補助機関とは、行政庁やその他の行政機関の職務の遂行を補助することを任務とする行政機関のことをいいます。

ほとんどの公務員は、行政法においては、この補助機関に該当することとなります。

③　諮問機関

諮問機関とは、行政庁の諮問に応じたり、自ら意見を陳述したりする行政機関のことをいいます。

諮問機関の勧告や意見は、法律上の拘束力を有していないため、行政庁を拘束するものではありません。

④　参与機関

参与機関とは、行政庁の意思決定に参与する権限を有する行政機関のことをいいます。
参与機関の決議は、法律上の拘束力を有しているため、行政庁を拘束することとなります。

⑤　監査機関

監査機関とは、他の行政機関の会計や事務処理について、検査や監査を行う行政機関のことをいいます。

⑥　執行機関

執行機関とは、行政庁の命令を受け、国民に対して、実力をもって権限を行使することを任務とする行政機関のことをいいます。

2　行政機関の相互関係

(1) 権限の代行

権限の代行とは、行政機関が法律によって自己に与えられている本来の権限について行使するのではなく、他の行政機関が代わってその権限を行使することをいいます。
権限の代行には、権限の代理・権限の委任・専決の３つがあります。

①　権限の代理

権限の代理とは、行政機関の権限の全部・一部を、他の行政機関が代わって行うことをいいます。
権限の代理には、授権代理・法定代理の２つがあります。

A　授権代理

授権代理とは、本来の行政庁の権限の付与（授権行為）に基づいて代理権が与えられる場合のことをいいます。
授権代理の場合には、個別の法令上の根拠は必要ではないとされています。授権代理における代理権の範囲については、授権の際にその範囲が明示されることとなります。代理権の範囲については、本来の行政庁の権限の全部を授権することは、法律による行政の原理に反するため、原則として許されず、権限の一部についてのみ代理が許されることとなります。

また、授権代理の場合には、本来の行政庁は、自身の責任においてその権限を行使するのであり、代理機関に対するその権限の行使についての指揮監督権を有することとなります。

B　法定代理

法定代理とは、本来の行政庁の権限の付与（授権行為）には基づかずに法定事実の発生によって、法律上当然に代理関係が発生する場合のことをいいます。

法定代理の場合には、当然、個別の法令の根拠が必要となります。法定代理における代理権の範囲については、本来の行政庁が、まったく権限を行使できなくなり、その行政庁が有するすべての権限について代理機関が代理行使することとなります。

また、法定代理の場合には、本来の行政庁は、その全権限を代理機関に代理行使させるため、代理機関の責任においてその権限を行使させることとなることから、代理機関に対するその権限行使についての指揮監督権を有しないこととなります。

②　権限の委任

権限の委任とは、権限を有する行政機関が、その権限の一部を下級行政機関やその他の行政機関に委譲することをいいます。

権限の委任により、法律上規定されている権限の所在に移転が生じることとなります。従って、受任機関は、権限を委譲された後には、その権限を自己の権限として、自己の名と責任をもって行使することとなります。このように、権限の委任は、法律上規定されている権限の所在が移転し、本来の行政機関はその権限を失うこととなるため、権限の委任を行うためには、法律上の根拠が必要なります。また、権限の委任をした場合には、それを対外的に公示しなければなりません。

権限の委任は、本来の行政機関の存在意義を失わせることとなることから、本来の行政庁の権限のすべてやその主要部分を委任することは許されません。

受任機関が委任機関である本来の行政機関の下級行政機関である場合には、委任機関は、受任機関に対する権限の行使について指揮監督権を有することとなります。

受任機関が委任機関である本来の行政機関の下級行政機関ではない場合には、別段の規定がない限り、委任機関は、受任機関に対する権限の行使について指揮監督権を有することとはなりません。

③ 専決

専決とは、法律により権限を与えられた行政機関（主に行政庁）が、補助機関にその権限の事務処理についての決済権限を与えることをいいます。

専決は、行政内部の事務処理の問題であるので、法律の根拠は必要とはなりません。最終的な決済を補助機関が担当する一方、外部に対しては行政庁の名で処分等がされることとなり、その結果、法的には本来の権限を有する行政庁の行為として扱われることとなります。

また、実務上、本来の決裁者が不在の場合等の緊急を要する決定を委任することを特に代決といい、内容は専決とは異なりますが、その効果は専決と同様となります。

（2）権限の監督

権限の監督とは、行政が系統的及び統一的に行われなければならないことから、上級の行政機関がその系統化にある下級の行政機関に対して、指揮・監督することをいいます。

権限の監督には、監視権・許認可権・指揮命令権（訓令権）・取消停止権・代執行権・権限争議裁定権があります。

① 監視権

監視権とは、上級行政機関が下級行政機関の書類の検査や事務の視察を行ったり、下級行政機関からその業務状況の報告を受けたりする権限のことをいいます。監視権には、上級行政機関の下級行政機関に対する調査権も含みます。

② 許認可権

許認可権とは、上級行政機関が下級行政機関の権限の遂行に際して、上級行政機関の許可や認可を受けさせることにより、権限の行使を事前に統制する権限のことをいいます。許認可権には、上級行政機関の下級行政機関に対する同意権や承認権も含みます。

③ 指揮命令権（訓令権）

指揮命令権（訓令権）とは、上級行政機関が下級行政機関に対して、その所掌事務に関して訓令や通達等を発することによって、行政活動の内容を指示する権限のことをいいます。

上級行政機関がその所掌事務に関して発した訓令や通達は、下級行政機関の行政機関としての意思を拘束することとなります。また、下級行政機関には、その訓令や通達の内容や効力を審査する権限を有しないことから、その訓令や通達にそのまま従ってその権限を行使しなければなりません。

④ 取消停止権

取消停止権とは、上級行政機関が下級行政機関の行った違法な行為や不当な行為の取消しをしたり、停止したりする権限のことをいいます。上級行政機関の取消停止権については、法律の根拠なしに認められます。

⑤ 代執行権

代執行権とは、上級行政機関が下級行政機関に代わって、その所掌事務を行う権限のことをいいます。上級行政機関の代執行権については、下級行政機関の法律上の権限を上級行政機関が直接行使することとなり、事実上奪うこととなる、つまり、実質的な権限配分についての変更を意味することから、法律の特別の根拠がある場合に限り認められます。

⑥ 権限争議裁定権

権限争議裁定権とは、上級行政機関が下級行政機関相互間で生じた権限に関する争議について裁定をする権限のことをいいます。

3 公物

(1) 公物の意義

公物とは、国または地方公共団体等の行政主体によって、直接公の目的に供される個々の有体物のことをいいます。

(2) 公物の分類

公物は、その目的から公用に利用される公用物と一般公衆に利用される公共用物に、その成立過程から自然状態で公に利用される自然公物と人工的に公に利用される人工公物に、その所有権の帰属主体から国に帰属する国有公物と地方公共団体に帰属する公有公物また私人に帰属する私有公物に、管理権者と所有権者との関係から管理権者と所有権者が同一である自有公物と管理権者と所有権者が同一ではない他有公物とにそれぞれ分類されます。

三　行政作用法

行政作用法は、典型的な行政作用と現代的な行政作用とに分類することができ、典型的な行政作用は、一般的・抽象的な行政作用と権力的な行政作用とに分類でき、現代的な行政作用は、非権力的な行政作用に該当します。

一般的・抽象的な行政作用に該当するのが行政立法であり、権力的な行政作用に該当するのが行政行為と行政上の強制手続（行政強制及び行政罰）です。

また、非権力的な行政作用に該当するのは、行政計画・行政調査・行政契約・行政指導となります。

1　行政立法

（1）行政立法の意義

行政立法とは、行政権が一般的かつ抽象的な法規範を定立することをいいます。

憲法上、国会が国の唯一の立法機関である（日本国憲法第41条[8]）とされており、このことから立法作用が国会にのみ授権されていることがわかります。そのため、行政権が一般的かつ抽象的な法規範を定立することの可否が問題となります。

資本主義が高度に発達した現代社会においては、資本主義の矛盾を解消すべく国家が積極的に国民生活に関与することが要求されています（現代立憲主義）。この要求に応じるためには、高度な専門技術的判断能力と迅速かつ円滑な対応能力が必要となり、このような能力を有する行政権の機能が拡大（行政権の肥大化）し、本来的には法の執行機関であるに過ぎない行政権が国家の基本的政策決定の中心的役割を担うこととなっています（行政国家化）。

このような行政国家において、その活動のすべてについて、法律をもって規定することはそもそも困難であるといえます。そのため、立法権である国会が定立する法律によって規定するよりも、実際に実務を行っている行政権が規範を定立した方が、実情に沿っているといえます。また、実際に行政実務を行っている現場の方が現実の変化に対しても迅速対応することができることから、国会による法律の定立を待つよりも、行政自身による規範の定立の方が実情に沿うともいえます。従って、行政権による規範の定立は必要であるといえます。

8　【日本国憲法第41条】
国会は、国権の最高機関であつて、国の唯一の立法機関である。

憲法自身も行政自身が規範を定立することを許容しているといえます（日本国憲法第73条[9]第６号）。法律の委任がある場合に、政令に罰則を設けることができる（日本国憲法第73条第６号但書）ということは、当然、法律の委任があれば、罰則以外についても規定できると解釈できます。つまり、行政権には、立法作用があるということが予定されているということができます。

（２）行政立法の種類

行政立法は、法規命令と行政規則とに分類され、法規命令は執行命令と委任命令とに分類されます。

①　法規命令

法規命令とは、行政権の規定する、国民の権利・義務に関する一般的かつ抽象的な法規範のことをいいます。

法規命令は、形式上は行政権の意思表示ですが、実質上は立法行為であることから、法律による授権が必要となります。

A　執行命令

執行命令とは、法律・命令等を実施するための必要な手続等を具体的に規定する命令のことをいいます（日本国憲法第73条第６号本文）。

B　委任命令

委任命令とは、法律等の委任に基づいて、法律の内容を補充し、国民の権利・義務について新たに設定する命令のことをいいます（日本国憲法第73条第６号但書）。

法律による行政の原理から、委任命令には一定の限界があるとされます。

9　【日本国憲法第73条】

内閣は、他の一般行政事務の外、左の事務を行ふ。

一　法律を誠実に執行し、国務を総理すること。

二　外交関係を処理すること。

三　条約を締結すること。但し、事前に、時宜によつては事後に、国会の承認を経ることを必要とする。

四　法律の定める基準に従ひ、官吏に関する事務を掌理すること。

五　予算を作成して国会に提出すること。

六　この憲法及び法律の規定を実施するために、政令を制定すること。但し、政令には、特にその法律の委任がある場合を除いては、罰則を設けることができない。

七　大赦、特赦、減刑、刑の執行の免除及び復権を決定すること。

委任する法律の側の限界としては、立法権が行政権に対して自由な規範の規定を認める白紙委任を行うことは許されません。委任の目的、行政権への授権事項を個別具体的に明示し、行政機関に許された命令制定の範囲と程度を明確に限定することが必要となります。特に罰則については、罪刑法定主義との関係から、例外的に許されるものと解すべきです。

委任された命令の側の限界としては、法律の規定に反する命令を制定してはならず、委任の範囲を逸脱した命令を制定することも許されません。委任の範囲から逸脱しているかどうかは、授権法の趣旨・目的・規制対象である国民の権利等を考慮して決することとなります。

《重要判例行政法 03》最高裁判所平成 25 年 1 月 11 日第二小法廷判決

【事件の概要】

新薬事法は、一般用医薬品を第一類から第三類に区分し、省令で規定するところにより、その販売について、第一類医薬品は薬剤師に、第二類及び第三類医薬品は薬剤師または登録販売者に行わせるものとしていた。この規定を受け、厚生労働省は同法施行規則により、店舗販売業者に対し、第一類医薬品及び第二類医薬品について、その店舗内において、薬剤師や登録販売者による対面での販売及び授与をさせなければならず、薬剤師や登録販売者と対面しない郵便等販売をしてはならないとした。そのため、インターネットを通じた郵便等販売を行う事業者であるXらは、本件各規定は郵便等販売を広範に禁止するものであり、新薬事法の委任の範囲外の規制をする違法なものであって無効であると主張して、Y（国）を被告として、出訴した。

第1審では、本件各規定は法律の委任の範囲内とした（請求棄却）。第2審では、本件各規定は法律の委任の範囲を超えて違法であり無効とした（請求認容）。Yが上告受理申立て。

【判旨】

上告棄却。

「厚生労働大臣が制定した郵便等販売を規制する新施行規則の規定が、これを定める根拠となる楽事法の趣旨に適合するもの（行政手続法 38 条 1 項）であり、**その委任の範囲を逸脱したものではないというためには、立法過程における議論をもしんしゃくした上で、新薬事法 36 条の 5 及び 36 条の 6 を始めとする新薬事法中の諸規定を見て、そこから、郵便等販売を規制する内容の省令の制定を委任する授権の趣旨が、上記規制の範囲や程度等に応じて明確に読み取れることを要するものというべきである。**」

② 行政規則

行政規則とは、行政権の規定する一般的な内部規定であり、国民の権利・義務を規律する法規としての性質を有しないもののことをいいます。

行政規則は、行政内部の規定であることから、国民の権利・義務には直接関係がありません。従って、特別の法律の授権がなくても、行政権の当然の権能として規定することができます。

行政規則には以下のものがあります。

A 訓令

訓令とは、行政の一体性を保持するため発する命令のことをいいます。

B 通達

通達とは、上級行政機関が下級行政機関の権限行使を指揮するために発する命令のことをいいます。

C 要綱

要綱とは、行政機関内部において規定される行政指導の基準となるもののことをいいます。

《重要判例行政法04》最高裁判所昭和33年3月28日第二小法廷判決

【事件の概要】

物品税法は、課税対象物品の１つとして「遊戯具」を挙げていたところ、パチンコ球遊器については「遊戯具」として扱われてこなかった。そのため、約10年の間、パチンコ球遊器については物品税が課されてこなかったが、パチンコ球遊器は「遊戯具」に該当するとの国税局長による通達が出されたことから、パチンコ球遊器製造業者であるＸらに対して、物品税法に基づく課税処分がなされた。Ｘらはこの課税処分が法律に基づかない通達課税であるとして、Ｘらの管轄税務署長Ｙらに対して処分無効確認訴訟を提起した。

第１審及び第２審では、請求を棄却した。Ｘらが上告。

【判旨】

上告棄却。

「論旨は、通達課税による憲法違反を云為しているが、本件の課税がたまたま所論通達を機縁として行われたものであっても、**通達の内容が法の正しい解釈に合致するものである以上、本件課税処分は法の根拠に基く処分と解するに妨げがなく、所論違憲の主張は、通達の内容が法の定めに合致しないことを前提とするものであって、採用し得ない。**」

2　行政行為

（1）行政行為の意義

行政行為とは、行政庁が行政目的を実現するために、法律の規定に従って、国民の意思によらず、一方的な判断に基づいて、国民の権利・義務その他の法的地位を具体的に決定する行為のことをいいます。

行政行為は、行政庁の処分・行政処分・処分等とほぼ同じ意味で用いられます。行政行為という用語自体は、講学上のものであるため、実定法上は用いられておらず、個別の法令ごとに異なる用語が用いられています。

行政行為は、行政庁の行為であり、その行為は法律の規定に基づいた行為でなければならず、法律の規定に基づかない行政行為は認められません。

行政行為は国民に対して行う一方的な行為であるので、行政組織内部の行為である訓令や通達、一方的な行為ではない行政契約は行政行為には該当しないこととなります。また、行政行為は、国民に対する法的規制を伴う行為であり、その法的規制は個別具体的な行為であることが必要とされることから、法的規制を伴わない行政指導や事実行為、一般抽象的規範を定立する行政立法は行政行為には該当しないこととなります。

（2）行政行為の分類

①　行政行為の対象による分類

A　対人処分

対人処分とは、人を対象とする行政行為のことをいいます。

対人処分の法的効果には一身専属性が認められることから、その性質上、第三者への譲渡や相続等の移転は認められないこととなります。

B　対物処分

対物処分とは、物を対象とする行政行為のことをいいます。

対物処分をした後に対象物件が第三者に移転したとしても、対物処分の効果が認められることとなります。

②　行政行為の性質による分類

A　利益処分（受益処分）

利益処分（受益処分）とは、国民に対して、権利を与えたり、義務を免除したりする行政行為のことをいいます。

B　不利益処分（侵害処分）

不利益処分（侵害処分）とは、国民に対して、権利を制約したり、義務を課したりする行政行為のことをいいます。

C　複合的処分（二重効果的処分）

複合的処分（二重効果的処分）とは、その処分の名宛て人に対しては利益処分としての性質を有しているとしても、第三者に対しては侵害的作用を及ぼし、その結果、それが事実上の不利益にとどまらず、法律上の不利益であると評価される行政行為のことをいいます。

③　行政行為の内容による分類

A　法律行為的行政行為

法律行為的行政行為とは、行政庁の意思表示をその要素とし、行政庁の意思表示によって成立する行政行為のことをいいます。

法律行為的行政行為は、行政庁の意思に基づいて成立することから、行政行為を行うに際し、法律で行政庁に一定の裁量（行政裁量）を認めることができ、また、附款（条件及び期限）を付すこともできます。

法律行為的行政行為には、命令的行為と形成的行為とがあります。

a　命令的行為

命令的行為とは、行政庁が国民に対して、特定の義務を命じたり、特定の義務を免じたりする行政行為のことをいいます。

命令的行為は、国民が生まれながらに有する自由への制限やその制限の解除に関する行政行為であることから、後述する羈束裁量行為とされます。

命令的行為に違反する法律行為については、私法上有効な法律行為として扱われます。

命令的行為には、下命・禁止・許可・免除の４つがあります。

い　下命

下命とは、相手方に対して、一定の作為義務を課す行政行為のことをいいます。

ろ　禁止

禁止とは、相手方に対して、一定の不作為義務を課す行政行為のことをいいます。

は　許可

許可とは、法令上の一般的な禁止について、特定の場合についてのみ解除し、適法に一定の行為を行わせる行政行為のことをいいます。

許可を得ないで行った行為については、処罰の対象とはなり得ますが、その行為の効果が当然に否定されるわけではありません。

に　免除

免除とは、法令上の作為義務について、特定の場合についてのみ解除する行政行為のことをいいます。

b　形成的行為

形成的行為とは、行政庁が国民に対して、国民に特定の権利の賦与や包括的法律関係の設定等、法律上の効力を発生・変更・消滅させる行政行為のことをいいます。

形成的行為は、国民が生まれながらに有していない法的地位を与えたり、奪ったりする行為であることから、後述する自由裁量行為とされます。

形成的行為に違反する法律行為については、私法上無効な法律行為として扱われます。

形成的行為には、特許・剥権・認可・代理の４つがあります。

い　特許

特許とは、本来有していない特定の権利の賦与や包括的法律関係の設定をする行政行為のことをいいます。

特許は、通常、申請を前提要件とし、その申請趣旨に反する特許については、有効に成立しません。

ろ　剥権

剥権とは、本来有している特定の権利の剥奪や包括的法律関係の剥奪をする行政行為のことをいいます。

は　認可

認可とは、私人間の法律行為を補充して、その法律上の効力を完成させる行政行為のことをいいます。

認可は、法律行為の効力要件であり、認可を受けずに行った行為は、原則として無効となります。

に　代理

代理とは、第三者が本来するべき行為を行政庁が代わって行い、その者が自ら行ったのと同じ効果を生じさせる行政行為のことをいいます。

B　準法律行為的行政行為

準法律行為的行政行為とは、行政庁の意思表示をその要素とせず、一定の事実と法規の規定によってその効果が生じる行政行為のことをいいます。

準法律行為的行政行為は、行政庁の意思に基づかずに成立することから、行政行為を行うに際し、行政庁の裁量が認められず（羈束行為）、また、附款（条件及び期限）を付すこともできない。

準法律的行為には、確認・公証・通知・受理の４つがあります。

a　確認

確認とは、特定の事実や法律関係に関して、疑義または争いがある場合に、公の権威をもってその真否または存否について判断し、確認をする行政行為のことをいいます。

b　公証

公証とは、特定の事実や法律関係に関して、その存否を公に証明をする行政行為のことをいいます。

c　通知

通知とは、特定または不特定多数の人に対して、特定の事項を知らしめる行政行為のことをいいます。

d　受理

受理とは、他人の行為を有効な行為として受領する行政行為のことをいいます。

（３）行政行為の効力

行政行為は、特別な規定がない限り、書面の交付等により、相手方がその内容を了知し得る状態、つまり、相手方の支配領域内にその通知が入った場合に効力が生じます（到達主義）。

行政行為の効力には、拘束力・公定力・自力執行力・不可争力（形式的確定力）・不可変更力（実質的確定力）の５つがあります。

①　拘束力

拘束力とは、行政行為がその内容に応じて、相手方及び行政庁を拘束する効力のことをいいます。

②　公定力

公定力とは、たとえ違法な行政行為であっても、その行政行為が当然無効な行政行為に該当しない限り、処分庁・上級行政庁・裁判所のような正当な権限を有する機関によってその行為の取消しをされるまでは、一応適法な行政行為であるとの推定を受け、行政行為の相手方・第三者・その他の機関もその行政行為の効果を無視することができないとする効力のことをいいます。

公定力が認められる趣旨は、行政をめぐる法的安定性を保持することと行政目的の実現にあります。公定力について明確に規定した法律の規定は存在しませんが、このような趣旨からこれを認めることには争いはないとされています。また、取消訴訟の排他的管轄（行政上の法律関係の安定を図るために、法が行政行為の適法性を争い、その効力を否定する方法を取消訴訟に限定していること）からも、結果として、取消訴訟を提起し、取消しの判決を得るまでの間、行政行為の効力が温存されることから、その反射的効果としての公定力が認められるとされています。

違法な行政行為によって損害を被った場合に、国家賠償請求を行うのにあらかじめ取消訴訟を提起して行政行為の取消しを求めておく必要はなく、賠償請求をすることができるとされています。

行政行為が当然に無効な行政行為の場合は、公定力は働きません。なお、無効な行政行為とは、重大かつ明白な瑕疵を有する行政行為のことをいいます。

③　自力執行力

自力執行力とは、行政行為によって命じられた義務について、これを国民が任意に履行しない場合には、裁判所に訴えるまでもなく、法律に基づいて行政庁自らが義務者に対して、強制執行をし、その義務内容を実現することができるという効力のことをいいます。

自力執行力により、行政庁は行政行為について、裁判所の助力を得ることなく、自ら行政行為の内容を実現することが可能となります。

自力執行力は、非常に強力な効力であり、強制執行が国民の権利を侵害する行為であることから、法律が特に明文で行政庁に自力執行力を与えている場合に限り、行政庁は行使することができるとされています。

④　不可争力（形式的確定力）

不可争力（形式的確定力）とは、行政行為が行われてから一定期間が経過すると、その行政行為の相手方からは、その行政行為の効力を争うことができなくなる効力のことをいいます。

不可争力（形式的確定力）が認められる趣旨は、法律関係を早期に確定させるところにあります。

不可争力（形式的確定力）は行政行為の効力であるため、あくまでも国民の側からは期間経過後に争うことができないということであって、行政庁の側から期間経過後に職権で取消しをすることは構いません。

行政行為には不可争力（形式的確定力）が認められるため、不服申立て期間（行政不服審査法第18条[10]）や出訴期間（行政事件訴訟法第14条[11]）等について明文で規定されています。

⑤ 不可変更力（実質的確定力）

不可変更力（実質的確定力）とは、争訟的裁断的性質を有する行政行為を行った行政庁は、争いを一義的に裁断するという制度の目的を達するために、一度行ったその裁断行為について、自らその取消しができなくなるという効力（自縛力）のことをいいます。

不可変更力（実質的確定力）は、特定の行政行為にのみ認められ、処分庁のみならず、上級行政庁も裁判所も確定した争訟裁断行為を変更できません。

10 【行政不服審査法第18条】

1 処分についての審査請求は、処分があったことを知った日の翌日から起算して三月（当該処分について再調査の請求をしたときは、当該再調査の請求についての決定があったことを知った日の翌日から起算して一月）を経過したときは、することができない。ただし、正当な理由があるときは、この限りでない。

2 処分についての審査請求は、処分（当該処分について再調査の請求をしたときは、当該再調査の請求についての決定）があった日の翌日から起算して一年を経過したときは、することができない。ただし、正当な理由があるときは、この限りでない。

3 次条に規定する審査請求書を郵便又は民間事業者による信書の送達に関する法律（平成十四年法律第九十九号）第二条第六項に規定する一般信書便事業者若しくは同条第九項に規定する特定信書便事業者による同条第二項に規定する信書便で提出した場合における前二項に規定する期間（以下「審査請求期間」という。）の計算については、送付に要した日数は、算入しない。

11 【行政事件訴訟法第14条】

1 取消訴訟は、処分又は裁決があつたことを知つた日から六箇月を経過したときは、提起することができない。ただし、正当な理由があるときは、この限りでない。

2 取消訴訟は、処分又は裁決の日から一年を経過したときは、提起することができない。ただし、正当な理由があるときは、この限りでない。

3 処分又は裁決につき審査請求をすることができる場合又は行政庁が誤つて審査請求をすることができる旨を教示した場合において、審査請求があつたときは、処分又は裁決に係る取消訴訟は、その審査請求をした者については、前二項の規定にかかわらず、これに対する裁決があつたことを知つた日から六箇月を経過したとき又は当該裁決の日から一年を経過したときは、提起することができない。ただし、正当な理由があるときは、この限りでない。

不可変更力（実質的確定力）に違反した行政行為については、その行政行為が違法な行政行為であることは否定できません。しかし、行政行為である以上、その行政行為が、重大かつ明白な瑕疵を有するような無効な行政行為ではない限り、公定力が認められます。その行政行為に公定力が認められる以上、正当な権限を有する機関によってその行為の取消しがされるまでは、一応適法な行政行為であるとの推定を受け、有効な行政行為となります。その行政行為が、重大かつ明白な瑕疵を有するような無効な行政行為であれば、公定力は認められないこととなるため、その不可変更力（実質的確定力）に違反した行政行為は当然に無効な行政行為となります。

（4）行政行為の瑕疵

①　行政行為の瑕疵の意義

行政行為の瑕疵とは、法の規定する要件を欠く場合や公益に反する場合等、行政行為の効力の発生を妨げる事情のことをいいます。瑕疵を有する行政行為のことを瑕疵ある行政行為といいます。

②　瑕疵ある行政行為の分類

瑕疵ある行政行為には、その瑕疵によって、取消しすることのできる行政行為と無効な行政行為とがあります。

一般的には、公益に反する行政行為である取消しすることのできる不当な行政行為と、法の規定する要件を欠く行政行為である違法な行政行為が瑕疵ある行政行為に該当し、違法な行政行為には取消しすることのできる違法な行政行為と無効な行政行為とがあります。

A　適法な行政行為

適法な行政行為とは、法の規定する要件を充たしている行政行為のことをいいます。

適法な行政行為には、妥当な行政行為と取消しすることのできる不当な行政行為とがあります。

a　妥当な行政行為

妥当な行政行為とは、法の規定する要件を充たしており、かつ、公益にも反していない行政行為のことをいいます。

b　取消しすることのできる不当な行政行為

取消しすることのできる不当な行政行為とは、法の規定する要件を充たしてはいるけれども、公益には反している行政行為のことをいいます。

取消しすることのできる不当な行政行為は、瑕疵ある行政行為ではありますが、それが権限のある行政庁によって取消しをされるまでは公定力が認められるため一応有効な行政行為となります。

また、取消しすることのできる不当な行政行為は、権限のある行政庁が職権によって取消しをする場合、または、不服のある者からの一定の争訟の提起により権限のある行政庁または裁判所に対して取消しを求められた場合に、取消しすることができることとなります。

B　違法な行政行為

違法な行政行為とは、法の規定する要件を欠いている行政行為のことをいいます。

違法な行政行為には、取消しすることのできる違法な行政行為と無効な行政行為とがあります。双方とも瑕疵ある行政行為となります。

a　取消しすることのできる違法な行政行為

取消しすることのできる違法な行政行為とは、法の規定する要件を欠いており、瑕疵の程度が軽微な行政行為のことをいいます。

取消しすることのできる違法な行政行為は、瑕疵ある行政行為ではありますが、それが権限のある行政庁によって取消しをされるまでは公定力が認められるため一応有効な行政行為となります。

また、取消しすることのできる違法な行政行為は、権限のある行政庁が職権によって取消しをする場合、または、不服のある者からの一定の争訟の提起により権限のある行政庁または裁判所に対して取消しを求められた場合に、取消しすることができることとなります。

b　無効な行政行為

無効な行政行為とは、法の規定する要件を欠いており、瑕疵の程度が重大かつ明白な行政行為のことをいいます。

本来であれば、行政行為には一般的に公定力が認められることから、瑕疵ある行政行為であっても、それが権限のある行政庁によって取消しをされるまでは一応有効な行政行為となりますが、瑕疵の程度が重大かつ明白であり（瑕疵の重大明白性）、取消しをされるまで一応有効とすることがあまりにも不合理である場合には、その行政行為は当然に無効であるとされ、公定力・不可争力（形式的確定力）・自力執行力等の一切の法的効力が否定されます。

また、無効な行政行為に対しては、法律上、当初から法律的効果がまったく生じていないことから、いつでも、誰でも、直接に裁判所に訴えることによってその無効を主張できることとなります。

C　行政行為の不存在

行政行為の不存在とは、法の規定する要件を欠いている行政行為であり、外観上も未だに行政行為とするには値するだけの形態を備えていない場合や、行政行為として外部に表示されるに至らない場合の行為のことをいいます。

無効な行政行為の場合は、一応、行政行為としての外観を有し、そのことから、あたかも拘束力を有すると誤認される虞がありますが、行政行為の不存在の場合には、行政行為としての外観を有せず、そのことから、あたかも拘束力を有すると誤認される虞はありません。従って、ある行政行為について裁判所に対して訴訟が提起された場合には、無効な行政行為については、裁判所は無効の確認や宣言をしますが、行政行為の不存在については、裁判所は却下することができます。

③　行政行為の瑕疵の分類

A　行政主体上の瑕疵

行政行為がその効力を発生するためには、その行政行為を行う行政主体が、法の規定する一定の要件を具備していることが要求されます。この要件を欠く場合には、行政主体に関して瑕疵が生じていると判断することができます。

行政主体上の瑕疵が生じている場合、具体的には、正当な権限を行使することができない者が行政主体として行った行政行為・正当に組織されていない合議体が行った行政行為・他の行政機関の協力や相手方の同意を欠く行政行為・行政機関の権限外の行政行為・行政機関の意思に欠缺がある場合には、その行政行為は無効な行政行為となります。

B　手続上の瑕疵

行政行為がその効力を発生するためには、その手続について、法の規定する一定の要件を具備していることが要求されます。この要件を欠く場合、手続に関して瑕疵が生じていると判断することができます。

手続上の瑕疵については、手続を規定した法の趣旨や目的に従って、行政行為の効果にどのような影響を及ぼすかが判断されます。具体的には、その手続が相対立する利害関係人の利害調整を目的としている場合には、その手続を欠く行政行為は無効な行政行為となります。しかし、その手続が、単なる行政の円滑化や合理化等の便宜を目的としている場合には、それだけで無効な行政行為とはならず、取消しすることのできる行政行為となります。

C　形式上の瑕疵

行政行為がその効力を発生するためには、その形式について、法の規定する一定の要件を具備していることが要求されます。この要件を欠く場合、形式に関して瑕疵が生じていると判断することができます。

行政行為は、その行政行為が正当な権限を有する行政庁によって行われたことを示し、その内容を明確にし、利害関係人においてその内容についての認識を容易にし、証拠を保全することによって将来争いが発生することを防止し、法律関係の安定を図るために形式的要件が要求されます。形式上の瑕疵によって、以上の要請を達することができない場合には、その行政行為は無効な行政行為となります。

D　内容上の瑕疵

行政行為がその効力を発生するためには、その内容について、法の規定する一定の要件を具備していることが要求されます。この要件を欠く場合、内容に関して瑕疵が生じていると判断することができます。

行政行為の内容が、法律上もしくは事実上実現不可能な場合や不明確な場合には、その行政行為は無効な行政行為となります。

④　違法性の承継

違法性の承継とは、複数の行政行為が連続して行われる場合に、先行する行政行為の違法性が、後行する行政行為に承継されることをいいます。

行政行為の違法性の承継が認められると、後行する行政行為に対する取消訴訟において、先行する行政行為の違法性を理由に、後行する行政行為の違法性を主張できることとなります。

行政上の法律関係の早期安定のためには、行政行為の違法性は、各々個別に判断されるべきであることから、行政行為の違法性の承継は、原則として、認めるべきではないとされています。しかし、先行する行政行為と後行する行政行為とが相結合して、連続した一連の手続として評価できる場合、つまり、行政行為相互の目的の同一性及び効果の単一性が認められる場合（目的と効果の同一性）に限っては、行政行為の違法性の承継が認められるとされています。

⑤　行政行為の瑕疵の治癒

行政行為の瑕疵の治癒とは、適法要件が欠けている違法な行政行為が行われた後に、後発的な事情の変化により、その欠けていた適法要件が追完された場合に、瑕疵の消滅により適法な行政行為として扱われることをいいます。

法律による行政の原理の観点からは、行政行為の瑕疵の治癒を認めるべきではありません。しかし、法的安定性及び行政経済の要請も否定できないことから、瑕疵の程度が軽微で、第三者の既存の利益が存在し、法的安定性を重視すべき場合に限り、行政行為の瑕疵の治癒が認められるとされています。

⑥ 違法な行政行為の転換

違法な行政行為の転換とは、ある行政行為に瑕疵があることにより、その行政行為は本来的には違法な行政行為となりますが、その行政行為を他の行政行為として扱えば行政行為に瑕疵がないと認められる場合には、他の行政行為として有効なものとして扱うことをいいます。

法律による行政及び適正手続の要請の観点からは、原則として、違法な行政行為の転換を認めるべきではありません。従って、違法な行政行為の転換は、瑕疵ある行政行為と違法な行政行為の転換後の行政行為との間で、目的・手続・要件・効果等に同一性が認められる場合に限り、限定的に認められるとされています。

（５）行政行為の取消し及び撤回

① 行政行為の取消し

A 行政行為の取消しの意義

行政行為の取消しとは、行政行為にある一定の取消原因が存在している場合に、権限のある行政庁が法律上の効力を失わせ、行政行為を行った当初に遡ってその行為が行われなかったのと同様の状態に回復させる行為のことをいいます（職権取消）。

行政行為に瑕疵が存在し、それによって違法な行政行為となっている場合には、法律による行政の原理に反している状況に陥っていると判断できます。また、行政行為に瑕疵が存在し、違法な行政行為とまではいえなくとも不当な行政行為となっている場合には、公益に反しており、行政目的に違反した状況に陥っていると判断できます。このような行政行為の瑕疵は、速やかに除去されるべきであり、このような行政行為の取消しをするのに際して、その取消しに関する独自の法律上の根拠は必要ではないとされています。

行政行為の取消しは、広い意味では、上記の職権取消の他、行政庁以外からの請求によって取消しをする争訟取消による取消しも含みます。また、最も広い意味では、後述する行政行為の撤回をも含む場合があります。

行政行為の取消しについては、その行政行為を行った行政庁（処分庁）にその取消権の所在があることについて争いはありません。また、処分庁の上級行政庁（上級庁）は、処分庁に対する監督権を有しており、この監督権には処分庁の活動が適法に行われていることを監督する権限も当然に含まれていると解されていることから、行政行為の取消しについては、その行政行為を行った処分庁のみならず、その処分庁を監督する上級庁にもその取消権の所在があると解されています。

B 行政行為の取消しへの制限

a 不可変更力（実質的確定力）を有する行政行為の取消し

争訟的裁断的性質を有する争訟の手続（決定・裁決・審決等）を経ることによって行われた行政行為や利害関係人が加わることによって行われた行政行為については不可変更力（実質的確定力）が生じます。その行政行為が違法な行政行為や不当な行政行為であったとしても、当事者が一定期間内に争訟手続によって争い、それによって行政庁や裁判所によって取消しをされない限りにおいては、行政庁が職権において、その行政行為の取消しをすることは認められません。

b 不利益処分の取消し

不利益処分については、その行政行為の取消しをすることが相手方の利益を損なうものではなく、また、法律による行政の原理の要請にも反しないことから、原則として、行政庁が職権において自由に不利益処分の取消しをすることが認められます。

c 利益処分の取消し

利益処分については、その行政行為の取消しをすることが相手方の利益について不測の損害を与えかねないことから、原則として、行政庁が職権において利益処分の取消しをすることは認められません。

しかし、相手方や第三者の既得の利益を犠牲にしてもなおその行政行為の取消しをするだけの公益上の必要性が存する場合には、例外として、行政庁が職権において利益処分の取消しをすることが認められます。

② 行政行為の撤回

A 行政行為の撤回の意義

行政行為の撤回とは、行政行為を行った当初は瑕疵のない有効な行政行為であったが、その行政行為を存続させることができないような公益上の後発的な事情が発生したことにより、将来に向かってその効力を消滅させる行政行為のことをいいます。

利益処分の撤回が新たな不利益処分の性質を有することから、利益処分を撤回する場合には法律上の根拠が必要であるとする見解もありますが、撤回が問題となるのは、利益処分が行われたことによって特に設定された法律関係を事後的に消滅させる場合であり、通常の不利益処分のような本来的に保障されている自由や財産に対して侵害する場合とは異なります。従って、利益処分であっても、不利益処分であっても、行政行為を撤回するのに際し、その撤回に関する独自の法律上の根拠は必要ではないとされています。

行政行為の撤回については、その行政行為を行った行政庁（処分庁）にその撤回権の所在があることについて争いはありません。また、処分庁の上級行政庁（上級庁）は、処分庁に対する監督権を有しており、この監督権には処分庁の活動が適法に行われていることを監督する権限も当然に含まれていると解されていますが、撤回権はその性質上新たに同一の行政行為を行うことと同じことであり、撤回権は処分庁の専属管轄に属するものと解すべきであることから、行政行為の撤回については、その行政行為を行った処分庁のみに認められ、その処分庁を監督する上級庁には法律上別段の規定がある場合を除き撤回権の所在がないとされています。

B　行政行為の撤回への制限

a　不可変更力（実質的確定力）を有する行政行為の撤回

争訟的裁断的性質を有する争訟の手続（決定・裁決・審決等）を経ることによって行われた行政行為や利害関係人が加わることによって行われた行政行為については不可変更力（実質的確定力）が生じます。その行政行為が違法な行政行為や不当な行政行為であったとしても、当事者が一定期間内に争訟手続によって争い、それによって行政庁や裁判所によって取消しをされない限りにおいては、行政庁がその行政行為を撤回することは認められません。

b　不利益処分の撤回

不利益処分については、その行政行為を撤回することが相手方の利益を損なうものではなく、また、法律による行政の原理の要請にも反しないことから、原則として、行政庁が自由に不利益処分を撤回することが認められます。

c　利益処分の撤回

利益処分については、その行政行為を撤回するが相手方の利益について不測の損害を与えかねないことから、原則として、行政庁が利益処分を撤回することは認められません。

しかし、その行政行為の撤回の必要性が相手方の責めに帰すべき事由によって生じた場合やその行政行為の撤回について相手方の同意がある場合には、例外的として、行政庁が利益処分を撤回することが認められます。

（6）行政行為の附款

① 行政行為の附款の意義

行政行為の附款とは、行政運営の柔軟な実現のため、行政行為の意思表示の主たる内容に付加された従たる意思表示のことをいいます。

なお、行政行為の附款は、その性質が、主たる意思表示に対する従たる意思表示であることから、準法律行為的行政行為に付すことは許されず、法律行為的行政行為についてのみ付すことが許されます。

行政行為の附款に瑕疵があり、その瑕疵が重大かつ明白である場合については、その附款がその行政行為の重要な要素であれば、その附款の無効に伴い、その行政行為も無効な行政行為となるとされています。他方、その附款がその行政行為の重要な要素でなければ、その附款のみが無効となり、その行政行為は行政行為の附款のない行政行為となるとされています。行政行為の附款が取消しすることができるものである場合については、その行政行為の附款自体にも公定力が存在することから、取消し以前は有効な附款付きの行政行為となり、取消し以後は附款のない行政行為となるとされています。

② 行政行為の附款への一般的制約

A 行政行為の附款の本体である行政行為についての制約

先述したように、行政行為の附款の本体である行政行為は、法律行為的行政行為に限られます。そのため、準法律行為的行政行為に附款を付すことは許されません。

B 行政行為の附款を付すことが可能な場合についての制約

行政行為の附款を付すことが可能な場合は、法令が行政行為に附款を付すことを認めている場合（法定附款）、または、法令が行政庁の裁量を認めている場合（裁量附款）に限られます。

C 行政行為の附款の内容についての制約

行政行為の附款は、行政行為の目的に対して、必要最小限度のものでなければなりません（比例原則）。その行政行為の附款が必要最小限度と認められない場合には、違法な附款となり、それを付すことはできません。

③　行政行為の附款の種類

A　条件

条件とは、行政行為の効力の発生や消滅を将来の不確実な事実の成否にかからしめる意思表示のことをいいます。

行政行為の附款としての条件には、停止条件と解除条件との２種類があります。

a　停止条件

停止条件とは、条件が成就したら行政行為の効力が発生する条件のことをいいます。

b　解除条件

解除条件とは、条件が成就したら行政行為の効力が消滅する条件のことをいいます。

B　期限

期限とは、行政行為の効力の発生や消滅を将来の確実な事実の成立にかからしめる意思表示のことをいいます。

行政行為の附款としての期限には、始期と終期との２種類があります。

a　始期

始期とは、期限の到来により行政行為の効果が発生する期限のことをいいます。

b　終期

終期とは、期限の到来により行政行為の効果が消滅する期限のことをいいます。

C　負担

負担とは、主たる意思表示に付随して、行政行為の相手方に対し、これに伴う特別の義務を命じる意思表示のことをいいます。

条件とは異なり、行政行為の効力の発生や消滅を不確定な事実の成否にかからしめることにより行政行為を不確定なものとするのではなく、行政行為の効力は確定的完全に発生し、これに付随して一定の義務を命ずることとなります。

D　撤回権の留保（取消権の留保）

撤回権の留保（取消権の留保）とは、主たる意思表示に付随して、特定の場合に行政行為を撤回する権利を留保するとの意思表示のことをいいます。

（7）行政裁量

行政裁量とは、行政行為を行うに際して、法律によって行政庁の判断に委ねられた余地（幅）のことをいいます。
ある行政行為について、行政庁に裁量の余地（幅）が認められている場合、行政庁の裁量は、①要件が充足されているかを認定する段階、②行政行為を行うべきかどうか、行うとしたらどのような行為を行うべきかを認定する段階に生じることとなります。前者の段階において生じる行政裁量を要件裁量といい、後者の段階において生じる行政裁量を効果裁量（行為裁量）といいます。
行政行為は、行政裁量が認められるかで以下のように分類することができます。

① 羈束行為

羈束行為とは、法律の文言が一義的かつ明確な場合に、行政機関に対して政策的判断や行政的判断の余地を与えることなく、つまり、裁量の余地を与えることなく、法律による厳格な拘束の下に行われる行政行為のことをいいます。
羈束行為には、行政裁量の余地はありません。

② 裁量行為

裁量行為とは、法律が行政機関に対して広範な授権を行い、その授権に基づいて行政機関の政策的判断や行政的判断によって、つまり、裁量によって行われる行政行為のことをいいます。
複雑かつ多様な行政需要に対応するためや、高度に専門的な問題に対応するためには、行政庁の知識と判断能力に期待することが結果的に妥当であることから、行政裁量は行政行為に不可欠なものとなっています。
裁量行為には、羈束裁量行為（法規裁量行為）と自由裁量行為（便宜裁量行為）とがあり、ある裁量行為が、どちらであるかについては、行政裁量を許容する法律の制度趣旨や制度目的から合理的に解釈し、その判断が一般的価値法則や日常経験則に基づいて行われる場合には羈束裁量行為（法規裁量行為）であり、行政庁の高度な専門技術的判断や政策的判断を必要とする場合は自由裁量行為（便宜裁量行為）であると判断すべきであるとされています。今日においては、両者の区別は相対化しており、自由裁量行為（便宜裁量行為）であっても裁量権の踰越や濫用がある場合には司法審査が及ぶとされています。

A　羈束裁量行為（法規裁量行為）

羈束裁量行為（法規裁量行為）とは、法律の文言上、一義的かつ明確な場合ではありませんが、実際には行政機関の自由な裁量行為というものは許されず、法律が予定する客観的な基準が存在する場合の裁量行為のことをいいます。

羈束裁量行為（法規裁量行為）は、法適合性についての裁量行為であり、その裁量を誤ると違法な行政行為となります。

B　自由裁量行為（便宜裁量行為）

自由裁量行為（便宜裁量行為）とは、純粋に行政機関の政策的判断や行政的判断に委ねられている、本来的な意味での自由に裁量できる裁量行為のことをいいます。

自由裁量行為（便宜裁量行為）は、公益適合性についての裁量行為であり、その裁量を誤ると不当な行政行為となります。つまり、違法の問題は原則として生じず、司法審査の対象とはなりません。但し、例外として、裁量権の範囲を超えた場合や、その濫用があった場合には、違法の問題が例外として生じ、司法審査の対象となります（行政事件訴訟法第30条[12]）。

とはいえ、先述したように、羈束裁量行為（法規裁量行為）であるか自由裁量行為（便宜裁量行為）であるかについての区別は相対化しており、以下の実体的審査基準を加味した上で司法審査をすべきとされています。

a　事実誤認

重大な事実誤認に基づいてその行政行為がなされたかどうかを検討します。

b　平等原則違反

特定の私人を合理的な理由なく差別し、不利益な扱いをしてその行政行為がなされたかどうかを検討します。平等原則違反を検討する根拠は日本国憲法第14条[13]にあります。

12　【行政事件訴訟法第30条】

行政庁の裁量処分については、裁量権の範囲をこえ又はその濫用があつた場合に限り、裁判所は、その処分を取り消すことができる。

13　【日本国憲法第14条】

1　すべて国民は、法の下に平等であつて、人種、信条、性別、社会的身分又は門地により、政治的、経済的又は社会的関係において、差別されない。

2　華族その他の貴族の制度は、これを認めない。

3　栄誉、勲章その他の栄典の授与は、いかなる特権も伴はない。栄典の授与は、現にこれを有し、又は将来これを受ける者の一代に限り、その効力を有する。

c　比例原則違反

行政行為の目的と、そのための手段とが比例しているかどうかを検討します。具体的には、裁量権の行使の目的から、行政行為の相手方に生じる権利侵害の程度や手段が不相当に過大かどうかを検討します。比例原則違反を検討する根拠は日本国憲法第31条[14]にあります。

d　信頼保護原則違反

行政庁の行政行為が、その相手方の信頼を損ねているかどうかを検討します。具体的には、行政庁の言動を信頼して行動した相手方を保護することを検討します。信頼保護原則違反を検討する根拠は民法第1条[15]第2項にあります。

e　他事考慮

行政行為を行うに際して、行政庁が考慮すべき事項を考慮しているか、考慮してはならない事項を考慮しているかについて検討します。他事考慮は動機の不正ともいわれます。

《重要判例行政法05》最高裁判所昭和53年5月26日第二小法廷判決

【事件の概要】

X会社の代表者Aは、個室付浴場業を始めることを計画し、風俗営業等取締法に基づく営業規制の有無を調査した上で、山形県内に建設予定地を取得した。その後、Aは営業用建物の建築確認申請と公衆浴場営業の許可申請を行った。ところが、周辺住民による本件個室付浴場に対する抗議活動が活発となったため、Y（山形県）は本件営業を阻止する方針を打ち出し、児童福祉法に基づき、建設予定地周辺の児童遊園を児童福祉施設として認可した。児童福祉施設周辺での個室付浴場業の営業は風俗営業等取締法によって禁止されていた。Xはそれでも営業し、営業停止処分を受けたが、そもそも児童遊園の認可処分は営業を阻止するためのものだったとして国家賠償法第1条に基づく損害賠償を求める訴えを提起した。

第1審では請求を棄却し、第2審ではX請求を認容した。Yが上告。

14　【日本国憲法第31条】
何人も、法律の定める手続によらなければ、その生命若しくは自由を奪はれ、又はその他の刑罰を科せられない。

15　【民法第1条】
1　私権は、公共の福祉に適合しなければならない。
2　権利の行使及び義務の履行は、信義に従い誠実に行わなければならない。
3　権利の濫用は、これを許さない。

【判旨】
上告棄却。
「原審の認定した右事実関係のもとにおいては、**本件児童遊園設置許可処分は行政権の著しい濫用によるものとして違法であり、かつ、右認可処分とこれを前提としてされた本件営業停止処分によってXが被った損害との間には相当因果関係があると解するのが相当であるから、Xの本訴損害賠償請求はこれを認容すべきである。**」

3 行政上の強制手続

(1) 行政上の強制手続の意義

行政上の強制手続とは、行政機関が行政目的を実現するために、あらかじめ行政上の義務を課されている国民に対して行う強制手段のことをいいます。つまり、行政上の強制手続とは、行政上の目的達成手段であり、行政上の義務履行確保手段のことをいいます。
行政上の強制手続が認められる趣旨は、行政目的に適合した状況を早期に実現するために、裁判手続を経ることなく、行政主体が自らその義務の履行の実現を図るという自力救済にあります。

(2) 行政上の強制手続の種類

行政目的を達成するための行政上の強制手続には、行政強制と行政罰の2つに分類されます。

① 行政強制

行政強制とは、行政目的を達成するために、国民の身体や財産に対して実力を加えたり、心理的圧迫を加えたりすることによって、行政上必要な状態を実現させる作用のことをいいます。つまり、行政強制は、行政上の目的達成手段を意味します。
行政強制は、履行義務を前提とする行政上の強制執行と履行義務を前提としない行政上の即時強制の2つに分類されます。

A 行政上の強制執行

行政上の強制執行とは、行政上の義務の不履行に対して、行政主体がその実力をもって将来に向けて、その義務を履行させたり、その義務の履行があったのと同じ状況を実現させたりする作用のことをいいます。

行政上の強制執行は、義務の履行を強制するために、通常、国民の身体や財産に対して新たな侵害を及ぼすことを内容とします。従って、行政上の強制執行については、法律上の根拠に基づいて行う必要があります。一般的には、根拠法として行政代執行法があります（行政代執行法第１条[16]）。

強制執行については、行政上の強制執行と民事執行手続による強制執行がありますが、行政上の強制執行ができる場合において、民事上の強制執行ができるかが問題となります。行政上の強制執行という簡易な行政目的実現のための手続を認めた以上、あえて民事執行手続によることを認める必要はないため、行政上の強制執行ができる場合には、民事上の強制執行はできないとされています。また、行政上の強制執行ができない場合において、民事上の強制執行ができるかも問題となります。行政上の強制執行ができない場合に、民事上の強制執行もできないとすると、行政主体が不作為義務を強制する手段がなくなり、執行の欠缺が生じることとなるため妥当ではありません。従って、行政上の強制執行ができない場合には、民事上の強制執行はできると解されています。

行政上の強制執行には、代執行・間接強制・直接強制・行政上の強制徴収の４つがあります。

a　代執行

代執行とは、他人が代わってできる作為義務、いわゆる代替的作為義務について、それが未だ履行されていない場合に、行政庁が自ら義務者が履行すべき行為をし、または、第三者をもって義務者が履行すべき行為をさせることによって、その義務が履行されたのと同様の状況を作出し、その履行費用について、本来の義務者に負担させ、それを徴収することをいいます（行政代執行法第２条[17]）。

16　【行政代執行法第１条】

行政上の義務の履行確保に関しては、別に法律で定めるものを除いては、この法律の定めるところによる。

17　【行政代執行法第２条】

法律（法律の委任に基く命令、規則及び条例を含む。以下同じ。）により直接に命ぜられ、又は法律に基き行政庁により命ぜられた行為（他人が代つてなすことのできる行為に限る。）について義務者がこれを履行しない場合、他の手段によつてその履行を確保することが困難であり、且つその不履行を放置することが著しく公益に反すると認められるときは、当該行政庁は、自ら義務者のなすべき行為をなし、又は第三者をしてこれをなさしめ、その費用を義務者から徴収することができる。

代執行の対象は、法律により直接命ぜられ、または、法律に基づき行政庁により命ぜられた行為で、他人が代わってなすことのできる行為、つまり、代替的作為義務に限られます（行政代執行法第２条前段）。従って、行政指導に対して国民が従わない場合にその指導内容について代執行することは許されないですし、家屋の明け渡し等の非代替的作為義務や営業停止等の不作為義務を代執行の対象とすることは許されません。また、代替的作為義務でありさえすれば代執行ができるわけではなく、代執行は他の手段によってその履行を確保することが困難（代執行に先行すべき手段が他にはないということ）であり、その不履行を放置することが著しく公益に反すると認められる場合に限り行うことができます（行政代執行法第２条後段）。

代執行を行うためには、原則として、義務の履行期限を設定し、その期限までに義務が履行されない場合には代執行を行う旨をあらかじめ文書で通知しなければなりません（行政代執行法第３条[18]第１項）。これを戒告といいます。義務者が戒告で指定した期限までに義務を履行しない場合には、行政庁は、原則として、代執行令書を発し、義務者に対し、代執行の時期、執行責任者の氏名、代執行に要する費用の見積額の概算を通知します（行政代執行法第３条第２項）。非常の場合や危険切迫の場合において代執行の急速な実施について緊急の必要があれば、例外として、戒告の手続を省略することができます（行政代執行法第３条第３項）。

代執行の取消しを争う取消訴訟においては、戒告自体は義務者に義務を負わせるものではありませんが、戒告が行われることによりほぼ確実に代執行が行われることから、戒告と代執行とを一体的に捉え、義務者は戒告の取消しを求めることができるとされています。

18　【行政代執行法第３条】
１　前条の規定による処分（代執行）をなすには、相当の履行期限を定め、その期限までに履行がなされないときは、代執行をなすべき旨を、予め文書で戒告しなければならない。
２　義務者が、前項の戒告を受けて、指定の期限までにその義務を履行しないときは、当該行政庁は、代執行令書をもつて、代執行をなすべき時期、代執行のために派遣する執行責任者の氏名及び代執行に要する費用の概算による見積額を義務者に通知する。
３　非常の場合又は危険切迫の場合において、当該行為の急速な実施について緊急の必要があり、前二項に規定する手続をとる暇がないときは、その手続を経ないで代執行をすることができる。

期限内に義務の履行がない場合には、行政庁は自ら義務者の履行すべき行為をし、または、第三者をもって履行すべき行為をさせます。この場合、執行責任者は執行責任者であることを示す証票を携帯する義務があり、相手方の要求があればこれを呈示しなければなりません（行政代執行法第４条[19]）。

代執行に要した費用の徴収については、実際に要した費用の額及びその納期日を設定し、義務者に対して文書をもってその納付を命じなければなりません（行政代執行法第５条[20]）。

また、代執行に要した費用については、国税徴収法の規定に基づき、義務者より徴収され（行政代執行法第６条[21]第１項）、その費用について行政庁は国税及び地方税に次ぐ順位の先取特権を有し（行政代執行法第６条第２項）、その徴収金は国庫等の収入となります（行政代執行法第６条第３項）。

b　間接強制（執行罰）

間接強制（執行罰）とは、不作為義務や他人が代わってすることができない作為義務、いわゆる非代替的作為義務の履行のない場合に、一定の期限を設定し、その期限内に義務を履行しない場合には、一定額の過料に処する旨を事前に予告し、その予告をもって義務者に心理的圧迫を加え、間接的に履行を強制する作用のことをいいます。間接強制（執行罰）は、制裁である行政罰とは異なり、繰り返し行うことによって心理的圧迫を加えることができます。

19　【行政代執行法第４条】
　代執行のために現場に派遣される執行責任者は、その者が執行責任者たる本人であることを示すべき証票を携帯し、要求があるときは、何時でもこれを呈示しなければならない。

20　【行政代執行法第５条】
　代執行に要した費用の徴収については、実際に要した費用の額及びその納期日を定め、義務者に対し、文書をもつてその納付を命じなければならない。

21　【行政代執行法第６条】
１　代執行に要した費用は、国税滞納処分の例により、これを徴収することができる。
２　代執行に要した費用については、行政庁は、国税及び地方税に次ぐ順位の先取特権を有する。
３　代執行に要した費用を徴収したときは、その徴収金は、事務費の所属に従い、国庫又は地方公共団体の経済の収入となる。

間接強制（執行罰）は、現在では、砂防法第36条[22]にのみにみられる作用です。

c　直接強制

直接強制とは、義務者がその義務について不履行である場合に、直接的に義務者の身体や財産に実力を加えることによって、義務の履行があったのと同じ状況を実現する作用のことをいいます。直接強制は、直接的な実力行使であることから実効性は高いですが、その反面、人権侵害の危険性も高いため限定して用いられます。従って、一般法は存在せず、個別法にいくつかの規定が存在するのみとなっています。

d　行政上の強制徴収

行政上の強制徴収とは、国民または住民が国・地方公共団体に対して負う公法上の金銭給付義務を履行しない場合には、行政庁が強制的手段によって、その義務が履行されたのと同様の状況を実現するための作用のことをいいます。行政上の強制徴収の趣旨は、大量発生する債権の迅速かつ効率的な実現にあります。実務上においては、国税徴収法の規定が、行政上の強制徴収についての事実上の一般法として用いられています。

B　即時強制（即時執行）

即時強制（即時執行）とは、義務の履行を強制するためではなく、目前急迫の障害を除く必要上義務を命ずる暇のない場合や、その性質上、義務を命ずることによってはその目的が達し難いような場合に、直接的に国民の身体や財産に実力を加えることによって、行政上必要な状態を実現させる作用のことをいいます。即時強制は、行政上の必要から、直接的に国民の身体や財産に実力を加える作用であることから、当然に法律の根拠が必要となります。

②　行政罰

行政罰とは、行政上の義務違反に対して、一般的統治権に基づいて、制裁として科される罰のことをいいます。

22　【砂防法第36条】

私人ニ於テ此ノ法律若ハ此ノ法律ニ基キテ発スル命令ニ依ル義務ヲ怠ルトキハ国土交通大臣若ハ都道府県知事ハ一定ノ期限ヲ示シ若シ期限内ニ履行セサルトキ若ハ之ヲ履行スルモ不充分ナルトキハ五百円以内ニ於テ指定シタル過料ニ処スルコトヲ予告シテ其ノ履行ヲ命スルコトヲ得

行政罰は、過去の行政上の義務違反に対する制裁として科されるものであり、将来にわたって行政上の義務を履行することの強制を目的とする行政上の強制執行の一類型である執行罰とは異なります。

また、行政罰と行政上の強制執行とは異なる目的を有していることから、法律上の規定があれば、行政上の強制執行をしつつ行政罰を科すことも可能となります。

行政罰には、行政刑罰と秩序罰があります。

A 行政刑罰

行政刑罰とは、行政上の義務違反に対して、刑法上の刑罰を科すものをいいます。この刑法上の刑罰とは、死刑・懲役・禁錮・罰金・拘留・科料をいいます（刑法第９条[23]）が、行政刑罰については、死刑を科すものは現行法上存在しません。行政刑罰は、行政上の義務違反に対する制裁であり、反道徳的性質を有する自然犯に対する道義的責任追求を目的とする刑事罰とはその趣旨が異なります。しかし、刑事罰と行政刑罰の区別は必ずしも明確ではありません。そのため、行政刑罰についても、特別の規定がない限り、刑法総則の規定の適用があります（刑法第８条[24]）。そのため、行政刑罰についても、検察官による起訴を受け、裁判所が刑事訴訟法の規定に従って科刑することとなります。このように、行政刑罰については、原則として、刑事訴訟法が適用されることとなりますが、道路交通法による交通反則金通告制度や国税犯則取締法による国税反則通告制度等の特別な制度が適用される場合もあります。また、刑事罰とは異なり、行政刑罰には取締り強化の趣旨から、行為者以外に事業主を処罰する旨の規定（両罰規定）が多数存在します。

行政刑罰は刑罰として科されるため、二重処罰の禁止（日本国憲法第39条[25]後段）が適用され、執行罰のように目的が達成されるまで繰り返し科すということはできません。

---

23 【刑法第９条】

死刑、懲役、禁錮、罰金、拘留及び科料を主刑とし、没収を付加刑とする。

24 【刑法第８条】

この編の規定は、他の法令の罪についても、適用する。ただし、その法令に特別の規定があるときは、この限りでない。

25 【日本国憲法第39条】

何人も、実行の時に適法であつた行為又は既に無罪とされた行為については、刑事上の責任を問はれない。又、同一の犯罪について、重ねて刑事上の責任を問はれない。

B　秩序罰

秩序罰とは、行政上の秩序を維持するための制裁として、行政法規違反に対して過料を科すものをいいます。過料は刑罰ではないため（刑罰は科料）、過料を科す場合には、刑法総則の適用はなく、刑事訴訟法による手続に従う必要もありません。

行政刑罰が反社会的行為に対する制裁であることに対して、秩序罰は行政手続に支障を生じさせる行為に対する制裁であることから、両者は目的及び性格を異にする制度であるといえます。従って、行政刑罰と秩序罰を併科することは、日本国憲法第 39 条後段の規定する二重処罰の禁止に反することはなく許されるものとされています。

4　行政計画

（1）行政計画の意義

行政計画とは、行政主体が一定の公の目的のために目標を設定し、その目標を達成するための手段を総合的に提示することをいいます。

行政活動が複雑化・多様化した今日においては、行政活動の合理性・整合性の確保のため、人的資源・物的資源の合理的配分を目的とする行政計画の策定はあらゆる行政領域において必要不可欠なものとなっています。

行政計画も行政活動の1つであることから、法律による行政の原理に服することとなりますが、通説的見解においては、行政計画にも様々な性質のものがあることから、原則として、法律の根拠は不要とされています。しかし、それが拘束的計画の場合には、例外として、その策定には法律の根拠が必要となります。

また、行政計画の策定については、行政庁の広い裁量が認められます。そのため、内容面に対する統制が困難であることから、手続面に対する統制が重要となります。

このような行政計画は、社会的・経済的諸条件の変化に伴い、柔軟に見直されるべきものであるといえます。とはいえ、行政計画が中止や変更されることによって損害を被る者が生じる場合もあり得ます。その場合、計画主体（行政計画を策定した行政主体）は、損害を賠償する必要があります。特に、計画主体が、特定の者に対して、個別的・具体的な勧奨を行い、その勧奨を受けた者が、その計画の相当長期に渡る存続を信頼した結果として積極的損害を被った場合については、信義則上、計画主体は、その積極的損害についての賠償責任を負う必要が生じます。

行政計画が取消訴訟の対象となるかについては、行政計画が行政事件訴訟法第３条[26]第２項の「処分」に該当すれば、取消訴訟の対象となるとされています。取消訴訟は、行政行為の公定力を排除するために創設された手続であることから、行政事件訴訟法第３条第２項の「処分」とは、公権力が行う行為のうち公定力を有するもの、つまり、その行為によって、直接的に、国民の権利・義務を形成したり、その範囲を確定したりすることが法律上認められているものをいうとされています。この点、かつての判例は、行政計画はあくまでも青写真に過ぎず、また、計画に伴って生じる効果はあくまでも付随的効果に過ぎないことを理由として、行政事件訴訟法第３条第２項の「処分」には該当しないとされていました。しかし、行政計画を決定し、公告することにより、私人の法的地位に対して直接的な影響が生じることから、これを単なる青写真ということは妥当ではなく、また、効果も付随的なものとはいいきれないことから、現在は、行政計画は、「処分」に該当し、取消訴訟の対象となるとされています。

26 【行政事件訴訟法第３条】

1　この法律において「抗告訴訟」とは、行政庁の公権力の行使に関する不服の訴訟をいう。

2　この法律において「処分の取消しの訴え」とは、行政庁の処分その他公権力の行使に当たる行為（次項に規定する裁決、決定その他の行為を除く。以下単に「処分」という。）の取消しを求める訴訟をいう。

3　この法律において「裁決の取消しの訴え」とは、審査請求その他の不服申立て（以下単に「審査請求」という。）に対する行政庁の裁決、決定その他の行為（以下単に「裁決」という。）の取消しを求める訴訟をいう。

4　この法律において「無効等確認の訴え」とは、処分若しくは裁決の存否又はその効力の有無の確認を求める訴訟をいう。

5　この法律において「不作為の違法確認の訴え」とは、行政庁が法令に基づく申請に対し、相当の期間内に何らかの処分又は裁決をすべきであるにかかわらず、これをしないことについての違法の確認を求める訴訟をいう。

6　この法律において「義務付けの訴え」とは、次に掲げる場合において、行政庁がその処分又は裁決をすべき旨を命ずることを求める訴訟をいう。

一　行政庁が一定の処分をすべきであるにかかわらずこれがされないとき（次号に掲げる場合を除く。）。

二　行政庁に対し一定の処分又は裁決を求める旨の法令に基づく申請又は審査請求がされた場合において、当該行政庁がその処分又は裁決をすべきであるにかかわらずこれがされないとき。

7　この法律において「差止めの訴え」とは、行政庁が一定の処分又は裁決をすべきでないにかかわらずこれがされようとしている場合において、行政庁がその処分又は裁決をしてはならない旨を命ずることを求める訴訟をいう。

（2）行政計画の分類

①　法定計画と事実上の計画

行政計画は、その計画の法律の根拠の有無によって、法定計画と事実上の計画とに分類されます。

②　基本計画と実施計画

行政計画は、その計画の設定する段階によって、基本計画と実施計画とに分類されます。

③　長期計画・中期計画・短期計画

行政計画は、その計画の設定する時間的な長短によって、長期計画・中期計画・短期計画に分類されます。長期計画は10年から15年、中期計画は3年から7年、短期計画は1年から2年の期間をその対象期間とします。

④　全国計画・都道府県計画・市町村計画

行政計画は、その計画の設定する地域的範囲によって、全国計画・都道府県計画・市町村計画に分類されます。

⑤　経済計画・財政計画・防衛計画等

行政計画は、その計画の設定する対象によって、経済計画・財政計画・防衛計画等に分類されます。

⑥　拘束的計画・非拘束的計画

行政計画は、その計画が私人に対して法的拘束力を有するか否かで、拘束的計画と非拘束的計画とに分類されます。非拘束的計画については、法的拘束力を有しないことから法律の根拠は不要となりますが、拘束的計画については、法的拘束力を有することから法律の根拠が必要となります。

5　行政調査

行政調査とは、行政機関によって行われる行政目的達成のための様々な情報収集活動のことをいいます。行政調査に際しては、法令等に規定された目的以外の調査をすることは許されず、行政調査の名の下に犯罪捜査をすることは絶対に許されません。

法律の留保の原則から、相手方の抵抗を排して実力を行使する強制調査や罰則によって担保された間接的な強制調査については権力的作用であることから法律の根拠が必要となります。しかし、相手方の任意の協力を得て行われる任意調査については法律の根拠は必要とはなりません。

法律の根拠がある場合であっても、相手方の任意の協力が得られる場合であっても、その調査権限を発動するためには、客観的な必要性と緊急性がなければなりません。そのため、不必要な調査を行うべきではできません。

6　行政契約

(1) 行政契約の意義

行政契約とは、行政主体が他の行政主体や私人と対等な立場で行政目的を達成するために契約を締結することをいいます。授益的行政活動が増加している今日、行政契約の果たす役割も増大しているといえます。

行政契約も行政活動の1つであることから、法律による行政の原理に服することとなりますが、通説的見解においては、行政契約を締結する際には、契約というものが相手方との合意によるものである以上、その根拠となる法律の規定は不要とされています。但し、地方公共団体間の事務委託契約においては、一般的な行政契約とは異なるため、法律の根拠が必要であるとされています。このように、原則として、行政契約には、法律の根拠が不要であるとされていますが、行政契約の公共性・公正性の見地から、差別的取扱いの禁止や国民の生存権確保のための一定の制約が認められる場合もあります。また、物品の納入契約や土木建築契約については入札による競争契約が原則となっています。但し、契約の性質や目的が競争を許さない場合や、緊急の必要により競争によることができない場合等には、随意契約の方法を用いることができます。地方公共団体が締結する契約については、議会の議決が必要とされる場合があります。

行政契約については、原則として、民事訴訟・当事者訴訟（行政事件訴訟法第４条[27]）によって、その解決を図ることとなります。

27　【行政事件訴訟法第４条】

この法律において「当事者訴訟」とは、当事者間の法律関係を確認し又は形成する処分又は裁決に関する訴訟で法令の規定によりその法律関係の当事者の一方を被告とするもの及び公法上の法律関係に関する確認の訴えその他の公法上の法律関係に関する訴訟をいう。

例外として、民事訴訟・当事者訴訟によってではなく、取消訴訟を提起しなければならない場合もあります。この場合、取消訴訟の提起に先立ち、不服申立てを前置することが義務付けられていることが通例となっています。不服申立ての前置と取消訴訟の提起を求める背景には、訴訟件数の低減を図ることと、法律関係の早期確定を図ることの双方があるとされています。

（2）行政契約の分類

①　規制行政における契約

規制行政は、本来、法律に基づいて行政行為や行政指導等の手段によって行われますが、法律の規定が不充分な場合には、協定という形式の契約が締結される場合もあります。

②　給付行政における契約

給付行政における契約には、公共施設（公営住宅や公営体育館等）の利用契約や公共企業（上下水道等）の利用契約、補助金交付契約等が含まれます。但し、公共施設の利用契約と補助金交付契約については、行政契約ではなく、法令等により行政処分としている場合もあります。

③　財産管理のための契約

財産管理のための契約には、国有財産や公有財産の売り渡しや貸付のための契約等が含まれます。但し、国有財産や公有財産のうち行政財産の貸付については許可制が採用されています。

④　行政手段調達のための契約

行政手段調達のための契約には、物品納入契約や公共事業等の政府契約や公務員の雇用契約、公共用地買収のための契約等が含まれます。

⑤　行政主体間の契約

行政主体間の契約には、地方公共団体間の事務委託契約等が含まれます。

（3）行政契約への規制

先述したように、行政契約については、その根拠となる法律の規定は不要とされています。そのため、行政契約については、法的規制を受けないようにも思えます。

確かに、行政契約は相手方との合意に基づく契約であるため、法律の根拠は不要であるといえます。しかし、一方当事者が行政主体である行政契約においては、私人間における契約自由の原則がそのまま妥当せず、公であることから、契約の公共性・公平性が求められるともいえます。そのため、行政契約には、公共性・公平性の見地から一定の制約が認められることとなります。そのような一定の制約の中には、国民の生存権（日本国憲法第25条[28]）の確保という見地から、正当な理由がない限り、行政主体が契約の締結を強制される場合もあります。

《重要判例行政法06》最高裁判所平成元年11月8日第二小法廷決定

【事件の概要】

東京都武蔵野市は、「武蔵野市宅地開発等指導要綱」を施行し、設計に先立って日照の影響について市と協議しつつ、関係住民の同意を得ることと、市が設定する規準により教育施設負担金を市に寄付する等を事業者に求め、要綱に従わない場合には、市が上下水道の使用等必要な協力を行わないことがある旨を規定していた。しかし、建設業者Ｙがこの指導要綱に従わず、水道の供給を申入れてきたため、市長はこれを拒否した。市長は、水道法違反であるとして起訴された。

第１審では市長を罰金に処したが、第２審では控訴を棄却した。市長が上告。

【決定要旨】

上告棄却。

「原判決の認定によると、被告人らは右の指導要綱を順守させるための圧力手段として、水道事業者が有している給水の権限を用い、指導要綱に従わないＹ建設らとの給水契約の締結を拒んだものであり、その給水契約を締結して給水することが公序良俗違反を助長するような事情もなかったというのである。そうすると、原判決が、このような場合には、**水道事業者としては、たとえ指導要綱に従わない事業主らからの給水契約の申込であっても、その締結を拒むことは許されない**というべきであるから、被告人らには本件給水契約の締結を拒む正当の理由がなかったと判断した点も、是認することができる。」

28 【日本国憲法第25条】
　１ すべて国民は、健康で文化的な最低限度の生活を営む権利を有する。
　２ 国は、すべての生活部面について、社会福祉、社会保障及び公衆衛生の向上及び増進に努めなければならない。

7 行政指導

（1）行政指導の意義

行政指導とは、行政機関が行政目的の実現のために国民に働きかけ、その自発的な協力を要請する行為のことをいいます。

行政指導は、行政需要に臨機応変に対応することを可能とし、行政目的の円滑な実現に資するといえますが、あくまでも事実行為であることから、法的拘束力はないとされています。従って、行政指導について、義務を前提とする行政上の強制執行や行政罰の対象とすることは許されません。

また、行政指導は、非権力的作用であることから、行政行為や行政強制とは異なり、相手方に強制することは許されません。従って、あくまでも相手方の任意の協力を得て行政目的を達成する手段であることから、法律の根拠は必要ないとされています。但し、後述する規制的行政指導については、権力的規制に近い場合もあることから、法律の根拠が必要となると解すべきであるとされています。

（2）行政指導の種類

① 助成的行政指導

助成的行政指導とは、国民に対して、行政の側が知識や情報を提供し、国民の活動を助成する機能を果たす行政指導のことをいいます。

② 規制的行政指導

規制的行政指導とは、より積極的な規制目的を達成するために、国民の活動を規制する機能を果たす行政指導のことをいいます。

③ 調整的行政指導

調整的行政指導とは、私人間の紛争を解決する機能を果たす行政指導のことをいいます。

（3）行政指導への規制

先述したように、行政指導については、その根拠となる法律の規定は不要とされています。そのため、行政指導については、法的規制を受けないようにも思えます。

確かに、行政指導は相手方の任意の協力を得て行政目的を達成する手段であるため、法律の根拠は不要であるといえます。しかし、行政指導は、行政機関の所掌事務の範囲内に限定して行われるという点で、行政指導そのものについての法律の根拠は不要であっても、その所掌事務の範囲を確定する法律の根拠は必要となります。また、法の一般原則である平等原則や比例原則等は行政指導に対して除外されているわけではないことから、このような原則に抵触するような程度の逸脱した行政指導は許されないこととなります。

《重要判例行政法07》最高裁判所平成５年２月18日第一小法廷判決

【事件の概要】

東京都武蔵野市Ｙは、「武蔵野市宅地開発等指導要綱」を施行し、設計に先立って日照の影響について市と協議するとともに関係住民の同意を得ることと、市が設定する規準により教育施設負担金を市に寄付する等を事業者に求め、要綱に従わない場合には、市が上下水道の使用等必要な協力を行わないことがある旨を規定していた。Ｘは、この制裁を恐れて、やむなく１度はこの寄付金を納付したが、後に、この寄付金の納付は強迫があったからとして意思表示の取消しを主張し、また、教育施設負担金の納付を求める市の行政指導は違法であるとして国家賠償請求を提起した。

第１審、第２審ともに請求を棄却した。Ｘが上告。

【判旨】

破棄差戻し。

「**行政指導として教育施設の充実に充てるために事業主に対して寄付金の納付を求めること自体は、強制にわたるなど事業主の任意性を損うことがない限り、違法ということはできない。**」

「ＹがＸに対し指導要綱に基づいて教育施設負担金の納付を求めた行為も、Ｙの担当者が教育施設負担金の減免等の懇請に対し前例がないとして拒絶した態度とあいまって、Ｘに対し、指導要綱所定の教育施設負担金を納付しなければ、水道の給水契約の締結及び下水道の使用を拒絶されると考えさせるに十分なものであって、マンションを建築しようとする以上右行政指導に従うことを余儀なくさせるものであり、Ｘに教育施設負担金の納付を事実上強制しようとしたものということができる。**指導要綱に基づく行政指導が、Ｙ市民の生活環境をいわゆる乱開発から守ることを目的とするものであり、多くのＹ市民の支持を受けていたことなどを考慮しても、右行為は、本来任意に寄付金の納付を求めるべき行政指導の限度を超えるものであり、違法な公権力の行使であるといわざるを得ない。**」

8　行政手続

（1）行政手続の意義

行政手続とは、行政機関が一定の行政活動をする場合の事前手続一般のことをいいます。

行政手続という形で事前の手続を要求することによって、行政活動の適正さの確保ができ、事後的救済の補完をすることができます。

従来は、明文の規定が存在せず、判例が一定の手続を要求してきましたが、現在は、それらの判例の集積から行政手続法が制定されています。しかし、判例の要求した手続のすべてが行政手続法によって明文化されたわけではないことから、行政手続法の内容と過去の判例の内容とを併せて理解する必要があります。

（2）行政手続における適正手続の基本原則

①　告知及び聴聞の原則

告知及び聴聞の原則とは、行政処分をする前には、相手方に対して処分内容及びその理由を知らせ、相手方からのそれに対する言い分を聴かなければならないという原則のことをいいます。この原則によって、処分の適法性や妥当性を担保し、公権力によって国民の権利・自由が侵害されないように保護することができることとなります。

②　理由付記の原則

理由付記の原則とは、行政処分をするに際して、その理由を相手方に知らせなければならないという原則のことをいいます。この原則によって、行政庁の恣意的な判断が排除され、不服申立ての便宜を図ることができ、また、相手方に対する説得や決定過程の公開も図ることができます。

③　文書閲覧の原則

文書閲覧の原則とは、聴聞に際して、処分の相手方がその事案に関して、行政側の文書等の記録を閲覧できる原則のことをいいます。告知によって、相手方は処分の理由等を知ることができますが、聴聞に際しての文書閲覧を認めることにより、どのような根拠によってその処分がされているか等を確認することができ、聴聞を充実したものとすることができます。

④ 処分基準の設定及び公表の原則

処分基準の設定及び公表の原則とは、行政庁の処分について、その処分をする際の基準を設定し、事前に公表しなければならないという原則のことをいいます。この原則によって、相手方に予測可能性を与えることができ、行政庁の恣意的な判断や独断的な判断を防ぐことができます。

(3)行政手続法

① 行政手続法の目的

行政手続法は、処分・行政指導及び届出に関する手続並びに命令等を規定する手続に関し、共通する事項を規定することによって、行政運営における公正の確保と透明性の向上を図り、国民の権利・利益の保護に資することを目的としています(行政手続法第1条[29]第1項)。つまり、行政手続法は、国民の権利・利益の保護、行政運営における公正の確保と透明性の向上をその目的としているのです。

行政手続法が、国民の権利・利益の保護をその目的としていることは、適正手続の保障(日本国憲法第31条[30])の自由主義的側面を反映しているといえます。また、行政手続法が、行政運営における公正の確保と透明性の向上をその目的とした趣旨は、行政決定過程における不透明さを克服し、払拭しようとしたところにあります。透明性については、全国民を対象としたものではなく、行政上の意思決定について手続上の関係者を対象としており、この点において、情報公開制度における説明責任とは異なっています。

---

29 【行政手続法第1条】

1 この法律は、処分、行政指導及び届出に関する手続並びに命令等を定める手続に関し、共通する事項を定めることによって、行政運営における公正の確保と透明性(行政上の意思決定について、その内容及び過程が国民にとって明らかであることをいう。第四十六条において同じ。)の向上を図り、もって国民の権利利益の保護に資することを目的とする。

2 処分、行政指導及び届出に関する手続並びに命令等を定める手続に関しこの法律に規定する事項について、他の法律に特別の定めがある場合は、その定めるところによる。

30 【日本国憲法第31条】

何人も、法律の定める手続によらなければ、その生命若しくは自由を奪はれ、又はその他の刑罰を科せられない。

②　申請に対する処分に関する手続

A　申請の意義

申請とは、法令に基づき、行政庁の許可・認可・免許・その他の自己に対し何らかの利益を付与する処分を求める行為であって、その行為に対して行政庁が諾否の応答をすべきこととされているものをいいます（行政手続法第２条[31]第３号）。

B　申請前の手続

a　審査基準の設定及び公表の義務

行政庁は、審査基準を設定するとされている（行政手続法第５条[32]第１項）とともに、この審査基準はできる限り具体的なものでなければならないとされています（行政手続法第５条第２項）。また、特別の支障がある場合を除いて、審査基準は公にしておかなければならないとされています（行政手続法第５条第３項）。

なお、この審査基準とは、申請により求められた許認可等をするかどうかをその法令の規定に従って判断するために必要とされる基準のことをいいます（行政手続法第２条[33]第８号ロ）。

31　【行政手続法第２条】（抄）

この法律において、次の各号に掲げる用語の意義は、当該各号に定めるところによる。

三　申請　法令に基づき、行政庁の許可、認可、免許その他の自己に対し何らかの利益を付与する処分（以下「許認可等」という。）を求める行為であって、当該行為に対して行政庁が諾否の応答をすべきこととされているものをいう。

32　【行政手続法第５条】

１　行政庁は、審査基準を定めるものとする。

２　行政庁は、審査基準を定めるに当たっては、許認可等の性質に照らしてできる限り具体的なものとしなければならない。

３　行政庁は、行政上特別の支障があるときを除き、法令により申請の提出先とされている機関の事務所における備付けその他の適当な方法により審査基準を公にしておかなければならない。

33　【行政手続法第２条】（抄）

この法律において、次の各号に掲げる用語の意義は、当該各号に定めるところによる。

八　命令等　内閣又は行政機関が定める次に掲げるものをいう。

ロ　審査基準（申請により求められた許認可等をするかどうかをその法令の定めに従って判断するために必要とされる基準をいう。以下同じ。）

審査基準への自己拘束力が求められること、判断の公正性及び合理性が担保できること、国民に対する予測可能性を賦与できること、司法審査の判断基準を賦与できること等から、行政庁にはできる限り具体的な審査基準を設定し、それを公表する義務を負うこととなります。

b　標準処理期間設定の努力義務及び公表義務

行政庁は、申請がその事務所に到達してからその申請に対する処分をするまでに通常要すべき標準的な期間（標準処理期間）を設定するよう努め（努力義務）、これを設定した場合には、これを公にしておかなければならない（法的義務）とされています（行政手続法第６条[34]）。

標準処理期間を設定する趣旨は、行政庁に対して行政の迅速性を確保させることと、申請者に予測可能性を確保するところにあります。

C　申請後処分前の手続

a　申請に対する審査及び応答の義務

行政庁は、申請がその事務所に到達した場合は、遅滞なくその申請の審査を開始し、申請書の記載事項に不備がないか・必要な書類が添付されているか・申請期間内にされたものであるか・法令に規定された形式要件に適合しているか等を検討し、適合していない申請については、速やかに、その申請者に対して相当の期間を設定して、その申請の補正を求めるか、その申請により求められた許認可等を拒否しなければなりません（行政手続法第７条[35]）。

34　【行政手続法第６条】

行政庁は、申請がその事務所に到達してから当該申請に対する処分をするまでに通常要すべき標準的な期間（法令により当該行政庁と異なる機関が当該申請の提出先とされている場合は、併せて、当該申請が当該提出先とされている機関の事務所に到達してから当該行政庁の事務所に到達するまでに通常要すべき標準的な期間）を定めるよう努めるとともに、これを定めたときは、これらの当該申請の提出先とされている機関の事務所における備付けその他の適当な方法により公にしておかなければならない。

35　【行政手続法第７条】

行政庁は、申請がその事務所に到達したときは遅滞なく当該申請の審査を開始しなければならず、かつ、申請書の記載事項に不備がないこと、申請書に必要な書類が添付されていること、申請をすることができる期間内にされたものであることその他の法令に定められた申請の形式上の要件に適合しない申請については、速やかに、申請をした者（以下「申請者」という。）に対し相当の期間を定めて当該申請の補正を求め、又は当該申請により求められた許認可等を拒否しなければならない。

行政手続法第７条は、申請が事務所に到達した場合には、遅滞なく審査を開始する義務が発生することと規定し、到達していても受理していないから審査をしないという運用を否定しています。これは、申請そのものの受付拒否や返戻が違法であることを意味します。また、法令に規定された形式要件に適合していない申請については、速やかに、申請者に対して相当の期間を設定して、その申請の補正を求めるか、その申請により求められた許認可等を拒否しなければならないとし、行政運営の適正について規定しています。

なお、「事務所に到達」とは、物理的にその事務所に到達することを意味し、その事務所がその到達を確認する意思表示を要求していません。

b　理由開示義務

行政庁は、申請により求められた許認可等を拒否する処分をする場合には、原則として、申請者に対し、同時にその処分の理由を示さなければなりません（行政手続法第８条[36]第１項本文）。例外として、許認可等の要件や審査基準が数量的指標や客観的指標で明確に規定されているために、申請の内容がこれに適合していないことが申請の記載や添付書類から明確である場合には、必ずしも理由の付記は必要ではなく、申請者からの要求によって示せばよいとされています（行政手続法第８条第１項但書）。

行政庁は、申請により求められた許認可等を拒否する処分を書面でする場合には、その理由も書面により示さなければなりません（行政手続法第８条第２項）。

申請により求められた許認可等を拒否する処分には、申請自体を不適法として拒否する場合と、申請自体は適法であるけれども拒否する場合とがあります。いずれの場合においても拒否処分であることには異ならないことから、その理由を示す必要があります。

36　【行政手続法第８条】

１　行政庁は、申請により求められた許認可等を拒否する処分をする場合は、申請者に対し、同時に、当該処分の理由を示さなければならない。ただし、法令に定められた許認可等の要件又は公にされた審査基準が数量的指標その他の客観的指標により明確に定められている場合であって、当該申請がこれらに適合しないことが申請書の記載又は添付書類その他の申請の内容から明らかであるときは、申請者の求めがあったときにこれを示せば足りる。

２　前項本文に規定する処分を書面でするときは、同項の理由は、書面により示さなければならない。

c 情報提供の努力義務

行政庁は、申請者の求めに応じて、審査の進行状況及び申請に対する処分時期の見通しを示すよう努めなければならないとされています（行政手続法第９条[37]第１項）。

また、行政庁は、申請をしようとする者や申請者の求めに応じて、申請書の記載及び添付書類に関する事項その他の申請に必要な情報の提供に努めなければならないとされています（行政手続法第９条第２項）。

なお、求めがない場合にまで情報提供をする必要はありません。

d 公聴会開催等の努力義務

行政庁は、申請に対する処分で申請者以外の者の利害を考慮すべきことがその法令において許認可等の要件とされているものを行う場合には、必要に応じて、公聴会の開催等の申請者以外の者の意見を聴く機会を設けるよう努めなければなりません（行政手続法第10条[38]）。

e 複数の行政庁が関与する行政処分

行政庁は、申請の処理をするに際して、他の行政庁において同一の申請者からされた関連する申請が審査中であることを理由に、自らすべき許認可等をするかどうかについての審査や判断を殊更に遅延させるようなことをしてはなりません（行政手続法第11条[39]第１項）。

37 【行政手続法第９条】

１ 行政庁は、申請者の求めに応じ、当該申請に係る審査の進行状況及び当該申請に対する処分の時期の見通しを示すよう努めなければならない。

２ 行政庁は、申請をしようとする者又は申請者の求めに応じ、申請書の記載及び添付書類に関する事項その他の申請に必要な情報の提供に努めなければならない。

38 【行政手続法第10条】

行政庁は、申請に対する処分であって、申請者以外の者の利害を考慮すべきことが当該法令において許認可等の要件とされているものを行う場合には、必要に応じ、公聴会の開催その他の適当な方法により当該申請者以外の者の意見を聴く機会を設けるよう努めなければならない。

39 【行政手続法第11条】

１ 行政庁は、申請の処理をするに当たり、他の行政庁において同一の申請者からされた関連する申請が審査中であることをもって自らすべき許認可等をするかどうかについての審査又は判断を殊更に遅延させるようなことをしてはならない。

２ 一の申請又は同一の申請者からされた相互に関連する複数の申請に対する処分について複数の行政庁が関与する場合においては、当該複数の行政庁は、必要に応じ、相互に連絡をとり、当該申請者からの説明の聴取を共同して行う等により審査の促進に努めるものとする。

また、一の申請や同一の申請者からされた相互に関連する複数の申請に対する処分については、必要に応じて、それに関係する行政庁は相互に連絡をとって審査の促進に努めなければなりません（行政手続法第11条第２項）。

f　申請に対する処分と告知及び聴聞

行政手続法では、不利益処分についての告知及び聴聞を要求していますが、申請に対する処分については告知及び聴聞を要求していません。申請に対する拒否があったとしても、従来の権利状態には変更が生じず影響が小さいからです。従って、具体的状況下において不利益が小さいといえないような場合には告知及び聴聞が要求されることとなります。また、適正手続の保障（日本国憲法第31条[40]）を実現するためには、許認可等の申請に対する拒否処分のような相手方の権利・自由を制限する行政処分については、意見陳述の機会を設けるべきであり、告知及び聴聞手続を経ないでした場合には違法であると解すべきです。

③　不利益処分に関する手続

A　不利益処分の意義

不利益処分とは、行政庁が法令に基づいて特定の者を名宛人とし、直接にその特定の者に義務を課したり、その権利を制限したりする処分のことをいいます（行政手続法第２条[41]第４号柱書本文）。

40　【日本国憲法第31条】
何人も、法律の定める手続によらなければ、その生命若しくは自由を奪はれ、又はその他の刑罰を科せられない。

41　【行政手続法第２条】（抄）
この法律において、次の各号に掲げる用語の意義は、当該各号に定めるところによる。
四　不利益処分　行政庁が、法令に基づき、特定の者を名あて人として、直接に、これに義務を課し、又はその権利を制限する処分をいう。ただし、次のいずれかに該当するものを除く。
イ　事実上の行為及び事実上の行為をするに当たりその範囲、時期等を明らかにするために法令上必要とされている手続としての処分
ロ　申請により求められた許認可等を拒否する処分その他申請に基づき当該申請をした者を名あて人としてされる処分
ハ　名あて人となるべき者の同意の下にすることとされている処分
ニ　許認可等の効力を失わせる処分であって、当該許認可等の基礎となった事実が消滅した旨の届出があったことを理由としてされるもの

不利益処分は特定の者を名宛人とする処分であることから、特定の者を名宛人としない、いわゆる一般的処分については不利益処分から除外されることとなります。

また、事実上の行為及び事実上の行為をする際の範囲・時期等を明らかにするために法令上必要とされている手続としての処分（行政手続法第２条第４号イ）・申請により求められた許認可等を拒否する処分等（行政手続法第２条第４号ロ）・名宛人となるべき者の同意の下にすることとされている処分（行政手続法第２条第４号ハ）・許認可等の効力を失わせる処分であって、その基礎となった事実が消滅した旨の届出があったことを理由としてされるもの（行政手続法第２条第４号ニ）に該当する場合については、法令に基づいて特定の者を名宛人とし、直接にその特定の者に義務を課したり、その権利を制限したりする処分をしたとしても不利益処分とはなりません（行政手続法第２条第４号柱書但書）。

B　処分基準の設定及び公表の努力義務

行政庁は、処分基準を設定するに際しては、不利益処分の性質に照らしてできる限り具体的なものとしなければなりません（行政手続法第 12 条[42]第２項）。

なお、この処分基準とは、不利益処分をするかどうか、または、どのような不利益処分とするかについてその法令の規定に従って判断するために必要とされる基準のことをいいます（行政手続法第２条[43]第８号ハ）。

処分基準の作成が努力義務とされたのは、事前に基準を作成するのが困難であるからであり、処分基準を公にすることが努力義務とされたのは、これを公にすることの弊害が予測される場合もあるからです。

42　【行政手続法第 12 条】

1　行政庁は、処分基準を定め、かつ、これを公にしておくよう努めなければならない。

2　行政庁は、処分基準を定めるに当たっては、不利益処分の性質に照らしてできる限り具体的なものとしなければならない。

43　【行政手続法第２条】（抄）

この法律において、次の各号に掲げる用語の意義は、当該各号に定めるところによる。

八　命令等　内閣又は行政機関が定める次に掲げるものをいう。

ハ　処分基準（不利益処分をするかどうか又はどのような不利益処分とするかについてその法令の定めに従って判断するために必要とされる基準をいう。以下同じ。）

C　不利益処分をしようとする場合の手続

行政庁が不利益処分を行う場合には、相手方に対して、意見陳述のための手続を執らなければなりません（行政手続法第 13 条[44]第 1 項柱書）。

この手続を省略できる場合もあります（行政手続法第 13 条第 2 項）。

44　【行政手続法第 13 条】

1　行政庁は、不利益処分をしようとする場合には、次の各号の区分に従い、この章の定めるところにより、当該不利益処分の名あて人となるべき者について、当該各号に定める意見陳述のための手続を執らなければならない。

一　次のいずれかに該当するとき　聴聞

イ　許認可等を取り消す不利益処分をしようとするとき。

ロ　イに規定するもののほか、名あて人の資格又は地位を直接にはく奪する不利益処分をしようとするとき。

ハ　名あて人が法人である場合におけるその役員の解任を命ずる不利益処分、名あて人の業務に従事する者の解任を命ずる不利益処分又は名あて人の会員である者の除名を命ずる不利益処分をしようとするとき。

ニ　イからハまでに掲げる場合以外の場合であって行政庁が相当と認めるとき。

二　前号イからニまでのいずれにも該当しないとき　弁明の機会の付与

2　次の各号のいずれかに該当するときは、前項の規定は、適用しない。

一　公益上、緊急に不利益処分をする必要があるため、前項に規定する意見陳述のための手続を執ることができないとき。

二　法令上必要とされる資格がなかったこと又は失われるに至ったことが判明した場合に必ずすることとされている不利益処分であって、その資格の不存在又は喪失の事実が裁判所の判決書又は決定書、一定の職に就いたことを証する当該任命権者の書類その他の客観的な資料により直接証明されたものをしようとするとき。

三　施設若しくは設備の設置、維持若しくは管理又は物の製造、販売その他の取扱いについて遵守すべき事項が法令において技術的な基準をもって明確にされている場合において、専ら当該基準が充足されていないことを理由として当該基準に従うべきことを命ずる不利益処分であってその不充足の事実が計測、実験その他客観的な認定方法によって確認されたものをしようとするとき。

四　納付すべき金銭の額を確定し、一定の額の金銭の納付を命じ、又は金銭の給付決定の取消しその他の金銭の給付を制限する不利益処分をしようとするとき。

五　当該不利益処分の性質上、それによって課される義務の内容が著しく軽微なものであるため名あて人となるべき者の意見をあらかじめ聴くことを要しないものとして政令で定める処分をしようとするとき。

a 聴聞

許認可等の取消しをする場合（行政手続法第13条第1項第1号イ）・名宛人の資格や地位を直接に剥奪する場合（行政手続法第13条第1項第1号ロ）・名宛人が法人である場合におけるその役員の解任を命ずる場合や名宛人の業務に従事する者の解任を命ずる場合・名宛人の会員である者の除名を命ずる場合（行政手続法第13条第1項第1号ハ）・その他行政庁が相当と認める場合（行政手続法第13条第1項第1号ニ）等不利益処分の相手方に対する影響が大きい場合に聴聞は必要とされます。

い 聴聞の通知

行政庁は、聴聞に際して、予定される不利益処分の内容及び根拠となる法令の条項（行政手続法第15条[45]第1項第1号）・不利益処分の原因となる事実（行政手続法第15条第1項第2号）・聴聞の期日及び場所（行政手続法第15条第1項第3号）・聴聞に関する事務を所掌する組織の名称及び所在地（行政手続法第15条第1項第4号）を相手方に書面により通知しなければなりません（行政手続法第15条第1項柱書）。

45 【行政手続法第15条】

1 行政庁は、聴聞を行うに当たっては、聴聞を行うべき期日までに相当な期間をおいて、不利益処分の名あて人となるべき者に対し、次に掲げる事項を書面により通知しなければならない。

一 予定される不利益処分の内容及び根拠となる法令の条項

二 不利益処分の原因となる事実

三 聴聞の期日及び場所

四 聴聞に関する事務を所掌する組織の名称及び所在地

2 前項の書面においては、次に掲げる事項を教示しなければならない。

一 聴聞の期日に出頭して意見を述べ、及び証拠書類又は証拠物（以下「証拠書類等」という。）を提出し、又は聴聞の期日への出頭に代えて陳述書及び証拠書類等を提出することができること。

二 聴聞が終結する時までの間、当該不利益処分の原因となる事実を証する資料の閲覧を求めることができること。

3 行政庁は、不利益処分の名あて人となるべき者の所在が判明しない場合においては、第一項の規定による通知を、その者の氏名、同項第三号及び第四号に掲げる事項並びに当該行政庁が同項各号に掲げる事項を記載した書面をいつでもその者に交付する旨を当該行政庁の事務所の掲示場に掲示することによって行うことができる。この場合においては、掲示を始めた日から二週間を経過したときに、当該通知がその者に到達したものとみなす。

通知後、聴聞開始前に、予定される不利益処分の根拠となる法令の条項や不利益処分の原因となる事実が変更となった場合には、改めて通知をし直す必要があります。この通知書面は、不利益処分の名宛人となるべき相手方に対してのみすれば充分であり、それ以外の利害関係人に対してはする必要はありません。

また、この通知書面には、聴聞の期日に出頭して意見を述べ、証拠書類等を提出し、または、聴聞の期日への出頭に代えて陳述書及び証拠書類等を提出することができること（行政手続法第 15 条第２項第１号）、聴聞が終結する時までの間、その不利益処分の原因となる事実を証する資料の閲覧を求めることができること（行政手続法第 15 条第２項第２号）を教示をしなければならないとされています（行政手続法第 15 条第２項柱書）。

ろ　聴聞の手続における構成員

イ　当事者

聴聞の通知を受けた者を聴聞の当事者といいます（行政手続法第 16 条[46]第１項）。

当事者は、当然に、聴聞の手続の構成員となります。

ロ　代理人

聴聞の当事者は、代理人を選任することができます（行政手続法第 16 条第１項）。この代理人の資格は、書面で証明しなければならないとされています（行政手続法第 16 条第３項）。

代理人は、当事者のために、聴聞に関する一切の行為をすることができるとされています（行政手続法第 16 条第２項）。

代理人がその資格を失った場合には、その代理人を選任した当事者は、書面でその旨を行政庁に届け出なければなりません（行政手続法第 16 条第４項）。

46　【行政手続法第 16 条】

1　前条第一項の通知を受けた者（同条第三項後段の規定により当該通知が到達したものとみなされる者を含む。以下「当事者」という。）は、代理人を選任することができる。

2　代理人は、各自、当事者のために、聴聞に関する一切の行為をすることができる。

3　代理人の資格は、書面で証明しなければならない。

4　代理人がその資格を失ったときは、当該代理人を選任した当事者は、書面でその旨を行政庁に届け出なければならない。

ハ　主宰者

聴聞は、行政庁が指名する職員その他政令で指定する者が主宰します（行政手続法第19条[47]第1項）。

この主宰者には、聴聞の当事者の利害関係人等一定の関係がある者はなれません（行政手続法第19条第2項）。

行政庁の指名する職員についての限定は、特に明文の規定はありません。

但し、聴聞の信頼性確保の観点から、その事件に直接関与した職員については、事柄の性格上、排除すべきとの意見が多数です。

また、主宰者は、行政庁から一定の独立性を有するものとされています。

ニ　参加人

主宰者は、必要があると認める場合には、不利益処分について利害関係を有すると認められる者を聴聞手続に参加させることができます（行政手続法第17条[48]第1項）。

47　【行政手続法第19条】

1　聴聞は、行政庁が指名する職員その他政令で定める者が主宰する。

2　次の各号のいずれかに該当する者は、聴聞を主宰することができない。

一　当該聴聞の当事者又は参加人

二　前号に規定する者の配偶者、四親等内の親族又は同居の親族

三　第一号に規定する者の代理人又は次条第三項に規定する補佐人

四　前三号に規定する者であった者

五　第一号に規定する者の後見人、後見監督人、保佐人、保佐監督人、補助人又は補助監督人

六　参加人以外の関係人

48　【行政手続法第17条】

1　第十九条の規定により聴聞を主宰する者（以下「主宰者」という。）は、必要があると認めるときは、当事者以外の者であって当該不利益処分の根拠となる法令に照らし当該不利益処分につき利害関係を有するものと認められる者（同条第二項第六号において「関係人」という。）に対し、当該聴聞に関する手続に参加することを求め、又は当該聴聞に関する手続に参加することを許可することができる。

2　前項の規定により当該聴聞に関する手続に参加する者（以下「参加人」という。）は、代理人を選任することができる。

3　前条第二項から第四項までの規定は、前項の代理人について準用する。この場合において、同条第二項及び第四項中「当事者」とあるのは、「参加人」と読み替えるものとする。

は　資料の閲覧請求

当事者及び参加人は、聴聞の通知があった時から聴聞が終結する時までの間、行政庁に対して、その事案についての調査に関する資料の閲覧を求めることができます（行政手続法第 18 条[49]第 1 項前段）。行政庁は、第三者の利益を害する危険がある場合やその他正当な理由がある場合でなければこれを拒むことはできません(行政手続法第 18 条第 1 項後段)。

に　聴聞の期日における審理の方式

聴聞の期日における審理は、行政庁が公開することを相当と認める場合以外は公開されません（行政手続法第 20 条[50]第６項）。

49　【行政手続法第 18 条】

1　当事者及び当該不利益処分がされた場合に自己の利益を害されることとなる参加人（以下この条及び第二十四条第三項において「当事者等」という。）は、聴聞の通知があった時から聴聞が終結する時までの間、行政庁に対し、当該事案についてした調査の結果に係る調書その他の当該不利益処分の原因となる事実を証する資料の閲覧を求めることができる。この場合において、行政庁は、第三者の利益を害するおそれがあるときその他正当な理由があるときでなければ、その閲覧を拒むことができない。

2　前項の規定は、当事者等が聴聞の期日における審理の進行に応じて必要となった資料の閲覧を更に求めることを妨げない。

3　行政庁は、前二項の閲覧について日時及び場所を指定することができる。

50　【行政手続法第 20 条】

1　主宰者は、最初の聴聞の期日の冒頭において、行政庁の職員に、予定される不利益処分の内容及び根拠となる法令の条項並びにその原因となる事実を聴聞の期日に出頭した者に対し説明させなければならない。

2　当事者又は参加人は、聴聞の期日に出頭して、意見を述べ、及び証拠書類等を提出し、並びに主宰者の許可を得て行政庁の職員に対し質問を発することができる。

3　前項の場合において、当事者又は参加人は、主宰者の許可を得て、補佐人とともに出頭することができる。

4　主宰者は、聴聞の期日において必要があると認めるときは、当事者若しくは参加人に対し質問を発し、意見の陳述若しくは証拠書類等の提出を促し、又は行政庁の職員に対し説明を求めることができる。

5　主宰者は、当事者又は参加人の一部が出頭しないときであっても、聴聞の期日における審理を行うことができる。

6　聴聞の期日における審理は、行政庁が公開することを相当と認めるときを除き、公開しない。

聴聞の審理は非公開が原則となりますが、これは当事者のプライバシーへの配慮からであって、当事者が公開を求める場合や社会的に公正さの担保がより求められる場合等においては、聴聞の審理は公開されることとなります。

主宰者は、最初の聴聞の期日の冒頭において、行政庁の職員に、予定される不利益処分の内容・根拠となる法令の条項・その原因となる事実を聴聞の期日に出頭した者に対し説明させなければなりません（行政手続法第 20 条第 1 項）。

当事者・参加人は、聴聞の期日に出頭して、意見を述べ、証拠書類等を提出し、主宰者の許可を得て行政庁の職員に対して質問をすることができます（行政手続法第 20 条第２項）。このことは、当事者・参加人には質問権が保障されていることを意味します。質問権には、質問に答えることのできる職員を聴聞の審理の場に出頭させるよう行政庁に求める権利も含まれているとされています。

主宰者の許可があれば、当事者または参加人は補佐人とともに出頭することができます（行政手続法第 20 条第３項）。

主宰者は、必要があれば、当事者・参加人に対して質問をしたり、意見の陳述や証拠書類等の提出を促したり、行政庁の職員に対して説明を求めたりすることができます（行政手続法第 20 条第４項）。

主宰者は、当事者・参加人の一部が出頭しない場合であっても、聴聞の審理を行うことができます（行政手続法第 20 条第５項）。この場合、主宰者は、出頭しない当事者・参加人に改めて意見陳述や証拠提出の機会を与えることなく聴聞を終結することができます（行政手続法第 23 条[51]第 1 項）。

---

51 【行政手続法第 23 条】

1 主宰者は、当事者の全部若しくは一部が正当な理由なく聴聞の期日に出頭せず、かつ、第二十一条第一項に規定する陳述書若しくは証拠書類等を提出しない場合、又は参加人の全部若しくは一部が聴聞の期日に出頭しない場合には、これらの者に対し改めて意見を述べ、及び証拠書類等を提出する機会を与えることなく、聴聞を終結することができる。

2 主宰者は、前項に規定する場合のほか、当事者の全部又は一部が聴聞の期日に出頭せず、かつ、第二十一条第一項に規定する陳述書又は証拠書類等を提出しない場合において、これらの者の聴聞の期日への出頭が相当期間引き続き見込めないときは、これらの者に対し、期限を定めて陳述書及び証拠書類等の提出を求め、当該期限が到来したときに聴聞を終結することとすることができる。

また、主宰者は、この場合のほか、当事者の全部・一部の者の聴聞の期日への出頭が相当期間引き続き見込めない場合には、これらの者に対して、期限を設定して陳述書及び証拠書類等の提出を求め、その期限が到来した時に聴聞を終結することとすることができます（行政手続法第23条第２項）。

当事者・参加人は、聴聞の期日への出頭に代えて、主宰者に対して、聴聞の期日までに陳述書及び証拠書類等を提出することができます（行政手続法第21条[52]第１項）。

また、主宰者は、聴聞の期日に出頭した者に対して、その求めに応じて、聴聞の期日への出頭に代えて提出する陳述書及び証拠書類等を示すことができます（行政手続法第21条第２項）。

ほ　聴聞調書及び報告書の作成や提出

主宰者は、聴聞の審理経過を記載した調書を作成し、その調書において、不利益処分の原因となる事実に対する当事者及び参加人の陳述の要旨を明らかにしておかなければなりません（行政手続法第24条[53]第１項）。

聴聞の審理経過を記載した調書は、聴聞の期日における審理が行われた場合には期日ごとに、その審理が行われなかった場合には聴聞の終結後に速やかに作成しなければなりません（行政手続法第24条第２項）。

52 【行政手続法第21条】
１　当事者又は参加人は、聴聞の期日への出頭に代えて、主宰者に対し、聴聞の期日までに陳述書及び証拠書類等を提出することができる。
２　主宰者は、聴聞の期日に出頭した者に対し、その求めに応じて、前項の陳述書及び証拠書類等を示すことができる。

53 【行政手続法第24条】
１　主宰者は、聴聞の審理の経過を記載した調書を作成し、当該調書において、不利益処分の原因となる事実に対する当事者及び参加人の陳述の要旨を明らかにしておかなければならない。
２　前項の調書は、聴聞の期日における審理が行われた場合には各期日ごとに、当該審理が行われなかった場合には聴聞の終結後速やかに作成しなければならない。
３　主宰者は、聴聞の終結後速やかに、不利益処分の原因となる事実に対する当事者等の主張に理由があるかどうかについての意見を記載した報告書を作成し、第一項の調書とともに行政庁に提出しなければならない。
４　当事者又は参加人は、第一項の調書及び前項の報告書の閲覧を求めることができる。

主宰者は、聴聞の終結後速やかに、不利益処分の原因となる事実に対する当事者等の主張に理由があるかどうかについての意見を記載した報告書を作成し、聴聞の審理経過を記載した調書とともに行政庁に提出しなければなりません（行政手続法第 24 条第３項）。

当事者・参加人は、聴聞の審理の経過を記載した調書及び不利益処分の原因となる事実に対する当事者等の主張に理由があるかどうかについての意見を記載した報告書の閲覧を求めることができます（行政手続法第 24 条第４項）。

ヘ　聴聞を経てされる不利益処分の決定

行政庁は、聴聞の審理経過を記載した調書及び不利益処分の原因となる事実に対する当事者等の主張に理由があるかどうかについての意見を記載した報告書に記載された主宰者の意見を充分に参酌して不利益処分の決定をしなければなりません（行政手続法第 26 条[54]）。

また、聴聞を経てされた不利益処分については、当事者及び参加人は、行政不服審査法による異議申立をすることができません（行政手続法第 27 条[55]）。

b　弁明の機会の付与

弁明の機会の付与は、不利益処分の相手方に対する影響が小さい場合において、聴聞のような厳格な手続を要求せずに、簡易な手続によって行われます。弁明は、行政庁が口頭ですることを認めた場合を除き、弁明を記した弁明書を提出して行うこととなります（行政手続法第 29 条[56]第１項）。

弁明をする場合には、弁明書とともに証拠書類等も一緒に提出することができます（行政手続法第 29 条第２項）。

54　【行政手続法第 26 条】
行政庁は、不利益処分の決定をするときは、第二十四条第一項の調書の内容及び同条第三項の報告書に記載された主宰者の意見を十分に参酌してこれをしなければならない。

55　【行政手続法第 27 条】
この節の規定に基づく処分又はその不作為については、審査請求をすることができない。

56　【行政手続法第 29 条】
1　弁明は、行政庁が口頭ですることを認めたときを除き、弁明を記載した書面（以下「弁明書」という。）を提出してするものとする。
2　弁明をするときは、証拠書類等を提出することができる。

また、弁明の機会の付与の手続には、聴聞に関する手続の場合とは異なり、参加人や文書閲覧権の制度もありませんが、一定の事項については、聴聞に関する手続に関する規定が準用されています（行政手続法第31条[57]）。

弁明の機会の付与については、行政庁は、弁明書の提出期限までに相当な期間をおいて、不利益処分の名宛人となるべき者に対して、予定される不利益処分の内容及び根拠となる法令の条項（行政手続法第30条[58]第1号）・不利益処分の原因となる事実（行政手続法第30条第2号）・弁明書の提出先及び提出期限（行政手続法第30条第3号）を書面により通知しなければならないとされています（行政手続法第30条柱書）。

D　不利益処分の理由提示義務

行政庁は、不利益処分をする際に、不利益処分の理由を示さなければなりません（行政手続法第14条[59]第1項本文）。

57　【行政手続法第31条】
　第十五条第三項及び第十六条の規定は、弁明の機会の付与について準用する。この場合において、第十五条第三項中「第一項」とあるのは「第三十条」と、「同項第三号及び第四号」とあるのは「同条第三号」と、第十六条第一項中「前条第一項」とあるのは「第三十条」と、「同条第三項後段」とあるのは「第三十一条において準用する第十五条第三項後段」と読み替えるものとする。

58　【行政手続法第30条】
　行政庁は、弁明書の提出期限（口頭による弁明の機会の付与を行う場合には、その日時）までに相当な期間をおいて、不利益処分の名あて人となるべき者に対し、次に掲げる事項を書面により通知しなければならない。
　一　予定される不利益処分の内容及び根拠となる法令の条項
　二　不利益処分の原因となる事実
　三　弁明書の提出先及び提出期限（口頭による弁明の機会の付与を行う場合には、その旨並びに出頭すべき日時及び場所）。

59　【行政手続法第14条】
1　行政庁は、不利益処分をする場合には、その名あて人に対し、同時に、当該不利益処分の理由を示さなければならない。ただし、当該理由を示さないで処分をすべき差し迫った必要がある場合は、この限りでない。
2　行政庁は、前項ただし書の場合においては、当該名あて人の所在が判明しなくなったときその他処分後において理由を示すことが困難な事情があるときを除き、処分後相当の期間内に、同項の理由を示さなければならない。
3　不利益処分を書面でするときは、前二項の理由は、書面により示さなければならない。

但し、差し迫った必要がある場合には、理由を示さずに不利益処分をすることができます（行政手続法第14条但書）。この場合、原則として、処分後相当の期間内に不利益処分の理由を示さなければなりません（行政手続法第14条第2項）。

行政庁は、不利益処分を書面でする場合には、その理由も書面により示さなければなりません（行政手続法第14条第3項）。

④ 行政指導

A 行政指導の意義

行政指導とは、行政機関がその任務または所掌事務の範囲内において一定の行政目的を実現するため特定の者に一定の作為･不作為を求める指導･勧告・助言その他の行為であって処分に該当しないもののことをいいます（行政手続法第2条[60]第6号）。

B 行政指導における一般原則

a 所掌事務の範囲の逸脱禁止

行政指導に携わる者は、行政機関の任務または所掌事務の範囲を逸脱してはならないことに留意しなければなりません（行政手続法第32条[61]第1項）。

b 相手方の任意の協力

行政指導に携わる者は、行政指導の内容があくまでも相手方の任意の協力によってのみ実現されるものであることに留意しなければなりません（行政手続法第32条第1項）。

---

60 【行政手続法第2条】（抄）

この法律において、次の各号に掲げる用語の意義は、当該各号に定めるところによる。

六 行政指導 行政機関がその任務又は所掌事務の範囲内において一定の行政目的を実現するため特定の者に一定の作為又は不作為を求める指導、勧告、助言その他の行為であって処分に該当しないものをいう。

61 【行政手続法第32条】

1 行政指導にあっては、行政指導に携わる者は、いやしくも当該行政機関の任務又は所掌事務の範囲を逸脱してはならないこと及び行政指導の内容があくまでも相手方の任意の協力によってのみ実現されるものであることに留意しなければならない。

2 行政指導に携わる者は、その相手方が行政指導に従わなかったことを理由として、不利益な取扱いをしてはならない。

c 不利益な取扱いの禁止

行政指導に携わる者は、その相手方が行政指導に従わなかったことを理由として、不利益な取扱いをしてはなりません（行政手続法第 32 条第２項）。

C 申請に関連する行政指導

申請の取下げや内容の変更を求める行政指導においては、行政指導に携わる者は、申請者が行政指導に従う意思がない旨を表明したにも拘わらず、その行政指導を継続すること等により、申請者の権利の行使を妨げるようなことをしてはなりません（行政手続法第 33 条[62]）。

《重要判例行政法 08》最高裁判所昭和 60 年７月 16 日第三小法廷判決

【事件の概要】

Ｘはマンションの建築確認申請を行ったが、Ｙ（東京都）の紛争調整担当職員から、建築反対運動をする付近住民と話し合いによる紛争の円満解決をするようにとの行政指導を受け、建築確認については留保された。この留保を伴う行政指導が違法なものであるとＸがＹに損害賠償を請求した。

第１審では請求棄却、第２審では一部認容した。Ｙが上告。

【判旨】

上告棄却。

「**確認処分の留保は、建築主の任意の協力・服従のもとに行政指導が行われていることに基づく事実上の措置にとどまるものであるから、建築主において自己の申請に対する確認処分を留保されたままでの行政指導には応じられないとの意思を明確に表明している場合には、かかる建築主の明示の意思に反してその受任を強いることは許されない筋合のものである**といわなければならず、**建築主が右のような行政指導に不協力・不服従の意思を表明している場合には、当該建築主が受ける不利益と右行政指導の目的とする公益上の必要性とを比較衡量して、右行政指導に対する建築主の不協力が社会通念上正義の観念に反するものといえるような特段の事情が存在しない限り、行政指導が行われているとの理由だけで確認処分を留保することは、違法であると解するのが相当である。**」

62 【行政手続法第 33 条】
申請の取下げ又は内容の変更を求める行政指導にあっては、行政指導に携わる者は、申請者が当該行政指導に従う意思がない旨を表明したにもかかわらず当該行政指導を継続すること等により当該申請者の権利の行使を妨げるようなことをしてはならない。

D　許認可等の権限に関連する行政指導

許認可等をする権限または許認可等に基づく処分をする権限を有する行政機関が、その権限を行使することができない場合や行使する意思がない場合においてする行政指導にあっては、行政指導に携わる者は、その権限を行使できる旨を殊更に示すことにより相手方に行政指導に従うことを余儀なくさせるようなことをしてはなりません（行政手続法第 34 条[63]）。つまり、申請に対して拒否処分ができないにも拘わらずできることを理由に申請の取下げや内容の変更を要求したり、取消事由に該当しないにも拘わらず取消しできるとの理由で申請者を威嚇して従わせようとすると、違法な行政指導となります。

E　行政指導の方式

行政指導に携わる者は、その相手方に対して、行政指導の趣旨・内容・責任者を明確に示さなければなりません（行政手続法第 35 条[64]第 1 項）。

63　【行政手続法第 34 条】
許認可等をする権限又は許認可等に基づく処分をする権限を有する行政機関が、当該権限を行使することができない場合又は行使する意思がない場合においてする行政指導にあっては、行政指導に携わる者は、当該権限を行使し得る旨を殊更に示すことにより相手方に当該行政指導に従うことを余儀なくさせるようなことをしてはならない。

64　【行政手続法第 35 条】
1　行政指導に携わる者は、その相手方に対して、当該行政指導の趣旨及び内容並びに責任者を明確に示さなければならない。
2　行政指導に携わる者は、当該行政指導をする際に、行政機関が許認可等をする権限又は許認可等に基づく処分をする権限を行使し得る旨を示すときは、その相手方に対して、次に掲げる事項を示さなければならない。
　一　当該権限を行使し得る根拠となる法令の条項
　二　前号の条項に規定する要件
　三　当該権限の行使が前号の要件に適合する理由
3　行政指導が口頭でされた場合において、その相手方から前二項に規定する事項を記載した書面の交付を求められたときは、当該行政指導に携わる者は、行政上特別の支障がない限り、これを交付しなければならない。
4　前項の規定は、次に掲げる行政指導については、適用しない。
　一　相手方に対しその場において完了する行為を求めるもの
　二　既に文書（前項の書面を含む。）又は電磁的記録（電子的方式、磁気的方式その他人の知覚によっては認識することができない方式で作られる記録であって、電子計算機による情報処理の用に供されるものをいう。）によりその相手方に通知されている事項と同一の内容を求めるもの

行政指導に携わる者は、行政指導をする際に、その行政機関が許認可等をする権限または許認可等に基づく処分をする権限を行使できる旨を示す場合には、その相手方に対して、①その権限を行使できる旨の根拠法令の条項（行政手続法第35条第２項第１号）・②根拠法令の条項に規定する要件（行政手続法第35条第２項第２号）・③その権限の行使が根拠法令の条項に規定する要件に適合する理由（行政手続法第35条第２項第３号）を示さなければなりません（行政手続法第35条第２項柱書）。

また、行政指導が口頭でされた場合には、相手方から、行政指導の趣旨・内容・責任者・権限を行使できる根拠法令・根拠法令の条項に規定する要件・その権限の行使が根拠法令の条項に規定する要件に適合する理由を記載した書面の交付を求められた場合には、行政指導に携わる者は、行政上特別の支障がない限り、これを交付しなければなりません（行政手続法第35条第３項）。

但し、行政指導が、相手方に対してその場において完了する行為を求めるもの（行政手続法第35条第４項第１号）や、既に文書や電磁的記録によりその相手方に通知されている事項と同一の内容を求めるもの（行政手続法第35条第４項第２号）には適用しません（行政手続法第35条第４項柱書）。

F　複数の者を対象とする行政指導

行政指導指針とは、同一の行政目的を実現するために、一定の条件に該当する複数の者に対し行政指導をしようとする際に、これらの行政指導に共通してその内容となるべき事項のことをいいます（行政手続法第２条[65]第８号ニ）。行政指導指針は、指導要綱ともいわれ、行政指導の規準となります。指導要綱に従って行政指導を行うことを要綱行政といいます。また、指導要綱は、行政機関内部の規範であるため、設定するか否かについてはその行政機関の自由です。指導要綱には法的拘束力はありませんが、要綱に基づく行政指導が行われることから、規制的・誘導的効力があります。

65　【行政手続法第２条】（抄）

この法律において、次の各号に掲げる用語の意義は、当該各号に定めるところによる。

八　命令等　内閣又は行政機関が定める次に掲げるものをいう。

ニ　行政指導指針（同一の行政目的を実現するため一定の条件に該当する複数の者に対し行政指導をしようとするときにこれらの行政指導に共通してその内容となるべき事項をいう。以下同じ。）。

同一の行政目的を実現するために、一定の条件に該当する複数の者に対し行政指導をしようとする際には、行政機関は、あらかじめ事案に応じた行政指導指針を設定して、行政上特別の支障がない限りこれを公表しなければなりません（行政手続法第 36 条[66]）。行政指導の指針が公表されることによって、不公平な行政指導が行われることを防止し、また、行政指導の透明性の確保にも役立つこととなります。

G　行政指導の中止等の求め

法令に違反する行為の是正を求める行政指導の相手方が、その行政指導が法律に規定する要件に適合しないと思料する場合には、その行政指導をした行政機関に対して、その行政指導の中止その他必要な措置を執ることを求める申出をすることができます（行政手続法第 36 条の２[67]第Ｉ項本文）。但し、その行政指導がその相手方について弁明その他意見陳述のための手続を経てされたものである場合には、その申出はできないこととされています（行政手続法第 36 条の２第Ｉ項但書）。

66　【行政手続法第 36 条】
同一の行政目的を実現するため一定の条件に該当する複数の者に対し行政指導をしようとするときは、行政機関は、あらかじめ、事案に応じ、行政指導指針を定め、かつ、行政上特別の支障がない限り、これを公表しなければならない。

67　【行政手続法第 36 条の２】
Ｉ　法令に違反する行為の是正を求める行政指導（その根拠となる規定が法律に置かれているものに限る。）の相手方は、当該行政指導が当該法律に規定する要件に適合しないと思料するときは、当該行政指導をした行政機関に対し、その旨を申し出て、当該行政指導の中止その他必要な措置をとることを求めることができる。ただし、当該行政指導がその相手方について弁明その他意見陳述のための手続を経てされたものであるときは、この限りでない。
２　前項の申出は、次に掲げる事項を記載した申出書を提出してしなければならない。
一　申出をする者の氏名又は名称及び住所又は居所
二　当該行政指導の内容
三　当該行政指導がその根拠とする法律の条項
四　前号の条項に規定する要件
五　当該行政指導が前号の要件に適合しないと思料する理由
六　その他参考となる事項
３　当該行政機関は、第一項の規定による申出があったときは、必要な調査を行い、当該行政指導が当該法律に規定する要件に適合しないと認めるときは、当該行政指導の中止その他必要な措置をとらなければならない。

申出があった場合、行政機関は必要な調査を行い、行政指導が法律に規定する要件に適合しないと認められれば、行政指導の中止等の必要な措置を執らねばなりません（行政手続法第36条の２第３項）。

申出は、申出をする者の氏名または名称及び住所または居所（行政手続法第36条の２第２項第１号）・行政指導の内容（行政手続法第36条の２第２項第２号）・行政指導が根拠とする法律の条項（行政手続法第36条の２第２項第３号）・その要件（行政手続法第36条の２第２項第４号）・その要件に適合しないと思料する理由（行政手続法第36条の２第２項第５号）・その他参考となる事項（行政手続法第36条の２第２項第６号）を記載した申出書を提出して行います（行政手続法第36条の２第２項柱書）。

H　処分等の求め

何人も、法令に違反する事実がある場合に、その是正のためにされるべき処分または行政指導がされていないと思料すれば、その処分をする権限を有する行政庁またはその行政指導をする権限を有する行政機関に対して、その旨の申出をして、処分または行政指導をすることを求めることができます（行政手続法第36条の３[68]第１項）。

申出があった場合、行政庁または行政機関は必要な調査を行い、必要があると認められれば、処分または行政指導をしなければなりません（行政手続法第36条の３第３項）。

68　【行政手続法第36条の３】

１　何人も、法令に違反する事実がある場合において、その是正のためにされるべき処分又は行政指導（その根拠となる規定が法律に置かれているものに限る。）がされていないと思料するときは、当該処分をする権限を有する行政庁又は当該行政指導をする権限を有する行政機関に対し、その旨を申し出て、当該処分又は行政指導をすることを求めることができる。

２　前項の申出は、次に掲げる事項を記載した申出書を提出してしなければならない。

一　申出をする者の氏名又は名称及び住所又は居所
二　法令に違反する事実の内容
三　当該処分又は行政指導の内容
四　当該処分又は行政指導の根拠となる法令の条項
五　当該処分又は行政指導がされるべきであると思料する理由
六　その他参考となる事項

３　当該行政庁又は行政機関は、第一項の規定による申出があったときは、必要な調査を行い、その結果に基づき必要があると認めるときは、当該処分又は行政指導をしなければならない。

申出は、申出をする者の氏名または名称及び住所または居所（行政手続法第36条の3第2項第1号）・法令に違反する事実の内容（行政手続法第36条の3第2項第2号）・その処分または行政指導の内容（行政手続法第36条の3第2項第3号）・その処分または行政指導の根拠となる法令の条項（行政手続法第36条の3第2項第4号）・その処分または行政指導がなされるべきであると思料する理由（行政手続法第36条の3第2項第5号）・その他参考となる事項（行政手続法第36条の2第2項第6号）を記載した申出書を提出して行います（行政手続法第36条の3第2項柱書）。

⑤ 届出

A 届出の意義

届出とは、行政庁に対して、申請以外の一定の事項の通知をする行為であって、法令により直接にその通知が義務付けられているものをいいます（行政手続法第2条[69]第7号）。

B 届出に関する行政庁の義務

届出書の記載事項に不備がなく、必要書類の添付等が法令に規定された届出の形式上の要件に適合し、その届出が法令により提出先とされている機関の事務所に到達した場合には、その届出をすべき手続上の義務が履行されたものとされます（行政手続法第37条[70]）。

行政手続法第37条の趣旨は、従来行われてきた行政機関が届出を受け付けないという不受理等の取扱いを排除するところにあります。

届出をすべき手続上の義務とは、所定の期日内に所定の事項を通知すべき義務のことを意味します。

69 【行政手続法第2条】（抄）

この法律において、次の各号に掲げる用語の意義は、当該各号に定めるところによる。

七 届出 行政庁に対し一定の事項の通知をする行為（申請に該当するものを除く。）であって、法令により直接に当該通知が義務付けられているもの（自己の期待する一定の法律上の効果を発生させるためには当該通知をすべきこととされているものを含む。）をいう。

70 【行政手続法第37条】

届出が届出書の記載事項に不備がないこと、届出書に必要な書類が添付されていることその他の法令に定められた届出の形式上の要件に適合している場合は、当該届出が法令により当該届出の提出先とされている機関の事務所に到達したときに、当該届出をすべき手続上の義務が履行されたものとする。

⑥ 命令等制定手続

A 命令等の意義

命令等とは、内閣または行政機関が規定する法律に基づく命令・審査基準・処分基準・行政指導指針のことをいいます（行政手続法第２条[71]第８号）。

a 法律に基づく命令または規則

法律に基づく命令または規則とは、法規命令のことを意味します（行政手続法第２条第８号イ）。

b 審査基準

審査基準とは、申請により求められた許認可等をするかどうかをその法令の規定に従って判断するために必要とされる基準のことをいいます（行政手続法第２条第８号ロ）。

c 処分基準

処分基準とは、不利益処分をするかどうか、または、どのような不利益処分とするかについて、その法令の規定に従って判断するために必要とされる基準のことをいいます（行政手続法第２条第８号ハ）。

d 行政指導指針

行政指導指針とは、同一の行政目的を実現するために、一定の条件に該当する複数の者に対して行政指導をしようとする場合に、共通してその内容となるべき事項のことをいいます（行政手続法第２条第８号ニ）。

---

71 【行政手続法第２条】（抄）

この法律において、次の各号に掲げる用語の意義は、当該各号に定めるところによる。

八 命令等 内閣又は行政機関が定める次に掲げるものをいう。

イ 法律に基づく命令（処分の要件を定める告示を含む。次条第二項において単に「命令」という。）又は規則

ロ 審査基準（申請により求められた許認可等をするかどうかをその法令の定めに従って判断するために必要とされる基準をいう。以下同じ。）

ハ 処分基準（不利益処分をするかどうか又はどのような不利益処分とするかについてその法令の定めに従って判断するために必要とされる基準をいう。以下同じ。）

ニ 行政指導指針（同一の行政目的を実現するため一定の条件に該当する複数の者に対し行政指導をしようとするときにこれらの行政指導に共通してその内容となるべき事項をいう。以下同じ。）。

B 命令等制定手続

a 命令等制定手続の一般原則

命令等制定機関は、命令等を制定するに際して、その命令等がこれを制定する根拠となる法令の趣旨に適合するものとなるようにしなければなりません（行政手続法第38条[72]第1項）。

また、命令等を制定した後においても、その命令等の規定の実施状況、社会経済情勢の変化等を勘案し、必要に応じてその命令等の内容について検討を加え、その適正を確保するよう努めなければなりません（行政手続法第38条第2項）。

b 意見公募手続

意見公募手続とは、いわゆるパブリックコメントの手続のことをいいます。

い 意見公募手続の意義

命令等制定機関は、命令等を制定しようとする場合には、その命令等の案及びこれに関連する資料をあらかじめ公示し、意見の提出先及び意見の提出のための期間（意見提出期間）を設定して広く一般の意見を求めなければなりません（行政手続法第39条[73]第1項）。

72 【行政手続法第38条】

1 命令等を定める機関（閣議の決定により命令等が定められる場合にあっては、当該命令等の立案をする各大臣。以下「命令等制定機関」という。）は、命令等を定めるに当たっては、当該命令等がこれを定める根拠となる法令の趣旨に適合するものとなるようにしなければならない。

2 命令等制定機関は、命令等を定めた後においても、当該命令等の規定の実施状況、社会経済情勢の変化等を勘案し、必要に応じ、当該命令等の内容について検討を加え、その適正を確保するよう努めなければならない。

73 【行政手続法第39条】

1 命令等制定機関は、命令等を定めようとする場合には、当該命令等の案（命令等で定めようとする内容を示すものをいう。以下同じ。）及びこれに関連する資料をあらかじめ公示し、意見（情報を含む。以下同じ。）の提出先及び意見の提出のための期間（以下「意見提出期間」という。）を定めて広く一般の意見を求めなければならない。

2 前項の規定により公示する命令等の案は、具体的かつ明確な内容のものであって、かつ、当該命令等の題名及び当該命令等を定める根拠となる法令の条項が明示されたものでなければならない。

3 第一項の規定により定める意見提出期間は、同項の公示の日から起算して三十日以上でなければならない。

ろ　命令等の案の公示

公示する命令等の案については、具体的かつ明確な内容のものであって、その命令等の題名及びその命令等を制定する根拠となる法令の条項が明示されたものでなければなりません（行政手続法第 39 条第２項）。

は　意見提出期間

意見提出期間は、公示の日から起算して 30 日以上でなければならないとされています（行政手続法第 39 条第３項）。

に　意見公募手続が義務付けられない場合

公益上、緊急に命令等を制定する必要がある等の意見公募手続を実施する必然性が乏しい場合は、意見公募手続は実施する必要がなくなります（行政手続法第 39 条第４項）。

4　次の各号のいずれかに該当するときは、第一項の規定は、適用しない。

一　公益上、緊急に命令等を定める必要があるため、第一項の規定による手続（以下「意見公募手続」という。）を実施することが困難であるとき。

二　納付すべき金銭について定める法律の制定又は改正により必要となる当該金銭の額の算定の基礎となるべき金額及び率並びに算定方法についての命令等その他当該法律の施行に関し必要な事項を定める命令等を定めようとするとき。

三　予算の定めるところにより金銭の給付決定を行うために必要となる当該金銭の額の算定の基礎となるべき金額及び率並びに算定方法その他の事項を定める命令等を定めようとするとき。

四　法律の規定により、内閣府設置法第四十九条第一項若しくは第二項若しくは国家行政組織法第三条第二項に規定する委員会又は内閣府設置法第三十七条若しくは第五十四条若しくは国家行政組織法第八条に規定する機関（以下「委員会等」という。）の議を経て定めることとされている命令等であって、相反する利害を有する者の間の利害の調整を目的として、法律又は政令の規定により、これらの者及び公益をそれぞれ代表する委員をもって組織される委員会等において審議を行うこととされているものとして政令で定める命令等を定めようとするとき。

五　他の行政機関が意見公募手続を実施して定めた命令等と実質的に同一の命令等を定めようとするとき。

六　法律の規定に基づき法令の規定の適用又は準用について必要な技術的読替えを定める命令等を定めようとするとき。

七　命令等を定める根拠となる法令の規定の削除に伴い当然必要とされる当該命令等の廃止をしようとするとき。

八　他の法令の制定又は改廃に伴い当然必要とされる規定の整理その他の意見公募手続を実施することを要しない軽微な変更として政令で定めるものを内容とする命令等を定めようとするとき。

ほ　意見公募手続の特例

命令等制定機関は、命令等を制定しようとする際、30日以上の意見提出期間を設定することができないやむを得ない理由がある場合には、30日を下回る意見提出期間を設定することができます（行政手続法第40条[74]第1項前段）。30日を下回る期間とする場合には、公示の際にその理由を明らかにしなければなりません（行政手続法第40条第1項後段）。また、委員会等で意見公募手続に準じた手続を実施した場合には、意見公募手続の実施は不要です（行政手続法第40条第2項）。

へ　意見公募手続の周知等

命令等制定機関は、意見公募手続を実施して命令等を制定するに際して、必要に応じて、意見公募手続の実施について周知するよう努めるとともに、意見公募手続の実施に関連する情報の提供に努めなければなりません（行政手続法第41条[75]）。

と　提出意見の考慮

命令等制定機関は、意見公募手続を実施して命令等を制定する場合には、意見提出期間内にその命令等制定機関に対して提出されたその命令等の案についての意見（提出意見）を充分に考慮しなければなりません（行政手続法第42条[76]）。

74　【行政手続法第40条】
1　命令等制定機関は、命令等を定めようとする場合において、三十日以上の意見提出期間を定めることができないやむを得ない理由があるときは、前条第三項の規定にかかわらず、三十日を下回る意見提出期間を定めることができる。この場合においては、当該命令等の案の公示の際その理由を明らかにしなければならない。
2　命令等制定機関は、委員会等の議を経て命令等を定めようとする場合（前条第四項第四号に該当する場合を除く。）において、当該委員会等が意見公募手続に準じた手続を実施したときは、同条第一項の規定にかかわらず、自ら意見公募手続を実施することを要しない。

75　【行政手続法第41条】
命令等制定機関は、意見公募手続を実施して命令等を定めるに当たっては、必要に応じ、当該意見公募手続の実施について周知するよう努めるとともに、当該意見公募手続の実施に関連する情報の提供に努めるものとする。

76　【行政手続法第42条】
命令等制定機関は、意見公募手続を実施して命令等を定める場合には、意見提出期間内に当該命令等制定機関に対し提出された当該命令等の案についての意見（以下「提出意見」という。）を十分に考慮しなければならない。

ち　結果の公示等

イ　公示対象と公示時期

命令等制定機関は、意見公募手続を経て命令等を制定した場合には、公布時に、命令等の題名（行政手続法第43条[77]第1項第1号）・命令等の案の公示の日（行政手続法第43条第1項第2号）・提出意見（行政手続法第43条第1項第3号）・提出意見がなかった場合にあってはその旨（行政手続法第43条第1項第3号）・提出意見を考慮した結果及びその理由（行政手続法第43条第1項第4号）を公示しなければなりません（行政手続法第43条第1項柱書）。

77　【行政手続法第43条】

1　命令等制定機関は、意見公募手続を実施して命令等を定めた場合には、当該命令等の公布（公布をしないものにあっては、公にする行為。第五項において同じ。）と同時期に、次に掲げる事項を公示しなければならない。

一　命令等の題名

二　命令等の案の公示の日

三　提出意見（提出意見がなかった場合にあっては、その旨）

四　提出意見を考慮した結果（意見公募手続を実施した命令等の案と定めた命令等との差異を含む。）及びその理由

2　命令等制定機関は、前項の規定にかかわらず、必要に応じ、同項第三号の提出意見に代えて、当該提出意見を整理又は要約したものを公示することができる。この場合においては、当該公示の後遅滞なく、当該提出意見を当該命令等制定機関の事務所における備付けその他の適当な方法により公にしなければならない。

3　命令等制定機関は、前二項の規定により提出意見を公示し又は公にすることにより第三者の利益を害するおそれがあるとき、その他正当な理由があるときは、当該提出意見の全部又は一部を除くことができる。

4　命令等制定機関は、意見公募手続を実施したにもかかわらず命令等を定めないこととした場合には、その旨（別の命令等の案について改めて意見公募手続を実施しようとする場合にあっては、その旨を含む。）並びに第一項第一号及び第二号に掲げる事項を速やかに公示しなければならない。

5　命令等制定機関は、第三十九条第四項各号のいずれかに該当することにより意見公募手続を実施しないで命令等を定めた場合には、当該命令等の公布と同時期に、次に掲げる事項を公示しなければならない。ただし、第一号に掲げる事項のうち命令等の趣旨については、同項第一号から第四号までのいずれかに該当することにより意見公募手続を実施しなかった場合において、当該命令等自体から明らかでないときに限る。

一　命令等の題名及び趣旨

二　意見公募手続を実施しなかった旨及びその理由

ロ　整理・要約したものの公示

命令等制定機関は、必要に応じて、提出意見に代えて提出意見を整理または要約したものを公示することができるとされています（行政手続法第 43 条第２項前段）。この場合、公示の後遅滞なく、提出意見を命令等制定機関の事務所における備付けその他の適当な方法により公にしなければなりません（行政手続法第 43 条第２項後段）。

ハ　提出意見の全部・一部除外

命令等制定機関は、提出意見を公示したり、公にしたりすることにより、第三者の利益を害する危険性がある場合や、その他正当な理由がある場合には、提出意見の全部・一部を除くことができます（行政手続法第 43 条第３項）。

ニ　命令を制定しないこととした場合

命令等制定機関は、意見公募手続を実施したにも拘わらず、命令等を制定しないこととした場合には、その旨を速やかに公示しなければなりません（行政手続法第 43 条第４項）。

ホ　意見公募手続が義務付けられていない場合

命令等制定機関は、意見公募手続を実施しないで命令等を制定した場合には、公布時に、命令等の題名及び趣旨（行政手続法第 43 条第５項第１号）・意見公募手続を実施しなかった旨及びその理由（行政手続法第 43 条第５項第２号）を公示しなければなりません（行政手続法第 43 条第５項本文柱書）。

但し、命令等の趣旨については、意見公募手続を実施しなかった場合において、命令等自体から明らかでない場合に限るとされています（行政手続法第 43 条第５項但書）。

り　公示の方法

公示は、電子情報処理組織を使用する方法その他の情報通信の技術を利用する方法により行います（行政手続法第 45 条[78]第１項）。

78　【行政手続法第 45 条】

１　第三十九条第一項並びに第四十三条第一項（前条において読み替えて準用する場合を含む。）、第四項（前条において準用する場合を含む。）及び第五項の規定による公示は、電子情報処理組織を使用する方法その他の情報通信の技術を利用する方法により行うものとする。

２　前項の公示に関し必要な事項は、総務大臣が定める。

⑦　地方公共団体の措置

地方公共団体の機関が、条例や規則に基づいて行う処分・すべての行政指導一般・地方公共団体の機関に対し条例や規則に基づいて行う届出及び地方公共団体等の機関が行う命令等を制定する行為については、行政手続法の適用が除外されています（行政手続法第３条[79]第３項）。

しかし、いかに地方公共団体等の機関が行う命令等を制定する行為について除外されているからといっても、行政運営における公正の確保と透明性の向上という行政手続法の目的（行政手続法第１条第１項）については、地方公共団体についても同様に要求されているはずです。

そこで、地方公共団体は、行政手続法上の規定の趣旨に鑑みて、行政運営における公正の確保と透明性の向上を図るため必要な措置を講ずるよう努めなければならないとされています（行政手続法第46条[80]）。

四　行政救済法

１　行政救済法総論

（１）行政救済法の意義

行政救済法とは、国や地方公共団体等によって行われる行政活動のうち、違法・不当な行政活動によって国民の権利・利益が侵害された場合に、その侵害に対する一定の法的救済を与えるための法制度・法分野のことをいいます。

79　【行政手続法第３条】（抄）
３　第一項各号及び前項各号に掲げるもののほか、地方公共団体の機関がする処分（その根拠となる規定が条例又は規則に置かれているものに限る。）及び行政指導、地方公共団体の機関に対する届出（前条第七号の通知の根拠となる規定が条例又は規則に置かれているものに限る。）並びに地方公共団体の機関が命令等を定める行為については、次章から第六章までの規定は、適用しない。

80　【行政手続法第46条】
地方公共団体は、第三条第三項において第二章から前章までの規定を適用しないこととされた処分、行政指導及び届出並びに命令等を定める行為に関する手続について、この法律の規定の趣旨にのっとり、行政運営における公正の確保と透明性の向上を図るため必要な措置を講ずるよう努めなければならない。

（２）行政救済法の分類

① 行政争訟

行政争訟とは、行政上の法律関係に関する紛争について、国家機関がこれを審理・判断し、違法・不当な行政活動の排除や是正を行うための制度のことをいいます。行政争訟には、行政不服申立てと行政事件訴訟の２つの類型があります。

行政不服申立て及び行政事件訴訟は、双方とも誤った行政活動の排除や是正を図るための制度ではありますが、行政不服申立ての裁断機関が行政機関であるのに対して、行政事件訴訟の裁断機関が裁判所である点が異なっています。

A 行政不服申立て

行政不服申立てとは、行政庁の処分・不作為に関する国民の不服の申立てに対して、行政機関がこれを審査し、解決するための制度のことをいいます。

B 行政事件訴訟

行政事件訴訟とは、行政活動に関連する紛争についての訴えの提起に対して、裁判所がその解決を図るための制度のことをいいます。

② 国家補償

国家補償とは、行政作用により国民に生じた損害を補填するための制度のことをいいます。国家補償には、国家賠償と損失補償の２つの類型があります。

行政争訟制度が、違法・不当な行政活動の排除や是正を図るための制度であるのに対して、国家補償制度は、国民に生じた侵害に対して金銭による救済を図る点が異なっています。

A 国家賠償

国家賠償とは、国や地方公共団体の違法な行政活動により加えられた国民の損害を金銭に見積り、国や地方公共団体に賠償責任を負わせ、被害者の救済を図る制度のことをいいます。

B 損失補償

損失補償とは、国や地方公共団体の適法な行政活動により加えられた国民の財産上の特別な損失に対して、全体的な公平負担の観点から、これを調整するためにする財産的補填のことをいいます。

2　行政争訟

（1）行政不服申立て

①　行政不服申立て制度の意義

行政不服申立て制度とは、行政庁の処分その他公権力の行使に該当する行為について不服のある者が、行政機関に対し不服を申立て、行政庁の違法・不当な行為を是正させる制度のことをいいます。

行政不服申立て制度は、行政事件訴訟制度とは異なり、不当な瑕疵についても審査対象となります。行政事件訴訟制度が膨大な費用と時間を必要とするのに対して、行政不服申立て制度は書面審査を基本とする簡易迅速な手続によって行われ、国民の権利や利益の救済を早期に図ることができます。行政庁自らが違法・不当な処分を是正する機会を得ることから、行政の適正な運営の確保が図られることとなります。また、行政庁自ら解決することによる裁判所の負担軽減も図られます。行政不服申立て制度と行政事件訴訟制度は、原則として、どちらを利用するのも自由です（行政事件訴訟法第８条[81]第１項本文）。これを自由選択主義といいます。但し、例外として 、不服申立てを経た後でなければ、訴訟を提起できない場合があります。これを審査請求前置主義といいます（行政事件訴訟法第８条第１項但書）。

81　【行政事件訴訟法第８条】

１　処分の取消しの訴えは、当該処分につき法令の規定により審査請求をすることができる場合においても、直ちに提起することを妨げない。ただし、法律に当該処分についての審査請求に対する裁決を経た後でなければ処分の取消しの訴えを提起することができない旨の定めがあるときは、この限りでない。

２　前項ただし書の場合においても、次の各号の一に該当するときは、裁決を経ないで、処分の取消しの訴えを提起することができる。

一　審査請求があつた日から三箇月を経過しても裁決がないとき。

二　処分、処分の執行又は手続の続行により生ずる著しい損害を避けるため緊急の必要があるとき。

三　その他裁決を経ないことにつき正当な理由があるとき。

３　第一項本文の場合において、当該処分につき審査請求がされているときは、裁判所は、その審査請求に対する裁決があるまで（審査請求があつた日から三箇月を経過しても裁決がないときは、その期間を経過するまで）、訴訟手続を中止することができる。

行政不服申立て制度の一般法として、行政不服審査法があります。

② 行政不服審査法

A 行政不服審査法の目的

行政不服審査法の目的は、行政庁の違法・不当な処分その他公権力の行使に該当する行為に関して、簡易迅速かつ公正な手続による不服申立て制度によって国民の権利利益の救済を図るとともに、行政の適正な運営を確保することにあります（行政不服審査法第１条[82]第１項）。

特に、行政の適正な運営の確保だけではなく、国民の権利や利益の救済を図ることを目的としている点が重要となります。

B 不服申立ての対象

行政不服審査法の対象となるのは、行政庁の処分及び不作為です。

a 不服申立ての対象についての原則

行政不服審査法は、一般概括主義という原則を採用しています。

一般概括主義とは、法律上の明文がなかったとしても、行政庁の処分であれば原則として不服申立てをすることができるという原則のことをいいます（行政不服審査法第２条[83]及び第３条[84]）。

行政不服審査法制定以前は訴願法という法律によって、そこに挙げられているものに限り訴願することができるとされていました。これを列挙主義といい、一般概括主義とは異なる運用がされていました。

---

82 【行政不服審査法第１条】

１ この法律は、行政庁の違法又は不当な処分その他公権力の行使に当たる行為に関し、国民が簡易迅速かつ公正な手続の下で広く行政庁に対する不服申立てをすることができるための制度を定めることにより、国民の権利利益の救済を図るとともに、行政の適正な運営を確保することを目的とする。

２ 行政庁の処分その他公権力の行使に当たる行為（以下単に「処分」という。）に関する不服申立てについては、他の法律に特別の定めがある場合を除くほか、この法律の定めるところによる。

83 【行政不服審査法第２条】

行政庁の処分に不服がある者は、第四条及び第五条第二項の定めるところにより、審査請求をすることができる。

84 【行政不服審査法第３条】

法令に基づき行政庁に対して処分についての申請をした者は、当該申請から相当の期間が経過したにもかかわらず、行政庁の不作為（法令に基づく申請に対して何らの処分をもしないことをいう。以下同じ。）がある場合には、次条の定めるところにより、当該不作為についての審査請求をすることができる。

一般概括主義を採用していたとしてもありとあらゆる行政庁の処分をその対象とするのではなく、一定の適用除外事項をおいて例外的な扱いをしています（行政不服審査法第７条[85]）。具体的には、行政不服審査法第７条第１項各号に規定されている処分や不作為については審査請求をすることができず、行政不服審査法第７条第２項に規定された処分や不作為についてはそもそも行政不服審査法の適用がありません。

85 【行政不服審査法第７条】

1 次に掲げる処分及びその不作為については、第二条及び第三条の規定は、適用しない。

一 国会の両院若しくは一院又は議会の議決によってされる処分

二 裁判所若しくは裁判官の裁判により、又は裁判の執行としてされる処分

三 国会の両院若しくは一院若しくは議会の議決を経て、又はこれらの同意若しくは承認を得た上でされるべきものとされている処分

四 検査官会議で決すべきものとされている処分

五 当事者間の法律関係を確認し、又は形成する処分で、法令の規定により当該処分に関する訴えにおいてその法律関係の当事者の一方を被告とすべきものと定められているもの

六 刑事事件に関する法令に基づいて検察官、検察事務官又は司法警察職員がする処分

七 国税又は地方税の犯則事件に関する法令（他の法令において準用する場合を含む。）に基づいて国税庁長官、国税局長、税務署長、国税庁、国税局若しくは税務署の当該職員、税関長、税関職員又は徴税吏員（他の法令の規定に基づいてこれらの職員の職務を行う者を含む。）がする処分及び金融商品取引の犯則事件に関する法令（他の法令において準用する場合を含む。）に基づいて証券取引等監視委員会、その職員（当該法令においてその職員とみなされる者を含む。）、財務局長又は財務支局長がする処分

八 学校、講習所、訓練所又は研修所において、教育、講習、訓練又は研修の目的を達成するために、学生、生徒、児童若しくは幼児若しくはこれらの保護者、講習生、訓練生又は研修生に対してされる処分

九 刑務所、少年刑務所、拘置所、留置施設、海上保安留置施設、少年院、少年鑑別所又は婦人補導院において、収容の目的を達成するためにされる処分

十 外国人の出入国又は帰化に関する処分

十一 専ら人の学識技能に関する試験又は検定の結果についての処分

十二 この法律に基づく処分（第五章第一節第一款の規定に基づく処分を除く。）

2 国の機関又は地方公共団体その他の公共団体若しくはその機関に対する処分で、これらの機関又は団体がその固有の資格において当該処分の相手方となるもの及びその不作為については、この法律の規定は、適用しない。

b　行政不服審査法における対象

い　処分

処分とは、行政庁の処分その他公権力の行使に該当する行為のことをいいます（行政不服審査法第１条第２項）。行政事件訴訟法第３条[86]第２項が規定する「行政庁の処分その他公権力の行使に当たる行為」と同義であり、公権力の主体である国・地方公共団体が直接国民の権利・義務を形成したり、その範囲を確定したりする行為のことをいいます。

この処分に対する行政不服申立てが、処分に対する審査請求となります（行政不服審査法第２条）。

ろ　不作為

不作為とは、行政庁が法令に基づく申請に対して何らの処分をしないことをいいます（行政不服審査法第３条）。

法令に基づいて行政庁に対して処分についての申請をした者は、その請から相当の期間が経過したにも拘わらず、行政庁の不作為がある場合には、不作為についての審査請求をすることができます。

不作為についての審査請求を認める趣旨は、許認可等の申請に対する行政庁の不作為を防止するところにあります。従って、不作為についての審査請求は、あくまでも法令に基づく申請を経ない限り認められないこととなります。

C　不服申立ての手続の方法

a　審査請求

審査請求とは、行政庁の処分・行政庁の不作為について、行政庁に対して行う不服申立ての手続のことをいいます（行政不服審査法第２条及び第３条）。

改正前の行政不服審査法においては、処分について、審査請求と異議申立てという２つの独立した不服申立ての方法が規定されていました。これらの２つの方法においては、１つの処分についていずれか１つの不服申立てしかできないという相互独立主義が採用されていました。この２つの不服申立て方法を審査請求に一元化したのが改正点となります。

86　【行政事件訴訟法第３条】（抄）

２　この法律において「処分の取消しの訴え」とは、行政庁の処分その他公権力の行使に当たる行為（次項に規定する裁決、決定その他の行為を除く。以下単に「処分」という。）の取消しを求める訴訟をいう。

b　再調査の請求

再調査の請求とは、行政庁の処分について処分庁以外の行政庁に対して審査請求をすることができる場合において、再調査の請求を認める法律の規定があれば、処分庁自身が審査請求よりも簡易な手続で事実関係の再調査をすることによる処分の見直しを求める不服申立ての手続のことをいいます（行政不服審査法第５条[87]第１項）。

行政庁の不作為についての再調査の請求は規定されていません。審査請求とどちらを選択するかは原則自由ですが、再調査の請求をした場合には、原則として、再調査の請求についての決定を経た後でなければ、審査請求をすることはできません（行政不服審査法第５条第２項）。

c　再審査請求

再審査請求とは、審査請求の裁決に不服がある場合において、再審査請求を認める法律の規定がある場合に、その裁決に対して行う不服申立ての手続のことをいいます（行政不服審査法第６条[88]第１項）。

87　【行政不服審査法第５条】

１　行政庁の処分につき処分庁以外の行政庁に対して審査請求をすることができる場合において、法律に再調査の請求をすることができる旨の定めがあるときは、当該処分に不服がある者は、処分庁に対して再調査の請求をすることができる。ただし、当該処分について第二条の規定により審査請求をしたときは、この限りでない。

２　前項本文の規定により再調査の請求をしたときは、当該再調査の請求についての決定を経た後でなければ、審査請求をすることができない。ただし、次の各号のいずれかに該当する場合は、この限りでない。

一　当該処分につき再調査の請求をした日（第六十一条において読み替えて準用する第二十三条の規定により不備を補正すべきことを命じられた場合にあっては、当該不備を補正した日）の翌日から起算して三月を経過しても、処分庁が当該再調査の請求につき決定をしない場合

二　その他再調査の請求についての決定を経ないことにつき正当な理由がある場合

88　【行政不服審査法第６条】

１　行政庁の処分につき法律に再審査請求をすることができる旨の定めがある場合には、当該処分についての審査請求の裁決に不服がある者は、再審査請求をすることができる。

２　再審査請求は、原裁決（再審査請求をすることができる処分についての審査請求の裁決をいう。以下同じ。）又は当該処分（以下「原裁決等」という。）を対象として、前項の法律に定める行政庁に対してするものとする。

再審査請求は、審査請求に対する第２審としての意味を有することから、審査請求における裁決である原裁決も対象とすることができ、原裁決の他に原処分についても再審査請求の対象となります（行政不服審査法第６条第２項）。再審査請求が可能な場合について、審査請求の裁決に不服がある者が裁判所への提訴とどちらを選択するかは原則自由です。

D　不服申立ての手続に関与する者

審査請求が適法になされる場合には、その審査請求に関与する者が必要となります。この審査請求に関与する者の主たる者は、審査請求を受けた審査庁・実際に審理手続を行う審理員・その審査請求をした審査請求人本人となります。この他に、審査請求に関与する者としては、審査請求人の代理人・口頭陳述における補佐人・複数の共同審査請求人が存在する場合の総代・審査請求に参加した利害関係人である参加人となります。

a　審査庁

審査請求をすべき行政庁は、特別の規がある場合以外には、処分庁や不作為庁に上級行政庁がない場合等には処分庁や不作為庁（行政不服審査法第４条[89]第１号）・宮内庁長官等の場合には宮内庁長官等（行政不服審査法第４条第２号）・主任の大臣が処分庁や不作為庁の上級行政庁である場合には主任の大臣（行政不服審査法第４条第３号）・これら以外の場合には処分庁や不作為庁の最上級行政庁（行政不服審査法第４条第４号）となります（行政不服審査法第４条柱書）。

89　【行政不服審査法第４条】

審査請求は、法律（条例に基づく処分については、条例）に特別の定めがある場合を除くほか、次の各号に掲げる場合の区分に応じ、当該各号に定める行政庁に対してするものとする。

一　処分庁等（処分をした行政庁（以下「処分庁」という。）又は不作為に係る行政庁（以下「不作為庁」という。）をいう。以下同じ。）に上級行政庁がない場合又は処分庁等が主任の大臣若しくは宮内庁長官若しくは内閣府設置法（平成十一年法律第八十九号）第四十九条第一項若しくは第二項若しくは国家行政組織法（昭和二十三年法律第百二十号）第三条第二項に規定する庁の長である場合　当該処分庁等

二　宮内庁長官又は内閣府設置法第四十九条第一項若しくは第二項若しくは国家行政組織法第三条第二項に規定する庁の長が処分庁等の上級行政庁である場合　宮内庁長官又は当該庁の長

三　主任の大臣が処分庁等の上級行政庁である場合（前二号に掲げる場合を除く。）　当該主任の大臣

四　前三号に掲げる場合以外の場合　当該処分庁等の最上級行政庁

審査庁とは、法律等の規定により、審査請求がなされた行政庁のことをいいます。

また、審査庁とは、行政不服審査法第４条または他の法律もしくは条例の規定により審査請求をすべきとされた行政庁のことをいいます（行政不服審査法第９条[90]第１項柱書本文）。

---

90 【行政不服審査法第９条】

１ 第四条又は他の法律若しくは条例の規定により審査請求がされた行政庁（第十四条の規定により引継ぎを受けた行政庁を含む。以下「審査庁」という。）は、審査庁に所属する職員（第十七条に規定する名簿を作成した場合にあっては、当該名簿に記載されている者）のうちから第三節に規定する審理手続（この節に規定する手続を含む。）を行う者を指名するとともに、その旨を審査請求人及び処分庁等（審査庁以外の処分庁等に限る。）に通知しなければならない。ただし、次の各号のいずれかに掲げる機関が審査庁である場合若しくは条例に基づく処分について条例に特別の定めがある場合又は第二十四条の規定により当該審査請求を却下する場合は、この限りでない。

一 内閣府設置法第四十九条第一項若しくは第二項又は国家行政組織法第三条第二項に規定する委員会

二 内閣府設置法第三十七条若しくは第五十四条又は国家行政組織法第八条に規定する機関

三 地方自治法（昭和二十二年法律第六十七号）第百三十八条の四第一項に規定する委員会若しくは委員又は同条第三項に規定する機関

２ 審査庁が前項の規定により指名する者は、次に掲げる者以外の者でなければならない。

一 審査請求に係る処分若しくは当該処分に係る再調査の請求についての決定に関与した者又は審査請求に係る不作為に係る処分に関与し、若しくは関与することとなる者

二 審査請求人

三 審査請求人の配偶者、四親等内の親族又は同居の親族

四 審査請求人の代理人

五 前二号に掲げる者であった者

六 審査請求人の後見人、後見監督人、保佐人、保佐監督人、補助人又は補助監督人

七 第十三条第一項に規定する利害関係人

３ 審査庁が第一項各号に掲げる機関である場合又は同項ただし書の特別の定めがある場合においては、別表第一の上欄に掲げる規定の適用については、これらの規定中同表の中欄に掲げる字句は、それぞれ同表の下欄に掲げる字句に読み替えるものとし、第十七条、第四十条、第四十二条及び第五十条第二項の規定は、適用しない。

また、審査請求がされた後に法令の改廃により行政庁がその審査請求について裁決をする権限を有しなくなった場合には、その行政庁は審査請求書等を新たにその審査請求について裁決をする権限を有することとなった行政庁に引き継がなければならなりません（行政不服審査法第14条[91]前段）。引継ぎを受けた行政庁は、速やかに、その旨を審査請求人及び参加人に通知しなければなりません（行政不服審査法第14条後段）。

b　審理員

審理員とは、審理手続を行う者のことをいい、審査庁は所属する職員の中から審理員となる者を指名することとなります（行政不服審査法第9条第1項本文）。審査庁は、審理員となるべき者の名簿の作成に努め（行政不服審査法第17条[92]）、個々の事案ごとに、審査庁の職員のうちから除斥事由（行政不服審査法第9条第2項）に該当しない者を審理員として指名して、審査請求人及び処分庁等に通知しなければなりません（行政不服審査法第9条第1項）。

4　前項に規定する場合において、審査庁は、必要があると認めるときは、その職員（第二項各号（第一項各号に掲げる機関の構成員にあっては、第一号を除く。）に掲げる者以外の者に限る。）に、前項において読み替えて適用する第三十一条第一項の規定による審査請求人若しくは第十三条第四項に規定する参加人の意見の陳述を聴かせ、前項において読み替えて適用する第三十四条の規定による参考人の陳述を聴かせ、同項において読み替えて適用する第三十五条第一項の規定による検証をさせ、前項において読み替えて適用する第三十六条の規定による第二十八条に規定する審理関係人に対する質問をさせ、又は同項において読み替えて適用する第三十七条第一項若しくは第二項の規定による意見の聴取を行わせることができる。

91　【行政不服審査法第14条】

行政庁が審査請求がされた後法令の改廃により当該審査請求につき裁決をする権限を有しなくなったときは、当該行政庁は、第十九条に規定する審査請求書又は第二十一条第二項に規定する審査請求録取書及び関係書類その他の物件を新たに当該審査請求につき裁決をする権限を有することとなった行政庁に引き継がなければならない。この場合において、その引継ぎを受けた行政庁は、速やかに、その旨を審査請求人及び参加人に通知しなければならない。

92　【行政不服審査法第17条】

審査庁となるべき行政庁は、審理員となるべき者の名簿を作成するよう努めるとともに、これを作成したときは、当該審査庁となるべき行政庁及び関係処分庁の事務所における備付けその他の適当な方法により公にしておかなければならない。

審理員についての除斥事由をおいた趣旨は、予断に基づく審理がされる危険性の除去と、審理の結果について定型的な利害関係を有する者の排除によって、適正な審理員を指名し、審理手続の中立性と公正性を担保するところにあります。

c　審査請求人

審査請求人とは、審査請求をした者のことをいいます。審査請求をした自然人及び法人がこれに該当します。また、法人ではない社団・財団で代表者・管理者の設定があるものについても審査請求人となる資格が認められています（行政不服審査法第10条[93]）。

審査請求人が自然人であり、その者が死亡した場合には、相続人その他法令により審査請求の目的である処分に関する権利を承継した者は、審査請求人としての地位を承継します（行政不服審査法第15条[94]第1項）。

93　【行政不服審査法第10条】
法人でない社団又は財団で代表者又は管理人の定めがあるものは、その名で審査請求をすることができる。

94　【行政不服審査法第15条】
1　審査請求人が死亡したときは、相続人その他法令により審査請求の目的である処分に係る権利を承継した者は、審査請求人の地位を承継する。
2　審査請求人について合併又は分割（審査請求の目的である処分に係る権利を承継させるものに限る。）があったときは、合併後存続する法人その他の社団若しくは財団若しくは合併により設立された法人その他の社団若しくは財団又は分割により当該権利を承継した法人は、審査請求人の地位を承継する。
3　前二項の場合には、審査請求人の地位を承継した相続人その他の者又は法人その他の社団若しくは財団は、書面でその旨を審査庁に届け出なければならない。この場合には、届出書には、死亡若しくは分割による権利の承継又は合併の事実を証する書面を添付しなければならない。
4　第一項又は第二項の場合において、前項の規定による届出がされるまでの間において、死亡者又は合併前の法人その他の社団若しくは財団若しくは分割をした法人に宛ててされた通知が審査請求人の地位を承継した相続人その他の者又は合併後の法人その他の社団若しくは財団若しくは分割により審査請求人の地位を承継した法人に到達したときは、当該通知は、これらの者に対する通知としての効力を有する。
5　第一項の場合において、審査請求人の地位を承継した相続人その他の者が二人以上あるときは、その一人に対する通知その他の行為は、全員に対してされたものとみなす。
6　審査請求の目的である処分に係る権利を譲り受けた者は、審査庁の許可を得て、審査請求人の地位を承継することができる。

また、審査請求の目的である処分に関する権利を譲り受けた者は、審査庁の許可を得て、審査請求人の地位を承継することができます（行政不服審査法第15条第6項）。

d　代理人

審査請求は、代理人によってもすることができます（行政不服審査法第12条[95]第1項）。代理人は、各自、審査請求人のために、審査請求に関する一切の行為をすることができます（行政不服審査法第12条第2項本文）。但し、審査請求の取下げは、審査請求人に与える影響が大きく、審査請求人が熟慮して判断すべき事項であることから、代理人が審査請求の取下げを行う場合には、審査請求人の特別の委任が必要とされています（行政不服審査法第12条第2項但書）。

e　補佐人

補佐人とは、口頭意見陳述において、審理手続の公正性や実効性の向上と、審査請求人や参加人の権利利益の救済を充分に確保するために、審査請求人や参加人を補佐する者のことをいい、申立人（審査請求人・参加人）は、審理員の許可を得て、補佐人とともに出頭することができます（行政不服審査法第31条[96]第3項）。

95　【行政不服審査法第12条】

1　審査請求は、代理人によってすることができる。

2　前項の代理人は、各自、審査請求人のために、当該審査請求に関する一切の行為をすることができる。ただし、審査請求の取下げは、特別の委任を受けた場合に限り、することができる。

96　【行政不服審査法第31条】

1　審査請求人又は参加人の申立てがあった場合には、審理員は、当該申立てをした者（以下この条及び第四十一条第二項第二号において「申立人」という。）に口頭で審査請求に係る事件に関する意見を述べる機会を与えなければならない。ただし、当該申立人の所在その他の事情により当該意見を述べる機会を与えることが困難であると認められる場合には、この限りでない。

2　前項本文の規定による意見の陳述（以下「口頭意見陳述」という。）は、審理員が期日及び場所を指定し、全ての審理関係人を招集してさせるものとする。

3　口頭意見陳述において、申立人は、審理員の許可を得て、補佐人とともに出頭することができる。

4　口頭意見陳述において、審理員は、申立人のする陳述が事件に関係のない事項にわたる場合その他相当でない場合には、これを制限することができる。

5　口頭意見陳述に際し、申立人は、審理員の許可を得て、審査請求に係る事件に関し、処分庁等に対して、質問を発することができる。

補佐人は、代理人ではないことから、補佐人単独で口頭意見陳述に出頭することはできません。

f　総代

多数人が共同して審査請求をしようとする場合には、３人を超えない総代を互選することができます（行政不服審査法第11条[97]第１項）。

g　参加人

参加人とは、自己の権利利益を守るために、審理員の許可を得て（行政不服審査法第13条[98]第１項）、または、審理員の求めに応じて（行政不服審査法第13条第２項）、その審査請求の審理手続に参加することができる利害関係人のことをいいます（行政不服審査法第13条第４項本文）。

97　【行政不服審査法第11条】

1　多数人が共同して審査請求をしようとするときは、三人を超えない総代を互選することができる。

2　共同審査請求人が総代を互選しない場合において、必要があると認めるときは、第九条第一項の規定により指名された者（以下「審理員」という。）は、総代の互選を命ずることができる。

3　総代は、各自、他の共同審査請求人のために、審査請求の取下げを除き、当該審査請求に関する一切の行為をすることができる。

4　総代が選任されたときは、共同審査請求人は、総代を通じてのみ、前項の行為をすることができる。

5　共同審査請求人に対する行政庁の通知その他の行為は、二人以上の総代が選任されている場合においても、一人の総代に対してすれば足りる。

6　共同審査請求人は、必要があると認める場合には、総代を解任することができる。

98　【行政不服審査法第13条】

1　利害関係人（審査請求人以外の者であって審査請求に係る処分又は不作為に係る処分の根拠となる法令に照らし当該処分につき利害関係を有するものと認められる者をいう。以下同じ。）は、審理員の許可を得て、当該審査請求に参加することができる。

2　審理員は、必要があると認める場合には、利害関係人に対し、当該審査請求に参加することを求めることができる。

3　審査請求への参加は、代理人によってすることができる。

4　前項の代理人は、各自、第一項又は第二項の規定により当該審査請求に参加する者（以下「参加人」という。）のために、当該審査請求への参加に関する一切の行為をすることができる。ただし、審査請求への参加の取下げは、特別の委任を受けた場合に限り、することができる。

利害関係人は、審査請求の結果に事実上の利害関係を有するのみでは不充分であり、法律上の利害関係を有している者でなければなりません。法律上の利害関係を有している者であれば、審査請求人と利害が一致する場合のみならず、審査請求人と利害が相反する場合であっても参加人として審査請求に参加することができます。また、現に利害関係を有する者のみならず、将来利害関係を有することとなる者についても利害関係人に含まれ、審査請求に参加することができます。

参加人は、審査請求人とほぼ同一の権利を有することとなるため、審査庁による裁決の効果は、審査請求人のみならず参加人に対しても及ぶこととなります。

また、参加人の審査請求への参加は、代理人によってもすることができます（行政不服審査法第13条第3項）。代理人は、審査請求への参加の取下げについて、特別の委任を受けた場合に限りすることができます（行政不服審査法第13条第4項但書）。

E　審査請求の要件

a　審査請求の対象となる処分・不作為が存在していること

審査請求が適法なものとなるためには 、その処分・不作為が、行政不服審査法上の適用除外条項（行政不服審査法第7条）に該当していない行政庁の処分（行政不服審査法第2条）または行政庁の不作為（行政不服審査法第3条）であって、また、他の法律で行政不服審査法の規定を適用除外としているものでないことが必要とされます。

b　審査請求人としての資格を有する者が申し立てていること

審査請求が適法なものとなるためには、正当な審査請求人としての資格を有する当事者から申し立てられていることが必要となります。正当な審査請求人としての資格を有する当事者といえるためには、不服申立て資格（当事者能力）と不服申立て適格（当事者適格）が必要となります。

い　不服申立て資格

不服申立て資格とは、自己の名において不服申立てをすることができる一般的な資格のことをいいます。不服申立て資格は、審査請求人となる能力のことも意味するため当事者能力ともいいます。

自然人や法人、法人ではない社団・財団で代表者・管理者の設定があるもの（行政不服審査法第10条）については、審査請求人となる資格、つまり、不服申立て資格（当事者能力）が認められていることから、自己の名において不服申立てをすることができます。

ろ　不服申立て適格

不服申立て適格とは、特定の争訟において、当事者として争訟を追行することができる資格のことをいいます。不服申立て適格は、不服申立て手続において、当事者として参加することにより、解決をもたらすことができる地位であることから、当事者適格ともいいます。

イ　処分についての不服申立て適格

処分についての不服申立て適格のある者は、行政庁の処分について不服がある者となります（行政不服審査法第２条）。行政庁の処分に不服がある者とは、その処分により自己の権利や法律上保護された利益を侵害された、または、侵害されそうであるという、不服申立てをする法律上の利益がある者のことをいいます。

《重要判例行政法 09》最高裁判所昭和 53 年３月 14 日第三小法廷判決

【事件の概要】

Ｙ（公正取引委員会）は、社団法人日本果汁協会らの申請に基づいて、「果汁飲料等の表示に関する公正競争規約」を認定した。これに対して、Ｘら（主婦連合会及び同会会長）は、この規約による飲料表示によると、一般消費者に誤解を生じることとなるとの理由から、不当景品類及び不当表示防止法（景表法）の規定に基づくＹに対する不服申立てを行った。Ｙは、Ｘらには不服申立て適格がないとして、この申立てを却下する審決をした。

Ｘらは、これに対して、東京高等裁判所に審決の取消しを求める訴えを提起したが、Ｘらには不服申立て資格がないとして請求棄却。Ｘらが上告。

【判旨】

上告棄却。

「**公正取引委員会の処分について不服があるものとは、一般の行政処分についての不服申立の場合と同様に、当該処分について不服申立をする法律上の利益がある者、すなわち、当該処分により自己の権利若しくは法律上保護された利益を侵害され又は必然的に侵害されるおそれのある者をいう、と解すべきである。**」

「景表法の規定により一般消費者が受ける利益は、公正取引委員会による同法の適正な運用によって実現されるべき公益の保護を通じ国民一般が共通してもつにいたる抽象的、平均的、一般的な利益、換言すれば、同法の規定の目的である公益の保護の結果として生ずる反射的な利益ないし事実上の利益であって、**本来私人等権利主体の個人的な利益を保護することを目的とする法規により保障される法律上保護された利益とはいえない。**」

この不服申立て適格は、取消訴訟の原告適格（行政事件訴訟法第９条[99]第１項）と同義であると解されています。そのため、不服申立て適格の有無を判断する場合には、行政事件訴訟法第９条第２項が類推適用されることによって判断されています。

ロ　不作為について審査請求の不服申立て適格

不作為についての不服申立て適格のある者は、法令に基づき処分その他の行為の申請をした者となります（行政不服審査法第３条）。法令に基づき行政庁に対して処分についての申請をした者とは、行政手続法第２条第３号[100]が規定する申請をした者のことを意味し、行政庁は、申請者に対して、その諾否の応答をすることを義務付けられています。この場合、申請が適法であるか不適法であるかは問題とはなりません。

多数人が共同して審査請求をしようとする場合には、当事者適格のある者として、総代をおくことができます（行政不服審査法第11条）。

99　【行政事件訴訟法第９条】

１　処分の取消しの訴え及び裁決の取消しの訴え（以下「取消訴訟」という。）は、当該処分又は裁決の取消しを求めるにつき法律上の利益を有する者（処分又は裁決の効果が期間の経過その他の理由によりなくなつた後においてもなお処分又は裁決の取消しによつて回復すべき法律上の利益を有する者を含む。）に限り、提起することができる。

２　裁判所は、処分又は裁決の相手方以外の者について前項に規定する法律上の利益の有無を判断するに当たつては、当該処分又は裁決の根拠となる法令の規定の文言のみによることなく、当該法令の趣旨及び目的並びに当該処分において考慮されるべき利益の内容及び性質を考慮するものとする。この場合において、当該法令の趣旨及び目的を考慮するに当たつては、当該法令と目的を共通にする関係法令があるときはその趣旨及び目的をも参酌するものとし、当該利益の内容及び性質を考慮するに当たつては、当該処分又は裁決がその根拠となる法令に違反してされた場合に害されることとなる利益の内容及び性質並びにこれが害される態様及び程度をも勘案するものとする。

100　【行政手続法第２条】（抄）

この法律において、次の各号に掲げる用語の意義は、当該各号に定めるところによる。

三　申請　法令に基づき、行政庁の許可、認可、免許その他の自己に対し何らかの利益を付与する処分（以下「許認可等」という。）を求める行為であって、当該行為に対して行政庁が諾否の応答をすべきこととされているものをいう。

また、審査請求は、当事者適格のある者の代理人によってもすることができます（行政不服審査法第11条）。

この不服申立て適格は、不作為の違法確認の訴えにおける原告適格（行政事件訴訟法第37条[101]）と同義であるとされています。

c　審査すべき行政庁に審査請求をしていること

い　原則

審査請求は、原則として、処分庁または不作為庁についての最上級行政庁（行政不服審査法第4条第4号）に対して行うこととなります（行政不服審査法第4条柱書）。

この最上級行政庁とは、その行政事務に関して、一般的かつ直接的に処分庁を指揮監督する権限を有し、その行政庁以上の上級行政庁を有しない行政庁のことをいいます。

ろ　例外

例外については、行政不服審査法第4条第1号から第3号に列挙されています。

その他、審査請求をすべき行政庁が処分庁・不作為庁と異なる場合については、処分庁や不作為庁を経由してすることができるとされています（行政不服審査法第21条[102]第1項前段）。

は　再調査の請求の場合

再調査の請求については、処分庁に対して行うものとされています（行政不服審査法第5条第1項本文）。

101　【行政事件訴訟法第37条】
不作為の違法確認の訴えは、処分又は裁決についての申請をした者に限り、提起することができる。

102　【行政不服審査法第21条】
1　審査請求をすべき行政庁が処分庁等と異なる場合における審査請求は、処分庁等を経由してすることができる。この場合において、審査請求人は、処分庁等に審査請求書を提出し、又は処分庁等に対し第十九条第二項から第五項までに規定する事項を陳述するものとする。
2　前項の場合には、処分庁等は、直ちに、審査請求書又は審査請求録取書（前条後段の規定により陳述の内容を録取した書面をいう。第二十九条第一項及び第五十五条において同じ。）を審査庁となるべき行政庁に送付しなければならない。
3　第一項の場合における審査請求期間の計算については、処分庁に審査請求書を提出し、又は処分庁に対し当該事項を陳述した時に、処分についての審査請求があったものとみなす。

に　再審査請求の場合

再審査請求については、法律の規定する行政庁に対して行うものとされています（行政不服審査法第６条第２項）。

d　審査請求すべき期間に審査請求をしていること

審査請求期間とは、一定の期間を経過することにより、原則として、審査請求をすることができなくなる期間のことをいいます。

審査請求期間を長くすることにより国民の権利や利益の保護が図られ、短くすることにより処分の効力の早期確定が図られることとなります。

い　処分についての審査請求期間

イ　主観的審査請求期間

処分についての審査請求については、処分があったことを知った日の翌日から起算して３箇月を経過するとすることができなくなります（行政不服審査法第18条[103]第１項本文）

処分があったことを知った日とは、処分があったことを現実に知ったかどうかに拘わらず、社会通念上、処分が相手方において了知することのできる状態におかれた場合には、特段の事情がない限り、これを知ったものとするとされています。処分が個別の通知ではなく、告示をもって多数の関係者等に画一的に告知される場合については、特段の事情がない限り、告示という告知方法を採用した趣旨に鑑みて、告示をされた日が処分があったことを知った日であるとされています。

103　【行政不服審査法第18条】

1　処分についての審査請求は、処分があったことを知った日の翌日から起算して三月（当該処分について再調査の請求をしたときは、当該再調査の請求についての決定があったことを知った日の翌日から起算して一月）を経過したときは、することができない。ただし、正当な理由があるときは、この限りでない。

2　処分についての審査請求は、処分（当該処分について再調査の請求をしたときは、当該再調査の請求についての決定）があった日の翌日から起算して一年を経過したときは、することができない。ただし、正当な理由があるときは、この限りでない。

3　次条に規定する審査請求書を郵便又は民間事業者による信書の送達に関する法律（平成十四年法律第九十九号）第二条第六項に規定する一般信書便事業者若しくは同条第九項に規定する特定信書便事業者による同条第二項に規定する信書便で提出した場合における前二項に規定する期間（以下「審査請求期間」という。）の計算については、送付に要した日数は、算入しない。

審査請求書を信書便で提出した場合には、送付に要した日数は審査請求期間には算入せず、その到達が審査請求期間を徒過していたとしても適法な審査請求となる発信主義が採用されています（行政不服審査法第18条第３項）。

また、正当な理由がある場合については、処分があったことを知った日の翌日から起算して３箇月を経過していても処分についての審査請求をすることができます（行政不服審査法第18条第１項但書）。正当な理由には、審査請求期間が教示されなかった場合や誤って長期の審査請求期間が教示された場合において審査請求人が他の方法でも正しい審査請求期間を知ることができなかったような場合も含むものとされています。

なお、再調査の請求（行政不服審査法第５条第１項）をした場合については、再調査の請求についての決定があったことを知った日の翌日から起算して１箇月が審査請求期間とされています（行政不服審査法第18条第１項本文）。

ロ　客観的審査請求期間

処分があった日の翌日から起算して１年を経過した場合には、審査請求をすることができなくなります（行政不服審査法第18条第２項本文）。但し、正当な理由がある場合については、処分があった日の翌日から起算して１年を経過していても審査請求をすることができます（行政不服審査法第18条第２項但書）。

ハ　再調査の請求の場合

処分についての再調査の請求については、処分があったことを知った日の翌日から起算して３箇月を経過するとできなくなります（行政不服審査法第54条[104]第１項本文）。但し、正当な理由がある場合については、処分があったことを知った日の翌日から起算して３箇月を経過していても再調査の請求をすることができます（行政不服審査法第54条第１項但書）。

104　【行政不服審査法第54条】

1　再調査の請求は、処分があったことを知った日の翌日から起算して三月を経過したときは、することができない。ただし、正当な理由があるときは、この限りでない。

2　再調査の請求は、処分があった日の翌日から起算して一年を経過したときは、することができない。ただし、正当な理由があるときは、この限りでない。

また、処分があった日の翌日から起算して１年を経過した場合には再調査の請求をすることができなくなります（行政不服審査法第54条第２項本文）。但し、正当な理由がある場合については、処分があった日の翌日から起算して１年を経過していても処分についての再調査の請求をすることができます（行政不服審査法第54条第２項但書）。

つまり、再調査の請求の期間については、主観的な期間についても、客観的な期間についても、審査請求の場合（行政不服審査法第18条）の場合と同様の規定となっていることとなります。

ニ　再審査請求の場合

処分についての再審査請求期間については、原裁決があったことを知った日の翌日から起算して１箇月を経過するとすることができなくなります（行政不服審査法第62条[105]第１項本文）。但し、正当な理由がある場合については、原裁決があったことを知った日の翌日から起算して１箇月を経過していても再審査請求をすることができます（行政不服審査法第62条第１項但書）。

再審査請求の場合、１度審査請求をしていることから、３箇月ではなく、１箇月と短い期間に設定されています。

また、原裁決があった日の翌日から起算して１年を経過した場合には再審査請求をすることができなくなります（行政不服審査法第62条第２項本文）。但し、正当な理由がある場合については、原裁決があった日の翌日から起算して１年を経過していても処分についての再審査請求をすることができます（行政不服審査法第62条第２項但書）。

ろ　不作為についての審査請求期間

行政不服審査法は、不作為についての審査請求における審査請求期間を規定していません。その理由は、不作為状態が継続している間は、いつまででも不作為に対する審査請求を行うことができるからです。

105　【行政不服審査法第62条】
１　再審査請求は、原裁決があったことを知った日の翌日から起算して一月を経過したときは、することができない。ただし、正当な理由があるときは、この限りでない。
２　再審査請求は、原裁決があった日の翌日から起算して一年を経過したときは、することができない。ただし、正当な理由があるときは、この限りでない。

e　審査請求の方式に従って審査請求をしていること

い　書面提出主義

審査請求は、他の法律や条例に口頭ですることができる旨の規定がある場合を除いて、政令で規定するところにより、審査請求書を提出してしなければならないという書面提出主義が採用されています（行政不服審査法第19条[106]第1項）。

イ　処分についての審査請求

処分についての審査請求をする場合の審査請求書には、行政不服審査法第19条第2項所定の事項を記載しなければなりません。

106　【行政不服審査法第19条】

1　審査請求は、他の法律（条例に基づく処分については、条例）に口頭ですることができる旨の定めがある場合を除き、政令で定めるところにより、審査請求書を提出してしなければならない。

2　処分についての審査請求書には、次に掲げる事項を記載しなければならない。

一　審査請求人の氏名又は名称及び住所又は居所

二　審査請求に係る処分の内容

三　審査請求に係る処分（当該処分について再調査の請求についての決定を経たときは、当該決定）があったことを知った年月日

四　審査請求の趣旨及び理由

五　処分庁の教示の有無及びその内容

六　審査請求の年月日

3　不作為についての審査請求書には、次に掲げる事項を記載しなければならない。

一　審査請求人の氏名又は名称及び住所又は居所

二　当該不作為に係る処分についての申請の内容及び年月日

三　審査請求の年月日

4　審査請求人が、法人その他の社団若しくは財団である場合、総代を互選した場合又は代理人によって審査請求をする場合には、審査請求書には、第二項各号又は前項各号に掲げる事項のほか、その代表者若しくは管理人、総代又は代理人の氏名及び住所又は居所を記載しなければならない。

5　処分についての審査請求書には、第二項及び前項に規定する事項のほか、次の各号に掲げる場合においては、当該各号に定める事項を記載しなければならない。

一　第五条第二項第一号の規定により再調査の請求についての決定を経ないで審査請求をする場合　再調査の請求をした年月日

二　第五条第二項第二号の規定により再調査の請求についての決定を経ないで審査請求をする場合　その決定を経ないことについての正当な理由

三　審査請求期間の経過後において審査請求をする場合　前条第一項ただし書又は第二項ただし書に規定する正当な理由

この所定の事項のことを必要的記載事項といいます。必要的記載事項について漏れがある場合には、審査庁は相当期間を設定した上で、その期間内に不備の補正を命じなければなりません（行政不服審査法第23条[107]）。審査請求人がその期間内にその不備の補正をしない場合には、審査庁は、審査員による審理を経ずに、裁決でその審査請求を却下することができます（行政不服審査法第24条[108]第1項）。

ロ　不作為についての審査請求

不作為についての審査請求をする場合には、審査請求書に行政不服審査法第19条第3項所定の必要的記載事項を記載しなければなりません。必要的記載事項について漏れがある場合には、審査庁は相当期間を設定した上で、その期間内に不備の補正を命じなければなりません（行政不服審査法第23条）。審査請求人がその期間内にその不備の補正をしない場合には、審査庁は、審査員による審理を経ずに、裁決でその審査請求を却下することができます（行政不服審査法第24条第1項）。

ろ　口頭による審査請求

口頭による審査請求は、他の法律や条例に規定がある場合にのみすることができ（行政不服審査法第19条第1項）、審査請求書の必要的記載事項（行政不服審査法第19条第2項から第5項）について陳述しなければなりません（行政不服審査法第20条[109]前段）。

107　【行政不服審査法第23条】
審査請求書が第十九条の規定に違反する場合には、審査庁は、相当の期間を定め、その期間内に不備を補正すべきことを命じなければならない。

108　【行政不服審査法第24条】
1　前条の場合において、審査請求人が同条の期間内に不備を補正しないときは、審査庁は、次節に規定する審理手続を経ないで、第四十五条第一項又は第四十九条第一項の規定に基づき、裁決で、当該審査請求を却下することができる。
2　審査請求が不適法であって補正することができないことが明らかなときも、前項と同様とする。

109　【行政不服審査法第20条】
口頭で審査請求をする場合には、前条第二項から第五項までに規定する事項を陳述しなければならない。この場合において、陳述を受けた行政庁は、その陳述の内容を録取し、これを陳述人に読み聞かせて誤りのないことを確認し、陳述人に押印させなければならない。

F　執行停止制度

α　執行不停止の原則

執行不停止の原則とは、審査請求が、処分の効力や執行や手続の続行を妨げないことをいいます（行政不服審査法第25条[110]第1項）。

執行不停止の原則は、再調査の請求（行政不服審査法第61条[111]前段）にも採用されています。

110　【行政不服審査法第25条】

1　審査請求は、処分の効力、処分の執行又は手続の続行を妨げない。

2　処分庁の上級行政庁又は処分庁である審査庁は、必要があると認める場合には、審査請求人の申立てにより又は職権で、処分の効力、処分の執行又は手続の続行の全部又は一部の停止その他の措置（以下「執行停止」という。）をとることができる。

3　処分庁の上級行政庁又は処分庁のいずれでもない審査庁は、必要があると認める場合には、審査請求人の申立てにより、処分庁の意見を聴取した上、執行停止をすることができる。ただし、処分の効力、処分の執行又は手続の続行の全部又は一部の停止以外の措置をとることはできない。

4　前二項の規定による審査請求人の申立てがあった場合において、処分、処分の執行又は手続の続行により生ずる重大な損害を避けるために緊急の必要があると認めるときは、審査庁は、執行停止をしなければならない。ただし、公共の福祉に重大な影響を及ぼすおそれがあるとき、又は本案について理由がないとみえるときは、この限りでない。

5　審査庁は、前項に規定する重大な損害を生ずるか否かを判断するに当たっては、損害の回復の困難の程度を考慮するものとし、損害の性質及び程度並びに処分の内容及び性質をも勘案するものとする。

6　第二項から第四項までの場合において、処分の効力の停止は、処分の効力の停止以外の措置によって目的を達することができるときは、することができない。

7　執行停止の申立てがあったとき、又は審理員から第四十条に規定する執行停止をすべき旨の意見書が提出されたときは、審査庁は、速やかに、執行停止をするかどうかを決定しなければならない。

111　【行政不服審査法第61条】

第九条第四項、第十条から第十六条まで、第十八条第三項、第十九条（第三項並びに第五項第一号及び第二号を除く。）、第二十条、第二十三条、第二十四条、第二十五条（第三項を除く。）、第二十六条、第二十七条、第三十一条（第五項を除く。）、第三十二条（第二項を除く。）、第三十九条、第五十一条及び第五十三条の規定は、再調査の請求について準用する。この場合において、別表第二の上欄に掲げる規定中同表の中欄に掲げる字句は、それぞれ同表の下欄に掲げる字句に読み替えるものとする。

また、執行不停止の原則は、再審査請求（行政不服審査法第66条[112]第1項前段）にも採用されています。

b 裁量的執行停止

裁量的執行停止とは、処分庁の上級行政庁または処分庁である審査庁が必要であると認める場合に、例外的に、審査請求人の申立て・職権により、処分の効力や執行、手続の続行の全部・一部の停止その他の措置を執ることができることをいいます（行政不服審査法第25条第2項）。

執行停止が処分の効力に関するものであることから、審査庁にその執行停止の権限が存在するため、職権による執行停止も認められています（行政不服審査法第25条第2項）。

必要があると認める場合には、執行停止の判断権者である審査庁に対して、審理員は執行停止をすべき旨の意見書を提出することができます（行政不服審査法第40条[113]）。

執行停止をすべき旨の意見書を受けた行政庁は、速やかに、執行停止をするかどうかを決定しなければならないとされています（行政不服審査法第25条第7項）。

また、審査庁が処分庁の上級行政庁や処分庁のいずれでもない場合には、必要があると認められれば、審査請求人の申立てにより、処分庁の意見を聴取した上で執行停止をすることができます。但し、審査庁は処分の効力や執行、手続の続行の全部・一部の停止以外のその他の措置を執ることができないとされています（行政不服審査法第25条第3項但書）。

112 【行政不服審査法第66条】

1 第二章（第九条第三項、第十八条（第三項を除く。）、第十九条第三項並びに第五項第一号及び第二号、第二十二条、第二十五条第二項、第二十九条（第一項を除く。）、第三十条第一項、第四十一条第二項第一号イ及びロ、第四節、第四十五条から第四十九条まで並びに第五十条第三項を除く。）の規定は、再審査請求について準用する。この場合において、別表第三の上欄に掲げる規定中同表の中欄に掲げる字句は、それぞれ同表の下欄に掲げる字句に読み替えるものとする。

2 再審査庁が前項において準用する第九条第一項各号に掲げる機関である場合には、前項において準用する第十七条、第四十条、第四十二条及び第五十条第二項の規定は、適用しない。

113 【行政不服審査法第40条】

審理員は、必要があると認める場合には、審査庁に対し、執行停止をすべき旨の意見書を提出することができる。

c　義務的執行停止

義務的執行停止とは、審査請求人の執行停止の申立てがあった場合において、処分・処分の執行、手続の続行により生じる重大な損害を避けるために緊急の必要があると認められれば、審査庁が、例外として、執行停止をしなければならないことをいいます（行政不服審査法第 25 条第４項本文）。義務的執行停止をするには、必ず審査請求人による申立てが必要となり、審査庁が処分庁の上級行政庁や処分庁であっても、職権で義務的執行停止をすることはできません。また、公共の福祉に重大な影響を及ぼす危険がある場合や、本案について理由がないとみえる場合には、執行停止の義務は生じないとされています（行政不服審査法第 25 条第４項但書）。また、審査庁は、重大な損害を生じるか否かを判断するに際しては、損害の回復の困難の程度を考慮するものとし、損害の性質及び程度・処分の内容及び性質をも勘案するとされています（行政不服審査法第 25 条第５項）。

d　執行停止の補充性

執行停止の補充性とは、処分の効力の停止は、直接的な執行停止であって、広範な影響を及ぼすものであることから、より間接的な措置によって目的を達成することできる場合には、処分の効力の停止をすることができず、処分の効力の停止はあくまでも補充的に用いるべきであることをいいます。

裁量的執行停止の場合も、義務的執行停止の場合も、処分の効力の停止の目的をそれ以外の措置によって達成することができる場合にはすることができないとされています（行政不服審査法第 25 条第６項）。

e　執行停止の取消し

執行停止をした後において、執行停止が公共の福祉に重大な影響を及ぼすことが明らかとなった場合や、その他事情が変更した場合には、審査庁は、その執行停止の取消しをすることができます（行政不服審査法第 26 条[114]）。

執行停止の取消しは、処分庁の上級行政庁以外の審査庁であってもすることができます 。

114　【行政不服審査法第 26 条】
執行停止をした後において、執行停止が公共の福祉に重大な影響を及ぼすことが明らかとなったとき、その他事情が変更したときは、審査庁は、その執行停止を取り消すことができる。

G 審理手続

a 審理対象

審査請求書の提出（行政不服審査法第19条第1項）により開始され、それが適法か否かの審理（要件審理）により不適法であれば、却下裁決がされます（行政不服審査法第45条[115]第1項及び第49条[116]第1項）。

115 【行政不服審査法第45条】

1 処分についての審査請求が法定の期間経過後にされたものである場合その他不適法である場合には、審査庁は、裁決で、当該審査請求を却下する。

2 処分についての審査請求が理由がない場合には、審査庁は、裁決で、当該審査請求を棄却する。

3 審査請求に係る処分が違法又は不当ではあるが、これを取り消し、又は撤廃することにより公の利益に著しい障害を生ずる場合において、審査請求人の受ける損害の程度、その損害の賠償又は防止の程度及び方法その他一切の事情を考慮した上、処分を取り消し、又は撤廃することが公共の福祉に適合しないと認めるときは、審査庁は、裁決で、当該審査請求を棄却することができる。この場合には、審査庁は、裁決の主文で、当該処分が違法又は不当であることを宣言しなければならない。

116 【行政不服審査法第49条】

1 不作為についての審査請求が当該不作為に係る処分についての申請から相当の期間が経過しないでされたものである場合その他不適法である場合には、審査庁は、裁決で、当該審査請求を却下する。

2 不作為についての審査請求が理由がない場合には、審査庁は、裁決で、当該審査請求を棄却する。

3 不作為についての審査請求が理由がある場合には、審査庁は、裁決で、当該不作為が違法又は不当である旨を宣言する。この場合において、次の各号に掲げる審査庁は、当該申請に対して一定の処分をすべきものと認めるときは、当該各号に定める措置をとる。

一 不作為庁の上級行政庁である審査庁　当該不作為庁に対し、当該処分をすべき旨を命ずること。

二 不作為庁である審査庁　当該処分をすること。

4 審査請求に係る不作為に係る処分に関し、第四十三条第一項第一号に規定する議を経るべき旨の定めがある場合において、審査庁が前項各号に定める措置をとるために必要があると認めるときは、審査庁は、当該定めに係る審議会等の議を経ることができる。

5 前項に規定する定めがある場合のほか、審査請求に係る不作為に係る処分に関し、他の法令に関係行政機関との協議の実施その他の手続をとるべき旨の定めがある場合において、審査庁が第三項各号に定める措置をとるために必要があると認めるときは、審査庁は、当該手続をとることができる。

審査請求が適法であると認められれば、審査請求に理由があるか否かの審理（本案審理）が行われることとなります。

b　審理方法

い　書面審理主義

書面審理主義とは、審査請求の審理手続において、原則として、書面によって審理することをいいます。書面審理主義は、再調査請求の場合についても、再審査請求の場合についても採用されています。

ろ　審理員の指名及び通知

審査請求を受けた場合には、審査庁は、審査庁に所属する職員の中から審理員を指名した上で審査請求人及び処分庁等にその旨を通知しなければなりません（行政不服審査法第9条第1項柱書本文）。

は　審査請求書等の送付

審理員は、直ちに、審査請求書等の写しを処分庁・不作為庁に送付しなければなりません（行政不服審査法第29条[117]第1項本文）。

に　弁明書の提出の要求

審理員は、相当の期間を設定した上で、処分庁・不作為庁に対して、弁明書の提出を求めるものとされています（行政不服審査法第29条第2項）。

117　【行政不服審査法第29条】

1　審理員は、審査庁から指名されたときは、直ちに、審査請求書又は審査請求録取書の写しを処分庁等に送付しなければならない。ただし、処分庁等が審査庁である場合には、この限りでない。

2　審理員は、相当の期間を定めて、処分庁等に対し、弁明書の提出を求めるものとする。

3　処分庁等は、前項の弁明書に、次の各号の区分に応じ、当該各号に定める事項を記載しなければならない。

一　処分についての審査請求に対する弁明書　処分の内容及び理由

二　不作為についての審査請求に対する弁明書　処分をしていない理由並びに予定される処分の時期、内容及び理由

4　処分庁が次に掲げる書面を保有する場合には、前項第一号に掲げる弁明書にこれを添付するものとする。

一　行政手続法（平成五年法律第八十八号）第二十四条第一項の調書及び同条第三項の報告書

二　行政手続法第二十九条第一項に規定する弁明書

5　審理員は、処分庁等から弁明書の提出があったときは、これを審査請求人及び参加人に送付しなければならない。

ほ　弁明書の提出

処分についての審査請求の場合には、処分庁は、弁明書に処分の内容及び理由を記載して提出しなければなりません（行政不服審査法第29条第３項柱書及び第１号）。また、不作為についての審査請求の場合には、不作為庁は、弁明書に処分をしていない理由・予定される処分の時期・内容及び理由を記載して提出しなければなりません（行政不服審査法第29条第３項柱書及び第２号）。

へ　行政手続法上の書面の添付

処分庁が、聴聞調書（行政不服審査法第29条第４項第１号及び行政手続法第24条第１項）及び報告書（行政不服審査法第29条第４項第１号及び行政手続法第24条第３項）・弁明書（行政不服審査法第29条第４項第２号及び行政手続法第29条第１項）を保有する場合には、処分庁は、弁明書（行政不服審査法第29条第１項）にこれらの書類を添付して提出する義務を負うこととなります（行政不服審査法第29条第４項柱書）。なお、不作為庁には提出義務はありません。

と　弁明書の送付

処分庁・不作為庁から弁明書の提出があった場合には、審理員は、弁明書を審査請求人及び参加人に送付しなければなりません（行政不服審査法第29条第５項）。

ち　反論書の提出

審査請求人は、送付された処分庁・不作為庁の弁明書に記載された事項に対する反論を記載した反論書を提出することができます（行政不服審査法第30条[118]第１項前段）。

118　【行政不服審査法第30条】

１　審査請求人は、前条第五項の規定により送付された弁明書に記載された事項に対する反論を記載した書面（以下「反論書」という。）を提出することができる。この場合において、審理員が、反論書を提出すべき相当の期間を定めたときは、その期間内にこれを提出しなければならない。

２　参加人は、審査請求に係る事件に関する意見を記載した書面（第四十条及び第四十二条第一項を除き、以下「意見書」という。）を提出することができる。この場合において、審理員が、意見書を提出すべき相当の期間を定めたときは、その期間内にこれを提出しなければならない。

３　審理員は、審査請求人から反論書の提出があったときはこれを参加人及び処分庁等に、参加人から意見書の提出があったときはこれを審査請求人及び処分庁等に、それぞれ送付しなければならない。

また、審理員が反論書を提出すべき相当の期間を設定した場合には、審査請求人はその期間内に審理員に対して反論書を提出しなければなりません（行政不服審査法第30条第1項後段）。

り　意見書の提出

参加人は、審査請求に関する事件についての意見を記載した意見書を提出することができます（行政不服審査法第30条第2項前段）。

また、審理員が意見書を提出すべき相当の期間を設定した場合には、参加人はその期間内に審理員に対して意見書を提出しなければなりません（行政不服審査法第30条第2項後段）。

ぬ　反論書及び意見書の送付

審査請求人（参加人）から反論書の提出があった場合には、審理員は、反論書を参加人（審査請求人）及び処分庁・不作為庁に送付しなければなりません（行政不服審査法第30条第3項）。

る　口頭意見陳述

書面審理主義の例外として、審査請求人・参加人に口頭意見陳述の権利が認められています（行政不服審査法第31条[119]第1項本文）。

イ　口頭意見陳述の機会の付与

審査請求人・参加人の申立てがあった場合には、審理員は、申立てをした者に口頭で審査請求に関する事件について意見を述べる機会を与えなければなりません（行政不服審査法第31条第1項本文）。

119　【行政不服審査法第31条】

1　審査請求人又は参加人の申立てがあった場合には、審理員は、当該申立てをした者（以下この条及び第四十一条第二項第二号において「申立人」という。）に口頭で審査請求に係る事件に関する意見を述べる機会を与えなければならない。ただし、当該申立人の所在その他の事情により当該意見を述べる機会を与えることが困難であると認められる場合には、この限りでない。

2　前項本文の規定による意見の陳述（以下「口頭意見陳述」という。）は、審理員が期日及び場所を指定し、全ての審理関係人を招集してさせるものとする。

3　口頭意見陳述において、申立人は、審理員の許可を得て、補佐人とともに出頭することができる。

4　口頭意見陳述において、審理員は、申立人のする陳述が事件に関係のない事項にわたる場合その他相当でない場合には、これを制限することができる。

5　口頭意見陳述に際し、申立人は、審理員の許可を得て、審査請求に係る事件に関し、処分庁等に対して、質問を発することができる。

ロ　口頭意見陳述の内容

申立人は、口頭で審査請求に関する事件についての意見を述べることができます（行政不服審査法第 31 条第 1 項本文）。

ハ　審理関係人の招集

審理員は、口頭意見陳述の手続の公正性及び実効性を確保するために、口頭意見陳述にすべての審理関係人を招集して行います（行政不服審査法第 31 条第２項）。

審理関係人とは、審査請求人・参加人・処分庁または不作為庁のことを意味します（行政不服審査法第 28 条[120]）。

ニ　口頭意見陳述の制限

審理員は、審理の迅速化及び効率化を確保するために、申立人の陳述が事件に関係のない事項にわたる場合等には、これを制限することができます（行政不服審査法第 31 条第４項）。

ホ　質問権

口頭意見陳述に際して、申立人は審理員の許可を得た上で、処分庁・不作為庁に対して、審査請求に関する事件に関する質問を発することができます（行政不服審査法第 31 条第５項）。一方、処分庁・不作為庁には、審査請求人及び参加人に対する質問権が認められていません。

c　証拠調べ

い　証拠の提出

イ　証拠書類等の提出

審査請求人・参加人は、証拠書類・証拠物を提出することができます（行政不服審査法第 32 条[121]第 1 項）。

120　【行政不服審査法第 28 条】
審査請求人、参加人及び処分庁等（以下「審理関係人」という。）並びに審理員は、簡易迅速かつ公正な審理の実現のため、審理において、相互に協力するとともに、審理手続の計画的な進行を図らなければならない。

121　【行政不服審査法第 32 条】
1　審査請求人又は参加人は、証拠書類又は証拠物を提出することができる。
2　処分庁等は、当該処分の理由となる事実を証する書類その他の物件を提出することができる。
3　前二項の場合において、審理員が、証拠書類若しくは証拠物又は書類その他の物件を提出すべき相当の期間を定めたときは、その期間内にこれを提出しなければならない。

ロ　物件の提出要求

審理員は、審査請求人または参加人の申立てによるか職権で、書類その他の物件の所持人に対して、相当の期間を設定した上で、その物件の提出を求めることができ（行政不服審査法第33条[122]前段）、その提出された物件を留め置くことができます（行政不服審査法第33条後段）。

処分庁・不作為庁は、その処分の理由となる事実を証する書類等を提出することができます（行政不服審査法第32条第２項）。

ハ　参考人の陳述及び鑑定の要求

審理員は、審査請求人・参加人の申立てによるか職権で、適当と認める者に、その知っている事実の陳述を求めたり、鑑定を求めたりすることができます（行政不服審査法第34条[123]）。

鑑定とは、特別な学識経験を有する者等から、その専門的知識や専門的判断の報告を求めることをいいます。

ニ　検証

審理員は、審査請求人または参加人の申立てによるか職権で、必要な場所について検証をすることができます（行政不服審査法第35条[124]第１項）。

検証とは、人・物・場所について、その存在・性質・状態等を認識することをいいます。

122　【行政不服審査法第33条】

審理員は、審査請求人若しくは参加人の申立てにより又は職権で、書類その他の物件の所持人に対し、相当の期間を定めて、その物件の提出を求めることができる。この場合において、審理員は、その提出された物件を留め置くことができる。

123　【行政不服審査法第34条】

審理員は、審査請求人若しくは参加人の申立てにより又は職権で、適当と認める者に、参考人としてその知っている事実の陳述を求め、又は鑑定を求めることができる。

124　【行政不服審査法第35条】

1　審理員は、審査請求人若しくは参加人の申立てにより又は職権で、必要な場所につき、検証をすることができる。

2　審理員は、審査請求人又は参加人の申立てにより前項の検証をしようとするときは、あらかじめ、その日時及び場所を当該申立てをした者に通知し、これに立ち会う機会を与えなければならない。

ホ　審理関係人への質問

審理員は、審査請求人または参加人の申立てによるか職権で、審査請求に関する事件について審理関係人に質問することができます（行政不服審査法第36条[125]）。

ろ　職権探知主義

職権探知主義とは、審理員の職権による調査が行政の適正な運営の確保や審査請求人の専門知識不足の補填に資することから、審理関係人の主張しない事実の調査までを認めることをいいます。

行政不服審査法においても職権探知主義は認められているとされています。

は　審理手続の計画的進行と遂行

審査関係人及び審理員は、簡易迅速かつ公正な審理の実現のために、審理において、相互に協力するとともに、審理手続の計画的な進行を図らなければなりません（行政不服審査法第28条）。

審理員は、審査請求に関する事件について、迅速かつ公正な審理を行うために審理手続を計画的に遂行する必要があると認める場合には、期日及び場所を指定して、審理関係人を招集し、あらかじめ、これらの審理手続の申立てに関する意見の聴取を行うことができます（行政不服審査法第37条[126]第1項）。

125　【行政不服審査法第36条】

審理員は、審査請求人若しくは参加人の申立てにより又は職権で、審査請求に係る事件に関し、審理関係人に質問することができる。

126　【行政不服審査法第37条】

1　審理員は、審査請求に係る事件について、審理すべき事項が多数であり又は錯綜しているなど事件が複雑であることその他の事情により、迅速かつ公正な審理を行うため、第三十一条から前条までに定める審理手続を計画的に遂行する必要があると認める場合には、期日及び場所を指定して、審理関係人を招集し、あらかじめ、これらの審理手続の申立てに関する意見の聴取を行うことができる。

2　審理員は、審理関係人が遠隔の地に居住している場合その他相当と認める場合には、政令で定めるところにより、審理員及び審理関係人が音声の送受信により通話をすることができる方法によって、前項に規定する意見の聴取を行うことができる。

3　審理員は、前二項の規定による意見の聴取を行ったときは、遅滞なく、第三十一条から前条までに定める審理手続の期日及び場所並びに第四十一条第一項の規定による審理手続の終結の予定時期を決定し、これらを審理関係人に通知するものとする。当該予定時期を変更したときも、同様とする。

に　審査請求人等による提出書類等の閲覧や写しの交付請求権

審査請求人・参加人は、審理中、提出書類等の閲覧や写しの交付を求めることができます（行政不服審査法第38条[127]第1項前段）。

ほ　審理手続の合併・分離

審理員は、複数の審理手続を併合したり、併合された審理手続を分離したりすることができます（行政不服審査法第39条[128]）。

127　【行政不服審査法第38条】

1　審査請求人又は参加人は、第四十一条第一項又は第二項の規定により審理手続が終結するまでの間、審理員に対し、提出書類等（第二十九条第四項各号に掲げる書面又は第三十二条第一項若しくは第二項若しくは第三十三条の規定により提出された書類その他の物件をいう。次項において同じ。）の閲覧（電磁的記録（電子的方式、磁気的方式その他人の知覚によっては認識することができない方式で作られる記録であって、電子計算機による情報処理の用に供されるものをいう。以下同じ。）にあっては、記録された事項を審査庁が定める方法により表示したものの閲覧）又は当該書面若しくは当該書類の写し若しくは当該電磁的記録に記録された事項を記載した書面の交付を求めることができる。この場合において、審理員は、第三者の利益を害するおそれがあると認めるとき、その他正当な理由があるときでなければ、その閲覧又は交付を拒むことができない。

2　審理員は、前項の規定による閲覧をさせ、又は同項の規定による交付をしようとするときは、当該閲覧又は交付に係る提出書類等の提出人の意見を聴かなければならない。ただし、審理員が、その必要がないと認めるときは、この限りでない。

3　審理員は、第一項の規定による閲覧について、日時及び場所を指定することができる。

4　第一項の規定による交付を受ける審査請求人又は参加人は、政令で定めるところにより、実費の範囲内において政令で定める額の手数料を納めなければならない。

5　審理員は、経済的困難その他特別の理由があると認めるときは、政令で定めるところにより、前項の手数料を減額し、又は免除することができる。

6　地方公共団体（都道府県、市町村及び特別区並びに地方公共団体の組合に限る。以下同じ。）に所属する行政庁が審査庁である場合における前二項の規定の適用については、これらの規定中「政令」とあるのは、「条例」とし、国又は地方公共団体に所属しない行政庁が審査庁である場合におけるこれらの規定の適用については、これらの規定中「政令で」とあるのは、「審査庁が」とする。

128　【行政不服審査法第39条】

審理員は、必要があると認める場合には、数個の審査請求に係る審理手続を併合し、又は併合された数個の審査請求に係る審理手続を分離することができる。

d 審理手続の終結

審理員は、必要な審理を終えたと認めると、審理手続を終結することができます（行政不服審査法第41条[129]第１項）。また、行政不服審査法第41条第２項所定の事由に該当する場合には、審理手続を終結することができます（行政不服審査法第41条第２項柱書）。

審理手続を終結した場合には、速やかに、審理関係人に対して、審理手続を終結した旨を通知しなければなりません（行政不服審査法第41条第３項）。また、遅滞なく、審査庁がすべき裁決に関する意見書である審理員意見書を作成しなければなりません（行政不服審査法第42条[130]第１項）。この審理員意見書を作成した場合には、速やかに、事件記録とともに審査庁に提出しなければなりません（行政不服審査法第42条第２項）。

---

129 【行政不服審査法第41条】

１ 審理員は、必要な審理を終えたと認めるときは、審理手続を終結するものとする。

２ 前項に定めるもののほか、審理員は、次の各号のいずれかに該当するときは、審理手続を終結することができる。

一 次のイからホまでに掲げる規定の相当の期間内に、当該イからホまでに定める物件が提出されない場合において、更に一定の期間を示して、当該物件の提出を求めたにもかかわらず、当該提出期間内に当該物件が提出されなかったとき。

イ 第二十九条第二項 弁明書
ロ 第三十条第一項後段 反論書
ハ 第三十条第二項後段 意見書
ニ 第三十二条第三項 証拠書類若しくは証拠物又は書類その他の物件
ホ 第三十三条前段 書類その他の物件

二 申立人が、正当な理由なく、口頭意見陳述に出頭しないとき。

３ 審理員が前二項の規定により審理手続を終結したときは、速やかに、審理関係人に対し、審理手続を終結した旨並びに次条第一項に規定する審理員意見書及び事件記録（審査請求書、弁明書その他審査請求に係る事件に関する書類その他の物件のうち政令で定めるものをいう。同条第二項及び第四十三条第二項において同じ。）を審査庁に提出する予定時期を通知するものとする。当該予定時期を変更したときも、同様とする。

130 【行政不服審査法第42条】

１ 審理員は、審理手続を終結したときは、遅滞なく、審査庁がすべき裁決に関する意見書（以下「審理員意見書」という。）を作成しなければならない。

２ 審理員は、審理員意見書を作成したときは、速やかに、これを事件記録とともに、審査庁に提出しなければならない。

e 行政不服審査会等への諮問

行政不服審査会とは、総務省設置（行政不服審査法第67条[131]第1項）の、総務大臣の任命した9人の委員で構成される（行政不服審査法第69条[132]第1項及び第68条[133]第1項）諮問機関のことをいいます。

131 【行政不服審査法67条】

1 総務省に、行政不服審査会（以下「審査会」という。）を置く。

2 審査会は、この法律の規定によりその権限に属させられた事項を処理する。

132 【行政不服審査法69条】

1 委員は、審査会の権限に属する事項に関し公正な判断をすることができ、かつ、法律又は行政に関して優れた識見を有する者のうちから、両議院の同意を得て、総務大臣が任命する。

2 委員の任期が満了し、又は欠員を生じた場合において、国会の閉会又は衆議院の解散のために両議院の同意を得ることができないときは、総務大臣は、前項の規定にかかわらず、同項に定める資格を有する者のうちから、委員を任命することができる。

3 前項の場合においては、任命後最初の国会で両議院の事後の承認を得なければならない。この場合において、両議院の事後の承認が得られないときは、総務大臣は、直ちにその委員を罷免しなければならない。

4 委員の任期は、三年とする。ただし、補欠の委員の任期は、前任者の残任期間とする。

5 委員は、再任されることができる。

6 委員の任期が満了したときは、当該委員は、後任者が任命されるまで引き続きその職務を行うものとする。

7 総務大臣は、委員が心身の故障のために職務の執行ができないと認める場合又は委員に職務上の義務違反その他委員たるに適しない非行があると認める場合には、両議院の同意を得て、その委員を罷免することができる。

8 委員は、職務上知ることができた秘密を漏らしてはならない。その職を退いた後も同様とする。

9 委員は、在任中、政党その他の政治的団体の役員となり、又は積極的に政治運動をしてはならない。

10 常勤の委員は、在任中、総務大臣の許可がある場合を除き、報酬を得て他の職務に従事し、又は営利事業を営み、その他金銭上の利益を目的とする業務を行ってはならない。

11 委員の給与は、別に法律で定める。

133 【行政不服審査法68条】

1 審査会は、委員九人をもって組織する。

2 委員は、非常勤とする。ただし、そのうち三人以内は、常勤とすることができる。

審査庁は、審理員意見書の提出を受けた場合には、行政不服審査法第 43 条第 1 項各号のいずれかに該当する場合を除き、行政不服審査会等に諮問をしなければならないとされています（行政不服審査法第 43 条[134]第 1 項柱書）。

134 【行政不服審査法第 43 条】

1 審査庁は、審理員意見書の提出を受けたときは、次の各号のいずれかに該当する場合を除き、審査庁が主任の大臣又は宮内庁長官若しくは内閣府設置法第四十九条第一項若しくは第二項若しくは国家行政組織法第三条第二項に規定する庁の長である場合にあっては行政不服審査会に、審査庁が地方公共団体の長（地方公共団体の組合にあっては、長、管理者又は理事会）である場合にあっては第八十一条第一項又は第二項の機関に、それぞれ諮問しなければならない。

一 審査請求に係る処分をしようとするときに他の法律又は政令（条例に基づく処分については、条例）に第九条第一項各号に掲げる機関若しくは地方公共団体の議会又はこれらの機関に類するものとして政令で定めるもの（以下「審議会等」という。）の議を経るべき旨又は経ることができる旨の定めがあり、かつ、当該議を経て当該処分がされた場合

二 裁決をしようとするときに他の法律又は政令（条例に基づく処分については、条例）に第九条第一項各号に掲げる機関若しくは地方公共団体の議会又はこれらの機関に類するものとして政令で定めるものの議を経るべき旨又は経ることができる旨の定めがあり、かつ、当該議を経て裁決をしようとする場合

三 第四十六条第三項又は第四十九条第四項の規定により審議会等の議を経て裁決をしようとする場合

四 審査請求人から、行政不服審査会又は第八十一条第一項若しくは第二項の機関（以下「行政不服審査会等」という。）への諮問を希望しない旨の申出がされている場合（参加人から、行政不服審査会等に諮問しないことについて反対する旨の申出がされている場合を除く。）

五 審査請求が、行政不服審査会等によって、国民の権利利益及び行政の運営に対する影響の程度その他当該事件の性質を勘案して、諮問を要しないものと認められたものである場合

六 審査請求が不適法であり、却下する場合

七 第四十六条第一項の規定により審査請求に係る処分（法令に基づく申請を却下し、又は棄却する処分及び事実上の行為を除く。）の全部を取り消し、又は第四十七条第一号若しくは第二号の規定により審査請求に係る事実上の行為の全部を撤廃すべき旨を命じ、若しくは撤廃することとする場合（当該処分の全部を取り消すこと又は当該事実上の行為の全部を撤廃すべき旨を命じ、若しくは撤廃することについて反対する旨の意見書が提出されている場合及び口頭意見陳述においてその旨の意見が述べられている場合を除く。）

諮問の際、審査庁は、審理員意見書及び事件記録の写しを添えなければならず（行政不服審査法第43条第２項）、審理関係人に対して、諮問をした旨を通知するとともに、審理員意見書の写しを送付しなければなりません（行政不服審査法第43条第３項）。

H　審査請求に対する裁決

a　審査請求に対する裁決の意義

審査請求に対する裁決とは、審査庁の判断のことをいい、審査庁は、行政不服審査会等から答申を受けた場合には、遅滞なく、裁決をしなければならないとされています（行政不服審査法第44条[135]第１項柱書）

b　審査請求に対する裁決の期間

審査請求がその事務所に到達してから裁決をするまでに通常要すべき標準的な期間のことを標準審理期間といいます。審査庁は、標準審理期間を設定する努力義務を負います（行政不服審査法第16条[136]）。

八　第四十六条第二項各号又は第四十九条第三項各号に定める措置（法令に基づく申請の全部を認容すべき旨を命じ、又は認容するものに限る。）をとることとする場合（当該申請の全部を認容することについて反対する旨の意見書が提出されている場合及び口頭意見陳述においてその旨の意見が述べられている場合を除く。）

２　前項の規定による諮問は、審理員意見書及び事件記録の写しを添えてしなければならない。

３　第一項の規定により諮問をした審査庁は、審理関係人（処分庁等が審査庁である場合にあっては、審査請求人及び参加人）に対し、当該諮問をした旨を通知するとともに、審理員意見書の写しを送付しなければならない。

135　【行政不服審査法第44条】

審査庁は、行政不服審査会等から諮問に対する答申を受けたとき（前条第一項の規定による諮問を要しない場合（同項第二号又は第三号に該当する場合を除く。）にあっては審理員意見書が提出されたとき、同項第二号又は第三号に該当する場合にあっては同項第二号又は第三号に規定する議を経たとき）は、遅滞なく、裁決をしなければならない。

136　【行政不服審査法第16条】

第四条又は他の法律若しくは条例の規定により審査庁となるべき行政庁（以下「審査庁となるべき行政庁」という。）は、審査請求がその事務所に到達してから当該審査請求に対する裁決をするまでに通常要すべき標準的な期間を定めるよう努めるとともに、これを定めたときは、当該審査庁となるべき行政庁及び関係処分庁（当該審査請求の対象となるべき処分の権限を有する行政庁であって当該審査庁となるべき行政庁以外のものをいう。次条において同じ。）の事務所における備付けその他の適当な方法により公にしておかなければならない。

また、標準審理期間を設定した場合には、それを公にしておかなければならないという義務も負います（行政不服審査法第16条）。

標準審理期間を設定する義務を負う行政庁は、行政不服審査法第４条により審査庁となるべき行政庁・他の法律により特例として設定された審査庁となるべき行政庁・条例に基づく処分について条例により特例として設定された審査庁となるべき行政庁の３つです。

また、「通常要すべき標準的な期間」とは、審査請求の態様と審査庁の審理体制の双方が異常でない期間を意味し、審査請求の補正に要する期間は含まれず、適法な審査請求を審理する期間のみを対象としています。標準審理期間は、あくまでも目安に過ぎないことから、審査庁が設定された標準審理期間内に裁決を行うことができなかったとしても、それを理由として、当然に、裁決固有の瑕疵となるわけではありません。

なお、標準審理期間については、処分についての審査請求に関するもののみ規定しており、不作為についての審査請求に関するものは対象外となります。

c　審査請求に対する裁決の方法

裁決は、主文（行政不服審査法第50条[137]第１項第１号）・事案の概要（行政不服審査法第50条第１項第２号）・審理関係人の主張の要旨（行政不服審査法第50条第１項第３号）・理由（行政不服審査法第50条第１項第４号）を記載した裁決書によりしなければならないとされています（行政不服審査法第50条第１項柱書）。

137　【行政不服審査法第50条】

1　裁決は、次に掲げる事項を記載し、審査庁が記名押印した裁決書によりしなければならない。

一　主文

二　事案の概要

三　審理関係人の主張の要旨

四　理由（第一号の主文が審理員意見書又は行政不服審査会等若しくは審議会等の答申書と異なる内容である場合には、異なることとなった理由を含む。）

2　第四十三条第一項の規定による行政不服審査会等への諮問を要しない場合には、前項の裁決書には、審理員意見書を添付しなければならない。

3　審査庁は、再審査請求をすることができる裁決をする場合には、裁決書に再審査請求をすることができる旨並びに再審査請求をすべき行政庁及び再審査請求期間（第六十二条に規定する期間をいう。）を記載して、これらを教示しなければならない。

d　審査請求に対する裁決の種類

先述したように、審査請求に対する裁決は、その審査請求が適法であるか否かの審理である要件審理において、その審査請求が不適法なものであると認められれば却下裁決（行政不服審査法第45条[138]第１項及び第49条[139]第１項）が下されることとなります。

138　【行政不服審査法第45条】
１　処分についての審査請求が法定の期間経過後にされたものである場合その他不適法である場合には、審査庁は、裁決で、当該審査請求を却下する。
２　処分についての審査請求が理由がない場合には、審査庁は、裁決で、当該審査請求を棄却する。
３　審査請求に係る処分が違法又は不当ではあるが、これを取り消し、又は撤廃することにより公の利益に著しい障害を生ずる場合において、審査請求人の受ける損害の程度、その損害の賠償又は防止の程度及び方法その他一切の事情を考慮した上、処分を取り消し、又は撤廃することが公共の福祉に適合しないと認めるときは、審査庁は、裁決で、当該審査請求を棄却することができる。この場合には、審査庁は、裁決の主文で、当該処分が違法又は不当であることを宣言しなければならない。

139　【行政不服審査法第49条】
１　不作為についての審査請求が当該不作為に係る処分についての申請から相当の期間が経過しないでされたものである場合その他不適法である場合には、審査庁は、裁決で、当該審査請求を却下する。
２　不作為についての審査請求が理由がない場合には、審査庁は、裁決で、当該審査請求を棄却する。
３　不作為についての審査請求が理由がある場合には、審査庁は、裁決で、当該不作為が違法又は不当である旨を宣言する。この場合において、次の各号に掲げる審査庁は、当該申請に対して一定の処分をすべきものと認めるときは、当該各号に定める措置をとる。
　一　不作為庁の上級行政庁である審査庁　当該不作為庁に対し、当該処分をすべき旨を命ずること。
　二　不作為庁である審査庁　当該処分をすること。
４　審査請求に係る不作為に係る処分に関し、第四十三条第一項第一号に規定する議を経るべき旨の定めがある場合において、審査庁が前項各号に定める措置をとるために必要があると認めるときは、審査庁は、当該定めに係る審議会等の議を経ることができる。
５　前項に規定する定めがある場合のほか、審査請求に係る不作為に係る処分に関し、他の法令に関係行政機関との協議の実施その他の手続をとるべき旨の定めがある場合において、審査庁が第三項各号に定める措置をとるために必要があると認めるときは、審査庁は、当該手続をとることができる。

要件審理において、その審査請求が適法であると認められれば、その審査請求に理由があるか否かの審理である本案審理が行われることとなります。その本案審理で、審査請求に理由がないと判断されれば棄却裁決（行政不服審査法第45条第２項及び第49条第２項）が、審査請求に理由があるとされれば認容裁決（行政不服審査法第46条[140]第１項及び第49条第３項）がされ、以下のような措置が執られることとなります。

い　事実上の行為を除く処分が違法・不当である場合

審査庁は、その処分の全部・一部の取消し・変更をすることとなります（行政不服審査法第46条第１項本文）。但し、審査庁が処分庁の上級庁・処分庁のいずれでもない場合には変更することはできません（行政不服審査法第46条第１項但書）。

法令に基づく申請を却下または棄却する処分の全部または一部の取消しをする場合には、その申請に対して一定の処分をすべきものと認められれば、処分庁の上級行政庁である審査庁は、処分庁に対して、その処分をすべき旨を命じることとなり、処分庁である審査庁は、その処分をすることとなります（行政不服審査法第46条第２項）。

140　【行政不服審査法第46条】
１　処分（事実上の行為を除く。以下この条及び第四十八条において同じ。）についての審査請求が理由がある場合（前条第三項の規定の適用がある場合を除く。）には、審査庁は、裁決で、当該処分の全部若しくは一部を取り消し、又はこれを変更する。ただし、審査庁が処分庁の上級行政庁又は処分庁のいずれでもない場合には、当該処分を変更することはできない。
２　前項の規定により法令に基づく申請を却下し、又は棄却する処分の全部又は一部を取り消す場合において、次の各号に掲げる審査庁は、当該申請に対して一定の処分をすべきものと認めるときは、当該各号に定める措置をとる。
一　処分庁の上級行政庁である審査庁　当該処分庁に対し、当該処分をすべき旨を命ずること。
二　処分庁である審査庁　当該処分をすること。
３　前項に規定する一定の処分に関し、第四十三条第一項第一号に規定する議を経るべき旨の定めがある場合において、審査庁が前項各号に定める措置をとるために必要があると認めるときは、審査庁は、当該定めに係る審議会等の議を経ることができる。
４　前項に規定する定めがある場合のほか、第二項に規定する一定の処分に関し、他の法令に関係行政機関との協議の実施その他の手続をとるべき旨の定めがある場合において、審査庁が同項各号に定める措置をとるために必要があると認めるときは、審査庁は、当該手続をとることができる。

ろ　事実上の行為が違法・不当である場合

審査庁は、裁決で、その事実上の行為が違法・不当である旨を宣言し、処分庁以外の審査庁は、処分庁に対して、その事実上の行為の全部・一部の撤廃・変更すべき旨を命じることとなり、処分庁である審査庁は、その行為の全部・一部の撤廃または変更をすることとなります（行政不服審査法第47条[141]）。但し、審査庁が処分庁の上級行政庁である場合には、その行為を変更すべき旨を命じることはできません（行政不服審査法第47条但書）。

は　不作為が違法・不当である場合

審査庁は、裁決で、その不作為が違法・不当である旨を宣言し、その申請に対して一定の処分をすべきものと認められれば、不作為庁の上級行政庁である審査庁は、不作為庁に対して、その処分をすべき旨を命じることとなり、不作為庁である審査庁は、その処分をすることとなります（行政不服審査法第49条第３項）。

e　審査請求に対する裁決の効力

い　公定力

たとえ違法な裁決であったとしても、その裁決が当然無効な裁決である場合に該当しない限りは、処分庁・上級行政庁・裁判所のような正当な権限を有する機関によってその裁決の取消しをされるまでは、一応適法な裁決であるとの推定を受けることとなり、裁決の相手方・第三者・その他の機関もその裁決の効果を無視することができなくなります。

ろ　不可争力（形式的確定力）

裁決が下されてから、一定期間が経過すると、その裁決の相手方からは、その裁決の効力を争うことができなくなります。

141　【行政不服審査法第47条】

事実上の行為についての審査請求が理由がある場合（第四十五条第三項の規定の適用がある場合を除く。）には、審査庁は、裁決で、当該事実上の行為が違法又は不当である旨を宣言するとともに、次の各号に掲げる審査庁の区分に応じ、当該各号に定める措置をとる。ただし、審査庁が処分庁の上級行政庁以外の審査庁である場合には、当該事実上の行為を変更すべき旨を命ずることはできない。

一　処分庁以外の審査庁　当該処分庁に対し、当該事実上の行為の全部若しくは一部を撤廃し、又はこれを変更すべき旨を命ずること。

二　処分庁である審査庁　当該事実上の行為の全部若しくは一部を撤廃し、又はこれを変更すること。

は　不可変更力（実質的確定力）

裁決を行った行政庁は、一度行った裁決について自ら取消しをすることができなくなります。

に　拘束力

裁決は、不服申立人・参加人だけではなく、関係行政庁も拘束することとなります（行政不服審査法第52条[142]第1項）。この結果、関係行政庁は、裁決によって示された判断内容を実現する義務を負うこととなり、処分の取消しや撤廃の裁決があった場合には、同一の事情のもとでは、同一内容の処分をすることができなくなります。拘束力は、裁決の実効性を確保するための効力であることから、裁決主文を導くのに必要な要件事実の認定及び法律判断についてのみ生じ、裁決主文とは直接関係のない傍論や間接事実の認定について拘束力は生じないものとされています。

なお、関係行政庁とは、処分庁及びその上級行政庁だけではなく、その下級行政庁やその処分に関する協議を受けた行政庁等も含まれるものとされています。

申請に基づいてした処分が手続の違法・不当を理由として、裁決で取消しをしたり、申請を却下したり、棄却した処分が裁決で取消しをされたり場合には、処分庁は、裁決の趣旨に従い、改めて申請に対する処分をしなければなりません（行政不服審査法第52条第2項）。

法令の規定により公示された処分が裁決で取消しをされたり、変更をされたりした場合には、処分庁は、その旨を公示しなければなりません（行政不服審査法第52条第3項）。

142　【行政不服審査法第52条】

1　裁決は、関係行政庁を拘束する。

2　申請に基づいてした処分が手続の違法若しくは不当を理由として裁決で取り消され、又は申請を却下し、若しくは棄却した処分が裁決で取り消された場合には、処分庁は、裁決の趣旨に従い、改めて申請に対する処分をしなければならない。

3　法令の規定により公示された処分が裁決で取り消され、又は変更された場合には、処分庁は、当該処分が取り消され、又は変更された旨を公示しなければならない。

4　法令の規定により処分の相手方以外の利害関係人に通知された処分が裁決で取り消され、又は変更された場合には、処分庁は、その通知を受けた者（審査請求人及び参加人を除く。）に、当該処分が取り消され、又は変更された旨を通知しなければならない。

法令の規定により処分の相手方以外の利害関係人に通知された処分が、裁決で取消しをされたり、変更をされたりした場合には、処分庁は、審査請求人及び参加人以外のその通知を受けた者に対して、その旨を通知しなければなりません（行政不服審査法第52条第4項）。

ほ　不利益変更の禁止

事実上の行為を除く処分が違法・不当である場合または事実上の行為が違法・不当である場合には、審査庁は、審査請求人の不利益に処分を変更したり、事実上の行為を変更すべき旨を命じたり、これを変更したりすることはできません（行政不服審査法第48条[143]）。

へ　効力の発生

裁決は、審査請求人に送達された時にその効力を生じることとなります（行政不服審査法第51条[144]第1項）。つまり、到達主義を採用しています。

裁決の送達は、送達を受けるべき者に裁決書の謄本を送付することによってします（行政不服審査法第51条第2項本文）。但し、送達を受けるべき者の所在が知れない等裁決書の謄本を送付することができない場合には、公示送達によってすることができます（行政不服審査法第51条第2項但書）。

143　【行政不服審査法第48条】
第四十六条第一項本文又は前条の場合において、審査庁は、審査請求人の不利益に当該処分を変更し、又は当該事実上の行為を変更すべき旨を命じ、若しくはこれを変更することはできない。

144　【行政不服審査法第51条】
1　裁決は、審査請求人（当該審査請求が処分の相手方以外の者のしたものである場合における第四十六条第一項及び第四十七条の規定による裁決にあっては、審査請求人及び処分の相手方）に送達された時に、その効力を生ずる。
2　裁決の送達は、送達を受けるべき者に裁決書の謄本を送付することによってする。ただし、送達を受けるべき者の所在が知れない場合その他裁決書の謄本を送付することができない場合には、公示の方法によってすることができる。
3　公示の方法による送達は、審査庁が裁決書の謄本を保管し、いつでもその送達を受けるべき者に交付する旨を当該審査庁の掲示場に掲示し、かつ、その旨を官報その他の公報又は新聞紙に少なくとも一回掲載してするものとする。この場合において、その掲示を始めた日の翌日から起算して二週間を経過した時に裁決書の謄本の送付があったものとみなす。
4　審査庁は、裁決書の謄本を参加人及び処分庁等（審査庁以外の処分庁等に限る。）に送付しなければならない。

と　証拠書類等の返還

審査庁は、裁決をした場合には、速やかに、提出された証拠書類等提出物をその提出人に返還しなければなりません（行政不服審査法第53条[145]）。

I　教示制度

a　教示の意義

教示とは、処分庁が、処分の相手方に対して、処分について不服申立てをすることができる旨・不服申立てをすべき行政庁・不服申立てをすることができる期間等、不服申立てに関する手続を教え示す制度のことをいいます。

b　教示の内容及び方法

行政庁は、審査請求・再調査の請求・他の法令に基づく不服申立てをすることができる処分をする場合には、処分の相手方に対して、その処分について不服申立てをすることができる旨・不服申立てをすべき行政庁・不服申立てをすることができる期間を書面で教示をしなければなりません（行政不服審査法第82条[146]第1項本文）。但し、処分を口頭でする場合については、行政庁は教示をする必要がありません（行政不服審査法第82条第1項但書）。

145　【行政不服審査法第53条】
審査庁は、裁決をしたときは、速やかに、第三十二条第一項又は第二項の規定により提出された証拠書類若しくは証拠物又は書類その他の物件及び第三十三条の規定による提出要求に応じて提出された書類その他の物件をその提出人に返還しなければならない。

146　【行政不服審査法第82条】
1　行政庁は、審査請求若しくは再調査の請求又は他の法令に基づく不服申立て（以下この条において「不服申立て」と総称する。）をすることができる処分をする場合には、処分の相手方に対し、当該処分につき不服申立てをすることができる旨並びに不服申立てをすべき行政庁及び不服申立てをすることができる期間を書面で教示しなければならない。ただし、当該処分を口頭でする場合は、この限りでない。
2　行政庁は、利害関係人から、当該処分が不服申立てをすることができる処分であるかどうか並びに当該処分が不服申立てをすることができるものである場合における不服申立てをすべき行政庁及び不服申立てをすることができる期間につき教示を求められたときは、当該事項を教示しなければならない。
3　前項の場合において、教示を求めた者が書面による教示を求めたときは、当該教示は、書面でしなければならない。

c　教示を怠った場合・誤った場合の救済

行政庁が教示を怠った場合または誤った場合であっても、そのために処分や裁決が違法なものとはなりません。しかし、教示をされなかったり、教示の内容が誤っていたりした場合について、何ら救済手段がないというのも教示制度を設定した意味がなくなることとなります。そのため、行政不服審査法は、教示をされなかったり、教示の内容が誤っていたりした場合の救済手段をおいています。

い　教示を怠った場合

行政庁が、教示（行政不服審査法第 82 条）をしなかった場合には、処分について不服がある者は、処分庁に不服申立書を提出することができます（行政不服審査法第 83 条[147]第 1 項)。この場合、不服申立書は、審査請求書（行政不服審査法第 19 条）と同様の要式を備える必要があります（行政不服審査法第 83 条第２項)。不服申立書が提出されると、初めからその処分庁に審査請求また法令に基づく不服申立てがされたものとみなされます（行政不服審査法第 83 条第５項)。

不服申立書が提出された場合には、その処分が処分庁以外の行政庁に対して審査請求をすることができる処分であれば、処分庁は、速やかに、不服申立書を審査庁に送付しなければならず（行政不服審査法第 83 条第３項)、送付されると、初めからその行政庁に不服申立てがされたものとみなされます（行政不服審査法第 83 条第４項)。

147　【行政不服審査法第 83 条】

1　行政庁が前条の規定による教示をしなかった場合には、当該処分について不服がある者は、当該処分庁に不服申立書を提出することができる。

2　第十九条（第五項第一号及び第二号を除く。）の規定は、前項の不服申立書について準用する。

3　第一項の規定により不服申立書の提出があった場合において、当該処分が処分庁以外の行政庁に対し審査請求をすることができる処分であるときは、処分庁は、速やかに、当該不服申立書を当該行政庁に送付しなければならない。当該処分が他の法令に基づき、処分庁以外の行政庁に不服申立てをすることができる処分であるときも、同様とする。

4　前項の規定により不服申立書が送付されたときは、初めから当該行政庁に審査請求又は当該法令に基づく不服申立てがされたものとみなす。

5　第三項の場合を除くほか、第一項の規定により不服申立書が提出されたときは、初めから当該処分庁に審査請求又は当該法令に基づく不服申立てがされたものとみなす。

ろ　教示を誤った場合

イ　審査請求をすべきではない行政庁の教示をした場合

処分庁が誤って審査庁ではない行政庁を審査庁として教示をした場合には、教示をされた行政庁に書面で審査請求がされれば、その行政庁は、速やかに、審査請求書を処分庁または審査庁となるべき行政庁に送付し、その旨を審査請求人に通知しなければなりません（行政不服審査法第22条[148]第1項）。審査請求書が審査庁に送付されると、初めから審査庁となるべき行政庁に審査請求がされたものとみなされることとなります（行政不服審査法第22条第5項）。

148　【行政不服審査法第22条】

1　審査請求をすることができる処分につき、処分庁が誤って審査請求をすべき行政庁でない行政庁を審査請求をすべき行政庁として教示した場合において、その教示された行政庁に書面で審査請求がされたときは、当該行政庁は、速やかに、審査請求書を処分庁又は審査庁となるべき行政庁に送付し、かつ、その旨を審査請求人に通知しなければならない。

2　前項の規定により処分庁に審査請求書が送付されたときは、処分庁は、速やかに、これを審査庁となるべき行政庁に送付し、かつ、その旨を審査請求人に通知しなければならない。

3　第一項の処分のうち、再調査の請求をすることができない処分につき、処分庁が誤って再調査の請求をすることができる旨を教示した場合において、当該処分庁に再調査の請求がされたときは、処分庁は、速やかに、再調査の請求書（第六十一条において読み替えて準用する第十九条に規定する再調査の請求書をいう。以下この条において同じ。）又は再調査の請求録取書（第六十一条において準用する第二十条後段の規定により陳述の内容を録取した書面をいう。以下この条において同じ。）を審査庁となるべき行政庁に送付し、かつ、その旨を再調査の請求人に通知しなければならない。

4　再調査の請求をすることができる処分につき、処分庁が誤って審査請求をすることができる旨を教示しなかった場合において、当該処分庁に再調査の請求がされた場合であって、再調査の請求人から申立てがあったときは、処分庁は、速やかに、再調査の請求書又は再調査の請求録取書及び関係書類その他の物件を審査庁となるべき行政庁に送付しなければならない。この場合において、その送付を受けた行政庁は、速やかに、その旨を再調査の請求人及び第六十一条において読み替えて準用する第十三条第一項又は第二項の規定により当該再調査の請求に参加する者に通知しなければならない。

5　前各項の規定により審査請求書又は再調査の請求書若しくは再調査の請求録取書が審査庁となるべき行政庁に送付されたときは、初めから審査庁となるべき行政庁に審査請求がされたものとみなす。

ロ　再調査の請求ができないにも拘わらずできると教示をした場合

処分庁が誤って再調査の請求ができないにも拘わらずできると教示をした場合には、再調査の請求がされれば、速やかに再調査の請求書等を審査庁に送付し、その旨を再調査の請求人に通知しなければなりません（行政不服審査法第22条第３項）。再調査の請求書等が審査庁に送付されると、初めから審査庁となるべき行政庁に審査請求がされたものとみなされることとなります（行政不服審査法第22条第５項）。

ハ　再調査の請求ができる処分について審査請求ができるとの教示をしなかった場合

処分庁が誤って再調査の請求ができる処分について審査請求ができるとの教示をしなかった場合には、再調査の請求がされ、再調査の請求人から申立てがあれば、速やかに再調査の請求書等を審査庁に送付しなければなりません（行政不服審査法第 22 条第４項前段）。再調査の請求書等が審査庁に送付されると、初めから審査庁に審査請求がされたものとみなされることとなります（行政不服審査法第22条第５項）。

ニ　再調査の請求ができるにも拘わらずできないと教示をした場合

処分庁が誤って再調査の請求ができるにも拘わらずできないと教示をした場合には、審査請求がされ、審査請求人から申立てがあれば、審査庁は速やかに審査請求書等を処分庁に送付しなければなりません（行政不服審査法第55条[149]第１項本文）。審査請求書等が処分庁に送付されると、初めから処分庁に再調査の請求がされたものとみなされることとなります（行政不服審査法第 55 条第３項）。

149　【行政不服審査法第55条】

1　再調査の請求をすることができる処分につき、処分庁が誤って再調査の請求をすることができる旨を教示しなかった場合において、審査請求がされた場合であって、審査請求人から申立てがあったときは、審査庁は、速やかに、審査請求書又は審査請求録取書を処分庁に送付しなければならない。ただし、審査請求人に対し弁明書が送付された後においては、この限りでない。

2　前項本文の規定により審査請求書又は審査請求録取書の送付を受けた処分庁は、速やかに、その旨を審査請求人及び参加人に通知しなければならない。

3　第一項本文の規定により審査請求書又は審査請求録取書が処分庁に送付されたときは、初めから処分庁に再調査の請求がされたものとみなす。

ホ　審査請求ができないにも拘わらずできると教示をした場合

審査請求をすることができない処分について、処分庁が誤って審査請求をすることができるとの教示をした場合には、誤った教示がされたからといって、審査請求が可能となるわけではなく、その審査請求は不適法なものとして却下されることとなります。

ヘ　不服申立て期間について誤って教示をした場合

不服申立て期間を誤って教示をした場合には、その不服申立て期間を経過しても、正当な理由（行政不服審査法18条第1項但書）があるものと認められることから、その不服申立ては、不服申立て期間を徒過していてもすることができるとされています。

J　再調査の請求に対する決定

再調査の請求とは、先述したように、行政庁の処分について処分庁以外の行政庁に対して審査請求をすることができる場合において、再調査の請求を認める法律の規定があれば、処分庁自身が審査請求よりも簡易な手続で事実関係の再調査をすることによる処分の見直しを求める不服申立ての手続のことをいいます（行政不服審査法第5条第1項）。

再調査の請求に対する決定とは、再調査の請求に対する処分庁の判断のことをいいます。再調査の請求に対する決定については、審査請求に対する裁決における効力の発生（行政不服審査法第51条）・証拠書類等の返還（行政不服審査法第53条）についての規定が準用されています（行政不服審査法第61条）。それ以外に、再調査の請求に対する決定に特有の規定が存在します。

a　再調査の請求に対する決定の種類

い　却下決定

再審査の請求が、不適法なものである場合には、処分庁は、却下決定を下すこととなります（行政不服審査法第58条[150]第1項）。

ろ　棄却決定

再調査の請求が、理由がないものである場合には、処分庁は、棄却決定を下すこととなります（行政不服審査法第58条第2項）。

150　【行政不服審査法第58条】

1　再調査の請求が法定の期間経過後にされたものである場合その他不適法である場合には、処分庁は、決定で、当該再調査の請求を却下する。

2　再調査の請求が理由がない場合には、処分庁は、決定で、当該再調査の請求を棄却する。

なお、審査請求については、事情裁決（行政不服審査法第45条[151]第3項）が認められていましたが、事情決定は認められていません。

は　認容決定

再調査の請求が、理由があるものである場合には、処分庁は、認容決定を下すこととなります（行政不服審査法第59条[152]第1項）。

b　再調査の請求に対する決定の方法

再調査の請求に対する決定は、決定書によりしなければなりません（行政不服審査法第60条[153]第1項）。

151　【行政不服審査法第45条】

1　処分についての審査請求が法定の期間経過後にされたものである場合その他不適法である場合には、審査庁は、裁決で、当該審査請求を却下する。

2　処分についての審査請求が理由がない場合には、審査庁は、裁決で、当該審査請求を棄却する。

3　審査請求に係る処分が違法又は不当ではあるが、これを取り消し、又は撤廃することにより公の利益に著しい障害を生ずる場合において、審査請求人の受ける損害の程度、その損害の賠償又は防止の程度及び方法その他一切の事情を考慮した上、処分を取り消し、又は撤廃することが公共の福祉に適合しないと認めるときは、審査庁は、裁決で、当該審査請求を棄却することができる。この場合には、審査庁は、裁決の主文で、当該処分が違法又は不当であることを宣言しなければならない。

152　【行政不服審査法第59条】

1　処分（事実上の行為を除く。）についての再調査の請求が理由がある場合には、処分庁は、決定で、当該処分の全部若しくは一部を取り消し、又はこれを変更する。

2　事実上の行為についての再調査の請求が理由がある場合には、処分庁は、決定で、当該事実上の行為が違法又は不当である旨を宣言するとともに、当該事実上の行為の全部若しくは一部を撤廃し、又はこれを変更する。

3　処分庁は、前二項の場合において、再調査の請求人の不利益に当該処分又は当該事実上の行為を変更することはできない。

153　【行政不服審査法第60条】

1　前二条の決定は、主文及び理由を記載し、処分庁が記名押印した決定書によりしなければならない。

2　処分庁は、前項の決定書（再調査の請求に係る処分の全部を取り消し、又は撤廃する決定に係るものを除く。）に、再調査の請求に係る処分につき審査請求をすることができる旨（却下の決定である場合にあっては、当該却下の決定が違法な場合に限り審査請求をすることができる旨）並びに審査請求をすべき行政庁及び審査請求期間を記載して、これらを教示しなければならない。

c　再調査の請求における教示

処分庁は、決定書に、再調査の請求に関する処分について審査請求をすることができる旨・審査請求をすべき行政庁・審査請求期間を記載して教示をしなければなりません（行政不服審査法第60条第2項）。

K　再審査請求

再審査請求とは、先述したように、審査請求の裁決に不服がある場合において、再審査請求を認める法律の規定がある場合に、その裁決に対して行う不服申立ての手続のことをいいます（行政不服審査法第6条第1項）。先述したように、審査請求における裁決である原裁決についても、原処分についても再審査請求の対象となります（行政不服審査法第6条第2項）。

再審査請求に対する裁決については、裁決の時期（行政不服審査法第44条）・裁決の方法（行政不服審査法第50条第1項及び第2項）・効力の発生（行政不服審査法第51条）・拘束力（行政不服審査法第52条）・証拠書類等の返還（行政不服審査法第 53 条）についての規定が準用されています（行政不服審査法第66条第1項）。それ以外に、再審査請求に対する裁決に特有の規定が存在します。

a　再調査の請求に対する裁決の種類

い　却下裁決

再審査請求が、不適法なものである場合には、再審査庁は、却下裁決を下すこととなります（行政不服審査法第64条[154]第1項）。

154　【行政不服審査法第64条】

1　再審査請求が法定の期間経過後にされたものである場合その他不適法である場合には、再審査庁は、裁決で、当該再審査請求を却下する。

2　再審査請求が理由がない場合には、再審査庁は、裁決で、当該再審査請求を棄却する。

3　再審査請求に係る原裁決（審査請求を却下し、又は棄却したものに限る。）が違法又は不当である場合において、当該審査請求に係る処分が違法又は不当のいずれでもないときは、再審査庁は、裁決で、当該再審査請求を棄却する。

4　前項に規定する場合のほか、再審査請求に係る原裁決等が違法又は不当ではあるが、これを取り消し、又は撤廃することにより公の利益に著しい障害を生ずる場合において、再審査請求人の受ける損害の程度、その損害の賠償又は防止の程度及び方法その他一切の事情を考慮した上、原裁決等を取り消し、又は撤廃することが公共の福祉に適合しないと認めるときは、再審査庁は、裁決で、当該再審査請求を棄却することができる。この場合には、再審査庁は、裁決の主文で、当該原裁決等が違法又は不当であることを宣言しなければならない

ろ 棄却裁決

再審査請求が、理由がないものである場合には、再審査庁は、棄却裁決を下すこととなります（行政不服審査法第64条第２項）。原裁決が違法・不当である場合であっても、審査請求における原処分が違法・不当のいずれでもなければ、再審査庁は、棄却裁決を下すこととなります（行政不服審査法第64条第３項）。

なお、棄却裁決がされる場合には、原裁決等が違法・不当であったとしても、公の利益に著しい障害を生じる虞のある場合には、原裁決等が違法・不当である旨を宣言した上で、棄却裁決をするという事情裁決が認められています（行政不服審査法第64条第４項）。

は 認容裁決

再審査請求が、理由があるものである場合には、再審査庁は、認容裁決を下すこととなります（行政不服審査法第65条[155]第１項）。

b 再審査請求における教示

審査庁が再審査請求をすることができる裁決をする場合については、裁決書に、再審査請求をすることができる旨・再審査請求をすべき行政庁・再審査請求期間を記載して、これらの時効の教示をする義務を負います（行政不服審査法第50条第３項）。対して、再審査庁が裁決をする場合については、これらの事項の教示をする義務は負いません（行政不服審査法第50条第３項及び第66条第１項）。

（２）行政事件訴訟

① 行政事件訴訟制度

行政事件訴訟制度とは、行政活動に関連する紛争についての訴えの提起に対して、裁判所がその解決を図るための制度のことをいいます。

行政事件訴訟制度の一般法として、行政事件訴訟法があります。

155 【行政不服審査法第65条】
１ 原裁決等（事実上の行為を除く。）についての再審査請求が理由がある場合（前条第三項に規定する場合及び同条第四項の規定の適用がある場合を除く。）には、再審査庁は、裁決で、当該原裁決等の全部又は一部を取り消す。
２ 事実上の行為についての再審査請求が理由がある場合（前条第四項の規定の適用がある場合を除く。）には、裁決で、当該事実上の行為が違法又は不当である旨を宣言するとともに、処分庁に対し、当該事実上の行為の全部又は一部を撤廃すべき旨を命ずる。

② 行政事件訴訟法

A 行政事件訴訟法における訴訟類型

行政事件訴訟には４つの類型があります（行政事件訴訟法第２条[156]）。

α 主観訴訟

４つの類型のうち抗告訴訟と当事者訴訟は、国民の権利・利益（主観的利益）の保護を目的とすることから主観訴訟といわれます。

い 抗告訴訟

抗告訴訟とは、行政庁の公権力の行使に関する不服の訴訟のことをいいます（行政事件訴訟法第３条[157]第１項）。

156 【行政事件訴訟法第２条】
この法律において「行政事件訴訟」とは、抗告訴訟、当事者訴訟、民衆訴訟及び機関訴訟をいう。

157 【行政事件訴訟法第３条】
1 この法律において「抗告訴訟」とは、行政庁の公権力の行使に関する不服の訴訟をいう。
2 この法律において「処分の取消しの訴え」とは、行政庁の処分その他公権力の行使に当たる行為（次項に規定する裁決、決定その他の行為を除く。以下単に「処分」という。）の取消しを求める訴訟をいう。
3 この法律において「裁決の取消しの訴え」とは、審査請求その他の不服申立て（以下単に「審査請求」という。）に対する行政庁の裁決、決定その他の行為（以下単に「裁決」という。）の取消しを求める訴訟をいう。
4 この法律において「無効等確認の訴え」とは、処分若しくは裁決の存否又はその効力の有無の確認を求める訴訟をいう。
5 この法律において「不作為の違法確認の訴え」とは、行政庁が法令に基づく申請に対し、相当の期間内に何らかの処分又は裁決をすべきであるにかかわらず、これをしないことについての違法の確認を求める訴訟をいう。
6 この法律において「義務付けの訴え」とは、次に掲げる場合において、行政庁がその処分又は裁決をすべき旨を命ずることを求める訴訟をいう。
　一 行政庁が一定の処分をすべきであるにかかわらずこれがされないとき（次号に掲げる場合を除く。）。
　二 行政庁に対し一定の処分又は裁決を求める旨の法令に基づく申請又は審査請求がされた場合において、当該行政庁がその処分又は裁決をすべきであるにかかわらずこれがされないとき。
7 この法律において「差止めの訴え」とは、行政庁が一定の処分又は裁決をすべきでないにかかわらずこれがされようとしている場合において、行政庁がその処分又は裁決をしてはならない旨を命ずることを求める訴訟をいう。

イ　取消しの訴え（取消訴訟）

ⅰ　処分の取消しの訴え

処分の取消しの訴えとは、行政庁の処分その他公権力の行使に該当する行為の取消しを求める抗告訴訟のことをいいます（行政事件訴訟法第３条第２項）。

ⅱ　裁決の取消しの訴え

裁決の取消しの訴えとは、審査請求その他の不服申立てに対する行政庁の裁決・決定その他の行為の取消しを求める抗告訴訟のことをいいます（行政事件訴訟法第３条第３項）。

ロ　無効等確認の訴え（無効等確認訴訟）

無効等確認の訴え（無効等確認訴訟）とは、処分もしくは裁決の存否またはその効力の有無の確認を求める抗告訴訟のことをいいます（行政事件訴訟法第３条第４項）。

ハ　不作為の違法確認の訴え（不作為の違法確認訴訟）

不作為の違法確認の訴え（不作為の違法確認訴訟）とは、行政庁が、法令に基づく申請に対して、相当の期間内に何らかの処分・裁決をすべきであるにも拘わらず、これをしないことについての違法の確認を求める抗告訴訟のことをいいます（行政事件訴訟法第３条第５項）。

ニ　義務付けの訴え（義務付け訴訟）

義務付けの訴え（義務付け訴訟）とは、行政庁が一定の処分をすべきであるにも拘わらずこれがされない場合に、行政庁がその処分・裁決をすべき旨を命ずることを求める抗告訴訟（行政事件訴訟法第３条第６項第１号）、または、行政庁に対して一定の処分・裁決を求める旨の法令に基づく申請または審査請求がされた場合において、その行政庁がその処分・裁決をすべきであるにも拘わらずこれがされない場合に、行政庁がその処分・裁決をすべき旨を命ずることを求める抗告訴訟（行政事件訴訟法第３条第６項第２号）のことをいいます（行政事件訴訟法第３条第６項柱書）。

ホ　差止めの訴え（差止め訴訟）

差止めの訴え（差止め訴訟）とは、行政庁が一定の処分・裁決をすべきではないのにも拘わらず、その一定の処分・裁決がされようとしている場合において、行政庁がその処分・裁決をしてはならない旨を命ずることを求める訴訟のことをいいます（行政事件訴訟法第３条第７項）。

ろ 当事者訴訟

当事者の法律関係を確認・形成する処分・裁決に関する訴訟で、法令の規定によりその法律関係の当事者の一方を被告とする訴訟（形式的当事者訴訟）・公法上の法律関係に関する確認の訴えその他の公法上の法律関係に関する訴訟（実質的当事者訴訟）のことをいいます（行政事件訴訟法第４条[158]）。

b 客観訴訟

４つの類型のうち民衆訴訟と機関訴訟は、行政活動の適法性の確保と法秩序（客観的秩序）の維持を目的とすることから客観訴訟といわれます。政策的・例外的に認められる訴訟であることから、法律に規定される者に限り提起をすることができます（行政事件訴訟法第42条[159]）。

い 民衆訴訟

民衆訴訟とは、選挙人たる資格その他自己の法律上の利益に関係しない資格において提起をする、国または地方公共団体の機関の法規に適合しない行為の是正を求める訴訟のことをいいます（行政事件訴訟法第５条[160]）。

ろ 機関訴訟

機関訴訟とは、国または地方公共団体の機関相互間における権限の存否またはその行使に関する紛争についての訴訟のことをいいます（行政事件訴訟法第６条[161]）。

---

158 【行政事件訴訟法第４条】

この法律において「当事者訴訟」とは、当事者間の法律関係を確認し又は形成する処分又は裁決に関する訴訟で法令の規定によりその法律関係の当事者の一方を被告とするもの及び公法上の法律関係に関する確認の訴えその他の公法上の法律関係に関する訴訟をいう。

159 【行政事件訴訟法第42条】

民衆訴訟及び機関訴訟は、法律に定める場合において、法律に定める者に限り、提起することができる。

160 【行政事件訴訟法第５条】

この法律において「民衆訴訟」とは、国又は公共団体の機関の法規に適合しない行為の是正を求める訴訟で、選挙人たる資格その他自己の法律上の利益にかかわらない資格で提起するものをいう。

161 【行政事件訴訟法第６条】

この法律において「機関訴訟」とは、国又は公共団体の機関相互間における権限の存否又はその行使に関する紛争についての訴訟をいう。

B 取消訴訟

a 取消訴訟の意義

い 取消訴訟の機能

イ 原状回復機能

原状回復機能とは、行政処分が取消しをされることにより、その処分が初めからなかったのと同様の状態に復すという機能のことをいいます。

ロ 適法性維持機能

適法性維持機能とは、取消訴訟が有する原告の主観的利益保護に奉仕する機能のみならず、客観的秩序の維持にも奉仕するという機能のことをいいます。

ハ 法律関係合一確定機能

法律関係合一確定機能とは、処分・裁決の取消しをする判決が、第三者に対しても効力（対世効）を有するという機能のことをいいます（行政事件訴訟法第32条[162]第1項）。

ニ 差止め機能

差止め機能とは、ある処分の取消しがされると、さらに次の処分に進むことができなくなるという機能のことをいいます。

ホ 再度考慮機能

再度考慮機能とは、取消判決が関係行政庁を拘束する（行政事件訴訟法第33条[163]第1項）ことから、行政庁は判決の趣旨に従って行動すべきであるという機能のことをいいます。

---

162 【行政事件訴訟法第32条】
1 処分又は裁決を取り消す判決は、第三者に対しても効力を有する。
2 前項の規定は、執行停止の決定又はこれを取り消す決定に準用する。

163 【行政事件訴訟法第33条】
1 処分又は裁決を取り消す判決は、その事件について、処分又は裁決をした行政庁その他の関係行政庁を拘束する。
2 申請を却下し若しくは棄却した処分又は審査請求を却下し若しくは棄却した裁決が判決により取り消されたときは、その処分又は裁決をした行政庁は、判決の趣旨に従い、改めて申請に対する処分又は審査請求に対する裁決をしなければならない。
3 前項の規定は、申請に基づいてした処分又は審査請求を認容した裁決が判決により手続に違法があることを理由として取り消された場合に準用する。
4 第一項の規定は、執行停止の決定に準用する。

へ 処分反復防止機能

処分反復防止機能とは、その拘束力から、取消判決には同一理由に基づく同一処分の反復禁止効果があるという機能のことをいいます。

ろ 取消訴訟の性質

取消訴訟は、判決の効力が第三者にも及ぶ（行政事件訴訟法第32条第1項）ことから、確認訴訟ではなく形成訴訟であるとされています。

は 取消訴訟と審査請求との関係

処分の取消しを求める場合、取消訴訟と審査請求の２通りの方法があります。行政事件訴訟法は、自由選択主義を採用し、審査請求をすることができる場合においても処分の取消しの訴えの提起をすることを妨げないとしています（行政事件訴訟法第８条[164]第１項）。

しかし、処分に関するすべての紛争が、直接的に、裁判所に提起されると、その負担は多大なものとなり、また、専門技術的な判断を要する案件については、裁判所よりも行政機関によって審理される方が望ましいことから、例外として、審査請求前置主義が採用され、法律に処分についての審査請求に対する裁決を経た後でなければ処分の取消しの訴えの提起をすることができない旨の規定がある場合には、あらかじめ審査請求を経た後でなければ取消訴訟の提起をすることができないとされています（行政事件訴訟法第８条第１項但書）。

---

164 【行政事件訴訟法第８条】

１ 処分の取消しの訴えは、当該処分につき法令の規定により審査請求をすることができる場合においても、直ちに提起することを妨げない。ただし、法律に当該処分についての審査請求に対する裁決を経た後でなければ処分の取消しの訴えを提起することができない旨の定めがあるときは、この限りでない。

２ 前項ただし書の場合においても、次の各号の一に該当するときは、裁決を経ないで、処分の取消しの訴えを提起することができる。

一 審査請求があつた日から三箇月を経過しても裁決がないとき。

二 処分、処分の執行又は手続の続行により生ずる著しい損害を避けるため緊急の必要があるとき。

三 その他裁決を経ないことにつき正当な理由があるとき。

３ 第一項本文の場合において、当該処分につき審査請求がされているときは、裁判所は、その審査請求に対する裁決があるまで（審査請求があつた日から三箇月を経過しても裁決がないときは、その期間を経過するまで）、訴訟手続を中止することができる。

また、同一の処分に対して、取消訴訟と審査請求が同時になされた場合には、裁判所は審査請求に対する裁決が下されるまでの間は、同一の処分について、裁判所と審査庁の判断が矛盾することを避けるために、訴訟手続を中止することができます（行政事件訴訟法第８条第３項）。しかし、裁判所が訴訟手続の中止をせずに、審理を進め、取消判決が確定した場合には、取消判決の形成力が生じ、関係行政庁はこれに拘束されることとなります（行政事件訴訟法第33条第１項）。対して、裁判所が訴訟手続を中止している間に、審査請求に対する裁決において、処分の取消しがされた場合には、処分の取消しの訴えは、訴えの利益を欠くものとして却下されることとなります。

に　処分の取消しの訴えと裁決の処分の取消しの訴えとの関係

行政処分の違法性を主張し、審査請求をし、それが棄却された場合には、処分の取消しの訴え（行政事件訴訟法第３条２項）と裁決の取消しの訴え（行政事件訴訟法第３条３項）の２通りの方法があります。行政事件訴訟法は、原処分主義を採用し、処分の取消しの訴えと処分についての審査請求を棄却した裁決の取消しの訴えとを提起をすることができる場合には、後者においては、処分の違法を理由としての取消しを求めることができず（行政事件訴訟法第10条[165]第２項）、裁決の手続上の違法その他裁決固有の違法のみ主張できるとされています。しかし、原処分主義による原告が不測の損害を被ることを想定し、裁決の取消しの訴えに処分の取消しの訴えを追加的に併合して提起をすることができるようになっています（行政事件訴訟法第20条[166]）。

165　【行政事件訴訟法第10条】

１　取消訴訟においては、自己の法律上の利益に関係のない違法を理由として取消しを求めることができない。

２　処分の取消しの訴えとその処分についての審査請求を棄却した裁決の取消しの訴えとを提起することができる場合には、裁決の取消しの訴えにおいては、処分の違法を理由として取消しを求めることができない。

166　【行政事件訴訟法第20条】

前条第一項前段の規定により、処分の取消しの訴えをその処分についての審査請求を棄却した裁決の取消しの訴えに併合して提起する場合には、同項後段において準用する第十六条第二項の規定にかかわらず、処分の取消しの訴えの被告の同意を得ることを要せず、また、その提起があつたときは、出訴期間の遵守については、処分の取消しの訴えは、裁決の取消しの訴えを提起した時に提起されたものとみなす。

b　取消訴訟の訴訟要件

い　処分性

行政事件訴訟法第３条第２項は、取消訴訟の対象を「行政庁の処分その他公権力の行使に当たる行為」と規定しています。そのため、対象としての「処分」の存在が必要となります。

「処分」とは、公権力の主体である国・地方公共団体が行う行為のうち公定力を有するもの、つまり、その行為によって、直接的に、国民の権利・義務を形成したり、その範囲を確定したりすることが法律上認められているものをいうとされています。

しかし、今日のように関係が複雑化した社会においては、国民の権利･利益の保護を図るため､処分性の要件を柔軟に解釈すべきであり、取消訴訟の特質・処分の内容・関係法令の趣旨・国民の救済の必要性や実効性等を考慮し、総合的に判断すべきであるとされています。

《重要判例行政法 10》最高裁判所昭和 39 年 10 月 29 日第一小法廷判決

【事件の概要】

Ｙ（東京都）は、ゴミ焼却場を設置するために、訴外Ａとの間に同ゴミ焼却場の建築請負契約を締結するに至った。対して、Ｘら（付近住民）は、ゴミ焼却場の設置を計画し、その計画案に基づいて実施する一連の行為は「行政処分」であり、これが当時の法律に違反するとしてその無効確認を求めて訴訟を提起した。

１審は、「ある行政庁の行為が行政訴訟の対象となる行政庁の処分といいうるためには、その行為が公権力の行使としてかかる公権力に服する人民に対し行政庁の優越的意思の発動としてなされ、これにより一方的に人民を拘束するものでなければならない」とし、訴えを却下。２審は、「原則として行政主体のその行為が公権力の行使としてなされ、且つ右行為が直接国民の権利義務に影響を与えるような法律的効果を生ずるものかどうかによって決定されなければならない」とし、控訴棄却。Ｘらが上告。

【判旨】

上告棄却。

「行政事件訴訟特例法１条にいう**行政庁の処分とは、所論のごとく行政庁の法令に基づく行為のすべてを意味するものではなく、公権力の主体たる国または公共団体が行う行為のうち、その行為によって、直接国民の権利義務を形成しまたはその範囲を確定することが法律上認められているものをいう**ものであることは、当裁判所の判例とするところである」

処分性に関連する判例の定義によると、処分性には、行政庁が（処分の主体が行政庁）、行政組織内部ではなく（外部的行為）、公権力を行使して国民の権利・義務を変動させる法的効果を伴う（国民に対して直接法的効果を伴う）一方的な行為（公権力性を有する行為）であること、公権力行使による具体的な法的効果が発生する行為であること（具体的法効果の発生）が必要となり、国民に対して行う最終的な行為のみが取消訴訟の対象とみなされる（紛争の成熟性）として、厳格に適用されてきました。

以上のことから、行政行為については、処分性は当然認められることとなります。また、行政行為に準じる行政庁の権力的行為についても、処分性が認められることとされています。従って、国民に申請権が認められる場合には、その申請拒否決定にも処分性が認められることとされています。

対して、契約その他私法上の行為については 、権力性を欠くことから、処分性は認められないとされています。また、行政組織の内部的行為については、国民に対しての法的効果を有さないことから、原則として、処分性は認められないこととされています。従って、通達等には処分性が認められないこととなります。しかし、行政組織の内部的行為が、何らかの対外的効果を有し、国民の権利・義務に実質的な影響を与えるような場合には、国民の権利救済の必要性の観点から、例外として、処分性が認められることもあります。

また、事実行為については、実質上は国民の利害に影響を及ぼす行為であっても、国民の権利・義務関係への直接の法的効果を有しないことから、原則として、処分性は認められないこととされています。しかし、事実行為であっても、権力的な色彩をもつ行為については、実質的な法的効果が認められる場合もあり、このような場合については、例外として、処分性が認められることもあります。

行政指導については、国民の実生活を社会的に強く規制することになりますが、公権的に、何らの義務を課し、権利の行使を妨げるものではないことから、処分性が認められないこととされています。

行政立法の定立や条例の制定行為については、一般的・抽象的な規範の定立行為であり、行政主体と国民との間に個別具体的な権利変動を生じさせるわけではないことから、原則として、処分性が認められないこととされています。しかし、特定人に具体的な法的効果が及ぶ場合は、例外として、処分性が認められることもあります。

一連の行政過程を構成する行政庁の行為については、当事者の権利・義務を最終的に決定する終局段階の行為ではないと、処分性は認められないこととされています。従って、後続の行為によって権利関係の具体化が予定される中間的行為については、国民に直接具体的な法的効果を発生させるものではなく、原則として、処分性が認められないこととされています。但し、中間的行為であっても、計画段階で既に国民の権利・義務に直接具体的な法的効果を与えることがある場合や、最終処分を待っていたのでは既成事実が完成してしまい、実質上救済が得られなくなる場合もあることから、具体的利益状況を勘案して、処分性が認められることもあります。

以上のように、最近では、処分性の概念を拡大する傾向もみられています。

《重要判例行政法11》最高裁判所平成17年7月15日第二小法廷判決

【事件の概要】

Xは、Y（富山県知事）に対して、病院開設の許可申請を行った。Yは、同県地域医療計画にあるその医療圏の必要病床数が既に達成されているとの理由から、開設を中止するように医療法30条の7の規定に基づく勧告を行ったが、Xはその勧告を拒否した。YはXに対して、開設許可処分を下したが、保険医療機関の指定については拒否する旨の通告をした。Xは、本件勧告及び通告の取消しを求めて出訴した。

1審及び2審では、請求を却下された。Xが上告。

【判旨】

破棄差戻し。

「**医療法30条の7の規定に基づく病院開設中止の勧告は、医療法上は当該勧告を受けた者が任意にこれに従うことを期待してされる行政指導として定められているけれども、当該勧告を受けた者に対し、これに従わない場合には、相当程度の確実さをもって、病院を開設しても保険医療機関の指定を受けることできなくなるという結果をもたらすもの**ということができる。」

「いわゆる国民皆保険制度が採用されている我が国においては、健康保険、国民健康保険等を利用しないで病院を受診する者はほとんどなく、**保険医療機関の指定を受けずに診療行為を行う病院がほとんど存在しないことは公知の事実であるから、保険医療機関の指定を受けることができない場合には、実際上病院の開設自体を断念せざるを得ないことになる。**」

ろ　原告適格

原告適格とは、取消訴訟を提起することができるかどうかの資格のことをいいます。

行政事件訴訟法は、取消訴訟は、処分・裁決の取消しを求めることについて、「法律上の利益」を有する者に限って、提起をすることができることとしています（行政事件訴訟法第９条[167]第１項）。そのため、「法律上の利益」を有する者に原告適格があるとされています。

それでは、この「法律上の利益」とは、どのようなものを意味するのでしょうか。学説においては、「法律上の利益」とは、裁判上保護に値する利益であれば、事実上の利益も該当するという見解があります（法律上保護に値する利益説）。しかし、保護に値する利益という基準は不明確であり、原告適格が不当に拡大し、また、認定が恣意的にされる危険があることにより妥当ではありません。取消訴訟は、違法な行政活動によって、法的な権利・利益を侵害された者を救済する主観的訴訟であることから、「法律上の利益」」を有する者とは、その処分により、自己の権利や法律上保護される利益を侵害される者・侵害される危険性がある者のことをいうべきであり、このことは、「法律上の利益」という文言にも合致します。従って、このような「法律上の利益」を有する者に原告適格が認められるとすべきです（法律上保護された利益説）。

167　【行政事件訴訟法第９条】

１　処分の取消しの訴え及び裁決の取消しの訴え（以下「取消訴訟」という。）は、当該処分又は裁決の取消しを求めるにつき法律上の利益を有する者（処分又は裁決の効果が期間の経過その他の理由によりなくなつた後においてもなお処分又は裁決の取消しによつて回復すべき法律上の利益を有する者を含む。）に限り、提起することができる。

２　裁判所は、処分又は裁決の相手方以外の者について前項に規定する法律上の利益の有無を判断するに当たつては、当該処分又は裁決の根拠となる法令の規定の文言のみによることなく、当該法令の趣旨及び目的並びに当該処分において考慮されるべき利益の内容及び性質を考慮するものとする。この場合において、当該法令の趣旨及び目的を考慮するに当たつては、当該法令と目的を共通にする関係法令があるときはその趣旨及び目的をも参酌するものとし、当該利益の内容及び性質を考慮するに当たつては、当該処分又は裁決がその根拠となる法令に違反してされた場合に害されることとなる利益の内容及び性質並びにこれが害される態様及び程度をも勘案するものとする。

判例においては、法律上保護された利益のある場合に、取消訴訟の原告適格が認められることとなりますが、行政事件訴訟法においては、処分の相手方以外の者の原告適格の判断について、考慮されるべき利益の内容・性質等を明文化しています（行政事件訴訟法第９条第２項）。

行政事件訴訟法第９条第２項においては、裁判所は、処分・裁決の相手方以外の者について、法律上の利益の有無を判断する場合には、その処分また裁決の根拠となる法令の規定の文言のみによることなく、その法令の趣旨及び目的・その処分において考慮されるべき利益の内容及び性質を考慮するものとされています。また、この場合において、その法令の趣旨及び目的を考慮するに際しては、その法令と目的を共通にする関係法令がある場合には、その趣旨及び目的をも参酌するものとし、その利益の内容及び性質を考慮するに際しては、その処分・裁決がその根拠となる法令に違反してされた場合に害されることとなる利益の内容及び性質・害される態様及び程度をも勘案するものとされています。

は　訴えの利益

訴えの利益とは、訴訟を維持する客観的な事情・実益のことをいい、処分を現実に取消しをしてもらうための必要性及び実効性のことをいいます。

処分・裁決の効果が、期間の経過その他の理由によって効果が失われた場合については、原則として、訴えの効果は消滅するものと考えられます。しかし、なお救済の必要性が認められる場合もあり得ることから、行政事件訴訟法第９条第１項においては、期間の経過により処分の効果がなくなった場合についても、なお処分の取消しにより回復すべき法律上の利益がある場合には訴えの利益があるとしています。

それでは、原状回復が不可能となった場合についても、訴えの利益が認められるのでしょうか。学説には、このような場合での原状回復をすることは、社会的・経済的に重大な損害をもたらすこととなることから、取消訴訟による違法状態を除去することができなくなった以上、もはや訴えの利益は消滅したものと理解できるとの見解があります。しかし、原状回復が、社会通念上不可能となったとしても、事情判決の適否の問題であるとして考慮すれば充分であり、訴訟要件としての訴えの利益まで否定すべきではないともいえます。従って、原状回復が不可能となった場合であったとしても、そのことによって訴えの利益を否定すべきではないということができます。

に 被告適格

処分の取消しの訴えは、処分をした行政庁の所属する国または地方公共団体（行政事件訴訟法第11条[168]第1項第1号）を、裁決の取消しの訴えは、裁決をした行政庁の所属する国または地方公共団体（行政事件訴訟法第11条第1項第1号）を被告として提起しなければなりません（行政事件訴訟法第11条第1項柱書）。

処分・裁決をした行政庁ではなく、行政主体を被告とします（行政主体主義）。原告にとっては、被告である行政庁を確定することが困難であることから、その困難の除去を目的として規定されています。

しかし、処分・裁決をした行政庁が、国または地方公共団体に所属していないという場合もあります。その場合には、その処分・裁決をした行政庁を被告としなければならないとされています（行政事件訴訟法第11条第2項）。

168 【行政事件訴訟法第11条】

1 処分又は裁決をした行政庁（処分又は裁決があつた後に当該行政庁の権限が他の行政庁に承継されたときは、当該他の行政庁。以下同じ。）が国又は公共団体に所属する場合には、取消訴訟は、次の各号に掲げる訴えの区分に応じてそれぞれ当該各号に定める者を被告として提起しなければならない。

一 処分の取消しの訴え 当該処分をした行政庁の所属する国又は公共団体

二 裁決の取消しの訴え 当該裁決をした行政庁の所属する国又は公共団体

2 処分又は裁決をした行政庁が国又は公共団体に所属しない場合には、取消訴訟は、当該行政庁を被告として提起しなければならない。

3 前二項の規定により被告とすべき国若しくは公共団体又は行政庁がない場合には、取消訴訟は、当該処分又は裁決に係る事務の帰属する国又は公共団体を被告として提起しなければならない。

4 第一項又は前項の規定により国又は公共団体を被告として取消訴訟を提起する場合には、訴状には、民事訴訟の例により記載すべき事項のほか、次の各号に掲げる訴えの区分に応じてそれぞれ当該各号に定める行政庁を記載するものとする。

一 処分の取消しの訴え 当該処分をした行政庁

二 裁決の取消しの訴え 当該裁決をした行政庁

5 第一項又は第三項の規定により国又は公共団体を被告として取消訴訟が提起された場合には、被告は、遅滞なく、裁判所に対し、前項各号に掲げる訴えの区分に応じてそれぞれ当該各号に定める行政庁を明らかにしなければならない。

6 処分又は裁決をした行政庁は、当該処分又は裁決に係る第一項の規定による国又は公共団体を被告とする訴訟について、裁判上の一切の行為をする権限を有する。

また、被告とすべき国もしくは地方公共団体・行政庁もない場合には、取消訴訟は、その処分・裁決に関する事務の帰属する国・地方公共団体を被告として提起しなければならないとされています（行政事件訴訟法第 11 条第 3 項)。

原告が故意・重過失なく、被告とすべき者を誤って出訴した場合には、裁判所は原告の申立てにより、決定をもって被告を変更することを許すことができます（行政事件訴訟法第 15 条[169]第 1 項)。

ほ　出訴期間

いつまでも出訴できると、処分・裁決の効力が長期間未確定となり、法的安定性が図れず妥当ではありません。そこで、取消訴訟においては、出訴期間に制限を設けています（行政事件訴訟法第 14 条[170])。

169 【行政事件訴訟法第 15 条】

1　取消訴訟において、原告が故意又は重大な過失によらないで被告とすべき者を誤つたときは、裁判所は、原告の申立てにより、決定をもつて、被告を変更することを許すことができる。

2　前項の決定は、書面でするものとし、その正本を新たな被告に送達しなければならない。

3　第一項の決定があつたときは、出訴期間の遵守については、新たな被告に対する訴えは、最初に訴えを提起した時に提起されたものとみなす。

4　第一項の決定があつたときは、従前の被告に対しては、訴えの取下げがあつたものとみなす。

5　第一項の決定に対しては、不服を申し立てることができない。

6　第一項の申立てを却下する決定に対しては、即時抗告をすることができる。

7　上訴審において第一項の決定をしたときは、裁判所は、その訴訟を管轄裁判所に移送しなければならない。

170 【行政事件訴訟法第 14 条】

1　取消訴訟は、処分又は裁決があつたことを知つた日から六箇月を経過したときは、提起することができない。ただし、正当な理由があるときは、この限りでない。

2　取消訴訟は、処分又は裁決の日から一年を経過したときは、提起することができない。ただし、正当な理由があるときは、この限りでない。

3　処分又は裁決につき審査請求をすることができる場合又は行政庁が誤つて審査請求をすることができる旨を教示した場合において、審査請求があつたときは、処分又は裁決に係る取消訴訟は、その審査請求をした者については、前二項の規定にかかわらず、これに対する裁決があつたことを知つた日から六箇月を経過したとき又は当該裁決の日から一年を経過したときは、提起することができない。ただし、正当な理由があるときは、この限りでない。

取消訴訟は、処分・裁決があったことを知った日から6箇月以内に提起しなければならず（行政事件訴訟法第14条第1項）、処分・裁決の日から1年を経過すると提起することができなくなります（行政事件訴訟法第14条第2項本文）。但し、正当な理由がある場合には、1年が経過しても、提起をすることができます（行政事件訴訟法第14条第2項但書）。審査請求ができる場合・行政庁が誤って審査請求することができる旨を教示をした場合に、審査請求があれば、審査請求をした者について、裁決があったことを知った日から6箇月または裁決があった日から1年を経過すると提起をすることができなくなります（行政事件訴訟法第14条第3項）。

ヘ　管轄裁判所

取消訴訟は、原則として、被告である行政主体の所在地を管轄する裁判所、または、処分・裁決をした行政庁の所在地を管轄する裁判所が扱うこととなります（行政事件訴訟法第12条[171]第1項）。土地の収用・鉱業権の設定・その他不動産または特定の場所に関する処分・裁決についての取消訴訟は、その不動産または場所の所在地の裁判所にも提起をすることができます（行政事件訴訟法第12条第2項）。

171　【行政事件訴訟法第12条】

1　取消訴訟は、被告の普通裁判籍の所在地を管轄する裁判所又は処分若しくは裁決をした行政庁の所在地を管轄する裁判所の管轄に属する。

2　土地の収用、鉱業権の設定その他不動産又は特定の場所に係る処分又は裁決についての取消訴訟は、その不動産又は場所の所在地の裁判所にも、提起することができる。

3　取消訴訟は、当該処分又は裁決に関し事案の処理に当たつた下級行政機関の所在地の裁判所にも、提起することができる。

4　国又は独立行政法人通則法（平成十一年法律第百三号）第二条第一項に規定する独立行政法人若しくは別表に掲げる法人を被告とする取消訴訟は、原告の普通裁判籍の所在地を管轄する高等裁判所の所在地を管轄する地方裁判所（次項において「特定管轄裁判所」という。）にも、提起することができる。

5　前項の規定により特定管轄裁判所に同項の取消訴訟が提起された場合であつて、他の裁判所に事実上及び法律上同一の原因に基づいてされた処分又は裁決に係る抗告訴訟が係属している場合においては、当該特定管轄裁判所は、当事者の住所又は所在地、尋問を受けるべき証人の住所、争点又は証拠の共通性その他の事情を考慮して、相当と認めるときは、申立てにより又は職権で、訴訟の全部又は一部について、当該他の裁判所又は第一項から第三項までに定める裁判所に移送することができる。

取消訴訟は、処分・裁決に関して事案の処理を担当した下級行政機関の所在地の裁判所にも、提起することができます（行政事件訴訟法第12条第3項)。

c　取消訴訟における審理手続

い　要件審理と本案審理

イ　要件審理

裁判所に対して、取消訴訟の提起がされると、裁判所は、まず、訴訟要件を充たしているかの審理（要件審理）をします。

訴訟要件を欠いている場合には、不適法な訴えであるとして、内容を審理することなく訴えを却下します。

ロ　本案審理

訴訟要件を充たしていると判断されると、裁判所は、次に、原告の主張する請求に理由があるかどうかの審理(本案審理)をします。

裁判所は、原告の主張する請求に理由があれば認容判決を、原告の主張する請求に理由がなければ棄却判決を下すこととなります。

ろ　審理の対象（訴訟物）

行政事件訴訟における審理の対象（訴訟物）は、違法な行政行為の効力が認められることが妥当ではないこと、行政事件訴訟法第10条[172]第1項において、「違法」との文言を用いていることから、原則として、処分・裁決の違法性一般であるとされています。従って、取消訴訟の本案審理においては、裁判所は、原告の主張する処分・裁決の違法性をあらゆる面から審査することができ、被告は、処分理由の追加や処分理由の差替えを自由にできるものとされています。

また、行政庁の裁量処分についても、裁量権の範囲を超えていたり、その濫用があった場合に限り、取消訴訟の本案審理における審理の対象（訴訟物）となります（行政事件訴訟法第30条[173])。

172　【行政事件訴訟法第10条】

1　取消訴訟においては、自己の法律上の利益に関係のない違法を理由として取消しを求めることができない。

2　処分の取消しの訴えとその処分についての審査請求を棄却した裁決の取消しの訴えとを提起することができる場合には、裁決の取消しの訴えにおいては、処分の違法を理由として取消しを求めることができない。

173　【行政事件訴訟法第30条】

行政庁の裁量処分については、裁量権の範囲をこえ又はその濫用があつた場合に限り、裁判所は、その処分を取り消すことができる。

は　当事者と裁判所の役割

行政事件訴訟法は、民事訴訟法の特別法と位置付けられており、行政事件訴訟に関しては、行政事件訴訟法に規定のない事項は民事訴訟法が適用されることとなっています（行政事件訴訟法第７条[174]）。そのため、民事訴訟と同じ原則によって審理が進むこととなります。

イ　処分権主義

行政事件訴訟においては、民事訴訟同様、そもそも、訴訟を利用するかどうか、どのようなことを訴えるのか、どの範囲で訴えるのかという点については、原告が決めるという処分権主義が採用されています（行政事件訴訟法第７条）。

ロ　弁論主義

行政事件訴訟においては、民事訴訟同様、当事者が審理に必要な事実を主張し証拠を提出する弁論の部分と、裁判所が当事者から提出された証拠について調べる証拠調べの部分から構成されており、弁論部分においては、各当事者が中心的な役割を果たすこととなる弁論主義が採用されています。従って、裁判所は、当事者が主張していない事実（主要事実・間接事実・補助事実）を判決の基礎とすることができません（弁論主義の第１テーゼ）し、当事者間に争いのない事実（自白された事実）については、そのまま裁判の基礎としなければなりません（弁論主義の第２テーゼ）。

しかし、行政事件訴訟は、民事訴訟とは異なり、訴訟の結果が公益に対し大きな影響を及ぼすこととなります。そのため、民事訴訟においては、裁判所は、当事者間に争いのある事実を証拠によって認定する際には、必ず当事者が申し出た証拠によってしなければならず、職権証拠調べが禁止されています（弁論主義の第３テーゼ）が、行政事件訴訟法においては、裁判所は、必要あると認められる場合には、職権で証拠調べをすることができます（行政事件訴訟法第24条[175]本文）。

174　【行政事件訴訟法第７条】
行政事件訴訟に関し、この法律に定めがない事項については、民事訴訟の例による。

175　【行政事件訴訟法第24条】
裁判所は、必要があると認めるときは、職権で、証拠調べをすることができる。ただし、その証拠調べの結果について、当事者の意見をきかなければならない。

また、訴訟資料の充実を図り、適切な審理の実現のために、裁判所は、処分・裁決をした行政庁以外の他の行政庁を訴訟に参加させることが必要であると認める場合には、当事者もしくはその行政庁の申立て・職権により、その行政庁を訴訟に参加させることができます（行政事件訴訟法第23条[176]第1項）。参加をさせる決定をする場合には、あらかじめ、裁判所は、当事者及び処分・裁決をした行政庁の意見を聴かなければなりません（行政事件訴訟法第23条第2項）。

さらに、裁判所は、訴訟関係を明瞭にするために必要があると認める場合には、被告側に対して、処分・裁決の根拠となる法令の条項・理由を明らかにする資料の全部・一部の提出を求めることができます（行政事件訴訟法第23条の2[177]第1項）。

176 【行政事件訴訟法第23条】

1 裁判所は、処分又は裁決をした行政庁以外の行政庁を訴訟に参加させることが必要であると認めるときは、当事者若しくはその行政庁の申立てにより又は職権で、決定をもつて、その行政庁を訴訟に参加させることができる。

2 裁判所は、前項の決定をするには、あらかじめ、当事者及び当該行政庁の意見をきかなければならない。

3 第一項の規定により訴訟に参加した行政庁については、民事訴訟法第四十五条第一項及び第二項の規定を準用する。

177 【行政事件訴訟法第23条の2】

1 裁判所は、訴訟関係を明瞭にするため、必要があると認めるときは、次に掲げる処分をすることができる。

一 被告である国若しくは公共団体に所属する行政庁又は被告である行政庁に対し、処分又は裁決の内容、処分又は裁決の根拠となる法令の条項、処分又は裁決の原因となる事実その他処分又は裁決の理由を明らかにする資料（次項に規定する審査請求に係る事件の記録を除く。）であつて当該行政庁が保有するものの全部又は一部の提出を求めること。

二 前号に規定する行政庁以外の行政庁に対し、同号に規定する資料であつて当該行政庁が保有するものの全部又は一部の送付を嘱託すること。

2 裁判所は、処分についての審査請求に対する裁決を経た後に取消訴訟の提起があつたときは、次に掲げる処分をすることができる。

一 被告である国若しくは公共団体に所属する行政庁又は被告である行政庁に対し、当該審査請求に係る事件の記録であつて当該行政庁が保有するものの全部又は一部の提出を求めること。

二 前号に規定する行政庁以外の行政庁に対し、同号に規定する事件の記録であつて当該行政庁が保有するものの全部又は一部の送付を嘱託すること。

ハ　職権進行主義

行政事件訴訟においては、口頭弁論の指揮権は裁判所に帰属します。そのため、訴訟審理の手続面においては、裁判所が主導する職権進行主義が採用されています。

に　主張制限

弁論主義においては、本来、当事者はどのような主張をすることも自由ですが、取消訴訟においては、自己の法律上の利益に関係のない違法を理由として取消しを求めることができません（行政事件訴訟法第10条第1項）。なぜなら、取消訴訟は、処分についての違法一般を正すための制度ではなく、違法な処分によって権利を侵害された者の救済を図るための制度であるからです。

ほ　審理過程における特則

イ　関連請求

複数の請求がともに関連性のあるものである場合には、それらを一括して審理する方が、当事者にとっても、裁判所にとっても負担軽減となるし、また、審理の重複や、判断の矛盾等を防止することとなることから、行政事件訴訟法では、取消訴訟と行政事件訴訟法第13条[178]第1号から第6号までに該当する関連請求に関する訴訟がそれぞれ別の裁判所に係属する場合において、相当と認められれば、関連請求に関する訴訟の係属する裁判所は、申立て・職権により、関連請求に関する訴訟を取消訴訟の係属する裁判所に移送することができることとされています（行政事件訴訟法第13条柱書本文）。

178　【行政事件訴訟法第13条】

取消訴訟と次の各号の一に該当する請求（以下「関連請求」という。）に係る訴訟とが各別の裁判所に係属する場合において、相当と認めるときは、関連請求に係る訴訟の係属する裁判所は、申立てにより又は職権で、その訴訟を取消訴訟の係属する裁判所に移送することができる。ただし、取消訴訟又は関連請求に係る訴訟の係属する裁判所が高等裁判所であるときは、この限りでない。

一　当該処分又は裁決に関連する原状回復又は損害賠償の請求
二　当該処分とともに一個の手続を構成する他の処分の取消しの請求
三　当該処分に係る裁決の取消しの請求
四　当該裁決に係る処分の取消しの請求
五　当該処分又は裁決の取消しを求める他の請求
六　その他当該処分又は裁決の取消しの請求と関連する請求

ロ 訴えの併合

取消訴訟には、関連請求に関する訴えを併合することができます（行政事件訴訟法第16条[179]第1項）。また、数人は、その数人の請求、または、その数人に対する請求が処分・裁決の取消しの請求についての関連請求である場合に限って、共同訴訟人として訴えたり、訴えられたりすることができます（行政事件訴訟法第17条[180]第1項）。

また、提起時における訴えの併合のみならず、訴訟継続中における追加的併合も可能です。第三者は、取消訴訟の口頭弁論の終結に至るまでの間は、その訴訟の当事者の一方を被告として、関連請求に関する訴えを併合して提起をすることができます（行政事件訴訟法第18条[181]前段）。また、原告は、取消訴訟の口頭弁論の終結に至るまでの間は、関連請求に関する訴えを併合して提起をすることができます（行政事件訴訟法第19条[182]第1項前段）。

179 【行政事件訴訟法第16条】

1 取消訴訟には、関連請求に係る訴えを併合することができる。

2 前項の規定により訴えを併合する場合において、取消訴訟の第一審裁判所が高等裁判所であるときは、関連請求に係る訴えの被告の同意を得なければならない。被告が異議を述べないで、本案について弁論をし、又は弁論準備手続において申述をしたときは、同意したものとみなす。

180 【行政事件訴訟法第17条】

1 数人は、その数人の請求又はその数人に対する請求が処分又は裁決の取消しの請求と関連請求とである場合に限り、共同訴訟人として訴え、又は訴えられることができる。

2 前項の場合には、前条第二項の規定を準用する。

181 【行政事件訴訟法第18条】

第三者は、取消訴訟の口頭弁論の終結に至るまで、その訴訟の当事者の一方を被告として、関連請求に係る訴えをこれに併合して提起することができる。この場合において、当該取消訴訟が高等裁判所に係属しているときは、第十六条第二項の規定を準用する。

182 【行政事件訴訟法第19条】

1 原告は、取消訴訟の口頭弁論の終結に至るまで、関連請求に係る訴えをこれに併合して提起することができる。この場合において、当該取消訴訟が高等裁判所に係属しているときは、第十六条第二項の規定を準用する。

2 前項の規定は、取消訴訟について民事訴訟法（平成八年法律第百九号）第百四十三条の規定の例によることを妨げない。

ハ　訴えの変更

裁判所は、請求の基礎に変更がなく、相当であると認められる場合に限り、口頭弁論の終結に至るまでの間、裁判所は、取消訴訟の目的である請求を、国・地方公共団体に対する損害賠償に変更することができます（行政事件訴訟法第21条[183]第1項）。

ニ　訴訟参加

取消訴訟の判決の効果は、第三者にも及ぶこととなることから（行政事件訴訟法第32条[184]第1項）、その判決の効力によって影響を受ける者がいる場合には、その第三者を訴訟に参加させる必要が生じ、その第三者の訴訟参加が認められています。（行政事件訴訟法第22条[185]第1項）。

183　【行政事件訴訟法第21条】

1　裁判所は、取消訴訟の目的たる請求を当該処分又は裁決に係る事務の帰属する国又は公共団体に対する損害賠償その他の請求に変更することが相当であると認めるときは、請求の基礎に変更がない限り、口頭弁論の終結に至るまで、原告の申立てにより、決定をもつて、訴えの変更を許すことができる。

2　前項の決定には、第十五条第二項の規定を準用する。

3　裁判所は、第一項の規定により訴えの変更を許す決定をするには、あらかじめ、当事者及び損害賠償その他の請求に係る訴えの被告の意見をきかなければならない。

4　訴えの変更を許す決定に対しては、即時抗告をすることができる。

5　訴えの変更を許さない決定に対しては、不服を申し立てることができない。

184　【行政事件訴訟法第32条】

1　処分又は裁決を取り消す判決は、第三者に対しても効力を有する。

2　前項の規定は、執行停止の決定又はこれを取り消す決定に準用する。

185　【行政事件訴訟法第22条】

1　裁判所は、訴訟の結果により権利を害される第三者があるときは、当事者若しくはその第三者の申立てにより又は職権で、決定をもつて、その第三者を訴訟に参加させることができる。

2　裁判所は、前項の決定をするには、あらかじめ、当事者及び第三者の意見をきかなければならない。

3　第一項の申立てをした第三者は、その申立てを却下する決定に対して即時抗告をすることができる。

4　第一項の規定により訴訟に参加した第三者については、民事訴訟法第四十条第一項から第三項までの規定を準用する。

5　第一項の規定により第三者が参加の申立てをした場合には、民事訴訟法第四十五条第三項及び第四項の規定を準用する。

判決によって権利を害された第三者で、自己の責めに帰すことができない理由で訴訟参加できなかった者については、再審の訴えが認められています（行政事件訴訟法第34条[186]第1項）。

また、判決の効力によって影響を受ける被告以外の行政庁がある場合には、その行政庁も訴訟に参加させる必要が生じ、その行政庁の訴訟参加も認められています。（行政事件訴訟法第23条[187]第1項）。

ホ　立証責任（証明責任）

立証責任（証明責任）とは、裁判所が、事実の存否・真偽を確定することができない場合に、一方当事者が被る責任（不利益）のことをいます。

立証責任（証明責任）を負う当事者は、負わない他方当事者に対して、不利益な立場におかれることとなります。そこで、立証責任をどちらが負うべきか問題となります。今日の市民的法治国家体制においては、国民の自由権的基本権に立脚して証明責任を分配すべきです。従って、国民の自由を制限し、義務を課すような行政行為の取消訴訟については、常に被告である行政庁が立証責任を負い、自己の権利領域や利益領域を拡張することを求める請求については、原告が証明責任を負うものとすべきとされています。

186　【行政事件訴訟法第34条】

1　処分又は裁決を取り消す判決により権利を害された第三者で、自己の責めに帰することができない理由により訴訟に参加することができなかつたため判決に影響を及ぼすべき攻撃又は防御の方法を提出することができなかつたものは、これを理由として、確定の終局判決に対し、再審の訴えをもつて、不服の申立てをすることができる。

2　前項の訴えは、確定判決を知つた日から三十日以内に提起しなければならない。

3　前項の期間は、不変期間とする。

4　第一項の訴えは、判決が確定した日から一年を経過したときは、提起することができない。

187　【行政事件訴訟法第23条】

1　裁判所は、処分又は裁決をした行政庁以外の行政庁を訴訟に参加させることが必要であると認めるときは、当事者若しくはその行政庁の申立てにより又は職権で、決定をもつて、その行政庁を訴訟に参加させることができる。

2　裁判所は、前項の決定をするには、あらかじめ、当事者及び当該行政庁の意見をきかなければならない。

3　第一項の規定により訴訟に参加した行政庁については、民事訴訟法第四十五条第一項及び第二項の規定を準用する。

へ　教示制度

教示とは、行政庁が、処分・裁決の相手方に対して、処分・裁決についての不服申立てをすることができる旨・不服申立てをすべき行政庁・不服申立てをすることができる期間等、不服申立てに関する手続を教え示す制度のことをいいます。

行政庁は、取消訴訟を提起することができる処分・裁決をする場合には、その処分・裁決の相手方に対して、取消訴訟の被告とすべき者（行政事件訴訟法第46条[188]第1項第1号）・出訴期間（行政事件訴訟法第46条第1項第2号）・法律にその処分についての審査請求に対する裁決を経た後でなければ処分の取消しの訴えの提起をすることができない旨（審査請求前置主義）の規定があればその旨（行政事件訴訟法第46条第1項第3号）を書面で教示しなければなりません（行政事件訴訟法第46条第1項柱書）。

行政庁は、法律に処分についての審査請求に対する裁決に対してのみ取消訴訟を提起することができる旨の規定があり、その処分をする場合には、相手方に対して、法律にその規定がある旨を書面で教示しなければなりません（行政事件訴訟法第46条第2項）。

188　【行政事件訴訟法第46条】

1　行政庁は、取消訴訟を提起することができる処分又は裁決をする場合には、当該処分又は裁決の相手方に対し、次に掲げる事項を書面で教示しなければならない。ただし、当該処分を口頭でする場合は、この限りでない。

一　当該処分又は裁決に係る取消訴訟の被告とすべき者

二　当該処分又は裁決に係る取消訴訟の出訴期間

三　法律に当該処分についての審査請求に対する裁決を経た後でなければ処分の取消しの訴えを提起することができない旨の定めがあるときは、その旨

2　行政庁は、法律に処分についての審査請求に対する裁決に対してのみ取消訴訟を提起することができる旨の定めがある場合において、当該処分をするときは、当該処分の相手方に対し、法律にその定めがある旨を書面で教示しなければならない。ただし、当該処分を口頭でする場合は、この限りでない。

3　行政庁は、当事者間の法律関係を確認し又は形成する処分又は裁決に関する訴訟で法令の規定によりその法律関係の当事者の一方を被告とするものを提起することができる処分又は裁決をする場合には、当該処分又は裁決の相手方に対し、次に掲げる事項を書面で教示しなければならない。ただし、当該処分を口頭でする場合は、この限りでない。

一　当該訴訟の被告とすべき者

二　当該訴訟の出訴期間

ヘ　執行停止制度

イ　執行不停止の原則

執行不停止の原則とは、処分の取消しの訴えの提起によって、処分の効力・処分の執行・手続の続行は妨げられないという原則のことをいいます（行政事件訴訟法第25条[189]第1項）。

取消訴訟の提起をすることによって、当然に処分の効力・処分の執行・手続の続行が停止されるとすると、それを目的として、充分な理由も必要性もなく、取消訴訟の提起をする場合が多発し、その結果として、行政の円滑な運営が阻害され、公益が損なわれる危険が生じることとなります。従って、取消訴訟の提起がなされたとしても、処分の効力・処分の執行・手続の続行を妨げない執行不停止の原則が採用されています。また、行政事件にふさわしい処理を規定すべき趣旨から、民事保全法に規定する仮処分をすることができないとされています（行政事件訴訟法第44条[190]）。

189　【行政事件訴訟法第25条】

1　処分の取消しの訴えの提起は、処分の効力、処分の執行又は手続の続行を妨げない。

2　処分の取消しの訴えの提起があつた場合において、処分、処分の執行又は手続の続行により生ずる重大な損害を避けるため緊急の必要があるときは、裁判所は、申立てにより、決定をもつて、処分の効力、処分の執行又は手続の続行の全部又は一部の停止（以下「執行停止」という。）をすることができる。ただし、処分の効力の停止は、処分の執行又は手続の続行の停止によつて目的を達することができる場合には、することができない。

3　裁判所は、前項に規定する重大な損害を生ずるか否かを判断するに当たつては、損害の回復の困難の程度を考慮するものとし、損害の性質及び程度並びに処分の内容及び性質をも勘案するものとする。

4　執行停止は、公共の福祉に重大な影響を及ぼすおそれがあるとき、又は本案について理由がないとみえるときは、することができない。

5　第二項の決定は、疎明に基づいてする。

6　第二項の決定は、口頭弁論を経ないですることができる。ただし、あらかじめ、当事者の意見をきかなければならない。

7　第二項の申立てに対する決定に対しては、即時抗告をすることができる。

8　第二項の決定に対する即時抗告は、その決定の執行を停止する効力を有しない。

190　【行政事件訴訟法第44条】

行政庁の処分その他公権力の行使に当たる行為については、民事保全法（平成元年法律第九十一号）に規定する仮処分をすることができない。

ロ　執行停止

原則として、執行不停止の原則が採用されていますが、とはいえ、執行停止が一切認められないとすると、原告が勝訴した時点で、原状回復が困難な状況に陥っている場合もあり得ることから、勝訴してももはや意味がないこととなりかねません。そこで、例外として、処分の効力・処分の執行・手続の続行により生じる重大な損害を避けるために、緊急の必要がある場合については、裁判所は、申立てにより、決定をもって、処分の効力・処分の執行・手続の続行の全部または一部の停止をすることができるとしました（行政事件訴訟法第 25 条第２項本文）。但し、処分の効力の停止については、処分の執行・手続の続行の停止によって目的を達することができる場合には、することができないこととされています（行政事件訴訟法第 25 条第２項但書）。

処分・処分の執行・手続の続行により重大な損害が生じるか否かの判断については、裁判所は、損害の回復の困難の程度を考慮するものとし、損害の性質・程度・処分の内容・性質をも勘案するものとされています（行政事件訴訟法第 25 条第３項）。

また、執行停止をすることができる要件としては、処分の取消しの訴えの提起があること（行政事件訴訟法第 25 条第２項本文）・処分の効力・処分の執行・手続の続行により生じる重大な損害を避けるために緊急の必要があること（行政事件訴訟法第 25 条第２項本文）・執行停止によって公共の福祉に重大な影響を及ぼす危険のないこと（行政事件訴訟法第 25 条第４項）・本案について理由がない場合でないこと（行政事件訴訟法第 25 条第４項）の４つが必要となります。

執行停止の決定は、疎明に基づいてすることとなっています（行政事件訴訟法第 25 条第５項）。

また、執行停止の決定は、口頭弁論を経ないですることができるとされています（行政事件訴訟法第 25 条第６項本文）。但し、そのためには、あらかじめ、当事者の意見を聴かなければなりません（行政事件訴訟法第 25 条第６項但書）。

執行停止の決定によって、処分の効力・処分の執行・手続の続行の全部・一部が停止されることとなります。執行停止は、あくまでも将来に向かって効力をなくすものであって、既往の法律効果を覆滅するものではありません（将来効）。

また、裁判所の執行停止の決定は、第三者に対しても効力を有し（行政事件訴訟法第 32 条[191]第 1 項）、関係行政庁も拘束します（行政事件訴訟法第 33 条[192]第 1 項及び第 4 項）。

執行停止の決定に対して、不服がある場合には、即時抗告をすることができます（行政事件訴訟法第 25 条第 7 項）が、その執行を停止することはできません（行政事件訴訟法第 25 条第 8 項）。

執行停止の決定の確定後に、その理由が消滅し、その他事情が変更した場合には、裁判所は、相手方の申立てにより、決定をもって、執行停止の決定の取消しをすることができます（行政事件訴訟法第 26 条[193]第 1 項）。その場合、その取消しに対して不服がある場合には、執行停止の決定に対する不服の場合と同じように、即時抗告をすることができます（行政事件訴訟法第 26 条第 2 項）。

執行停止の決定・取消しの申立ての管轄裁判所は、本案の係属する裁判所となります（行政事件訴訟法第 28 条[194]）。

191 【行政事件訴訟法第 32 条】
1 処分又は裁決を取り消す判決は、第三者に対しても効力を有する。
2 前項の規定は、執行停止の決定又はこれを取り消す決定に準用する。

192 【行政事件訴訟法第 33 条】
1 処分又は裁決を取り消す判決は、その事件について、処分又は裁決をした行政庁その他の関係行政庁を拘束する。
2 申請を却下し若しくは棄却した処分又は審査請求を却下し若しくは棄却した裁決が判決により取り消されたときは、その処分又は裁決をした行政庁は、判決の趣旨に従い、改めて申請に対する処分又は審査請求に対する裁決をしなければならない。
3 前項の規定は、申請に基づいてした処分又は審査請求を認容した裁決が判決により手続に違法があることを理由として取り消された場合に準用する。
4 第一項の規定は、執行停止の決定に準用する。

193 【行政事件訴訟法第 26 条】
1 執行停止の決定が確定した後に、その理由が消滅し、その他事情が変更したときは、裁判所は、相手方の申立てにより、決定をもつて、執行停止の決定を取り消すことができる。
2 前項の申立てに対する決定及びこれに対する不服については、前条第五項から第八項までの規定を準用する。

194 【行政事件訴訟法第 28 条】
執行停止又はその決定の取消しの申立ての管轄裁判所は、本案の係属する裁判所とする。

ハ　内閣総理大臣の異議

執行停止の申立てがあった場合には、内閣総理大臣は裁判所に対して、異議を述べることができます（行政事件訴訟法第27条[195]第1項前段）。内閣総理大臣は、異議を述べる場合には、その理由を付さなければならず（行政事件訴訟法第27条第２項）、処分の効力を存続し、処分を執行し、または、手続を続行しなければ、公共の福祉に対して重大な影響を及ぼす危険性があるということを示さなければなりません（行政事件訴訟法第27条第３項）。内閣総理大臣の異議は、裁判所による執行停止の決定を覆す強力な効果を有する（行政事件訴訟法第27条第４項）ため、内閣総理大臣は、やむを得ない場合でなければ異議を述べてはならず、また、異議を述べた場合には、次の通常国会において報告をしなければなりません（行政事件訴訟法第27条第６項）。

異議は、執行停止の決定のあった後でも述べることができます（行政事件訴訟法第27条第1項後段）。執行停止の決定のあった後でする異議については、内閣総理大臣は、執行停止の決定をした裁判所に対して述べなければなりません（行政事件訴訟法第27条第５項本文）。但し、その決定に対する抗告が抗告裁判所に係属している場合には、抗告裁判所に対して述べなければなりません（行政事件訴訟法第27条第５項但書）。

195　【行政事件訴訟法第27条】
1　第二十五条第二項の申立てがあつた場合には、内閣総理大臣は、裁判所に対し、異議を述べることができる。執行停止の決定があつた後においても、同様とする。
2　前項の異議には、理由を附さなければならない。
3　前項の異議の理由においては、内閣総理大臣は、処分の効力を存続し、処分を執行し、又は手続を続行しなければ、公共の福祉に重大な影響を及ぼすおそれのある事情を示すものとする。
4　第一項の異議があつたときは、裁判所は、執行停止をすることができず、また、すでに執行停止の決定をしているときは、これを取り消さなければならない。
5　第一項後段の異議は、執行停止の決定をした裁判所に対して述べなければならない。ただし、その決定に対する抗告が抗告裁判所に係属しているときは、抗告裁判所に対して述べなければならない。
6　内閣総理大臣は、やむをえない場合でなければ、第一項の異議を述べてはならず、また、異議を述べたときは、次の常会において国会にこれを報告しなければならない。

d　取消訴訟の終了

い　取消訴訟の終了の形態

取消訴訟は、原則として、判決によって終了します。しかし、先述したように、民事訴訟同様に行政事件訴訟についても、処分権主義の適用があることから（行政事件訴訟法第７条）、判決での終了のみならず、原告による訴えの取下げ・請求の放棄・行政庁の裁量の範囲内における請求の認諾・行政庁の裁量の範囲内における和解によっても終了します。

ろ　取消訴訟における判決の種類

イ　却下判決

却下判決とは、訴訟要件を欠いている不適法な訴えについて、裁判所が、本案審理を拒絶する判決のことをいいます。あくまで訴訟要件を欠いていることを理由として却下をするのであって、取消訴訟の対象となっている処分が適法であるとの推定を受けるわけではありません。従って、訴訟要件を具備し、改めて訴えの提起がある場合には、裁判所は本案審理をしなければならないこととなります。

ロ　棄却判決（請求棄却判決）

棄却判決（請求棄却判決）とは、訴訟要件を具備している適法な訴えについて、裁判所が、本案審理の結果、原告の請求には理由はないとして、その主張を却ける判決のことをいいます 。

ハ　事情判決

事情判決とは、後述する認容判決の一種ではなく、棄却判決の一種である特別な判決のことをいいます（行政事件訴訟法第31条[196]第１項）。

196　【行政事件訴訟法第31条】

１　取消訴訟については、処分又は裁決が違法ではあるが、これを取り消すことにより公の利益に著しい障害を生ずる場合において、原告の受ける損害の程度、その損害の賠償又は防止の程度及び方法その他一切の事情を考慮したうえ、処分又は裁決を取り消すことが公共の福祉に適合しないと認めるときは、裁判所は、請求を棄却することができる。この場合には、当該判決の主文において、処分又は裁決が違法であることを宣言しなければならない。

２　裁判所は、相当と認めるときは、終局判決前に、判決をもつて、処分又は裁決が違法であることを宣言することができる。

３　終局判決に事実及び理由を記載するには、前項の判決を引用することができる。

裁判所が、一定要件の下で、原告の受ける損害の程度・損害の賠償・損害の防止の程度・方法その他一切の事情を考慮した上で、処分・裁決の取消しをすることが公共の福祉に適合しないと認めた場合には、判決主文において、その処分・裁決が違法である旨を宣言した上で、原告の請求を棄却する事情判決をすることとなります（行政事件訴訟法第31条第1項）。

また、裁判所は、相当と認める場合には、終局判決前に、判決をもって、処分が違法であることを宣言することができる中間違法宣言判決という制度もあります（行政事件訴訟法第31条第2項）。

ニ　認容判決（請求認容判決・取消判決）

認容判決（請求認容判決・取消判決）とは、訴訟要件を具備している適法な訴えについて、裁判所が、本案審理の結果、原告の請求には理由があるとして、その主張を認容する判決のことをいいます。その結果、処分・裁決の全部・一部の取消しがされることとなります。

取消訴訟においては、裁判所は、違法・処分・裁決の取消しをすることはできますが、関係行政庁に一定の処分・裁決をすべき旨の給付判決を下すことはできません。しかし、判決が確定することにより、その判決は、関係行政庁を拘束することとなることから（行政事件訴訟法第33条）、関係行政庁は、その判決の趣旨に従い、改めて申請に対する処分または審査請求に対する裁決をしなければならないこととなります。

は　取消訴訟における判決の基準時

行政処分がされてから判決に至るまでの間に、その処分の前提となっていた法令の内容に変更があった場合には、裁判所は、判決に際して、処分当時の法令を前提として判決を行うべきか、現在の法令を前提として判決を行うべきか、違法判断の基準時が問題となります。つまり、取消訴訟における処分の違法性については、何時を基準として判断すべきかが問題となるのです。この点、裁判所が、処分後の事情に基づいて、処分の違法性の判断をすることとなると、行政庁の第一次的判断権を侵害する危険性が生じることとなります。従って、違法性の判断をするには、原則として、処分時の法令または事実を基準とすべきとされています。しかし、不作為の違法確認訴訟については、不作為による違法状態の是正がその目的となることから、例外として、判決時の法令または事実が基準となるとされています。

に　取消訴訟における判決の方式

判決は、口頭弁論を経て下されることとなります。判決の効力は、当事者への言渡しによって生じることとなります。

ほ　取消訴訟における判決の効力

イ　既判力

既判力とは、一度判決が確定すれば、その後同一の事件が訴訟上問題となったとしても、当事者はこれに反する主張をすることができず、裁判所もそれに抵触する内容の裁判ができないという拘束力のことをいいます。

認容判決が確定すると、その処分が違法であったことが、既判力により確定され、処分の違法性を理由とする国家賠償請求訴訟において、被告である行政主体及び裁判所は、その処分が適法である旨の主張や判断をすることができなくなります。

また、棄却判決が確定した場合には 、その処分が適法であることが確定され、原告が、国家賠償請求訴訟を提起して、その処分の違法性を主張することは許されないこととなります。しかし、棄却判決があった処分について、行政庁が職権でその処分の取消しをすることは、国民にとって不利益とはならないことから妨げられるものではないとされています。なお、事情判決については、処分の違法性について既判力が生じることとなります。

ロ　形成力

形成力とは、判決で宣言された通りに法律関係を変動させる効力のことをいいます。認容判決が確定すると形成力が生じ、その結果、その処分は行政庁による取消しを待つまでもなく当然に効力を失い、当初からそれがされなかったのと同じ状態となります（遡及的消滅）。なお、形成力が生じるのは認容判決の場合のみであり、形成力は取消訴訟の原状回復機能をもたらす効力であるといえます。

ハ　第三者効力

第三者効力とは、請求認容判決の効力が、原告と被告行政庁のみならず、訴訟外の利害関係者である第三者にも及ぶ効力のことをいいます（行政事件訴訟法第32条[197]第1項）。

197　【行政事件訴訟法第32条】

1　処分又は裁決を取り消す判決は、第三者に対しても効力を有する。

2　前項の規定は、執行停止の決定又はこれを取り消す決定に準用する。

第三者も訴訟の結果に大きな影響を受けることとなることから、第三者の訴訟参加の制度（行政事件訴訟法第22条[198]第1項）や再審の訴えの制度（行政事件訴訟法第34条[199]）が認められています。

二　拘束力

拘束力とは、認容判決が、処分・裁決をした行政庁を拘束する効力のことをいいます（行政事件訴訟法第33条[200]第1項）。

198　【行政事件訴訟法第22条】
1　裁判所は、訴訟の結果により権利を害される第三者があるときは、当事者若しくはその第三者の申立てにより又は職権で、決定をもつて、その第三者を訴訟に参加させることができる。
2　裁判所は、前項の決定をするには、あらかじめ、当事者及び第三者の意見をきかなければならない。
3　第一項の申立てをした第三者は、その申立てを却下する決定に対して即時抗告をすることができる。
4　第一項の規定により訴訟に参加した第三者については、民事訴訟法第四十条第一項から第三項までの規定を準用する。
5　第一項の規定により第三者が参加の申立てをした場合には、民事訴訟法第四十五条第三項及び第四項の規定を準用する。

199　【行政事件訴訟法第34条】
1　処分又は裁決を取り消す判決により権利を害された第三者で、自己の責めに帰することができない理由により訴訟に参加することができなかつたため判決に影響を及ぼすべき攻撃又は防御の方法を提出することができなかつたものは、これを理由として、確定の終局判決に対し、再審の訴えをもつて、不服の申立てをすることができる。
2　前項の訴えは、確定判決を知つた日から三十日以内に提起しなければならない。
3　前項の期間は、不変期間とする。
4　第一項の訴えは、判決が確定した日から一年を経過したときは、提起することができない。

200　【行政事件訴訟法第33条】
1　処分又は裁決を取り消す判決は、その事件について、処分又は裁決をした行政庁その他の関係行政庁を拘束する。
2　申請を却下し若しくは棄却した処分又は審査請求を却下し若しくは棄却した裁決が判決により取り消されたときは、その処分又は裁決をした行政庁は、判決の趣旨に従い、改めて申請に対する処分又は審査請求に対する裁決をしなければならない。
3　前項の規定は、申請に基づいてした処分又は審査請求を認容した裁決が判決により手続に違法があることを理由として取り消された場合に準用する。
4　第一項の規定は、執行停止の決定に準用する。

拘束力が認められると、その事件について、処分・裁決をした行政庁その他の関係行政庁は、処分裁決を違法とした判決の内容を尊重し、判決の趣旨に従って行動すべきことを義務付けられることとなります。

そのため、行政庁は、取消しをされた行政処分と同一の事情の下で、同一理由・同一内容の処分を行うことが禁止されることとなります（消極的効力）。対して、事情・理由・内容のいずれかが異なれば、拘束力は及ばないこととなります。

また、行政庁は、取消判決の趣旨に従って改めて措置を執るべき義務を負うこととなります（積極的効力）。 つまり、申請を却下・棄却した処分、または、審査請求を却下・棄却した裁決が判決によって取消しをされた場合には、その処分・裁決をした行政庁は、判決の趣旨に従い、改めて、申請に対する処分または審査請求に対する裁決をやり直さなければならないこととなります（行政事件訴訟法第33条第２項）。申請に基づいてした処分または審査請求を認容した裁決が、手続に違法があることを理由として取消しをされた場合も、その処分・裁決をした行政庁は、判決の趣旨に従い、改めて、申請に対する処分または審査請求に対する裁決をやり直さなければならないこととなります（行政事件訴訟法第33条第３項）。

なお、拘束力が生じるのは認容判決だけであり、棄却判決においては、処分の適法性についての既判力は生じることとなりますが、行政庁が自ら取消しをすることは可能となります。

C　その他の抗告訴訟

a　無効等確認の訴え（無効等確認訴訟）

無効等確認の訴え（無効等確認訴訟）とは、先述したように、、処分もしくは裁決の存否またはその効力の有無の確認を求める抗告訴訟のことをいいます（行政事件訴訟法第３条第４項）。

無効等確認の訴えには、取消訴訟のような、出訴期間の制限がありません。なぜなら、無効なので、いつでも出訴することができるからです。また、処分の中には、取消訴訟を起こす前に審査請求をすることが法定されているものがありますが（審査請求前置主義）、無効等確認の訴えについては、審査請求前置主義の採用はありません。加えて、取消訴訟においては、棄却判決の一種として、一定の場合に事情判決が認められていましたが、無効等確認の訴えについては、事情判決の適用もありません。

行政行為が無効であれば、公定力は認められないこととなるので、通常は、抗告訴訟である無効等確認の訴えを提起する必要はなく、その処分の無効を前提とした現在の法律関係に関する民事訴訟や当事者訴訟（行政事件訴訟法第４条）で争えばよいということになります。そこで、無効等確認の訴えについては、当事者訴訟や争点訴訟（行政事件訴訟法第45条[201]）を提起することによって、権利の救済が図れる場合については、原告適格が否定されることとなります（行政事件訴訟法第36条[202]）。そのため、無効等確認の訴えは、補充的に用いられる訴訟であるといえます（無効等確認の訴えの補充性）。

無効等確認の訴えにおける主張責任及び立証責任については、原告が負うものとされています。

b　不作為の違法確認の訴え（不作為の違法確認訴訟）

先述したように、不作為の違法確認の訴え（不作為の違法確認訴訟）とは、行政庁が、法令に基づく申請に対して、相当の期間内に何らかの処分・裁決をすべきであるにも拘わらず、これをしないことについての違法の確認を求める抗告訴訟のことをいいます（行政事件訴訟法第３条第５項）。

201　【行政事件訴訟法第45条】

1　私法上の法律関係に関する訴訟において、処分若しくは裁決の存否又はその効力の有無が争われている場合には、第二十三条第一項及び第二項並びに第三十九条の規定を準用する。

2　前項の規定により行政庁が訴訟に参加した場合には、民事訴訟法第四十五条第一項及び第二項の規定を準用する。ただし、攻撃又は防御の方法は、当該処分若しくは裁決の存否又はその効力の有無に関するものに限り、提出することができる。

3　第一項の規定により行政庁が訴訟に参加した後において、処分若しくは裁決の存否又はその効力の有無に関する争いがなくなつたときは、裁判所は、参加の決定を取り消すことができる。

4　第一項の場合には、当該争点について第二十三条の二及び第二十四条の規定を、訴訟費用の裁判について第三十五条の規定を準用する。

202　【行政事件訴訟法第36条】

無効等確認の訴えは、当該処分又は裁決に続く処分により損害を受けるおそれのある者その他当該処分又は裁決の無効等の確認を求めるにつき法律上の利益を有する者で、当該処分若しくは裁決の存否又はその効力の有無を前提とする現在の法律関係に関する訴えによつて目的を達することができないものに限り、提起することができる。

不作為の違法確認の訴えで原告適格を有するためには、処分・裁決について申請した者でなければなりません（行政事件訴訟法第 37 条[203]）。

c　義務付けの訴え（義務付け訴訟）

義務付けの訴え（義務付け訴訟）とは、先述したように、行政庁が一定の処分をすべきであるにも拘わらずこれがされない場合に、行政庁がその処分・裁決をすべき旨を命ずることを求める抗告訴訟（行政事件訴訟法第３条第６項第１号）、または、行政庁に対して一定の処分・裁決を求める旨の法令に基づく申請または審査請求がされた場合において、その行政庁がその処分・裁決をすべきであるにも拘わらずこれがされない場合に、行政庁がその処分・裁決をすべき旨を命ずることを求める抗告訴訟（行政事件訴訟法第３条第６項第２号）のことをいいます（行政事件訴訟法第３条第６項柱書）。

行政事件訴訟法第３条第６項第２号の義務付け訴訟を申請型義務付け訴訟といいます。一定の処分がされないと重大な損害を生じる虞があり、その損害を避けるための他の適当な方法がない場合に提起が認められており（行政事件訴訟法第 37 条の２[204]第１項）、また、法律上の利益も必要となります（行政事件訴訟法第 37 条の２第２項）。

203　【行政事件訴訟法第 37 条】

不作為の違法確認の訴えは、処分又は裁決についての申請をした者に限り、提起することができる。

204　【行政事件訴訟法第 37 条の２】

１　第三条第六項第一号に掲げる場合において、義務付けの訴えは、一定の処分がされないことにより重大な損害を生ずるおそれがあり、かつ、その損害を避けるため他に適当な方法がないときに限り、提起することができる。

２　裁判所は、前項に規定する重大な損害を生ずるか否かを判断するに当たつては、損害の回復の困難の程度を考慮するものとし、損害の性質及び程度並びに処分の内容及び性質をも勘案するものとする。

３　第一項の義務付けの訴えは、行政庁が一定の処分をすべき旨を命ずることを求めるにつき法律上の利益を有する者に限り、提起することができる。

４　前項に規定する法律上の利益の有無の判断については、第九条第二項の規定を準用する。

５　義務付けの訴えが第一項及び第三項に規定する要件に該当する場合において、その義務付けの訴えに係る処分につき、行政庁がその処分をすべきであることがその処分の根拠となる法令の規定から明らかであると認められ又は行政庁がその処分をしないことがその裁量権の範囲を超え若しくはその濫用となると認められるときは、裁判所は、行政庁がその処分をすべき旨を命ずる判決をする。

また、行政事件訴訟法第３条第６項第１号の義務付けの訴えを非申請型義務付け訴訟といいます。非申請型義務付け訴訟においては、不作為の違法確認の訴えまたは無効と確認の訴えとの併合提起が義務付けられています（行政事件訴訟法第37条の３[205]第３項）。

205 【行政事件訴訟法第37条の３】

1 第三条第六項第二号に掲げる場合において、義務付けの訴えは、次の各号に掲げる要件のいずれかに該当するときに限り、提起することができる。

一 当該法令に基づく申請又は審査請求に対し相当の期間内に何らの処分又は裁決がされないこと。

二 当該法令に基づく申請又は審査請求を却下し又は棄却する旨の処分又は裁決がされた場合において、当該処分又は裁決が取り消されるべきものであり、又は無効若しくは不存在であること。

2 前項の義務付けの訴えは、同項各号に規定する法令に基づく申請又は審査請求をした者に限り、提起することができる。

3 第一項の義務付けの訴えを提起するときは、次の各号に掲げる区分に応じてそれぞれ当該各号に定める訴えをその義務付けの訴えに併合して提起しなければならない。この場合において、当該各号に定める訴えに係る訴訟の管轄について他の法律に特別の定めがあるときは、当該義務付けの訴えに係る訴訟の管轄は、第三十八条第一項において準用する第十二条の規定にかかわらず、その定めに従う。

一 第一項第一号に掲げる要件に該当する場合 同号に規定する処分又は裁決に係る不作為の違法確認の訴え

二 第一項第二号に掲げる要件に該当する場合 同号に規定する処分又は裁決に係る取消訴訟又は無効等確認の訴え

4 前項の規定により併合して提起された義務付けの訴え及び同項各号に定める訴えに係る弁論及び裁判は、分離しないでしなければならない。

5 義務付けの訴えが第一項から第三項までに規定する要件に該当する場合において、同項各号に定める訴えに係る請求に理由があると認められ、かつ、その義務付けの訴えに係る処分又は裁決につき、行政庁がその処分若しくは裁決をすべきであることがその処分若しくは裁決の根拠となる法令の規定から明らかであると認められ又は行政庁がその処分若しくは裁決をしないことがその裁量権の範囲を超え若しくはその濫用となると認められるときは、裁判所は、その義務付けの訴えに係る処分又は裁決をすべき旨を命ずる判決をする。

6 第四項の規定にかかわらず、裁判所は、審理の状況その他の事情を考慮して、第三項各号に定める訴えについてのみ終局判決をすることがより迅速な争訟の解決に資すると認めるときは、当該訴えについてのみ終局判決をすることができる。この場合において、裁判所は、当該訴えについてのみ終局判決をしたときは、当事者の意見を聴いて、当該訴えに係る訴訟手続が完結するまでの間、義務付けの訴えに係る訴訟手続を中止することができる。

d　仮の義務付け

仮の義務付けとは、義務付けの訴えの提起があった場合において、その義務付けの訴えに関する処分・裁決がされないことにより生じる償うことのできない損害を避けるために緊急の必要があり、本案について理由があると認められれば、裁判所が、申立てにより、行政庁がその処分・裁決をすべき旨を仮に命ずる決定のことをいいます（行政事件訴訟法第37条の5[206]第1項）。

e　差止めの訴え（差止め訴訟）

差止めの訴え（差止め訴訟）とは、先述したように、行政庁が一定の処分・裁決をすべきではないのにも拘わらず、その一定の処分・裁決がされようとしている場合において、行政庁がその処分・裁決をしてはならない旨を命ずることを求める訴訟のことをいいます（行政事件訴訟法第3条第7項）。

7　第一項の義務付けの訴えのうち、行政庁が一定の裁決をすべき旨を命ずることを求めるものは、処分についての審査請求がされた場合において、当該処分に係る処分の取消しの訴え又は無効等確認の訴えを提起することができないときに限り、提起することができる。

206　【行政事件訴訟法第37条の5】

1　義務付けの訴えの提起があつた場合において、その義務付けの訴えに係る処分又は裁決がされないことにより生ずる償うことのできない損害を避けるため緊急の必要があり、かつ、本案について理由があるとみえるときは、裁判所は、申立てにより、決定をもつて、仮に行政庁がその処分又は裁決をすべき旨を命ずること（以下この条において「仮の義務付け」という。）ができる。

2　差止めの訴えの提起があつた場合において、その差止めの訴えに係る処分又は裁決がされることにより生ずる償うことのできない損害を避けるため緊急の必要があり、かつ、本案について理由があるとみえるときは、裁判所は、申立てにより、決定をもつて、仮に行政庁がその処分又は裁決をしてはならない旨を命ずること（以下この条において「仮の差止め」という。）ができる。

3　仮の義務付け又は仮の差止めは、公共の福祉に重大な影響を及ぼすおそれがあるときは、することができない。

4　第二十五条第五項から第八項まで、第二十六条から第二十八条まで及び第三十三条第一項の規定は、仮の義務付け又は仮の差止めに関する事項について準用する。

5　前項において準用する第二十五条第七項の即時抗告についての裁判又は前項において準用する第二十六条第一項の決定により仮の義務付けの決定が取り消されたときは、当該行政庁は、当該仮の義務付けの決定に基づいてした処分又は裁決を取り消さなければならない。

差止の訴えは、一定の処分・裁決がされることにより重大な損害が生じる虞があって、その損害を避けるための他の適当な方法がない場合に提起が認められており（行政事件訴訟法第37条の4[207]第1項）、また、法律上の利益も必要となります（行政事件訴訟法第37条の4第2項）。

f　仮の差止め

仮の差止めとは、差止めの訴えの提起があった場合において、その差止め訴えに関する処分・裁決がされないことにより生じる償うことのできない損害を避けるために緊急の必要があり、本案について理由があると認められれば、裁判所が、申立てにより、行政庁がその処分・裁決をすべき旨を仮に命ずる決定のことをいいます（行政事件訴訟法第37条の5第2項）。

仮の差止めには（仮の義務付けも同様）、公共の福祉に重大な影響を及ぼす虞がある場合にはできません（行政事件訴訟法第37条の5第3項）。

D　当事者訴訟

当事者の法律関係を確認・形成する処分・裁決に関する訴訟で、法令の規定によりその法律関係の当事者の一方を被告とする訴訟（形式的当事者訴訟）・公法上の法律関係に関する確認の訴えその他の公法上の法律関係に関する訴訟（実質的当事者訴訟）のことをいいます（行政事件訴訟法第4条）。

207　【行政事件訴訟法第37条の4】

1　差止めの訴えは、一定の処分又は裁決がされることにより重大な損害を生ずるおそれがある場合に限り、提起することができる。ただし、その損害を避けるため他に適当な方法があるときは、この限りでない。

2　裁判所は、前項に規定する重大な損害を生ずるか否かを判断するに当たつては、損害の回復の困難の程度を考慮するものとし、損害の性質及び程度並びに処分又は裁決の内容及び性質をも勘案するものとする。

3　差止めの訴えは、行政庁が一定の処分又は裁決をしてはならない旨を命ずることを求めるにつき法律上の利益を有する者に限り、提起することができる。

4　前項に規定する法律上の利益の有無の判断については、第九条第二項の規定を準用する。

5　差止めの訴えが第一項及び第三項に規定する要件に該当する場合において、その差止めの訴えに係る処分又は裁決につき、行政庁がその処分若しくは裁決をすべきでないことがその処分若しくは裁決の根拠となる法令の規定から明らかであると認められ又は行政庁がその処分若しくは裁決をすることがその裁量権の範囲を超え若しくはその濫用となると認められるときは、裁判所は、行政庁がその処分又は裁決をしてはならない旨を命ずる判決をする。

形式的当事者訴訟においては、実質的には抗告訴訟でありながら、行政主体が被告とはならないことから、行政庁に参加の機会を与え、訴訟資料の充実を図るために、行政庁に訴訟が提起された旨を通知するものとされています（行政事件訴訟法第39条[208]）。

出訴期間の設定のある形式的当事者訴訟においては、正当な理由がある場合には、その期間を経過した後であっても訴訟の提起をすることができます（行政事件訴訟法第40条[209]第1項）。

E　客観訴訟

a　民衆訴訟

民衆訴訟とは、先述したように、選挙人たる資格その他自己の法律上の利益に関係しない資格において提起をする、国または地方公共団体の機関の法規に適合しない行為の是正を求める訴訟のことをいいます（行政事件訴訟法第５条 ）。

b　機関訴訟

機関訴訟とは、先述したように、国または地方公共団体の機関相互間における権限の存否またはその行使に関する紛争についての訴訟のことをいいます（行政事件訴訟法第６条 ）。

3　国家補償

（1）国家賠償制度

①　国家賠償制度の意義

国家賠償制度とは、違法な行政活動に起因する国民の損害を金銭に見積もって、国・地方公共団体に賠償責任を負わせることで、被害者の救済を図る制度のことをいいます。

208　【行政事件訴訟法第39条】

当事者間の法律関係を確認し又は形成する処分又は裁決に関する訴訟で、法令の規定によりその法律関係の当事者の一方を被告とするものが提起されたときは、裁判所は、当該処分又は裁決をした行政庁にその旨を通知するものとする。

209　【行政事件訴訟法第40条】

1　法令に出訴期間の定めがある当事者訴訟は、その法令に別段の定めがある場合を除き、正当な理由があるときは、その期間を経過した後であつても、これを提起することができる。

2　第十五条の規定は、法令に出訴期間の定めがある当事者訴訟について準用する。

国家賠償制度全般を規律する法として国家賠償法があります。

②　国家賠償法

A　公権力の行使に基づく賠償責任

α　国家賠償責任の法的性質

国・地方公共団体の公権力を行使する公務員が、その職務を行うについて、故意・過失によって、違法に、他人に損害を加えた場合には、国・地方公共団体が、これを賠償する責任を負うこととなります（国家賠償法第1条[210]第1項）。また、この場合において、その公務員に、故意・重大な過失があった場合については、国・地方公共団体は、その公務員に対して求償権を有することとなります（国家賠償法第1条第2項）。

国家賠償法第1条第1項は、公務員について、故意・過失があることを要件としており、また、国家賠償法第1条第2項においては、公務員に対する求償権を規定していることから、公務員の不法行為を前提としているといえます。また、国・地方公共団体と公務員との関係は、使用関係（民法第715条[211]）にあるともいえます。この場合、本来は、その公務員個人が、賠償責任を負うべきですが、公務遂行について萎縮する危険性を鑑み、その責任を国・地方公共団体が、その公務員に代わって負担することとしています。つまり、国家公務員法第1条の法的性格については、国・地方公共団体が、その公務員に代わって負担する代位責任であるとされています。

210　【国家賠償法第1条】

1　国又は公共団体の公権力の行使に当る公務員が、その職務を行うについて、故意又は過失によつて違法に他人に損害を加えたときは、国又は公共団体が、これを賠償する責に任ずる。

2　前項の場合において、公務員に故意又は重大な過失があつたときは、国又は公共団体は、その公務員に対して求償権を有する。

211　【民法第715条】

1　ある事業のために他人を使用する者は、被用者がその事業の執行について第三者に加えた損害を賠償する責任を負う。ただし、使用者が被用者の選任及びその事業の監督について相当の注意をしたとき、又は相当の注意をしても損害が生ずべきであったときは、この限りでない。

2　使用者に代わって事業を監督する者も、前項の責任を負う。

3　前二項の規定は、使用者又は監督者から被用者に対する求償権の行使を妨げない。

b　国家賠償責任の要件

い　公権力の行使

国家賠償法第１条第１項に基づく責任については、加害行為が公権力の行使に該当する場合に認められます。国・地方公共団体の私経済活動による損害については、民法上の使用者責任の規定（民法第 715 条）に基づいて相手方の救済を図ることとなります。しかし、民法上の使用者責任の規定には、免責事由（民法第 715 条第１項但書）が規定されていることから、相手方の救済を図るには充分ではなく、被害者保護に欠け、妥当ではありません。

そこで、公権力の行使の範囲を広く捉えて、私経済的作用のみならず、純粋な私経済活動や営造物の設置・管理作用を除く、すべての行政作用を含むものとされています。

また、公権力の行使については、本来的には、行政権の行使を念頭においたものでありますが、しかし、立法権の立法行為や司法権の裁判作用についても、極めて限定的ですが、公権力の行使に該当する場合があります。立法行為については、立法の内容が、憲法の一義的な文言に違反しているにも拘わらず、国会があえてその行為を行うというような、容易に想定し難い、例外的な場合ではない限り、国家賠償法第１条第１項の規定の適用上、違法の評価を受けないとされています。また、司法作用については、裁判官がした争訟の裁判に、上訴等の訴訟法上の救済方法によって是正されるべき瑕疵が存在していたとしても、当然に国家賠償法第１条第１項に規定されている違法な行為があったとして国家賠償責任の問題が生じることはなく、その裁判官が違法・不当な目的で裁判をした等、付与された権限の趣旨に明らかに背いてこれを行使したものと認められる特別の事情のあることが必要であるとされています。

ろ　公務員

国家賠償法第１条第１項に基づく責任については、公務員が公権力を行使する場合に認められます。

本来、公務員とは、行政主体のために公権力を行使する者のことを意味します。従って、行政主体のために公権力を行使すれば、国家賠償法第１条第１項の公務員に該当するといえ、国家公務員法及び地方公務員法によって規定される公務員には限定されず、公庫や公団等の特殊法人の職員はもちろんのこと、民間人であっても公権力を行使する権限を与えられた者は公務員に含まれるとされています。

は　その職務を行うについて

国家賠償法第１条第１項基づく責任については、公務員がその職務を行うについて他人に損害を加えた場合に認められます。

被害者保護の観点から、職務を行うについて、つまり、職務行為の範囲内であると判断するためには、加害行為が客観的に職務行為の外形を備えるものであればよく、公務員個人の主観的意図については問う必要はないとされています（外形標準説）。そのため、その行為の外形から職務行為であるかどうかを判断することとなります。

に　故意・過失

国家賠償法第１条第１項に基づく責任については、公務員が故意・過失によって他人に損害を加えた場合に認められます。

先述したように、国家公務員法第１条の法的性格については、国・地方公共団体が、その公務員に代わって負担する代位責任であるとされています。であるならば、加害公務員及び加害行為について特定すべきとも思えます。しかし、被害を被った一般国民が、公務員の誰によるどのような行為によって被害を被ったのかを特定することは非常に困難である場合もあり、被害者の保護を欠き、被害者に過度の負担をかけることとなり妥当ではありません。そこで、一連の行為のうちのいずれかに、行為者の故意・過失によらなければ被害が生じることがなかったと認められ、それがどの行為であるにせよ、これによる被害について、行為者の所属する国・地方公共団体が賠償責任を負うべき関係にある場合には、加害公務員及び加害行為の特定については必ずしも必要ではないとされています。

また、過失については、行為を行った個々の公務員の主観を基礎として判断すべきである（具体的過失論）ように思えますが、加害公務員の能力や主観的認識によって結論が異なることとなり、被害者保護の観点から公平性を欠き、妥当ではありません。そこで、過失とは、公務員の客観的な注意義務違反であるとして、通常の公務員に要求される知識・能力を前提として、その公務員が、その被害の発生について予見できたのにも拘わらず、その予見を怠り、結果を回避できたのにも拘わらず、その回避を怠った場合に、過失を認定することができるものとされています（抽象的過失論）。

ほ　違法性

国家賠償法第１条第１項に基づく責任については、公務員が違法に他人に損害を加えた場合に認められます。

違法とは、厳密な法規違反を意味するのではなく、その行為が客観的に正当性を欠くことを意味するとされています。また、公務員が然るべき注意を払っていたにも拘わらず、私人の権利を侵害してしまったという結果的に違法状態となった場合には、違法性は認められないこととされています。なぜなら、職務上必要とされる注意を充分に払っているのであれば、仮に職務執行の結果、私人の権利・利益を侵害するようなこととなったとしても、それは本来的に法令によって公務員に与えられた職務権限の範囲内に含まれるとされるからです。

へ　権限の不行使

国家賠償法第１条第１項に基づく責任については、先述したように、加害行為が公権力の行使に該当する場合に認められます。

公権力の行使とは、本来的に、公務員の積極的行為のことを意味し、権限の不行使の場合には、公権力の行使に該当しないとされています。そもそも、権限を行使するかどうかは行政庁の裁量の範囲内であることから、権限の不行使については、違法の問題は生じないため、賠償請求はできないように思えます。しかし、行政庁の裁量といえども、その範囲は無制限であるとはいえず、一定の場合においては、行政庁の権限の不行使について、違法と評価をすることは可能となります。しかし、行政庁に判断権限があることには異論はなく、また、その判断権限については尊重せざるを得ないことから、権限の不行使であるからといって直ちに違法であるとは判断できません。そこで、国・地方公共団体による権限の不行使については、その権限を規定している法令の趣旨・目的・その権限の性質等から判断し、具体的事情の下において、その権限の不行使が許容される限度を逸脱し、著しく合理性を欠くものであると認められる場合には、国家賠償法第１条第１項の賠償責任を負うとされています（消極的権限濫用論）。また、著しく合理性を欠いているかどうかの判断基準については、国民の生命・身体・健康に対する危険があり、行政庁の権限行使によって、その危険を容易に回避することができ、また、行政庁の権限行使がなければ、結果の発生を防止することができず、国民が行政庁の権限行使に対する期待がやむを得ないものであることが必要であるとされています。

と　損害の発生

国家賠償法第１条第１項に基づく責任については、他人に損害を加えた場合認められます。損害には、生命・健康・財産の他に精神的損害も含まれるものとされています。

ち　因果関係

公務員の行為と損害との間に因果関係のあることが必要となります。

c　国家賠償責任の効果

国家賠償責任を追求するための要件が充足された場合には、国・地方公共団体に賠償義務が生じることとなります。賠償義務は、民法上の使用者責任（民法第715条第1項但書）とは異なり、免責されることはありません。つまり、国・地方公共団体が、加害公務員について、その選任・監督について過失がないことを立証したとしても賠償責任を免れることができず賠償責任が生じることとなります。

B　公の営造物についての賠償責任

a　公の営造物についての賠償責任の法的性質

道路・河川その他の公の営造物の設置・管理に瑕疵があったために他人に損害を生じた場合には、国・地方公共団体は賠償責任を負うこととなります（国家賠償法第2条[212]第1項）。また、この場合において、他に損害の原因について責任を負う者がいれば、国・地方公共団体は、この者に対して求償権を有することとなります（国家賠償法第2条第2項）。

国家賠償法第2条第1項は、国・地方公共団体が、道路・公園等の公の施設を設置し、広く提供する以上は、その安全性を担保する高度な安全確保義務を負い、施設から生じる危険については、その責任を負担すべきという危険責任の法理（民法第717条[213]）に基づき規定されています。従って、国家賠償法第2条第1項は、国家賠償法第1条第1項とは異なり、国・地方公共団体の無過失責任を認めたものとされています。

212　【国家賠償法第2条】

1　道路、河川その他の公の営造物の設置又は管理に瑕疵があつたために他人に損害を生じたときは、国又は公共団体は、これを賠償する責に任ずる。

2　前項の場合において、他に損害の原因について責に任ずべき者があるときは、国又は公共団体は、これに対して求償権を有する。

213　【民法第717条】

1　土地の工作物の設置又は保存に瑕疵があることによって他人に損害を生じたときは、その工作物の占有者は、被害者に対してその損害を賠償する責任を負う。ただし、占有者が損害の発生を防止するのに必要な注意をしたときは、所有者がその損害を賠償しなければならない。

2　前項の規定は、竹木の栽植又は支持に瑕疵がある場合について準用する。

3　前二項の場合において、損害の原因について他にその責任を負う者があるときは、占有者又は所有者は、その者に対して求償権を行使することができる。

b　公の営造物についての賠償責任の要件

い　公の営造物についての損害

公の営造物とは、行政主体によって、直接公の目的に供用される有体物または物的設備のことをいいます。公の営造物については、国・地方公共団体の所有物である必要はないとされています。また、公の営造物は、公の目的に供されている必要があります。

ろ　設置・管理の瑕疵に基づく損害

公の営造物の設置・管理については、国・地方公共団体が、事実上、設置・管理ができる状態にあればよく、必ずしも法令所定の権原に基づく必要はないとされています。

公の営造物の設置・管理の瑕疵については、営造物が通常有すべき安全性を欠き、他人に危害を及ぼす危険性のある状態のことをいい、その営造物の構造・用途・場所的環境及び利用状況と諸般の事情を総合的に考慮し、個別具体的に判断されるとされています。具体的には、以下の３点を基準に判断されています。

イ　危険性

公の営造物が他人に損害を及ぼす危険性が存在している場合に、公の営造物の設置・管理の瑕疵があると判断されます。この危険性については、営造物の設置管理者が対応する必要のあるものとなります。

ロ　予見可能性

公の営造物の危険性が通常予見できるものである場合に、公の営造物の設置・管理の瑕疵があると判断されます。予見可能性の有無の判断については、平均的な営造物の設置管理者の判断能力を基準とし、その当時の科学技術の到達度で判断されることとなります。

ハ　結果回避可能性

公の営造物に危険性が存在していた場合に、設置管理者が損害の発生を回避するための行動を執ることができたのであれば、公の営造物の設置・管理の瑕疵があると判断されます。

c　公の営造物についての賠償責任の効果

公の営造物についての賠償責任を追求するための要件が充足された場合には、国・地方公共団体に賠償義務が発生することとなります。

C　国家賠償における責任主体

a　賠償の請求先

国家賠償請求訴訟の被告は、国・地方公共団体となります。

国・地方公共団体の公権力を行使する公務員が、その職務を行うについて、故意・過失によって、違法に、他人に損害を加えた場合には、国・地方公共団体が、これを賠償する責任を負うこととなります（国家賠償法第１条 第１項）が、加害公務員の選任・監督者と、俸給・給与その他の費用の負担者が異なるのであれば、被害者はそのどちらに対しても賠償請求をすることができることとされています（国家賠償法第３条[214]第１項）。

また、道路・河川その他の公の営造物の設置・管理に瑕疵があったために他人に損害を生じた場合には、国・地方公共団体は賠償責任を負うこととなります（国家賠償法第２条第１項）が、営造物の設置・管理者と、費用負担者が異なるのであれば、被害者はそのどちらに対しても賠償請求することができるとされています（国家賠償法第３条第１項）。

b　内部関係における費用負担者

損害を賠償した者は、内部関係でその損害を賠償する責任ある者に対して求償権を有することとなります（国家賠償法第３条第２項）。

内部関係における最終的な費用負担者については、損害賠償も行政の実施に伴う経費であることから、判断の明確性の観点より、その事務の費用を負担する者が損害賠償についても最終の責任者となります（費用負担者説）。

また、国家賠償法第３条第１項は、危険責任の法理に基づいており、危険を支配する者は、その危険が具体化した場合には責任を負うのが公平であるとの考え方に基づいています。そのため、選任監督者と同等か、もしくは、これに近い費用を負担して実質的にはこの者とその営造物による事業を共同して執行していると認められる者であって、その営造物の瑕疵による危険を効果的に防止することができる者も含むべきとされています。従って、以上の要件を満たす限りにおいては、単に補助金を支出したに過ぎない者であっても責任を負うべきであるとされています。

214　【国家賠償法第３条】

１　前二条の規定によつて国又は公共団体が損害を賠償する責に任ずる場合において、公務員の選任若しくは監督又は公の営造物の設置若しくは管理に当る者と公務員の俸給、給与その他の費用又は公の営造物の設置若しくは管理の費用を負担する者とが異なるときは、費用を負担する者もまた、その損害を賠償する責に任ずる。

２　前項の場合において、損害を賠償した者は、内部関係でその損害を賠償する責任ある者に対して求償権を有する。

D　民法の適用

国家賠償法は、損害賠償に関する民法の特別法となります。そのため、国家賠償法に規定のない事項については、民法の規定が適用されることとなります（国家賠償法第４条[215]）。

具体的には、国家賠償請求をすることができない事項については、民法第709条[216]等の民法上の規定を根拠として、損害賠償請求をすることとなります。対して、国家賠償請求がされた場合には、民法上の不法行為に関する規定が補充的に適用されることとなります。

E　他の法律の適用

国・地方公共団体の損害賠償責任について、民法以外の法律に別段の規定がある場合には、その規定が優先的に適用されことととなります（国家賠償法第５条[217]）。

F　相互保証主義

相互保証主義とは、ある外国人の本国において、日本人が被害者になった場合にその国の賠償制度によって救済される場合に限り、その外国人に対しても、日本の国家賠償法による救済を認める制度のことをいいます。

国家賠償法は、外国人が被害者である場合には、相互の保証があれば適用されることとなります（国家賠償法第６条[218]）。

（２）損失補償制度

損失補償とは、国・地方公共団体の適法な行政活動によって被った財産上の特別な損失に対して、全体的な公平負担の見地から、これを調節するためにする財産的補償のことをいいます。

215　【国家賠償法第４条】
国又は公共団体の損害賠償の責任については、前三条の規定によるの外、民法の規定による。

216　【民法第709条】
故意又は過失によって他人の権利又は法律上保護される利益を侵害した者は、これによって生じた損害を賠償する責任を負う。

217　【国家賠償法第５条】
国又は公共団体の損害賠償の責任について民法以外の他の法律に別段の定があるときは、その定めるところによる。

218　【国家賠償法第６条】
この法律は、外国人が被害者である場合には、相互の保証があるときに限り、これを適用する。

損失補償は、公共のために生じた損失を、社会一般の負担に転嫁しようとする平等原則（日本国憲法第 14 条[219]第 1 項）に基づいて行われることとなります。また、損失補償は、個人の財産権の保障（日本国憲法第 29 条[220]）の徹底のために行われることとなります。そのため、損失補償は、「公共のために用ひる」（日本国憲法第 29 条第 3 項）場合、つまり、公用収用及び公用制限について行われることとなります。

公用収用とは、特定の公共の事業に供するために特定の財産を強制的に取得する場合のことをいいます。対して、公用制限とは、特定の公共の利益を充足するため特定の財産に制限を加える場合のことをいいます。

日本国憲法第 29 条第 3 項の趣旨は、公共のために生じた損失を、社会一般の負担に転嫁しようとする平等原則（日本国憲法第 14 条第 1 項）の徹底、及び、個人の財産権の保障（日本国憲法第 29 条第 1 項）の徹底にあります。また、被侵害利益の時価を基準として、権利内容を明確にすることができます。以上のことから、個別具体的な法律がなくても、直接に、日本国憲法第 29 条第 3 項に基づいて損失補償請求をすることができるとされています。

また、日本国憲法第 29 条第 3 項の趣旨から、特別の犠牲を払った者に対しては、損失補償をする必要が生じることとなります。というのも、特定人にのみ財産的制約の負担を負わせることは不公平であり、また、財産権の本質を害する程度の強度の制約をしながら補償を必要としないとすると、財産権の保障が相対化することとなるからです。そこで、形式的基準として、侵害行為が特定人を対象としたものであり、実質的基準として、侵害行為が財産権の本質的内容を侵害する程度に強度である場合には、特別の犠牲を払ったものと判定することができ、正当な補償が必要となるとされています。正当な補償は、原則として、財産権の侵害や剥奪によって生じた損失のすべてを補償しなければならないとされています（完全補償説）。

219 【日本国憲法第 14 条】

1 すべて国民は、法の下に平等であつて、人種、信条、性別、社会的身分又は門地により、政治的、経済的又は社会的関係において、差別されない。

2 華族その他の貴族の制度は、これを認めない。

3 栄誉、勲章その他の栄典の授与は、いかなる特権も伴はない。栄典の授与は、現にこれを有し、又は将来これを受ける者の一代に限り、その効力を有する。

220 【日本国憲法第 29 条】

1 財産権は、これを侵してはならない。

2 財産権の内容は、公共の福祉に適合するやうに、法律でこれを定める。

3 私有財産は、正当な補償の下に、これを公共のために用ひることができる。

五　地方自治

1　地方自治総論

（1）地方自治の本旨

地方自治とは、地方における政治・行政について、地域住民の意思に基づいて、国から独立した地方公共団体が、その権限と責任において、自主的に処理することをいいます。

地方公共団体の組織及び運営に関する事項は、地方自治の本旨に基づいて法律でこれを規定する（日本国憲法第92条[221]）との憲法上の規定に基づいて地方自治法が制定されています。地方自治の本旨とは、①国から独立した団体に委ねられ、自らの意思と責任の下で行われることを意味する団体自治と、②住民の意思に基づいて行われることを意味する住民自治の側面を有しています。

（2）地方自治の機関及び選挙

地方公共団体には、法律の規定するところにより、その議事機関として議会が設置されています（日本国憲法第93条[222]第1項）。

また、地方公共団体の長、その議会の議員は、その地方公共団体の住民が直接選挙するとされています（日本国憲法第93条第2項）。

（3）地方自治の権能

地方公共団体は、財産管理・事務処理・行政執行の権能を有し、法律の範囲内で条例を制定することができます（日本国憲法第94条[223]）。

221　【日本国憲法第92条】
　地方公共団体の組織及び運営に関する事項は、地方自治の本旨に基いて、法律でこれを定める。

222　【日本国憲法第93条】
1　地方公共団体には、法律の定めるところにより、その議事機関として議会を設置する。
2　地方公共団体の長、その議会の議員及び法律の定めるその他の吏員は、その地方公共団体の住民が、直接これを選挙する。

223　【日本国憲法第94条】
　地方公共団体は、その財産を管理し、事務を処理し、及び行政を執行する権能を有し、法律の範囲内で条例を制定することができる。

（4）地方特別法の住民投票

特定の地方公共団体のみに適用される特別法は、法律の規定により、その地方公共団体の住民の投票においてその過半数の同意を得なければ、国会はこれを制定することができないこととされています（日本国憲法第 95 条[224]）。

2　地方自治各論

先述したように、憲法上の規定に基づいて、地方自治法が制定されています。

（1）地方自治法の目的・役割

地方自治法は、地方自治の本旨に基づいて、①地方公共団体における民主的にして能率的な行政の確保を図ること、②地方公共団体の健全な発達を保障することを目的としています（地方自治法第 1 条[225]）。地方公共団体は、住民の福祉の増進を図ることを基本として、地域における行政を自主的・総合的に実施する役割を広く担うこととされています（地方自治法第 1 条の 2[226]第 1 項）。

224　【日本国憲法第 95 条】
一の地方公共団体のみに適用される特別法は、法律の定めるところにより、その地方公共団体の住民の投票においてその過半数の同意を得なければ、国会は、これを制定することができない。

225　【地方自治法第 1 条】
この法律は、地方自治の本旨に基いて、地方公共団体の区分並びに地方公共団体の組織及び運営に関する事項の大綱を定め、併せて国と地方公共団体との間の基本的関係を確立することにより、地方公共団体における民主的にして能率的な行政の確保を図るとともに、地方公共団体の健全な発達を保障することを目的とする。

226　【地方自治法第 1 条の 2】
1　地方公共団体は、住民の福祉の増進を図ることを基本として、地域における行政を自主的かつ総合的に実施する役割を広く担うものとする。
2　国は、前項の規定の趣旨を達成するため、国においては国際社会における国家としての存立にかかわる事務、全国的に統一して定めることが望ましい国民の諸活動若しくは地方自治に関する基本的な準則に関する事務又は全国的な規模で若しくは全国的な視点に立つて行わなければならない施策及び事業の実施その他の国が本来果たすべき役割を重点的に担い、住民に身近な行政はできる限り地方公共団体にゆだねることを基本として、地方公共団体との間で適切に役割を分担するとともに、地方公共団体に関する制度の策定及び施策の実施に当たつて、地方公共団体の自主性及び自立性が十分に発揮されるようにしなければならない。

（2）地方公共団体の種類

地方公共団体には、普通地方公共団体と特別地方公共団体の２種類があります（地方自治法第１条の３[227]第１項）。

普通地方公共団体とは、都道府県と市町村のことをいいます（地方自治法第１条の３第２項）。

都道府県と市町村は、対等の関係であるとされています。

普通地方公共団体は、地域における事務及びその他の事務で法律またはこれに基づく政令により処理することとされるものを処理することとされています（地方自治法第２条[228]第２項）。市町村は、基礎的な地方公共団体（地方自治法

227 【地方自治法第１条の３】

１ 地方公共団体は、普通地方公共団体及び特別地方公共団体とする。

２ 普通地方公共団体は、都道府県及び市町村とする。

３ 特別地方公共団体は、特別区、地方公共団体の組合及び財産区とする。

228 【地方自治法第２条】

１ 地方公共団体は、法人とする。

２ 普通地方公共団体は、地域における事務及びその他の事務で法律又はこれに基づく政令により処理することとされるものを処理する。

３ 市町村は、基礎的な地方公共団体として、第五項において都道府県が処理するものとされているものを除き、一般的に、前項の事務を処理するものとする。

４ 市町村は、前項の規定にかかわらず、次項に規定する事務のうち、その規模又は性質において一般の市町村が処理することが適当でないと認められるものについては、当該市町村の規模及び能力に応じて、これを処理することができる。

５ 都道府県は、市町村を包括する広域の地方公共団体として、第二項の事務で、広域にわたるもの、市町村に関する連絡調整に関するもの及びその規模又は性質において一般の市町村が処理することが適当でないと認められるものを処理するものとする。

６ 都道府県及び市町村は、その事務を処理するに当つては、相互に競合しないようにしなければならない。

７ 特別地方公共団体は、この法律の定めるところにより、その事務を処理する。

８ この法律において「自治事務」とは、地方公共団体が処理する事務のうち、法定受託事務以外のものをいう。

９ この法律において「法定受託事務」とは、次に掲げる事務をいう。

一 法律又はこれに基づく政令により都道府県、市町村又は特別区が処理することとされる事務のうち、国が本来果たすべき役割に係るものであつて、国においてその適正な処理を特に確保する必要があるものとして法律又はこれに基づく政令に特に定めるもの（以下「第一号法定受託事務」という。）

第２条第３項）であり、その区域において、住民に最も身近な団体としての事務を行うとされています。都道府県は市町村を包括する広域の地方公共団体となります（地方自治法第２条第５項及び第５条[229]第２項）。

特別地方公共団体とは、普通地方公共団体のみでは、充分に処理できないような事務を処理するために、特別に設置された地方公共団体のことをいい、特別区・地方公共団体の組合・財産区の３種類があります（地方自治法第１条の３第３項）。

……………………………………………………………………

二　法律又はこれに基づく政令により市町村又は特別区が処理することとされる事務のうち、都道府県が本来果たすべき役割に係るものであつて、都道府県においてその適正な処理を特に確保する必要があるものとして法律又はこれに基づく政令に特に定めるもの（以下「第二号法定受託事務」という。）

10　この法律又はこれに基づく政令に規定するもののほか、法律に定める法定受託事務は第一号法定受託事務にあつては別表第一の上欄に掲げる法律についてそれぞれ同表の下欄に、第二号法定受託事務にあつては別表第二の上欄に掲げる法律についてそれぞれ同表の下欄に掲げるとおりであり、政令に定める法定受託事務はこの法律に基づく政令に示すとおりである。

11　地方公共団体に関する法令の規定は、地方自治の本旨に基づき、かつ、国と地方公共団体との適切な役割分担を踏まえたものでなければならない。

12　地方公共団体に関する法令の規定は、地方自治の本旨に基づいて、かつ、国と地方公共団体との適切な役割分担を踏まえて、これを解釈し、及び運用するようにしなければならない。この場合において、特別地方公共団体に関する法令の規定は、この法律に定める特別地方公共団体の特性にも照応するように、これを解釈し、及び運用しなければならない。

13　法律又はこれに基づく政令により地方公共団体が処理することとされる事務が自治事務である場合においては、国は、地方公共団体が地域の特性に応じて当該事務を処理することができるよう特に配慮しなければならない。

14　地方公共団体は、その事務を処理するに当つては、住民の福祉の増進に努めるとともに、最少の経費で最大の効果を挙げるようにしなければならない。

15　地方公共団体は、常にその組織及び運営の合理化に努めるとともに、他の地方公共団体に協力を求めてその規模の適正化を図らなければならない。

16　地方公共団体は、法令に違反してその事務を処理してはならない。なお、市町村及び特別区は、当該都道府県の条例に違反してその事務を処理してはならない。

17　前項の規定に違反して行つた地方公共団体の行為は、これを無効とする。

229　【地方自治法第５条】

１　普通地方公共団体の区域は、従来の区域による。

２　都道府県は、市町村を包括する。

(3)地方公共団体の事務

地方公共団体の事務には、自治事務と法定受託事務があります。

① 自治事務

自治事務とは、地方公共団体が処理する事務のうち、法定受託事務以外の、本来その地方公共団体が処理すべき事務のことをいいます(地方自治法第2条第8項)。

自治事務については、国は、地方公共団体が地域の特性に応じてその事務を処理することができるように、特に、配慮しなければならないとされています(地方自治法第2条第13項)。

② 法定受託事務

法定受託事務とは、国や都道府県が本来果たすべき役割に関する事務であって、法令により他の地方公共団体に委ねられたもののことをいいます(地方自治法第2条第9項)。

A 第一号法定受託事務

第一号法定受託事務とは、法律またはこれに基づく政令によって都道府県・市区町村が処理するとされる事務のうち、国が本来果たすべき役割に関する事務であって、国において、その適正な処理を特に確保する必要があるものとして、法律またはこれに基づく政令に特に規定するもののことをいいます(地方自治法第2条第9項第1号)。

B 第二号法定受託事務

第二号法定受託事務とは、法律またはこれに基づく政令により市町村が処理するとされる事務のうち、都道府県が本来果たすべき役割に関する事務であって、都道府県において、その適正な処理を特に確保する必要があるものとして、法律またはこれに基づく政令に特に規定するもののことをいいます(地方自治法第2条第9項第2号)。

(4)地方公共団体の機関

① 議会

日本国憲法上、地方公共団体には、法律の規定するところにより、その議事機関として議会を設置することとされています(日本国憲法第93条第1項)。

地方自治法第89条[230]は、この規定を受けて、普通地方公共団体に議会を設置することとしています。

② 執行機関

地方自治法における執行機関とは、普通地方公共団体の事務を管理・執行する機関であって、自ら地方公共団体の意思を決定し、その意思を外部に表示する権限を有する機関のことをいいます。普通地方公共団体には、その執行機関として普通地方公共団体の長と、法律の規定により、委員会または委員がおかれています（地方自治法第138条の4[231]第1項）。

（5）地方公共団体の立法

① 条例

地方自治法上では、普通地方公共団体は、法令に違反しない限りにおいて条例を制定することができるとされています（地方自治法第14条[232]第1項）。

230 【地方自治法第89条】
普通地方公共団体に議会を置く。

231 【地方自治法第138条の4】
1 普通地方公共団体にその執行機関として普通地方公共団体の長の外、法律の定めるところにより、委員会又は委員を置く。
2 普通地方公共団体の委員会は、法律の定めるところにより、法令又は普通地方公共団体の条例若しくは規則に違反しない限りにおいて、その権限に属する事務に関し、規則その他の規程を定めることができる。
3 普通地方公共団体は、法律又は条例の定めるところにより、執行機関の附属機関として自治紛争処理委員、審査会、審議会、調査会その他の調停、審査、諮問又は調査のための機関を置くことができる。ただし、政令で定める執行機関については、この限りでない。

232 【地方自治法第14条】
1 普通地方公共団体は、法令に違反しない限りにおいて第二条第二項の事務に関し、条例を制定することができる。
2 普通地方公共団体は、義務を課し、又は権利を制限するには、法令に特別の定めがある場合を除くほか、条例によらなければならない。
3 普通地方公共団体は、法令に特別の定めがあるものを除くほか、その条例中に、条例に違反した者に対し、二年以下の懲役若しくは禁錮、百万円以下の罰金、拘留、科料若しくは没収の刑又は五万円以下の過料を科する旨の規定を設けることができる。

しかし、憲法上では、地方公共団体は、法律の範囲内で条例を制定することができるとされています（日本国憲法第94条）。つまり、地方自治法により、条例は、法律のみならず命令に違反する条例の制定も認められないこととなります。

条例が、国の法令に違反しているかどうかについては、法令と条例の対象事項と規定文言を対比するのみならず、それぞれの趣旨・目的・内容・効果を比較し、両者の間に矛盾抵触があるかどうかによって判断されています。従って、条例によって、国の法令で規定していない分野について規制する条例（横出し条例）や、国の法令が規定している規制よりも厳しい規制を課する条例（上乗せ条例）についても、それぞれの趣旨・目的・内容・効果を比較し、両者の間に矛盾抵触がなければ認められることとなります。

普通地方公共団体は、義務を課したり、権利を制限したりするには、法令に特別の規定がある場合を除いては、条例によらなければなりません（地方自治法第14条第2項）。

また、普通地方公共団体は、法令に特別の規定があるものを除き、その条例中に、違反者に対して、2年以下の懲役または禁錮・100万円以下の罰金・拘留・科料・没収の刑・5万円以下の過料を科する旨の規定を設けることができることとされています（地方自治法第14条第3項）。

② 規則

普通地方公共団体の長は、法令に違反しない限りにおいて、その権限に属する事務に関し、規則を制定することができるとされています（地方自治法第15条[233]第1項）。つまり、規則も条例と同様、法令に違反することは許されないこととなります。

普通地方公共団体の長は、法令に特別の規定があるものを除き、普通地方公共団体の規則中に、規則の違反者に対して、5万円以下の過料を科する旨の規定を設けることができることとされています（地方自治法第15条第2項）。

233 【地方自治法第15条】
1 普通地方公共団体の長は、法令に違反しない限りにおいて、その権限に属する事務に関し、規則を制定することができる。
2 普通地方公共団体の長は、法令に特別の定めがあるものを除くほか、普通地方公共団体の規則中に、規則に違反した者に対し、五万円以下の過料を科する旨の規定を設けることができる。

（6）住民の権利・義務

①　住民

市町村の区域内に住所を有する者は、その市町村及びこれを包括する都道府県の住民となるとされています（地方自治法第10条[234]第1項）。住民は、法律の規定により、その属する普通地方公共団体の役務の提供を等しく受ける権利を有し、その負担を分任する義務を負うこととなります（地方自治法第10条第2項）。

②　選挙権・被選挙権

日本国民である普通地方公共団体の住民は、地方自治法の規定するところにより、その属する普通地方公共団体の選挙に参与する権利を有しています（地方自治法第11条[235]）。

A　選挙権

普通地方公共団体の議会の議員及び長は、選挙人が投票により選挙によって選出します（地方自治法第17条[236]）。

選挙人の要件は、①日本国民である年齢満18歳以上の者で、②引き続き3箇月以上、市町村の区域内に住所を有する者であることの2点となります（地方自治法第18条[237]）。

234　【地方自治法第10条】

1　市町村の区域内に住所を有する者は、当該市町村及びこれを包括する都道府県の住民とする。

2　住民は、法律の定めるところにより、その属する普通地方公共団体の役務の提供をひとしく受ける権利を有し、その負担を分任する義務を負う。

235　【地方自治法第11条】

日本国民たる普通地方公共団体の住民は、この法律の定めるところにより、その属する普通地方公共団体の選挙に参与する権利を有する。

236　【地方自治法第17条】

普通地方公共団体の議会の議員及び長は、別に法律の定めるところにより、選挙人が投票によりこれを選挙する。

237　【地方自治法第18条】

日本国民たる年齢満十八年以上の者で引き続き三箇月以上市町村の区域内に住所を有するものは、別に法律の定めるところにより、その属する普通地方公共団体の議会の議員及び長の選挙権を有する。

B 被選挙権

a 議会の議員の被選挙権

普通地方公共団体の議会の議員の選挙権を有する者で年齢満 25 歳以上の者は、普通地方公共団体の議会の議員の被選挙権を有しています(地方自治法第 19 条[238]第 1 項)。

b 都道府県知事の被選挙権

日本国民で年齢満 30 歳以上の者は、都道府県知事の被選挙権を有しています（地方自治法第 19 条第２項)。

c 市町村長の被選挙権

日本国民で年齢満 25 歳以上の者は、市町村長の被選挙権を有しています（地方自治法第 19 条第３項)。

③ 直接請求

直接請求とは、地方議会の議員及び長の選挙権を有する住民が、一定数以上の者の連署をもって、その代表者から一定の事項について請求することによって、地方政治を直接的にコントロールすることをいいます。

（７）公の施設

公の施設とは、地方公共団体が、住民の福祉を増進する目的で、住民に利用させるための施設をいいます（地方自治法 244 条[239]第 1 項)。

238 【地方自治法第 19 条】

1 普通地方公共団体の議会の議員の選挙権を有する者で年齢満二十五年以上のものは、別に法律の定めるところにより、普通地方公共団体の議会の議員の被選挙権を有する。

2 日本国民で年齢満三十年以上のものは、別に法律の定めるところにより、都道府県知事の被選挙権を有する。

3 日本国民で年齢満二十五年以上のものは、別に法律の定めるところにより、市町村長の被選挙権を有する。

239 【地方自治法第 244 条】

1 普通地方公共団体は、住民の福祉を増進する目的をもつてその利用に供するための施設（これを公の施設という。）を設けるものとする。

2 普通地方公共団体（次条第三項に規定する指定管理者を含む。次項において同じ。）は、正当な理由がない限り、住民が公の施設を利用することを拒んではならない。

3 普通地方公共団体は、住民が公の施設を利用することについて、不当な差別的取扱いをしてはならない。

地方公共団体は、住民が公の施設を利用することについて、正当な理由がない限り拒んではならず（地方自治法244条第２項）、不当な差別的取扱いをしてはならないとされています（地方自治法244条第３項）。

（８）関与

関与とは、他の機関に影響力を与えることをいいます（地方自治法245条[240]）。

240　【地方自治法第245条】

本章において「普通地方公共団体に対する国又は都道府県の関与」とは、普通地方公共団体の事務の処理に関し、国の行政機関（内閣府設置法（平成十一年法律第八十九号）第四条第三項に規定する事務をつかさどる機関たる内閣府、宮内庁、同法第四十九条第一項若しくは第二項に規定する機関、国家行政組織法（昭和二十三年法律第百二十号）第三条第二項に規定する機関、法律の規定に基づき内閣の所轄の下に置かれる機関又はこれらに置かれる機関をいう。以下本章において同じ。）又は都道府県の機関が行う次に掲げる行為（普通地方公共団体がその固有の資格において当該行為の名あて人となるものに限り、国又は都道府県の普通地方公共団体に対する支出金の交付及び返還に係るものを除く。）をいう。

一　普通地方公共団体に対する次に掲げる行為

イ　助言又は勧告

ロ　資料の提出の要求

ハ　是正の要求（普通地方公共団体の事務の処理が法令の規定に違反しているとき又は著しく適正を欠き、かつ、明らかに公益を害しているときに当該普通地方公共団体に対して行われる当該違反の是正又は改善のため必要な措置を講ずべきことの求めであつて、当該求めを受けた普通地方公共団体がその違反の是正又は改善のため必要な措置を講じなければならないものをいう。）

ニ　同意

ホ　許可、認可又は承認

ヘ　指示

ト　代執行（普通地方公共団体の事務の処理が法令の規定に違反しているとき又は当該普通地方公共団体がその事務の処理を怠つているときに、その是正のための措置を当該普通地方公共団体に代わつて行うことをいう。）

二　普通地方公共団体との協議

三　前二号に掲げる行為のほか、一定の行政目的を実現するため普通地方公共団体に対して具体的かつ個別的に関わる行為（相反する利害を有する者の間の利害の調整を目的としてされる裁定その他の行為（その双方を名あて人とするものに限る。）及び審査請求その他の不服申立てに対する裁決、決定その他の行為を除く。）

第八講 行政法学入門

本来であれば、国と各地方公共団体とは、各々独立した団体であることから、各々の権限を独立して行使するのが原則となることから、関与は例外的に用いられることとなります。

関与には、国が都道府県・市町村の活動に影響力を行使する場合と、都道府県が市町村の活動に影響力を行使する場合とがあります。

① 関与の基本原則

A 関与法定主義

関与法定主義とは、関与は、法律・政令によって認められている場合についてのみすることができるのであって、それ以外の命令や通達等によってすることは許されないとする原則のことをいいます（地方自治法第 245 条の 2[241]）。

B 関与比例原則

関与比例原則とは、国・都道府県の関与を受け、または、関与を要する場合には、関与は、その目的を達成するために必要な最小限度のものとするとともに、普通地方公共団体の自主性・自立性に配慮しなければならないとする原則のことをいいます（地方自治法 245 条の 3[242]第 1 項）。

241 【地方自治法第 245 条の 2】
普通地方公共団体は、その事務の処理に関し、法律又はこれに基づく政令によらなければ、普通地方公共団体に対する国又は都道府県の関与を受け、又は要することとされることはない。

242 【地方自治法第 245 条の 3】
1 国は、普通地方公共団体が、その事務の処理に関し、普通地方公共団体に対する国又は都道府県の関与を受け、又は要することとする場合には、その目的を達成するために必要な最小限度のものとするとともに、普通地方公共団体の自主性及び自立性に配慮しなければならない。
2 国は、できる限り、普通地方公共団体が、自治事務の処理に関しては普通地方公共団体に対する国又は都道府県の関与のうち第二百四十五条第一号ト及び第三号に規定する行為を、法定受託事務の処理に関しては普通地方公共団体に対する国又は都道府県の関与のうち同号に規定する行為を受け、又は要することとすることのないようにしなければならない。
3 国は、国又は都道府県の計画と普通地方公共団体の計画との調和を保つ必要がある場合等国又は都道府県の施策と普通地方公共団体の施策との間の調整が必要な場合を除き、普通地方公共団体の事務の処理に関し、普通地方公共団体が、普通地方公共団体に対する国又は都道府県の関与のうち第二百四十五条第二号に規定する行為を要することとすることのないようにしなければならない。

② 係争処理

A 国と地方公共団体との係争処理

国と地方公共団体との係争処理とは、国と都道府県・市町村との間の争いについて処理することをいいます。

国の関与において、国と地方公共団体との間で対立が生じた場合には、総務省におかれている国地方係争処理委員会によって、公平・中立な立場から、国と地方公共団体との間の係争処理についての審査が行われることとなります（地方自治法第250条の7[243]第1項）。

第三者機関である国地方係争処理委員会は、国の関与に関する審査の申出について、地方自治法の規定により、その権限に属させられた事項を、公正・中立な立場から処理することとなります（地方自治法第250条の7第2項）。

4　国は、法令に基づき国がその内容について財政上又は税制上の特例措置を講ずるものとされている計画を普通地方公共団体が作成する場合等国又は都道府県の施策と普通地方公共団体の施策との整合性を確保しなければこれらの施策の実施に著しく支障が生ずると認められる場合を除き、自治事務の処理に関し、普通地方公共団体が、普通地方公共団体に対する国又は都道府県の関与のうち第二百四十五条第一号ニに規定する行為を要することとすることのないようにしなければならない。

5　国は、普通地方公共団体が特別の法律により法人を設立する場合等自治事務の処理について国の行政機関又は都道府県の機関の許可、認可又は承認を要することとすること以外の方法によつてその処理の適正を確保することが困難であると認められる場合を除き、自治事務の処理に関し、普通地方公共団体が、普通地方公共団体に対する国又は都道府県の関与のうち第二百四十五条第一号ホに規定する行為を要することとすることのないようにしなければならない。

6　国は、国民の生命、身体又は財産の保護のため緊急に自治事務の的確な処理を確保する必要がある場合等特に必要と認められる場合を除き、自治事務の処理に関し、普通地方公共団体が、普通地方公共団体に対する国又は都道府県の関与のうち第二百四十五条第一号へに規定する行為に従わなければならないこととすることのないようにしなければならない。

243　【地方自治法第250条の7】

1　総務省に、国地方係争処理委員会（以下本節において「委員会」という。）を置く。

2　委員会は、普通地方公共団体に対する国又は都道府県の関与のうち国の行政機関が行うもの（以下本節において「国の関与」という。）に関する審査の申出につき、この法律の規定によりその権限に属させられた事項を処理する。

B 地方公共団体間の係争処理

地方公共団体間の係争処理とは、普通地方公共団体相互間・普通地方公共団体の機関相互間の争いについて処理することをいいます。

普通地方公共団体相互間・普通地方公共団体の機関相互間の紛争や、都道府県の関与において、都道府県と市町村との間で対立が生じた場合には、第三者機関である自治紛争処理委員によって、公平・中立な立場から、地方公共団体間の係争処理についての審査が行われることとなります（地方自治法第251条[244]第1項）。

244 【地方自治法第251条】

1 自治紛争処理委員は、この法律の定めるところにより、普通地方公共団体相互の間又は普通地方公共団体の機関相互の間の紛争の調停、普通地方公共団体に対する国又は都道府県の関与のうち都道府県の機関が行うもの（以下この節において「都道府県の関与」という。）に関する審査、第二百五十二条の二第一項に規定する連携協約に係る紛争を処理するための方策の提示及び第百四十三条第三項（第百八十条の五第八項及び第百八十四条第二項において準用する場合を含む。）の審査請求又はこの法律の規定による審査の申立て若しくは審決の申請に係る審理を処理する。

2 自治紛争処理委員は、三人とし、事件ごとに、優れた識見を有する者のうちから、総務大臣又は都道府県知事がそれぞれ任命する。この場合においては、総務大臣又は都道府県知事は、あらかじめ当該事件に関係のある事務を担任する各大臣又は都道府県の委員会若しくは委員に協議するものとする。

3 自治紛争処理委員は、非常勤とする。

4 自治紛争処理委員は、次の各号のいずれかに該当するときは、その職を失う。

一 当事者が次条第二項の規定により調停の申請を取り下げたとき。

二 自治紛争処理委員が次条第六項の規定により当事者に調停を打ち切つた旨を通知したとき。

三 総務大臣又は都道府県知事が次条第七項又は第二百五十一条の三第十三項の規定により調停が成立した旨を当事者に通知したとき。

四 市町村長その他の市町村の執行機関が第二百五十一条の三第五項から第七項までにおいて準用する第二百五十条の十七の規定により自治紛争処理委員の審査に付することを求める旨の申出を取り下げたとき。

五 自治紛争処理委員が第二百五十一条の三第五項において準用する第二百五十条の十四第一項若しくは第二項若しくは第二百五十一条の三第六項において準用する第二百五十条の十四第三項の規定による審査の結果の通知若しくは勧告及び勧告の内容の通知又は第二百五十一条の三第七項において準用する第二百五十条の十四第四項の規定による審査の結果の通知をし、かつ、これらを公表したとき。

おわりに

先述したように、行政法には、これまで学んできた法とは異なり、行政法という名称の法律が存在しません。そのため、かなり学びにくい分野であるともいえます。また、行政法の理解のためには、それらの理解が必要になります。

本書においては、行政法の全体像が俯瞰できるように、概略のみを紹介しましたが、それでも非常に重要であると思われる、行政手続法・行政不服審査法・行政事件訴訟法・国家賠償法については詳細に説明をしました。対して、その他の分野や地方自治法についてはごく簡単な紹介にとどめました。

行政法は憲法との結びつきがかなり強固な分野となりますので、今後は、姉妹書を初め、憲法学・行政法学についてのより詳細な専門の基本書や判例集等にあたっていただき、より深い理解に努めていただければと思います。

....

六　普通地方公共団体が第二百五十一条の三の二第二項の規定により同条第一項の処理方策の提示を求める旨の申請を取り下げたとき。

七　自治紛争処理委員が第二百五十一条の三の二第三項の規定により当事者である普通地方公共団体に同条第一項に規定する処理方策を提示するとともに、総務大臣又は都道府県知事にその旨及び当該処理方策を通知し、かつ、公表したとき。

八　第二百五十五条の五第一項の規定による審理に係る審査請求、審査の申立て又は審決の申請をした者が、当該審査請求、審査の申立て又は審決の申請を取り下げたとき。

九　第二百五十五条の五第一項の規定による審理を経て、総務大臣又は都道府県知事が審査請求に対する裁決をし、審査の申立てに対する裁決若しくは裁定をし、又は審決をしたとき。

5　総務大臣又は都道府県知事は、自治紛争処理委員が当該事件に直接利害関係を有することとなつたときは、当該自治紛争処理委員を罷免しなければならない。

6　第二百五十条の九第二項、第八項、第九項（第二号を除く。）及び第十項から第十四項までの規定は、自治紛争処理委員に準用する。この場合において、同条第二項中「三人以上」とあるのは「二人以上」と、同条第八項中「総務大臣」とあるのは「総務大臣又は都道府県知事」と、同条第九項中「総務大臣は、両議院の同意を得て」とあるのは「総務大臣又は都道府県知事は」と、「三人以上」とあるのは「二人以上」と、「二人」とあるのは「一人」と、同条第十項中「総務大臣」とあるのは「総務大臣又は都道府県知事」と、「二人」とあるのは「一人」と、同条第十一項中「総務大臣」とあるのは「総務大臣又は都道府県知事」と、「両議院の同意を得て、その委員を」とあるのは「その自治紛争処理委員を」と、同条第十二項中「第四項後段及び第八項から前項まで」とあるのは「第八項、第九項（第二号を除く。）、第十項及び前項並びに第二百五十一条第五項」と読み替えるものとする。

主要参考文献

第一講 法学入門

大谷 實 編『エッセンシャル法学〔第7版〕』(2019年、成文堂)

第二講 民法学入門

佐藤 匡『法学入門講座Ⅲ－民法－』(2016年、東京教学社)
内田 貴『民法Ⅰ〔第4版〕総則・物権総論』(2008年、東京大学出版会)
内田 貴『民法Ⅱ〔第3版〕債権各論』(2011年、東京大学出版会)
内田 貴『民法Ⅲ〔第4版〕債権総論・担保物権』(2020年、東京大学出版会)
内田 貴『民法Ⅳ〔補訂版〕親族・相続』(2004年、東京大学出版会)
内田 貴『改正民法のはなし』(2020年、東京大学出版会)
潮見 佳男＝道垣内 弘人 編『民法判例百選Ⅰ総則・物権〔第8版〕』(2018年、有斐閣)
窪田 充見＝森田 宏樹 編『民法判例百選Ⅱ債権〔第8版〕』(2018年、有斐閣)
水野 紀子＝大村 敦志 編『民法判例百選Ⅲ親族・相続〔第2版〕』(2018、有斐閣)

第三講 商法学入門

弥永 真生『リーガルマインド商法総則・商行為法〔第3版〕』(2019年、有斐閣)
神作 裕之＝藤田 友敬 編『商法判例百選』(2019年、有斐閣)

第四講 民事訴訟法学入門

伊藤 眞『民事訴訟法〔第7版〕』(2020年、有斐閣)
高橋 宏志＝高田 裕成＝畑 瑞穂 編『民事訴訟法判例百選〔第5版〕』(2015年、有斐閣)

第五講 刑法学入門

前田 雅英『刑法総論講義〔第7版〕』(2019年、東京大学出版会)
前田 雅英『刑法各論講義〔第7版〕』(2020年、東京大学出版会)
山口 厚＝佐伯 仁志 編『刑法判例百選Ⅰ総論〔第7版〕』(2014年、有斐閣)
山口 厚＝佐伯 仁志 編『刑法判例百選Ⅱ各論〔第7版〕』(2014年、有斐閣)

第六講 刑事訴訟法学入門

池田 修＝前田 雅英『刑事訴訟法講義〔第6版〕』(2018年、東京大学出版会)
井上 正仁＝大澤 裕＝川出 敏裕 編『刑事訴訟法判例百選〔第10版〕』(2017年、有斐閣)

第七講 憲法学入門

野上 修市＝佐藤 匡『解説 日本国憲法』（2015年、東京教学社）
佐藤 匡『法学入門講座Ⅰ－憲法－』（2018年、東京教学社）
佐藤 匡『詳解 憲法学』（2021年、東京教学社）
芦部 信喜〔高橋 和之 補訂〕『憲法〔第7版〕』（2019年、岩波書店）
佐藤 幸治『日本国憲法論』（2013年、成文堂）
長谷部 恭男＝石川 健治＝宍戸 常寿 編『憲法判例百選Ⅰ〔第6版〕』（2013年、有斐閣）
長谷部 恭男＝石川 健治＝宍戸 常寿 編『憲法判例百選Ⅱ〔第6版〕』（2013年、有斐閣）

第八講 行政法学入門

佐藤 匡『法学入門講座Ⅱ－行政法－』（2016年、東京教学社）
宇賀 克也『行政法概説Ⅰ行政法総論〔第7版〕』（2020年、有斐閣）
宇賀 克也『行政法概説Ⅱ行政救済法〔第7版〕』（2021年、有斐閣）
宇賀 克也『行政法概説Ⅲ行政組織法/公務員法/公物法〔第5版〕』（2019年、有斐閣）
宇賀 克也『地方自治法概説〔第9版〕』（2021年、有斐閣）
宇賀 克也『行政不服審査法の逐条解説〔第2版〕』（2017年、有斐閣）
宇賀 克也『行政法〔第2版〕』（2018年、有斐閣）
櫻井 敬子＝橋本 博之『行政法〔第6版〕』（2019年、弘文堂）
宇賀 克也＝交告 尚史＝山本 隆司 編『行政判例百選Ⅰ〔第7版〕』（2017年、有斐閣）
宇賀 克也＝交告 尚史＝山本 隆司 編『行政判例百選Ⅱ〔第7版〕』（2017年、有斐閣）

その他

高橋 和之＝伊藤 眞＝山口 厚＝他 編『法律学小辞典〔第5版〕』（2016年、有斐閣）
法令用語研究会 編『法律用語辞典〔第4版〕』（2012年、有斐閣）

【著者紹介】

佐藤　匡（さとう　まさし）（鳥取大学地域学部 准教授）

【専　　門】憲法学・法律学（特に情報に関する権利及び制度について）
【主な学歴】明治大学法学部法律学科 卒業
明治大学大学院博士前期課程法学研究科公法学専攻 修了　修士（法学）
【主な職歴】2013（平成25）年４月１日より鳥取大学地域学部に講師として着任
2016（平成28）年４月１日より現職
【担当講義】憲法学、法律学、国法学特論、地域における憲法学・法律学、
人権保障と情報法学、統治機構と行政法学
【主な活動】厚生労働省鳥取労働局鳥取地方最低賃金審議会 会長
鳥取県鳥取市安全で安心なまちづくり推進協議会 会長
鳥取県米子市情報公開・個人情報保護審査会 会長
鳥取県米子市日吉津村中学校組合情報公開・個人情報保護審査会 会長
鳥取県東伯郡湯梨浜町情報公開審査会 会長
鳥取県東伯郡湯梨浜町個人情報保護審査会 会長
鳥取中部ふるさと広域連合情報公開・個人情報保護審査会 会長
兵庫県美方郡新温泉町情報公開審査会 会長
兵庫県美方郡新温泉町個人情報保護審査会 会長
鳥取県個人情報保護審議会 委員
鳥取県議会情報公開審査委員会 委員
鳥取県鳥取市情報公開・個人情報保護審査会 委員
鳥取県鳥取市行政不服審査会 委員
埼玉県越谷市個人情報保護審査会 委員
埼玉県越谷市行政不服審査会 委員
埼玉県越谷・松伏水道企業団行政不服審査会 委員
その他、憲法学・法律学・行政の専門家として地域やマスコミ等で活躍中
2023（令和５）年４月１日現在
【主な著書】単著：『憲法学入門』（2023年、東京教学社）
『詳解 憲法学』（2021年、東京教学社）
『法学入門講座Ⅰ－憲　法－』（2018年、東京教学社）
『法学入門講座Ⅱ－行政法－』（2016年、東京教学社）
『法学入門講座Ⅲ－民　法－』（2016年、東京教学社）
共著：『解説 日本国憲法』（2015年、東京教学社）
・・・恩師である明治大学名誉教授野上修市先生との共著

法律学入門

2021年５月１日　初版発行 2023年４月１日　２刷発行	著　　者© 佐藤　匡 発 行 者 鳥飼正樹 印刷・製本 ㈱メデューム

発行所 株式会社 東京教学社

東京都文京区小石川3-10-5
郵便番号　112－0002
電話　03（3868）2405
FAX　03（3868）0673
振替口座　00150－2－66168

ISBN978-4-8082-7031-5